KB076351

요한 제바스티안 바흐
교회 칸타타

J. S. BACH

DIE KANTATEN

요한 제바스티안 바흐 교회 칸타타

이기숙 옮김 · 나주리 해제

마티

일러두기

☞ 이 책은 바흐의 칸타타 가운데, 교회력에 맞추어 작곡되고 연주된 칸타타를 중심으로 연주 절기를 특정할 수 없는 칸타타와 추도 예배 칸타타를 추가해 엮은 것이다.

☞ 칸타타의 가사와 곡 정보는 Alfred Dürr, *Johann Sebastian Bach: Die Kantaten* (Kassel: Bärenreiter, 2017); Richard Stokes, *J.S. Bach: The Complete Cantatas* (Lanham, MD: Scarerow press, 2000); John Eliot Gardiner, *Bach Canatata Pilgrimage* (SDO, 2013); Christoph Wolff, *Johann Sebastian Bach. The Learned Musician* (New York: W. W. Norton & Company, 2000); www.bach-digital.de; www.bach-cantatas.com 등을 참조했다.

☞ 차례는 교회력 절기 순서에 따랐다. 종교개혁 축일 등 날짜가 특정되는 축일을 위한 칸타타는 그 축일 근처 절기에 배치했다.

☞ ✦은 작곡 및 초연 연도를, ♪은 악기 편성을, Ⓣ은 작사가를 나타낸다.

☞ 독일어 가사 악장 옆은 왼쪽부터 각각 조성과 박자를 나타낸다.

☞ 이 책은 기독교한국루터회를 비롯한 대다수 개신교 교회가 채택한 개역개정판 성경을 참조했다.

해제: 요한 제바스티안 바흐의 칸타타

나주리(동덕여자대학교 예술대학 관현악과 교수, 음악학자)

1. 칸타타, 바흐의 장르

요한 제바스티안 바흐(Johann Sebastian Bach, 1685-1750)의 음악은 다채롭고 방대하다. 오라토리오, 칸타타, 수난곡, 모테트, 미사, 협주곡, 소나타, 모음곡, 푸가, 카논, 변주곡 등 오페라를 제외한 당대의 거의 모든 음악 장르들을 아우른다. 그러나 이 지극히 다채로운 장르의 작품들은 시대의 경계를 넘어서 있지 않다. 금방 눈길을 끄는 새 음악적 언어나 양식, 새 구조나 작법을 담고 있지 않다. 대위법이 마치 바흐의 모국어처럼 작품들에 편재하니, 이미 가벼운 호모포니를 향해 흐르기 시작한 커다란 조류의 밖으로 밀려나 있는 듯도 하다. 이러한 이유로 알베르트 슈바이처(Albert Schweitzer)는 바흐 평전 『요한 제바스티안 바흐』(*J. S. Bach*, 1908)에서 바흐의 음악을 '끝'으로 규정했다. 바흐를 "자신이 속한 시대에 충실하고 자신에게 주어지는 형식과 사상들로 창작한 객관적인 예술가"로 간주하며, "현존하는 모든 것들을 유일무이한 완전함으로 옮기고자 하는 열망을 지녔던 예술가, 과거와 현 세대의 모든 예술적 탐구, 소망, 창조, 갈망, 방황을 품고 있었던 예술가"*로 바흐의 존재 가치를 평했다. 바흐의 음악은 '끝'이되, 이전의 음악 형식과 장르와 양식과 표현수단들을 총괄하고 독창적으로 완성한 '끝'이었다는 것이다. 요컨대 요한 제바스티안 바흐는 바로크 음악의 총괄자이자 완성자였다.

물론 바흐의 음악은 끝이라는 시각만 가능할 리 없다. 끝이면서 시작이기도 하다는 관점 또한 타당하다. "바흐의 음악에서 가장 아름답고 가장 주목을 끌며 가장 독창적인 것은 대부분 아주 오래된 것인데, 그는 이 옛것들을 흉내 낼 수 없는 훌륭한 형태로 우리에게 전해주기 위해 대단한 능력으로 그것들을 부활시켰다"**고 믿은 프랑스의 바흐 학자 앙드레 피로(André Pirro)에게 이의를 제기하기는 어렵다. 바흐의 음악은 이후의, 나아가 오늘날 음악의 원천이었다는 필리프 볼프룸(Philipp Wolfrum)의 주장도 반론의 여지가 없다.*** 실제로 바흐의 음악은 한 시대를 독창과 완벽으로 마무른 예술로서 지속적이고 본질적이며 강력하게 후대의 음악 예술, 후대의 음악 향유에 영향을 미쳤고 미치고 있기 때문이다. 이렇듯 위대한 끝이기도 소중한 출발이기도 한 바흐의 음악에서 칸타타가 점하는 위치와 의미는 무척이나 특별하다. (소실된 것들까지 합치면) 칸타타는 바흐 작품의 절반을 차지한다. 뿐만 아니라 바흐의 칸타타는 서구 문화사의 절정, 서구 예술의 보배, 그리스도교 신앙의 정수라고 단호히 주장되곤 한다.

흔히 '바로크'라 불리는 17세기 초부터 18세기 전반기까지 칸타타는 여러 음악 장르들 가운데에서 상당히 도드라졌다. 17세기 초로 넘어가는 즈음에 이탈리아에서 탄생하고 역

* Albert Schweitzer, *J. S. Bach* (Leipzig: Breitkopf & Härtel, 1908), 1-3.

** André Pirro, *Bach. Sein Leben und seine Werke*, 10.-13. Auflage (Berlin: Schuster & Loeffler, 1922), 7.

*** Philipp Wolfrum, *Johann Sebastian Bach 1: Bachs Leben, die Instrumentalwerke* (Leipzig: Breitkopf & Härtel, 1910), 4.

시 그곳을 거점으로 삼아 당대의 음악을 지배했던 서사적이고 극적인 오페라에 시적이고 서정적인 울림으로 맞선 장르가 칸타타였다. 그러면서도 칸타타는 오페라와 가까운 관계를 맺으며 성장했고, 17세기를 거치면서 주변 나라들로 퍼져나갔다. 그러고는 마침내 프로테스탄트 지역인 독일에서 교회 칸타타로 그 정점에 올랐다. 절정에 달한 칸타타는 요한 제바스티안 바흐의 공적이었다. 그후 오늘까지도 칸타타는 바흐의 장르이고 바흐는 칸타타 작곡가로 여겨진다.

2. 칸타타의 구성

칸타타라는 명칭은 바흐의 시대에 통상적인 것이 아니었다. 단순히 '교회음악'이라고 불리는 경우가 잦았고, 바흐 스스로도 자신의 칸타타 작품에 '콘체르토'(Concerto), '모테토'(Motetto), '디알로고'(Dialogos) 등과 같은 명칭을 붙였다. 칸타타의 음악은 여러 다양한 악장들의 나열로 이루어져 있다. 신포니아, 합창, 가끔 아리오소가 곁들여지는 레치타티보, 아리아, 코랄 등이 그것이다. 물론 이 악곡들이 한 칸타타에 모두 쓰일 필요는 없었다.

우선 순수 기악곡인 신포니아가 주로 칸타타의 시작을 알린다. 신포니아는 가사를 달고 뒤따를 악장의 분위기를 미리 돋우어주는 역할을 한다. 합창은, 특히 큰 규모의 합창은 대부분 성경의 메시지, 성경의 글귀들을 강렬하게 품고 있는 가사에 부응하는 음악적 외침이다. 자주 합창의 뒤를 따르는 레치타티보는 당대 오페라에서처럼 상황을 서술하는 역할을 담당한다. 다만 오페라와 달리 칸타타는 흔히 관조적이거나 성찰적인 주제를 취하므로, 칸타타의 레치타티보는 특정 인물이 처한 상황이나 문제, 감정에 대해 설명하는 가사로 확대

되곤 한다. 그리고 그 상황이나 문제, 감정은 일반적으로 레치타티보의 뒤를 잇는 아리아에 의해 해석되거나 심화된다. 그렇게 특히 기쁨이나 슬픔, 탄식, 고통, 분노, 증오 등의 여러 감정들이 빈번하게 아리아에서 짙게 묘사되고 전해진다. 이때 하나 혹은 여러 대의 독립적이고 필수적인 오블리가토 악기가 노래성부가 끌어내는 감정을 북돋아주기도 한다. 다시 말하면, 이 오블리가토 악기는 노래를 위한 반주가 아니라 노래와 대화를 하는 독자적인 성부이다. 또 바흐의 칸타타들에서는 독립 악장으로서의 아리오소도 존재하지만 아리오소가 레치타티보에 삽입되기도 하는데, 이때에는 관조적인 생각이 깊어지거나 예수의 말들과 같은 중요한 메시지가 전달된다. 부언하자면, 아리오소는 레치타티보와 아리아의 중간 즈음에 놓인 것으로 아리아보다 레치타티보에 가까울 때가 더 많다. 그러나 고정된 리듬으로 흐르고, (가사의 한 음절에 선율의 한 음이 주어지는) 실라빅 선율을 고수하는 대신 (가사의 한 음절에 선율의 여러 음이 주어지는) 멜리스마로 풍부해진 선율을 간간이 펼친다는 점에서 레치타티보와 구별된다. 마지막으로 바흐의 교회 칸타타는 (루터교 '찬송가'인) 코랄로 끝을 맺는 경우가 잦은데, 코랄은 흔히 신도들을 상징한다. 그렇게 신도들은 코랄을 통해 가사의 상황에 동참하게 된다.

신포니아, 합창, 레치타티보, 아리오소, 아리아 등 칸타타가 오페라에서 가져온 요소들 가운데 특히 아리아는 알레산드로 스카를라티(Alessandro Scarlatti, 1660-1725)를 대표자로 하는 나폴리 오페라 악파의 대가들에 의해 화려한 독창곡으로 변모해 있었다. 지극히 정교하고 고도의 테크닉을 요하는 그 독창곡에서 성악가는 자신의 가창 능력을 한껏 과시하고 뽐낼 수 있었다. 엄격한 도식적 구조를 따른 그 아리아는 거의 늘 세 부분의 다카포 형식(ABA)이었는데, 바흐도 칸타타의 아리아에서 다카포 형식을 취하곤 했다. 다만 반복되는 A가 처음의 A에 비해 축소되거나 변화되고, 3부분이 2부분이나 4부분으로 줄거나 늘어나는 등 여러 변형이 꾀해졌다.

3. 예배와 교회 칸타타

바흐의 칸타타는 오늘날에도 변함없이 서구 음악예술의 정수이자 절정으로 연주되고 들려지며 탐구되고 있다. 하지만 그 칸타타들에 내재하는 세계는 우리의 세계와 다른 것, 이질적인 것이다. 바흐의 칸타타들이 울리며 우리에게 감동을 선사할 때에도 여전히 그것들은 우리에게 낯선 세상에 속해 있다. 그 낯선 세상이란 300여 년 전 독일 루터파 프로테스탄트 교회의 예배이고 전통이다.

루터파 프로테스탄트 교회의 예배에서 중심이 되었던 것은 성경의 하나님 말씀을 공포하는 설교였다. 설교를 가장 위대한 예배(하나님을 섬기는 일)로 여긴 루터(Martin Luther, 1483-1546)의 믿음에 따른 것이었다. 당시 설교는 한 시간가량 행해졌고, 칸타타는 설교 전에, 그러니까 복음서 봉독과 신앙고백 사이에서 연주되며 설교를 보완해주는 역할을 했다. 칸타타는 다채로운 음악적 표현을 통해 봉독된 성경 구절을 풀이하거나 강조함으로써 신도들이 경건한 마음을 가다듬을 수 있도록, 또 무엇보다 설교를 듣기 위한 마음의 준비를 할 수 있도록 도왔던 것이다. 이렇게 일요일 예배와 축일 예배에서 칸타타는 확고한 자리와 역할을 차지하고 있었다. 칸타타가 두 부분으로 구성된 경우도 있는데, 이때에는 설교가 끝난 후나 성찬의식 중에 두 번째 부분이 연주되었다. 두 부분 대신 두 곡의 칸타타로 연주되는 경우도 드물지 않았다.

An die Epheser.

CVI

die malzaichen des Herren Jhesu an meynem leibe. Die gnade vnsers Herren Jhesu Christi/ sey mit ewrm gaist/ Lieben brůdder/ AMEN.

(Regel) Diseregel ist nicht der menschenn lere/ sondern das Euangelion/ vnd der glaube in Christo/ Vnd die maalzaichen seind nicht die narben an Christi leib/ sondern allerley leyden/ das wir am leib vmb Christus willen tragen.

Zů den Galatern/ Gesant von Rom.

Vorrede auff die Epistel Sanct Pauli An die Epheser.

N diser epistel leret Sannct Paulus/ auffs erst/ was das Euangelion sey/ wie es allain von Gott in ewigkait versehen/ vnd durch Christum verdienet vnd außgangenn ist/ das alle die daran glaubenn/ gerecht/ fromm/ lebendig/ selig/ vnnd vom Gesetze/ sünnde vnnd tod/ frey werden/ das thůt ehr durch die drey ersten Capitel.

Darnach leeret er meyden die nebenn lere/ vnnd menschenn gebott/ auff das wir an [illegible] haupt bleiben/ gwiß/ rechtschaffen vnnd völlig werden inn Christo allein/ an welchem wirs gar haben/ das wir ausser im nichts dürffen/ Das thůt er im vierten Capitel.

Fort an leeret er den glauben vben/ vnd beweisen mit gůten wercken/ vnnd sünnde meyden/ vnd mit gaistlichen waffen streitenn widder den Teüffel/ damit wir durchs creütz inn hoffnunng bestehen mügen.

Die Epistel Sanct Pauli ann die Epheser.

Das I. Capitel.

Paulus ein Apostel Jhesu Christi/ durch den willen Gottes. Den heyligen zů Epheso vnd gleübigen an Christo Jhesu. Gnad sey mit euch vnnd fride/ vonn Gott vnserm vatter vnd dem Herrn Jhesu Christo.

Gelobet sey Gott vnd der vater vnsers Herren Jhesu Christi/ der vnns gesegnet hat mit allerlay gaistlichem segen/ inn himelischen güttern/ durch Christum/ wie er vns den erwölet hatt durch den selbigenn/ ee der welt grund gelegt war/ das wir solten sein hailig vnd vnstrefflich vor jm/ in der liebe/ vnd hat vns verordnet zůr kindschafft gegenn jhm selbs/ durch Jhesum Christ/ nach dem wolgefallenn seines willens/ zů lob seiner herrlichenn gnade/ durch welche er vnns hat angenem gemacht inn dem geliebten.

Ann welchem wir habenn die erlösunng durch sein blůt/ nämlich/ die vergebunnge der sünde/ nach dem reichthumb seiner genade/ wölche vnns reichlich widderfarenn ist/ durch allerlay weyßheyt vnd klůgheit/ vnd hat vns wissen lassenn/ das gehaymnis seines willen/ nach seinem wol gfallen/

vnd

1539년 아우크스부르크에서 출판된 루터 번역 성경.

강독대 앞에서 성경을 읽고 있는 루터,
목판화를 모사한 프리드리히 벨레의 그림, 1882년.

4. 바흐의 초기 칸타타

요한 제바스티안 바흐는 1685년 3월 21일 독일 중부 튀링엔 지방의 작은 도시인 아이제나흐에서 태어났다. 바흐 가문은 대대로 루터교를 신봉했으며, 요한 제바스티안의 아버지 요한 암브로시우스 바흐(Johann Ambrosius Bach, 1645-1695)는 시(市) 음악가였다. 여덟 아들 중 막내였던 요한 제바스티안은 아홉 살과 열 살에 어머니와 아버지를 차례로 여의고 오르드루프에서 교회 오르가니스트로 일하고 있던 맏형 요한 크리스토프 바흐(Johann Christoph Bach, 1671-1721)에게 몸을 의탁했다. 1700년 3월에는 뤼네부르크로 가 미하엘 교회 성가대원 및 연주자로 활동하면서 미하엘 고등학교를 다녔다. 1702년 학교를 졸업한 바흐는 같은 해 12월부터 바이마르 궁정악단의 바이올리니스트로 일하면서 연주 경험을 쌓았으며, 이듬해 8월에는 근처 아른슈타트의 노이에 교회 오르가니스트로 채용되었다. 1707년 7월 바흐는 뮐하우젠으로 옮겨 가 1706년 12월 세상을 뜬 요한 게오르크 알레의 후임으로 성 블라지우스 교회의 오르가니스트가 되었다.

바흐의 첫 칸타타들은 이 뮐하우젠 시기에 생산되었다. 뮐하우젠에서 작곡된 첫 칸타타들로 여섯 곡이 보존되어 있는데, BWV 131, 106, 71, 196, 4, 150이 그것이다. 초기 작품들이지만 필리프 슈피타(Philipp Spitta)가 기념비적인 평전 『요한 제바스티안 바흐』(*Johann Sebastian Bach*, 1883)에서 이것들을 "걸작"이라고 일컬었을 정도로 음악적 수준은 이미 상당하다.* 가사는 BWV 131, 196, 4를 제외하고 성경 구절과 루터교의 '교회노래'(Kirchenlied)인 코랄을 재료로 삼고

* Philipp Spitta, *Johann Sebastian Bach I*, zweite unveränderte Auflage (Leipzig: Breitkopf & Härtel, 1916), 340.

있다. 즉 뮐하우젠 칸타타들에서는 코랄과 자유시가 더해지며 설명되고 해석되는 성경 구절이 가사의 대부분을 이룬다.

뮐하우젠 칸타타들의 음악을 들여다보면, 합창이 중심축으로 놓이고 그 앞뒤로 합창-솔로가 불리곤 하는 대칭 구조가 눈에 띈다. 바흐 음악 특유의 대칭성이 초기 칸타타에 이미 스며들어 있는 것이다. 칸타타의 시작은 주로 신포니아나 소나티나가 맡는다. 초기 칸타타들의 또 다른 공통점은 후기 칸타타들이 전형적으로 노래하는 레치타티보를 아직 포함하지 않는다는 것이다. 역시 훗날의 칸타타들에서 마무리 곡으로 흔히 등장하는, 신도들을 대변하는 코랄 합창도 아직은 눈에 띄지 않는다. 독일의 바흐 학자 한스-요아힘 슐체(Hans-Joachim Schulze)는 이 초기 뮐하우젠 칸타타들에 대해 17세기까지 그 시작이 거슬러 올라가는 칸타타 발전의 절정이자 종결이라고 평한 바 있다.*

5. 바이마르 칸타타

1708년 7월, 그러니까 뮐하우젠에서 한 해를 보내고 바흐는 빌헬름 에른스트 공작(Wilhelm Ernst von Sachsen-Weimar, 1662-1728)의 바이마르 궁정으로 향한다. 그곳에서 궁정 오르가니스트 겸 실내음악가로 일하다가 1714년 3월 콘체르트마이스터로 임명된다. 매달 새 칸타타를 작곡하고 연주해야 한다는 조건이 걸린 자리였다. 빌헬름 에른스트 공작은 그렇게 바흐가 병약한 궁정 카펠마이스터 요한 사무엘 드레제(Johann Samuel Drese, 1644-1716)의 업무 부담을 덜어주길

* Hans-Joachim Schulze, *Die Bach-Kantaten*, 2. Auflage (Leipzig: Evangelische Verlagsanstalt GmbH, 2007), 609.

바이마르 시절 작곡된 칸타타
〈내 마음은 피바다에서 헤엄치네〉 BWV 199의 바흐 친필 악보.

바랐다. 공작의 요구에 부응해 바흐는 1714년 3월부터 드레제가 세상을 떠나는 1716년 12월까지 한 달에 한 곡씩 칸타타를 썼다. 물론 그 전에도 산발적으로 칸타타를 작곡했었을 수 있지만, 그때의 것으로 특정할 수 있는 교회 칸타타는 전해져 내려오지 않는다. 1708년에서 1713년 사이에 〈작은 오르간곡집〉(Orgelbüchlein) 작업을 시작하고 〈c단조 파사칼리아와 푸가〉 BWV 582를 비롯해 수많은 토카타, 프렐류드와 푸가 등의 오르간 작품들을 활발히 작곡한 사실로 미루어볼 때, 콘체르트마이스터가 되기 전까지 바이마르에서 바흐의 주요 관심사는 칸타타가 아닌 오르간 음악이었을 것이다.

바흐의 칸타타 창작에서 이 두 번째 바이마르 시기가 중요한 이유 중 하나는 1713년에 바흐의 첫 세속 칸타타가 생산되었기 때문이다. 바흐는 이해 2월에 바이센펠스로 가 그곳에서 크리스티안 폰 작센-바이센펠스 공작의 서른한 번째 생일 축하연을 위해 〈나의 즐거움은 사냥뿐이라네〉(Was mir behagt, ist nur die muntre Jagd) BWV 208을 들려주었다. 흔히 '사냥 칸타타'라 불리는 이 작품이, 현재 알려진 바로는 바흐의 첫 세속 칸타타이다. 당시 프랑스의 태양왕 루이 14세를 본보기로 삼아 화려한 궁정의 삶을 영위하고자 한 독일의 바로크 군주들 중 한 사람이었던 크리스티안 폰 작센 바이센펠스는 자신의 생일 연회를 수 주 동안 열었다. 이때 사냥에 열광한 그는 연회에 늘 '사냥 프로그램'을 포함시켰는데, 사냥 행사가 끝나고 타펠음악으로 바흐의 BWV 208이 연주된 것이다.

1714년 3월 2일 콘체르트마이스터 직에 오른 후 1716년 12월까지 바흐가 네 주마다 한 곡씩 작곡한 교회 칸타타들 가운데 우리에게 전해져 내려오는 것은 1714년의 BWV 182, 12, 172, 21, 54, 199, 61, 152(BWV 21, 54, 199는 1714년 3월 2일 전에 작곡된 것일 수 있다), 1715년의 80a, 31, 165, 185,

163, 132, 그리고 1716년의 BWV 155, 70a, 186a, 147a 등이다. 이 칸타타들은 뮐하우젠 칸타타들과는 사뭇 달라진 모습을 보인다. 우선 주로 성경 구절이나 코랄에 기댄 뮐하우젠 칸타타들의 가사와 달리 바이마르 칸타타들의 가사는 대부분 궁정 시인인 잘로몬 프랑크(Salomon Franck, 1659-1725)가 지은 것이다. 잘로몬 프랑크는 1659년 3월 바이마르에서 태어나 예나 대학에서 법학과 신학을 공부하고, 1694년부터 바이마르 궁정의 칸타타 시인으로 활동했다. 바흐와 함께 작업한 칸타타 시인들 가운데 가장 독창성이 빛났던 잘로몬 프랑크는 초기에 성경 구절과 시를 혼합한 옛 유형을 따랐다. 그러나 1715년부터는 자주 성경 구절과 합창 없이 종결코랄을 넣기도 생략하기도 했다. 잘로몬 프랑크의 자유로운 가사들은 풍부한 상상력과 섬세한 감성으로 넘치고, 그리하여 도취적이거나 신비주의적인 인상을 풍기곤 한다. 『요한 세바스찬 바흐 1, 2』(*Johann Sebastian Bach. The Learned Musician*)의 저자 크리스토프 볼프(Christoph Wolff)는 잘로몬 프랑크의 우아하고 시적인 언어, 직접적인 신학적 메시지에 주목했다.* 독창성과 감성, 시성, 종교적 메시지로 풍성한 잘로몬 프랑크의 가사는 오늘날 우리에게 익숙한 형태 및 내용의 칸타타를 이루어냈다.

바이마르 칸타타들의 가사에는 BWV 199, 54의 경우처럼 게오르크 크리스티안 렘스(Georg Christian Lehms, 1684-1717)의 것도 쓰였다. 렘스는 1684년 리그니츠에서 태어나 라이프치히 대학에서 공부하고 요한 게오르크 폰 작센-바이센펠스 공작의 궁정을 거쳐 1710년 말부터 다름슈타트의 궁정 시인 및 궁정 도서관 사서로 일했다. 그곳에서 소설, 오페

* Christoph Wolff, *Johann Sebastian Bach. The Learned Musician* (New York: W. W. Norton & Company, 2000), 165; 크리스토프 볼프, 『요한 세바스찬 바흐 1』, 변혜련 옮김 (서울: 한양대학교 출판부, 2007), 277.

라 대본, 궁정 예배를 위한 여러 해분의 칸타타 가사를 썼는데, 그 가사 중 일부를 바흐가 가져온 것이다. 바흐의 바이마르 칸타타들에 놓여 있는 잘로몬 프랑크와 게오르크 크리스티안 렘스 등의 가사들을 개관해보면, 몇 가지의 유형이 눈에 띈다. 잘로몬 프랑크의 가사에서 주로 보이는 레치타티보를 위한 시가 없는 가사(BWV 182, 12, 172 등), 성경 구절과 코랄을 취하지 않는 레치타티보와 아리아의 가사(BWV 54, 152 등), 성경 구절과 코랄 둘 다, 혹은 둘 중 하나를 취하는 레치타티보와 아리아의 가사(BWV 18, 21, 61, 80a, 31, 165 등)가 그것이다.

음악의 측면에서 보자면, 바흐의 바이마르 칸타타들은 당대 이탈리아 오페라에 가까이 다가서 있다. 이탈리아 오페라 풍의 레치타티보와 아리아를 적극적으로 받아들이고 있다. 사실 교회 칸타타가 이렇게 세속음악을 좇는 것이 바람직해 보이지 않을 수 있다. 그러나 루터는 예배 형식의 유연성과 시대성을 중요하게 여겼고 이는 칸타타에도 유효했으니, 당대의 음악을 주도한 오페라, 그리고 그 오페라의 유행을 따르는 것은 루터교 예배에서 금지될 일이 아니었다.

바흐가 살았던 18세기 전반기, 오페라의 레치타티보와 아리아는 이미 한 세기의 발전 과정을 거친 뒤였다. 레치타티보는 이제 사건의 전개를 진전시키는 역할을 했다. 또 아리아는 사건 진행 중에 야기되는 분노, 증오, 슬픔, 사랑 등의 감정을 섬세하게 음악으로 옮겨 청자의 공감을 얻어내며 오페라에서 견고한 위치를 점하고 있었다. 특히 아리아는, 앞에서 말한 바와 같이, 나폴리 오페라 악파의 대가들이 이루어낸 소위 '다 카포 아리아'로 오페라 음악의 화려한 중심이 되어 있었다. 이러한 당대 오페라의 주요한 음악 내용 및 형태를 바흐는 바이마르의 칸타타들에 수용했다. 이렇게 바이마르의 칸타타들을 통해 바흐 칸타타의 기본적이고 중심적인

요한 크리스토퍼 뮐러의 레오폴트 폰 안할트-쾨텐 초상, 1724년.

음악 틀이 세워지게 된다. 흥미로운 점은 1714년의 칸타타 아리아들은 대부분 ABA의 다카포 아리아 형식을 거의 그대로 따르는 데 비해, 1715년부터는 더 확장되고 자유로워진, 혹은 축소된 다카포 아리아가 등장하는 일이 잦다는 것이다. 또 다카포 없이 노래 불리는 경우도 드물지 않았다. 바흐는 18세기의 아리아가 맹목적이다시피 좇은 형식을 금방 극복해내고, 그것을 바탕으로 아리아의 다양성을 구현해낸 것이다. 그 밖에도 바흐의 바이마르 칸타타들은 바이올린, 비올라, 비올라 다모레, 비올라 다 감바, 바순, 오보에, 리코더, 트럼펫, 팀파니 등으로 매우 다채로운 악기의 색채를 담아낸다.

6. 쾨텐 칸타타

1717년 8월 7일 바흐는 작센 지방의 작은 도시인 쾨텐 궁정의 카펠마이스터로 임명된다. 음악, 건축, 미술에 조예가 깊을 뿐 아니라, 첼발로와 바이올린 연주에도 능한 선제후 레오폴트 폰 안할트-쾨텐(Leopold von Anhalt-Köthen, 1694-1728)의 궁정이었다. 레오폴트의 궁정은 개혁파(칼뱅파) 궁정이었으니, 그곳에서는 교회음악보다는 세속음악이, 성악보다는 기악이 활발히 향유되고 있었다. 그리고 바흐가 이끌 궁정악단에는 바이올린 연주자 요제프 슈피스, 바이올린과 감바 연주자 크리스티안 페르디난트 아벨 같은 탁월한 연주자들이 포진해 있었다. 이 개혁파 궁정에서 교회음악에 대한 특별한 의무를 질 필요도 이유도 없었던 바흐의 창작은 이제 세속음악과 기악으로 기운다. 칸타타들 역시 대부분 세속 칸타타이다. 1718년 12월 10일 레오폴트의 생일을 기해 작곡되고 연주된 교회 칸타타가 유일한 '쾨텐 교회 칸타타'로 일려져 있는데, 아쉽게도 소실되어 전해지지 않는다. 다만 이 칸타타의 존재

쾨텐에서 카펠마이스터로 봉직하던 1722년경의 바흐

가 유일하게 증명되고 있을 뿐, 이것이 바흐가 쾨텐에서 작곡한 유일한 교회 칸타타라고 단정하기는 어렵다.

쾨텐 궁정에서는 적어도 일 년에 두 차례 세속 칸타타가 연주되었다. 새해 첫날과 레오폴트 폰 안할트-쾨텐의 생일인 12월 10일을 위한 행사에서였다. 이때 연주되었던 바흐의 세속 칸타타들 중 일부는 보존되어 있고 일부는 가사만 남았다. 완전히 소실된 것들도 있다. 바흐의 쾨텐 세속 칸타타 대부분의 작사자는 크리스티안 프리드리히 후놀트(Christian Friedrich Hunold, 1681-1721)였다. 메난테스(Menantes)라는 필명으로 글을 쓴 후놀트는 1681년 9월 29일 튀링엔 지방의 반더스레벤에서 태어나 예나 대학에서 법학을 공부했으나 곧 학업을 중단하고 함부르크로 가 작가 겸 문학비평가로 일하면서 오페라와 오라토리오의 대본을 쓰기도 했다. 1708년에는 할레 대학에서 시학을, 1714년부터는 법학을 강의했다. 당시 명성 높은 시인으로서 새해 첫날과 레오폴트 생일 축하 행사를 위해 쾨텐 궁정에 고용된 후놀트와 바흐의 첫 공동 작업은 1718년 12월 10일에 이루어진 것으로 보인다. 이후 후놀트의 가사를 취한 바흐의 칸타타로 1718년 레오폴트 생일을 위한 BWV 66a, 1719년 새해 첫날을 위한 BWV 134a, 1720년 새해 첫날과 레오폴트 생일을 위한 부록 6과 부록 7 등이 작곡되었다. 1721년 8월 16일 후놀트가 세상을 뜬 후에는 누가 바흐에게 칸타타의 가사를 제공해주었는지 알려져 있지 않다. 1772년 레오폴트 생일을 위해 작곡된 BWV 173a 등 이후 칸타타들의 작사자가 그래서 종종 미상으로 남아 있다. 또 바흐가 1723년 쾨텐을 떠날 때까지 그 두 성대한 궁정 연례행사에 쓰일 교회 칸타타와 세속 칸타타를 총 스물두 곡 작곡했을 것이라 추정된다. 하지만, 그 가운데 아홉 곡만이 기록을 통해 확인되고, 보존되어 전해지는 것은 BWV 134a와 BWV 173a뿐이다. 우리가 바흐의 쾨텐 칸타타들에 대해 대략적으로밖에 파악하지 못하고 있는 이유들이다.

바흐의 쾨텐 칸타타들에서 시선을 끄는 흥미로운 특징은 이 작품들이 자주 세레나타(Serenata)의 제목을 달고 세레나타의 형태를 띤다는 점이다. 세레나타란 당시에 무대가 있을 수 있지만 필수적 요소는 아니었던 일종의 작은 오페라를 의미했는데, 바흐의 칸타타에서는 주로 알레고리적 인물들이나 신들, 목자들이 군주의 위대함을 칭송하고 함께 행운을 기원하는 내용이 다루어진다. 바흐의 쾨텐 세속 칸타타들은 음악적으로도 가사의 가볍고 흥겨운 분위기를 그대로 반영하며, 때때로 춤곡 풍의 선율로 흥을 돋운다.

7. 라이프치히 칸타타

7.1 첫해분 칸타타 사이클 - Jahrgang I (1723-1724)

1723년 5월 22일 바흐는 라이프치히에 도착한다. 쾨텐의 카펠마이스터 바흐가 라이프치히의 칸토르가 되어 가족과 함께 라이프치히에 정착하게 된 것이다. 상업과 무역, 출판과 학문의 중심지인 라이프치히의 명성을 더욱 드높이겠다는 의지를 담아 라이프치히의 시위원회가 한 해 전에 세상을 떠난 요한 쿠나우(Johann Kuhnau, 1660-1722)의 후임자로 바흐를 결정했고, 바흐는 생을 마칠 때까지 라이프치히 성 토마스 교회 칸토르 겸 시 음악감독 직을 수행했다. 그의 임무는 교회 부속학교 학생들의 음악교육과 합창단 훈련, 그리고 라이프치히 시를 위한 교회음악 작곡과 연주였다.

라이프치히의 일요일 교회 예배는 성대하고 풍성하게 치러졌다. 오전 7시에 본 예배가 시작되기 전 이미 새벽 예배가 행해졌고, 본 예배 후에는 12시 30분경에 정오 설교가 뒤

따랐다. 당시 설교는 한 시간 이상 걸리는 경우가 흔했고, 본 예배 때에는 성찬식에 참여하는 사람들도 많았다. 예배 시간이 길어질 수밖에 없었다. 따라서 칸타타에는 30분 정도만 허락되었다. 이보다 더 길어지는 일은 거의 없었다. 축일에는 라이프치히의 두 주교회인 성 니콜라이 교회와 성 토마스 교회의 오후 예배에서 오전에 상대 교회에서 연주되었던 칸타타가 재연되었다.

성 토마스 교회와 성 니콜라이 교회의 일요일 예배 및 축일 예배에서 들려지는 음악은 라이프치히에서 가장 명성 높은 음악이기도 했다. 그리고 그 음악은 모두 토마스 칸토르의 감독하에 쓰이고 선택되며 훈련되고 연주되었다. 바흐는 1723년 삼위일체주일 후 첫 일요일인 5월 30일에 그 직무를 시작한다. 따라서 바흐가 작곡한 라이프치히 교회 칸타타의 첫해분 사이클 역시 1723년 삼위일체주일 후 첫 일요일의 것으로 시작된다. 본래 교회의 한 해분 칸타타 사이클은 교회력에 따라 대강절 제1주일에서 시작해 삼위일체주일 후 마지막 일요일에 끝나는 것이 마땅하다. 하지만 바흐가 쓰고 묶은 라이프치히 첫해분 교회 칸타타 사이클은 그가 토마스 칸토르로 업무를 시작한, 그러니까 그가 〈가난한 사람은 배불리 먹고〉(Die Elenden sollen essen) BWV 75로 다시 교회 칸타타를 쓰기 시작한 1723년 삼위일체주일 후 첫 일요일에 착수되어 이듬해의 삼위일체주일에 끝난다. 이후의 칸타타 사이클도 마찬가지이다.

라이프치히의 두 주교회인 성 니콜라이 교회와 성 토마스 교회, 그리고 노이에 교회와 성 페트리 교회의 음악을 담당한 주체는 토마스 학교의 합창단이었다. 바흐가 1730년 8월 23일 라이프치히 시의회에 제출한 청원서에서 확인되는 바로는 55여 명의 토마스 학교 상급반 학생들이 네 합창단으로 나뉘어 배정되었고, 그중 제1합창단이 주로, 제2합창단이

라이프치히 토마스교회, 후베르트 크라츠의 수채화, 1881년.

가끔 칸타타 연주를 맡았다. 즉 제1합창단과 제2합창단이 일요일마다 성 토마스 교회와 성 니콜라이 교회를 오가며 교대로 예배 음악을 수행했고, 제3합창단은 노이에 교회에서 모테트를, 제4합창단은 성 페트리 교회에서 단성부 코랄을 불렀다. 그러니까 바흐의 칸타타를 주로 담당한 가장 실력이 좋고 훈련이 잘된 합창단은 제1합창단이었다. 그런데 제1합창단은 소프라노, 알토, 테너, 베이스에 각각 세 명 정도 배정되어 총 열두 명을 넘은 적이 거의 없었다. 악기 연주자들의 규모도 소박했다. 네 명의 시악사, 세 명의 바이올린 연주자 정도로 악단이 꾸려졌다. 물론 이들만으로는 연주가 불가능했으므로, 대학의 학생들이나 토마스 학교 졸업생들, 바흐의 개인 제자들이 힘을 보태야 했다. 앞에서 언급한 바흐의 청원서에 제1, 2바이올린에 각각 두세 명, 제1, 2비올라에 각각 두 명, 첼로에 두 명, 비올로네에 한 명, 제1, 2오보에에 각각 한 명, 트럼펫에 세 명, 바순에 한두 명, 팀파니에 한 명의 연주자가 필요하다고 적혀 있으니, 바흐가 라이프치히에서 거느릴 수 있던 음악가는 성악가 열두 명, 필요에 따라 연주자 열둘에서 스무 명, 오르가니스트 한 명 정도였던 것으로 추측된다.

이 작은 악단을 이끌고 바흐는 매 일요일 예배와 축일 예배에 칸타타를 올렸다. 라이프치히에서 전통적으로 특별히 기려진, 그래서 칸타타가 연주된 축일은 성탄절, 부활절, 성령강림절의 대축일 외에 주현절(1월 6일), 세 마리아 축일인 마리아 정결례 축일(2월 2일), 수태고지 축일(3월 25일), 마리아 방문 축일(7월 2일), 그리고 성 요한 축일(6월 24일), 성 미하엘 축일(9월 29일), 종교개혁 축일(10월 31일)이었다. 즉 바흐는 한 해에 총 60여 곡의 칸타타가 필요했다. 물론 축일과 일요일이 겹치는 때도 있었으므로 필요한 칸타타의 수는 해마다 조금씩 달라질 수 있었다.

라이프치히의 교회음악가로서 바흐는 두 주교회에서 늘 자신의 칸타타가 연주될 수 있도록 애썼다. 이는 바흐가 처음 몇 년 동안 매주 새 칸타타를 쓰고 파트보를 만들었으며 합창단과 연주자들을 연습시켰다는 의미이기도 하다. 이렇게 많은 양의 음악을 지속적으로 생산해내야 한 적이 없었던 바흐에게 라이프치히에서의 첫해는 엄청난 도전의 해였을 것이다. 바흐의 이 고된 작업에는 자신의 칸타타를 넉넉하게 비축해놓아 언제든 다시 사용할 수 있도록 하겠다는 목적도 있었겠지만, 라이프치히의 교회음악을 쇄신하고 자신의 음악적 이상과 구상을 구현하려한 의도도 짙게 깔려 있었다.

바흐가 라이프치히에서 첫 한 해 동안 작업하고 생산해낸 칸타타들은, 그러니까 소위 바흐의 라이프치히 '첫해분 사이클'에 속하는 칸타타들은 1723년의 BWV 75, 76, 21, 24, 185, 167, 147, 186, 136, 105, 46, 179, 199, 69a, 77, 25, 138, 95, 148, 48, 162, 109, 89, 194, 163, 60, 90, 70, 61, 63, 40, 64, 1724년의 BWV 190, 153, 65, 154, 155, 73, 81, 83, 144, 181, 18, 22, 23, 182, 31, 4, 66, 134, 67, 104, 12, 166, 86, 37, 44, 172, 59, 173, 184, 194, 165이다. 이 중에는 잘로몬 프랑크, 에르트만 노이마이스터(Erdmann Neumeister, 1671-1756), 게오르크 크리스티안 렘스 등의 가사로 바흐가 예전에, 특히 바이마르에서 작곡한 것을 간간이 수정해 다시 사용한 것도 포함되어 있다. BWV 21, 185, 186, 199, 162, 163, 61, 63, 155, 18, 182, 31, 4, 12, 172, 59, 165가 그것이다. 그리고 BWV 66, 134, 173, 184는 패러디들인데, 쾨텐에서 쓴 세속 칸타타들을 가져와 새로 지어진 종교적 가사를 붙인 것이다. 이렇듯 바흐가 옛 칸타타들을 다시 꺼내든 것은 엄청난 업무양과 부담에 따른 어쩔 수 없는 선택이었을 것이다. 그러나 바흐는 결코 편한 선택만 하지 않았다. 예배의 설교 앞뒤로 연주될 수 있도록 칸타타를 두 부분으로 구성하든지 아예 두

곡의 칸타타를 작곡한 경우가 드물지 않았다. BWV 75, 76, 21, 24+185, 147, 186, 179+199, 70, 181+18, 31+4, 172+59, 194+165, 22+23이 그 경우들이다. 또 스무여 곡의 '재사용' 칸타타들을 제외한 작품들은 모두 새로 만들어진 것이다. 이 첫해분 사이클의 새 칸타타들과 관련해 아쉬운 점은 에르트만 노이마이스터의 가사를 달고 있는 BWV 24를 제외하고는 가사의 출처와 작가가 알려진 작품이 없다는 것이다. 패러디 칸타타들의 가사 역시 출처와 작가 미상으로 남아 있다.

첫해분 칸타타들의 음악은 대체로 형식적, 구조적 틀에 매이지 않고 자유롭게 흐른다. 자유롭고 다채로운 흐름 및 구성 가운데에서 눈에 띄는 한 가지 공통점은 크고 웅장하며 표현력 강한 합창이다. 크리스토프 볼프는 그러한 맥락에서 〈주님, 당신의 종을 심판하지 마소서〉(Herr, gehe nicht ins Gericht mit deinem Knecht) BWV 105와 〈살펴보고 또 보라, 어떤 고통이〉(Schauet doch und sehet, ob irgend ein Schmerz sei) BWV 46을 유례가 없는 예술적이고 획기적인 칸타타로 꼽는다.* 볼프가 지적한대로, BWV 105의 첫 합창은 총 8성부의 128마디, BWV 46의 첫 합창은 총 13성부의 142마디로 이전 칸타타들의 가장 큰 합창 중 하나인 〈내 마음에 근심이 많으나〉(Ich hatte viel Bekümmernis) BWV 21의 합창과 비교하면 그 길이가 두 배 이상이다.

새로운 음향을 시도하는 바흐의 손길도 흥미롭다. 바흐는 첫해분 사이클의 칸타타들에 오보에보다 낮고 부드러운 소리를 내는 오보에 다모레(oboe d'amore)를 사용한다. 오보에 다모레는 1717년부터 독일어권 지역에서 본격적으로 쓰이기 시작했다. 바흐는 라이프치히 토마스 칸토르 지원자로서

* Wolff, *Johann Sebastian Bach. The Learned Musician*, 274; 크리스토프 볼프, 『요한 세바스찬 바흐 2』, 이경분 옮김 (서울: 한양대학교 출판부, 2007), 71-72.

칸타타 〈당신은 참 하나님이며 다윗의 자손〉(Du wahrer Gott und Davids Sohn) BWV 23을 오디션 곡으로 연주했는데, 이때 그 악기를 처음 사용한 것 같다. 이것이 사실이라면, 바흐는 〈당신은 참 하나님이며 다윗의 자손〉으로 라이프치히의 교회에 오보에 다모레의 소리를 처음 들이고 알린 셈이다. 확실하게는 바흐가 토마스 칸토르로서 작곡한 첫 칸타타 〈가난한 사람은 배불리 먹고〉(Die Elenden sollen essen) BWV 75에 오보에 다모레가 처음으로 편성되었다. 이 '사랑의 오보에'는 곧 바흐의 칸타타에서 중요한 오블리가토 성부를 맡는 악기로 자리 잡았다.

플라우토 트라베르소(flauto traverso: 가로 플루트)의 도입도 예사롭지 않다. 〈브란덴부르크 협주곡 제5번〉 BWV 1050과 〈플루트 솔로를 위한 a단조 파르티타〉 BWV 1013에 플라우토 트라베르소가 등장한다는 점으로 미루어볼 때, 바흐는 이 악기를 1718년과 1720년 사이에 자신의 음악으로 가져온 것으로 보인다. 플라우토 트라베르소는 1720년경에 들어서야 독일어권 지역에 보급되기 시작했으니, 바흐는 이 '현대적인' 악기를 접하자마자 자신의 작품에 사용한 셈이다. 이렇듯 쾨텐 시기에 새로이 만나고 쓰게 된 여러 악기들을 통해 바흐 음악의 음향은 보다 폭넓은 스펙트럼을 지니게 되었고, 그 다채로운 음향의 언어는 라이프치히의 첫해분 칸타타들을 새로운 터전으로 삼아 말해지고 펼쳐졌다. 트롬본, 코넷, 피콜로 플루트도 라이프치히에서 사용되기 시작했으며, 트롬본과 코넷은 칸타타 BWV 23, 25, 28, 64, 135, 101, 121 등에, 피콜로 플루트는 두 번째 해분 사이클의 칸타타 BWV 8, 96, 103 등에 편성되었다.

라이프치히에서 처음 몇 해 동안 바흐가 감당해야 한 업무의 양과 무게는 상당했다. 그럼에도 바흐는 두 번째 해에 들어서 예전에 쓴 칸타타들을 가져와 다시 사용하는 작업 방식을 멈춘다. 대신 새롭게 구상하고 세운 목표에 따라 칸타타를 써나간다. 옛 라이프치히의 전통에 의거해 프로테스탄트의 교회노래, 즉 교회력에 따른 코랄을 칸타타의 토대로 놓고 작업해 나간 것이다. 그러나 이 코랄 칸타타는 두 번째 해분의 사이클을 온전히 채우지 못하고 1725년 부활절에 중단된다. 그리해서 두 번째 해분으로 우리에게 전해지는 코랄 칸타타는 1724년의 BWV 20, 2, 7, 135, 10, 93, 107, 178, 94, 101, 113, 33, 78, 99, 8, 130, 114, 96, 5, 180, 38, 115, 139, 26, 116, 62, 91, 121, 133, 122, 1725년의 BWV 41, 123, 124, 3, 111, 92, 125, 126, 127, 1이다. 이 칸타타들의 코랄 가사는 물론 개작되었는데, 누가 그 일을 담당했는지에 대해서는 알려진 것이 없다. 다만 유력하게 추측되기로는, 성 토마스 학교의 명예 교감으로서 신학적 지식이 풍부했던 안드레아스 슈튀벨(Andreas Stübel)이 그 개작 일을 맡았던 것 같다. 슈튀벨은 1725년 1월 27일 갑자기 세상을 떠났는데, 그해 부활절 전 아홉 번째 일요일(1월 28일)부터 수태고지 축일(3월 25일)까지 연주될 칸타타 가사 책자가 바흐에게 건네진 직후였다. 이런 정황에 따르면 바흐의 코랄 칸타타가 수태고지 축일 칸타타 〈샛별이 참으로 아름답게 빛납니다〉(Wie schön leuchtet der Morgenstern) BWV 1로 끝나는 이유도 무리 없이 설명된다.

코랄 칸타타들이 작곡된 열 달은 바흐가 가장 활발하고 왕성하게 칸타타를 생산해낸 시기로 꼽힌다. 거의 40주 동안 40곡의 칸타타를 새로 작곡해냈으니 말이다. 부활절부터는 BWV 249, 4, 6, 42, 85, 103, 108, 87, 128, 183, 74, 68, 175,

크리스티아네 마리아네 폰 치글러의 초상,
마르틴 베르니게로트의 동판화, 1725년경.

176이 나왔다. BWV 85까지의 다섯 곡은 작자 미상이고, 이후의 아홉 곡은 크리스티아네 마리아네 폰 치글러(Christiane Mariane von Ziegler, 1695-1760)의 가사를 취하고 있다. 이 여류시인은 바흐와 짧지만 긴밀하게 공동 작업을 한 것 같다. 1695년 6월 라이프치히에서 선제후 법률위원이자 훗날 라이프치히 시장도 역임한 프란츠 콘라드 로마누스의 딸로 태어난 치글러는 1733년 비텐베르크 대학이 그를 '계관시인'(Poeta laureata)으로 선정할 만큼 뛰어난 작가였다. 게다가 피아노, 류트, 플루트 연주에도 능했으니 바흐와의 칸타타 작업이 낯설지 않았을 것이다. 다만 치글러의 시가 무척 세련되고 생동감이 넘쳤음에도 바흐는 그의 글을 늘 수정하고 다듬어서 칸타타의 가사로 삼았다.

코랄 칸타타들로 돌아가 그 음악을 들여다보면, 대규모 코랄합창의 형태를 띠는 첫 악장과 마지막 악장은 코랄의 선율을 그대로 유지한다. 이때 악장의 시작은 교향곡적인 도입부가 맡으며, 오케스트라가 간주들을 연주한다. 그리고 4성부의 합창 단락에서도 악기들의 독립적인 진행은 포기되지 않는다. 반면에 중간 악장들은 코랄로부터 다소 거리를 둔다. 즉 레치타티보와 아리아들에서는 본래의 코랄 선율이 거의 감지되지 않는다. 그러나 그 주요 선율은 보통 코랄의 시작 부분에서 따온 것이며, 간혹 코랄 편곡 식으로 작업된 중간 악장들도 있다.

코랄 칸타타가 아닌 칸타타들은 첫해분 사이클의 칸타타들과 유사하게 작곡되었다. 다만 악기를 다루는 데에서 더욱 노련해진 면모가 눈길을 끈다. 플라우토 트라베르소가 1724년 후반기에 들어 중요한 솔로 악기로 자리 잡고, 치글러의 가사를 달고 있는 칸타타 BWV 183과 175에서는 관악기들이 독특한 조합으로 풍성하게 쓰인다. 즉 〈사람들은 너희를 회당에서 쫓아내리라 II〉(Sie werden euch in den Bann

라이프치히 세 번째 해분 칸타타인
〈나는 만족합니다〉 BWV 82의 바흐 친필 악보.

tun) BWV 183에서는 두 대의 오보에 다모레와 두 대의 오보에 다 카차가 같이 울리고, 〈그가 자기 양의 이름을 각각 불러〉(Er rufet seinen Schafen mit Namen) BWV 175에는 세 대의 리코더와 두 대의 트럼펫이 편성되어 있다.

1725년 부활절과 성령강림절 사이의 칸타타들에서는 다시 예전에 쓴 칸타타를 가져와 손을 보고 가사를 새로 다는 패러디가 시도되었다. 성금요일과 성령강림절 사이에 바흐는 늘 수난곡 연주와 연이어지는 축일들로 인해 바쁠 수밖에 없었다. 그즈음에 패러디 칸타타가 필요하거나 늘어나는 건 어쩌면 당연했다.

7.3 세 번째 해분 칸타타 사이클 - Jahrgang III (1725-1727)

요한 제바스티안 바흐의 둘째 아들 카를 필리프 엠마누엘(Carl Philipp Emanuel Bach, 1714-1788)의 유물로 우리에게 전해진 라이프치히 세 번째 해분 칸타타 사이클은 첫해분과 두 번째 해분 사이클과는 달리 두 해분이 혼합되어 있는 형태를 띤다. 1725년 삼위일체주일 동안 칸타타 작곡을 길게 중단했기 때문에 세 번째 해분의 분량이 늘어났을 수 있다. 여하튼 1725년 삼위일체주일 칸타타 BWV 168, 137, 164, 79는 산발적으로 작곡된 것들이다. 대강절 제1주일을 위한 칸타타는 발견되지 않는다. 1725/26년의 성탄절과 주현절 칸타타는 빈틈없이 쓰여서 BWV 110, 57, 151, 28, 16, 32, 13, 72가 전해지고 있다. 마리아 정결례 축일(1726년 2월 2일)부터는 특이하게도 바흐가 자신의 칸타타가 아니라 작센-마이닝엔 궁정 카펠마이스터인 사촌 요한 루드비히 바흐(Johann Ludwig Bach, 1677-1731)의 칸타타를 열여덟 곡 이상 사용한다. 물론 간간이 BWV 146, 43 등과 같은 바흐의 칸타타가 연주되기도 한다. 바흐의 칸타타가 다시 촘촘한 간격으로 '제대로' 생산되기 시작한 것은 삼위일체주일 이후다. BWV 39, 88, 170, 187, 45, 102, 35, 17, 19, 27, 47, 169, 56, 49, 98, 55, 52 등이 그렇게 작곡되고 연주된다. 1727년 초에도 BWV 58, 82, 84의 세 칸타타가 나온다.

세 번째 해분의 칸타타 사이클은 두 번째 해분의 것과 달리 통일성이나 일관성을 보이지 않는다. 가사들이 특히 그렇다. 오래전에 작시되거나 발표된 렘스(BWV 110, 57, 151, 16, 32, 13, 170, 35)와 노이마이스터(BWV 28), 잘로몬 프랑크의 것들(BWV 72)이 가져와지고, 작센-마이닝엔의 에른스트 루트비히 공작(Ernst Ludwig I von Sachsen-Meiningen, 1672-1724)이 쓴 것으로 추정되는 가사들(BWV 43, 39, 88, 187, 45, 102, 17)도 더해져 있다. 이때 흥미로운 점은 예전에 간혹 눈에 띄었던 대화 형식의 칸타타가 다시 등장하는 것이다. BWV 58, 57, 32, 49 등이 그 예이다.

음악의 측면에서는 바흐의 옛 기악 악장들이 다시 쓰이고 울리는 모습이 특이하고 흥미롭다. 그 옛 기악 악장들은 주로 칸타타를 시작하는 도입 신포니아로 연주되는데, 〈그 안식일 저녁에〉(Am Abend aber desselbigen Sabbats) BWV 42에서 그러하다. 바흐는 새로 성악 성부를 작곡해 넣어서 기악곡을 합창이나 아리아로 변모시키기도 한다. 예를 들어 〈우리 입가에는 웃음이 가득하고〉(Unser Mund sei voll Lachens) BWV 110의 첫 악장은 〈관현악 모음곡 제4번 D장조〉 BWV 1069의 첫 악장에 합창을 더한 것이다. 유사한 맥락에서 더욱 도전적인 시도는 오블리가토 오르간의 도입이었다. 오르간 솔로와 칸타타를 결합한 독창적 시도로 여겨질 수 있는 이 작법은 BWV 146, 35, 169, 49에서 쓰이는데, 그 가운데에서 〈우리는 많은 시련을 거쳐 하나님의 나라로 들어가야 하리라〉(Wir müssen durch viel Trübsal) BWV 146의 처음 두 악장은 〈쳄발로 협주곡 제1번 d단조〉 BWV 1052의 처음 두 악장을 가져와 각각 오블리가토 오르간, 오블리가토 오르간과 합창을 더한 것이다. 옛 기악 악장들이 라이프치히의 칸타타들에 다시 자리를 잡을 때 옛 형태를 그대로 유지하는 것은 결코 아니다. 악기 편성, 작곡기법 등에 현저한 변화가 가해진다. 그래서 옛 것의 윤곽이 옮겨지는 정도로 비쳐지는 경우가 대부분이다.

7.4 네 번째 해분 칸타타 사이클 - Jahrgang IV? '피칸더 사이클'? (1728-1729?)

세 번째 해분 사이클에 이어 네 번째 해분의 것이 뒤따르지만, 이것은 대부분 소실된 상태이다. 네 번째 해분의 칸타타로 전해지는 것은 BWV 197a, 171, 156, 84, 159, 145, 174, 149, 188, 157뿐이다. 바흐의 둘째 아들 카를 필리프 엠마누엘 바흐와 제자 요한 프리드리히 아그리콜라(Johann Friedrich Agricola, 1720-1774)가 작성한 바흐의 『추모약전』(*Nekrolog*)에는 다섯 해분 칸타타 사이클이 만들어졌다고 명시되어 있지만, 우리에게 전해지지 않은 네 번째 해분과 다섯 번째 해분의 칸타타 사이클에 대해 명료하게 알 길은 없다.

흥미로운 점은 네 번째 해분의 것으로 남은 몇몇 칸타타들이 BWV 157을 제외하고는 모두 피칸더(Picander)의 시를 가사로 취하고 있다는 사실이다. 어쩌면 네 번째 해분의 칸타타 사이클이 피칸더의 시로써 통일되고 일관된 형태를 띠었을 수도 있다. 본명이 크리스티안 프리드리히 헨리치(Christian Friedrich Henrici, 1700-1764)인 필명의 피칸더는 슈톨펜에서 태어나 비텐베르크 대학과 라이프치히 대학에서 법학을 공부하고 1720년부터 라이프치히에서 개인교사 및 작가로 활동했다. 훗날에는 우편국장과 시 징세관으로 일했는데, 바흐와의 작업은 1725년 크리스티안 폰 작센-바이센펠스의 생일 축연을 위해 쓴, 나중에 〈부활절 오라토리오〉 BWV 249로 변모하는 칸타타 〈그대 염려가 지나고 사라지며 없어지리라〉(Entfliehet, verschwindet, entweichet, ihr Sorgen) 249a로 시작한 것 같다. 피칸더는 바흐의 〈마태수난곡〉 BWV 244와 〈마가수난곡〉 BWV 247의 대본 작가이고, 〈크리스마스 오라토리오〉 BWV 248과 〈부활절 오라토리오〉 BWV 249의 대본가로 유력하게 추측되고 있다. 피칸더의 시와 글은 노련하고 세련되며 매끄러웠다. 무엇보다 악기 연주에도 능했던 그의 음악적 지식 및 능력은 바흐와의 작업에서 상당히 유용했을 것이다. 특히 그는 훌륭한 '패러디 작가'였다. 피칸더는 예사롭지 않은 음악적 감각으로 기존 음악에 새 가사를 붙이는 쉽지 않은 일을 해냈다.

바흐의 네 번째 해분 칸타타 사이클이 피칸더의 가사를 주로 취했을 것이라는 추측은 남아 있는 칸타타들 외에도 1728년에 출판된 피칸더의 한 해분 교회 칸타타 가사집 『한 해의 일요일과 축일을 위한 칸타타』(*Cantaten auf die Sonn- und Fest-Tage durch das gantze Jahr*)를 통해 힘을 얻는다. 이 가사집의 서문에 피칸더는 "부족한 시의 매력과 기품이 비범한 카펠마이스터 바흐 씨의 아름다운 음악으로 보완되고, 그렇게 만들어진 노래들이 경건한 라이프치히의 주교회들에서 울려 퍼질 수 있다는 것이 내게 흡족하기에"*라고 쓰고 있는데, 이 서문은 1728년 6월 24일의 날짜를 달고 있다. 바흐의 칸타타 사이클 시작 시점인 삼위일체 축일 후 첫 일요일과 가까운 그 날짜가 간과되기 어렵다는 것이다.

* *Bach-Dokumente II: Fremdschriftliche und gedruckte Dokumente zur Lebensgeschichte Johann Sebastian Bachs 1685-1750* (Kassel: Bärenreiter-Verlag, 1969), 180-181(No. 243).

피칸더의 칸타타 가사는 특이하게도 BWV 156의 2악장, BWV 159의 2악장에서처럼 종종 아리아와 합창에 코랄과 자유시를 더하곤 하는데, 바흐는 다양한 작곡기법을 펼쳐낼 수 있는 그러한 가사 유형을 반가워했을 것이다. 마지막으로 세 번째 해분 칸타타 사이클에서처럼 예전의 기악 악장을 도입 신포니아로 다시 쓰는 경우가 여전히 눈에 띈다. BWV 188, 156, 174가 그 예들이다.

7.5 그 외의 교회 칸타타들과 오라토리오

소위 '피칸더 사이클' 이후에 작곡된 것으로 우리에게 전해져 내려오는 바흐의 칸타타들은 소수에 그친다. 적지 않은 양의 칸타타들이 소실되었을 가능성도 있다. 하지만 이제 교회에서 쓸 칸타타들은 충분히 비축되었으니, 바흐의 관심 혹은 창작욕이 다른 쪽을 향했을 수 있다. 네 권의 〈클라비어위붕〉, 〈b단조 미사〉 등의 걸작들이 이 가설에 힘을 실어준다. 또 무엇보다 '콜레기움 무지쿰'(Collegium Musicum)에 열성을 쏟았음에 틀림없다. 바흐는 1729년 3월말 라이프치히 '콜레기움 무지쿰'의 감독직을 맡게 되었고, 그 학생 연주단체를 1737년 여름까지, 그리고 다시 1739년 10월부터 1741년 5월까지 이끌었다. 감독직에서 물러나 있을 때에도 긴밀한 관계를 유지했으니, 라이프치히의 시 음악, 이 도시의 음악문화에서 중추적 역할을 한 '콜레기움 무지쿰'은 무려 12년 동안이나 바흐에게 중요한 음악 삶의 터전이었다.

'피칸더 사이클' 이후에 작곡된 교회 칸타타들은 아주 적지만, 바흐의 창작 의도는 금방 드러난다. 우선 바흐는 기존의 칸타타 사이클을 완성해내고자 한 것 같다. 이전의 사이클들이 구성되어 가는 과정에서 특정한 축일이 일요일과 겹치면 '빈틈'이 생겨나게 되었고, 그 '빈틈'을 채우는 칸타타들이 이제 해당 축일 때에 작곡된 것이다. 그렇게 BWV 112, 140, 177, 14 등이 두 번째 해분 사이클을 위해, BWV 51과 30이 세 번째 해분 사이클을 위해 뒤늦게 쓰였다.

다른 한편으로는 일련의 칸타타들이 패러디로 만들어졌다. 바흐는 결혼이나 추도 등을 위해 한 차례 연주되고 만 칸타타들을 다시 매만져서 교회력의 틀 안으로 들여 여러 번 지속적으로 연주될 수 있도록 한 것이다. 예를 들어서 〈나를 축복해주시지 않으면 놓아드리지 않으리라!〉(Ich lasse Dich nicht, Du segnest mich denn) BWV 157은 1727년 2월 6일 추도 칸타타로 연주되었지만 마리아 정결례 축일 칸타타로 바뀌었고, 1726년 결혼 칸타타로 작곡된 BWV 34a는 성령강림절 첫날을 위한 칸타타 〈오 영원한 불길이여, 오 사랑의 샘이여〉(O ewiges Feuer, o Urprung der Liebe) BWV 34로 옮겨졌다.

코랄 칸타타들도 생산되었다. 다만 이제는 1724-25년의 코랄 칸타타들과 달리 코랄의 본래 가사가 거의 보존된다. 하지만 중간 악장들은 여전히 대부분 코랄 편곡이 아니라 아리아나 레치타티보로 꾸려진다. BWV 117, 192, 112, 177, 97, 100 등이 그 코랄 칸타타들인데, 이 가운데 BWV 112, 177은 두 번째 해분의 사이클을 위해 뒤늦게 쓰인 것이다. 나머지는 어느 축일 혹은 일요일을 위한 것들인지 알려져 있지 않다. 음악의 측면에서 눈길을 끄는 것은 바흐의 마지막 코랄 칸타타들이 상당한 연주테크닉적 기교성을 담아내고 있다는 점이다. 예컨대 1734년에 작곡된 〈나의 모든 행위에서〉(In allen meinen Taten) BWV 97의 4악장 테너 아리아 '그의 자비를 믿습니다'(Ich traue seiner Gnaden)와 1732/35년에 작곡된 〈하나님이 하시는 일은 선하시고 III〉(Was Gott tut, das ist wohlgetan) BWV 100의 3악장 소프라노 아리아 '하나님이 하시는 일은 선하도다'(Was Gott tut, das ist wohlgetan)가 펼쳐내는 기교성은 참으로 화려하다.

바흐는 교회 절기뿐 아니라 특별 행사를 위해서도 교회 칸타타를 써야했다. 그렇게 결혼(BWV 부록 14, 34a, 195, 120a, 197 등)이나 추도 예배(BWV 157), 오르간 축성(BWV 194), 1730년의 아우크스부르크 종교회의 기념일(BWV 190) 등을 위한 교회 칸타타들을 썼다. 매년 시의원 선출 후 치러지는 특별 예배용인 소위 '새 시의회 출범 칸타타'(Ratswechelkantate)도 여럿 쓰고 연주했는데, BWV 119, 193, 120, 29, 69 등이 그 작품들이다. 새 시의회 출범 기념 예배는 정치적으로 중요한 행사였던 만큼 바흐는 트럼펫과 팀파니까지 동원해 대규모의 악단을 구성하곤 했다. BWV 119에서는 첼로와 바순, 오르간과 유니슨으로 연주되는 비올로네 등을 각각 여러 대 편성해 강력한 콘티누오를 꾸렸는데, 이는 칸타타의 음악 규모 및 효과를 가히 짐작케 한다. 아쉽게도 예배용 교회 칸타타와 마찬가지로 특별 행사용 교회 칸타타도 적지 않게 소실되었다.

이제 바흐는 오라토리오로써 새로운 교회음악의 영역으로 들어선다. 여기에서 바흐는 예배의 복음서 봉독을 통해 전해지는 사건과 교회음악을 긴밀하게 연결한다. 우선 〈크리스마스 오라토리오〉는 1734년 성탄절과 1735년 주현절 사이에 작곡되었다. 〈부활절 오라토리오〉는 1735년 부활절 혹은 그보다 몇 년 뒤에 1725년의 부활절 칸타타 〈오라, 가라, 서두르라〉(Kommt, gehet und eilet)를 조금 매만져 완성한 것이다. 그리고 〈예수 승천일 오라토리오〉 BWV 11은 1735년 승천일에 작업된다. 이 세 오라토리오는 예배에서 칸타타의 자리에 놓였다. 사건의 진행을 담고 있다는 점이 칸타타와 다를 뿐이다. 대본 작가는 알려져 있지 않다. 다만 〈부활절 오라토리오〉의 작가는 피칸더였을 것으로 유력하게 추측된다. 〈크리스마스 오라토리오〉와 〈승천일 오라토리오〉의 대본도 피칸더가 썼을 가능성이 크다.

〈부활절 오라토리오〉와 〈승천일 오라토리오〉는 한 차례 예배 분량, 즉 칸타타 한 작품의 규모인데 반해, 〈크리스마스 오라토리오〉는 성탄절에서 주현절까지의 여섯 차례 예배 분량, 즉 칸타타 여섯 작품의 규모이다. 그 여섯 작품은 예수의 탄생에서 시작해 목자들의 경배, 예수의 명명, 동방박사들의 경배 등을 거치는 일련의 사건적 흐름을 담고 있다. 음악적으로는 세 오라토리오가 공통적으로 대부분 옛 악곡들의 패러디로 이루어져 있다. 그러나 특히 〈크리스마스 오라토리오〉와 〈승천일 오라토리오〉는 패러디 작업이 매우 정교하게 행해졌고 고유의 독창성도 풍부해 순수 창작이 아니라는 이유로 음악적 가치를 의심받을 이유가 없다. 세 오라토리오에 새로 작곡되어 넣어진 것들 중에서는 성경 구절의 레치타티보들, 그리고 무엇보다 성경 구절의 합창, 어느 때보다 풍부하게 울려 퍼지는 종결 코랄들이 인상적이다.

1735년, 그러니까 바흐가 세상을 떠나기 15년 전에 그의 교회 칸타타는 발전과 전진의 발걸음을 멈춘다. 그 이후에 작곡된 몇몇 작품들은 그의 교회 칸타타 창작에, 교회 칸타타의 장르사에 눈에 띄는 새로움이나 유의미한 족적을 더해내지 못한다. 그리고 교회 칸타타의 생명력은 멈추어 선 바흐의 교회 칸타타와 함께 활기를 잃는다. 18세기 후반기에 들어서도 교회 칸타타는 진지하게 보호되고 전진적인 변모를 꾀하지만 옛 위상을 되찾지는 못한다.✦

7.6 세속 칸타타

바흐는 라이프치히에서 처음 몇 년 동안 교회 칸타타에 심혈을 기울였지만 종종 세속 칸타타도 쓰고 연주했다. 세속 칸타타의 창작 및 연주 계기는 다양했다. 그 가운데에서 라이프치히 대학과 대학생들의 행사가 중요했다. BWV 205, 207, 198이 그렇게 대학이나 대학생들로부터 의뢰된 작품이다. 예를 들어서 〈무덤을 찢고 부수며 파괴하라〉(Zerreißet, zersprenget, zertrümmert die Gruft) BWV 205는 1725년 8월 라이프치히 대학 학생들이 아우구스트 프리드리히 뮐러 교수의 명명일을 축하하기 위해 위촉, 연주한 것이다. 〈후비여, 한 줄기의 빛을〉(Laß, Fürstin, laß noch einen Strahl) BWV 198은 라이프치히 대학이 1727년 9월 5일 세상을 떠난 강건왕 아우구스트(August der Starke, 1670-1733)의 부인 크리스티아네 에버하르디네(Christiane Eberhardine von Brandenburg-Bayreuth, 1671-1727)의 추도식을 위해 의뢰한 것이다.

바흐가 몸담고 있던 토마스 학교도 칸타타 연주를 필요로 했다. 1732년 학교 개축 낙성식(BWV 부록 18, 음악 소실), 1734년 신임 교장 취임식(BWV 부록 19, 음악 소실) 등에서 바흐의 칸타타가 연주되었다. 귀족이나 부유한 시민들도 결혼이나 생일 축하연과 같은 행사를 위해 바흐에게 칸타타를 청하곤 했다. BWV 216, 210, 249b, 30a, 210a, 212가 그러한 청에 응해 만들어진 작품들이다. 그 밖에도 바흐는 바이

✶ 필리프 슈피타는 『요한 제바스티안 바흐』에서 바흐 창작의 중심은 교회음악이었으며, 바흐의 라이프치히 시기 칸타타들은 1723년부터 1745년까지 꾸준히 작곡되었다고 주장했다. 그러한 '믿음'은 1960년대까지 별다른 의심 없이 수용되고 유지되었다. 그러나 1950년대 중반 『새 바흐전집』(*Neue Bach-Ausgabe*) 출판 작업이 시작되고, 그 『새 바흐전집』의 발행을 이끈 라이프치히의 바흐 아카이브(Bach-Archiv)와 괴팅엔의 요한 제바스티안 바흐 연구소(Johann-Sebastian-Bach-Institut)는 작품들의 창작연대, 진위, 양식 규명 등을 위해 필체 연구를 비롯해 악보 용지의 질과 출처, 가사 연구 등을 폭넓게 수행하면서 옛 역사적, 문헌적 자료들을 면밀하게 검토한다. 그 연구 및 작업의 결과, 바흐의 라이프치히 교회 칸타타 대부분은 라이프치히 시기 초에 생산되었고, 바흐의 칸타타 창작은 1728년에 거의 끝을 맺었다는 '새로운' 사실이 밝혀진다.

엘리아스 고틀로프 하우스만의 바흐 초상, 1748년.

센펠스 궁정, 쾨텐 궁정과 계속 관계를 유지하며 그 궁정들에 BWV 249a, 36a 등의 세속 칸타타를 제공해주었다.

바흐의 세속 칸타타 창작은 1729년 그가 '콜레기움 무지쿰'을 맡으면서 활기를 띠게 된다. 바흐는 드레스덴의 군주와 그의 일가가 맞고 치르는 축일, 축연, 행사를 위해 '콜레기움 무지쿰'과 함께 칸타타를 연주했다. 그 칸타타들에 BWV 213, 206, 214, 207a, 21이 속한다. 또 라이프치히의 침머만 커피하우스(Das Zimmermannsche Kaffeehaus)에서 매주 열린 '일반 연주회'(Ordinaire Concerten)를 '콜레기움 무지쿰'과 진행하면서 바흐는 갖가지의 세속 칸타타들을 선보였다. 그 유명한 〈푀부스와 판의 다툼〉(Streit zwischen Phöbus und Pan) BWV 201과 소위 '커피 칸타타'로 널리 알려져 있는 〈조용히 하세요, 떠들지 마시고〉(Schweigt stille, plaudert nicht) BWV 211이 대표적이다.

바흐가 세속 칸타타를 위해 누구의 가사를 취했는지 밝히지 않은 경우가 적지 않지만, 세속 칸타타에서도 피칸더의 가사가 종종 등장한다. 그리고 가사와 음악의 구조 및 구성에 따라 바흐의 라이프치히 시기 세속 칸타타는 두 가지 유형으로 분류되는데, '음악 드라마'(Dramma per musica)와 '칸타타'가 그것이다. 당대 음악이론가들의 분류에 의거한 이 두 유형 가운데 '칸타타'는 하나 혹은 몇몇 소수의 성부를 위한 것으로 대부분 서정적인 성격을 띤다. 반면에 '음악 드라마'는 여러 성부를 위한 것으로 흔히 가벼운 극적 전개나 성향을 나타내며 축연 등의 행사에 즐겨 쓰였다. '칸타타'의 대표적 작품은 〈만족하나니〉(Von der Vernügsamkeit) BWV 204이고, '음악 드라마'의 대표작은 '헤라클레스 칸타타'로 불리는 〈보살피고 지켜내세〉(Laßt uns sorgen, laßt uns wachen) BWV 213이다.

'음악 드라마'와 '칸타타'의 중간 즈음에 '커피 칸타타'

BWV 211과 '농부 칸타타' 〈새로운 영주님을 맞는다네〉(Mer hahn en neue Oberkeet) BWV 212가 위치한다. 칸타타라 칭해져 있되 뚜렷한 사건 전개를 내포하고 있는 칸타타들이다. 이 두 세속 칸타타가 더욱 흥미롭고 예사롭지 않은 까닭은 시민들, 서민들의 삶을 담아내는 주제와 내용으로써 미래의 음악, 즉 18세기 후반기의 오페라를 예시하기 때문이다. 바흐의 세속 칸타타에는 궁정의 삶과 초기 시민사회의 삶이 공존하고 조화를 이룬다. 그리고 그 안에서 진지함과 익살을 오가는 소재의 풍성함, 음악적 울림의 다채로움, 매력적인 성격 및 표현 양식의 다양성이 화려하면서도 섬세하게 펼쳐진다.

8. 바흐의 칸타타, 그것의 의미

바흐의 칸타타 가운데 가장 큰 몸체를 이루는 라이프치히의 처음 세 해분 교회 칸타타 사이클은 바흐 사후에 총보와 성부 파트보의 형태로 아내 안나 막달레나(Anna Magdalena Bach, 1701-1760)와 아들 빌헬름 프리데만(Wilhelm Friedemann Bach, 1710-1784), 카를 필리프 엠마누엘, 요한 크리스토프 프리드리히(Johann Christoph Friedrich Bach, 1732-1795), 요한 크리스티안(Johann Christian Bach, 1735-1782)에게 쪼개어져 분배되었다. 그중에서 카를 필리프 엠마누엘에게 넘어간 것은 거의 온전하게 보존되었고, 안나 막달레나의 것들도 보존 상태가 좋다. 그러나 빌헬름 프리데만에게 주어진 것은 대부분 소실되었으며, 요한 크리스토프 프리드리히의 분배분에서도 소실된 것이 적지 않다. 그 세 해분 교회 칸타타 사이클 외의 칸타타들은 어떻게 유산으로 남고 후대에 전해졌는지 알 길이 없다. 그렇게 바흐의 교회 칸타타 5분의 2가량이 사라졌다. 세속 칸타타들의 보존 상황은 더욱 심각해서, 소실된 것으로 확인되는 세속 칸타타의 수가 보존되어 있는 것의 수를 넘어선다. 이러한 대량의 소실은 분명 가벼이 여길 일이 아니다. 잃은 작품들이 너무 많아 바흐의 칸타타를 온전히, 제대로 이해할 수 있는 조건이 갖추어져 있지 않다는 목소리도 있다. 하지만 보존된 200여 곡의 칸타타가 바흐의 창작 소재, 기법, 양식, 언어를 견고하고 인상적으로 확인시켜주기에 충분하며, 바흐의 칸타타가 지니는 본질과 가치를 증명하기 위해 더 많은 칸타타를 필요로 하지도 않는다.

바흐의 칸타타는 그의 여타 장르의 작품들, 특히 기악 작품들에 비해 더 강력하게 당대에 속해 있다. 300여 년 전 독일 루터파 교회의 예배와 전통, 바로크 궁정의 음악문화에 깊이 발을 딛고 있다는 뜻이다. 그중에서도 양적, 질적으로 중요한 영역을 이루는 교회 칸타타는 수년 동안 중단되기를 반복하면서 세 시기에 중점적으로 작곡되었다. 이는 바흐가 자신의 직분에 충실한 '직업음악가'이기도 했다는 것을 의미한다. 성실한 직업음악가이자 교회음악가의 교회 칸타타는 그의 창작 전체에서 어느 모로 보나 특별하고 월등한 위상을 점한다. 바흐 작품 번호(Bach-Werke-Verzeichnis: BWV)가 교회 칸타타로 시작하는 이유이다. 바흐의 교회 칸타타는 곧 당대를 넘어, 그의 창작을 넘어 서구 문화의 정점, 서구 예술의 기념비, 기독교적 신앙 및 정신의 정수로 자리매김했다. 아울러 시간과 공간을 초월한 절대적 예술로 존재해오고 있다. 그것은 바흐가 20대에 이미 결연히 세워 밝힌 "정연한 교회음악이라는 궁극의 목표"(den Endzweck einer regulierten Kirchenmusik), 이후로도 늘 오롯이 바라보고 다진 그 궁극의 목표가 거둔 찬란한 결실일 것이다.

대강절* 첫 주일

서신서 로마서 13:11-14
복음서 마태복음 21:1-9

* 대강절(待降節, Advent): 예수 탄생일 전 4주 동안의 기독교 절기. 대림절이라고도 한다. 예수 탄생을 기뻐하고 재림을 기다리는 데 의미를 둔다. 대강절 첫날은 11월 30일에 가장 가까운 일요일이며 이때부터 교회력의 새해가 시작한다.

BWV 61

Nun komm, der Heiden Heiland I

---

1. Coro (Ouverture) a ¢, 3/4, ¢

Nun komm, der Heiden Heiland,
der Jungfrauen Kind erkannt,
des sich wundert alle Welt:
Gott solch Geburt ihm bestellt.

2. Recitativo: Tenor C-C **C**

Der Heiland ist gekommen,
hat unser armes Fleisch und Blut
an sich genommen
und nimmet uns zu Blutsverwandten an.
O allerhöchstes Gut,
was hast du nicht an uns getan?
Was tust du nicht
noch täglich an den Deinen?
Du kommst und lässt dein Licht
mit vollem Segen scheinen.

3. Aria: Tenor C 9/8

Komm, Jesu, komm zu deiner Kirche
und gib ein selig neues Jahr!
    Befördre deines Namens Ehre,

BWV 61

이제 오소서, 이교도의 구세주여 I

- 1714년 바이마르 작곡, 1714년 12월 2일 바이마르 초연
- 바이올린 2, 비올라 2, 콘티누오
- 마르틴 루터 (1); 에르트만 노이마이스터 (2, 3, 5); 요한계시록 3:20 (4); 필리프 니콜라이 (6)

---

1. 합창 (서곡)

이제 오소서, 이교도의 구세주여
동정녀의 아기로 알려지고
온 세상이 경이롭게 여기는 분
하나님이 그의 탄생을 예정하셨네.

2. 레치타티보: 테너

구세주가 오셨네
그는 우리의 연약한 살과 피를
취하시고
우리를 그의 피의 친족으로 삼으셨네.
오 가장 높으신 선이여,
우리에게 베풀어주시지 않은 것이 무엇인지요?
지금도 날마다 당신 백성에게
베푸시지 않는 것이 무엇인지요?
주께서 오셔서 당신의 빛을
축복이 가득하게 비추십니다.

3. 아리아: 테너

오소서, 예수님, 당신의 교회로 오시어
복된 새해를 주소서!
　　주님 이름의 영광을 드높이시고

erhalte die gesunde Lehre
und segne Kanzel und Altar!

4. Recitativo: Bass e-G C

Siehe, ich stehe vor der Tür und klopfe an. So jemand meine Stimme hören wird und die Tür auftun, zu dem werde ich eingehen und das Abendmahl mit ihm halten und er mit mir.

5. Aria: Soprano G 3/4, C, 3/4

Öffne dich, mein ganzes Herze,
Jesus kommt und ziehet ein.
Bin ich gleich nur Staub und Erde,
will er mich doch nicht verschmähn,
seine Lust an mir zu sehn,
dass ich seine Wohnung werde,
o wie selig werd ich sein!

6. Choral G C

Amen, Amen!
Komm, du schöne Freudenkrone, bleib nicht lange!
Deiner wart ich mit Verlangen.

올바른 가르침을 지켜주시고
강단과 제단을 축복하소서!

4. 레치타티보: 베이스

보라, 내가 문밖에 서서 문을 두드린다. 누구든지
내 음성을 듣고 문을 열면,
나는 그 집에 들어가 그와 함께 먹고
그도 나와 함께 먹을 것이다.

5. 아리아: 소프라노

열어라, 나의 온 마음이여
예수님이 들어오신다.
나는 곧 먼지와 흙과 같으나
그는 나를 물리치지 않고
내게서 기쁨을 얻으시리니
내가 그의 거처가 되리라.
오 나는 얼마나 행복한가!

6. 코랄

아멘, 아멘!
오소서, 아름다운 기쁨의 왕관이여, 지체하지 마소서!
내가 간절히 당신을 기다리나이다.

BWV 62

Nun komm, der Heiden Heiland II

1. Choral b $6/4$

Nun komm, der Heiden Heiland,
der Jungfrauen Kind erkannt,
des sich wundert alle Welt,
Gott solch Geburt ihm bestellt.

2. Aria: Tenor G $3/8$

Bewundert, o Menschen, dies große Geheimnis:
Der höchste Beherrscher erscheinet der Welt.
Hier werden die Schätze des Himmels entdecket,
hier wird uns ein göttliches Manna bestellt,
o Wunder! die Keuschheit wird gar nicht beflecket.

3. Recitativo: Bass D-A **C**

So geht aus Gottes Herrlichkeit und Thron
sein eingeborner Sohn.
Der Held aus Juda bricht herein,
den Weg mit Freudigkeit zu laufen
und uns Gefallne zu erkaufen.
O heller Glanz, o wunderbarer Segensschein!

BWV 62

이제 오소서, 이교도의 구세주여 II

- 1724년 라이프치히 작곡, 1724년 12월 3일 라이프치히 초연
- 오보에 2, 바이올린 2, 비올라, 호른이 포함된 콘티누오
- 마르틴 루터 (1, 6); 무명 시인 (2-5)

1. 코랄

이제 오소서, 이교도의 구세주여
동정녀의 아기로 알려지고
온 세상이 경이롭게 여기는 분
하나님이 그의 탄생을 예정하셨네.

2. 아리아: 테너

사람들아, 이 커다란 신비를 찬미하여라.
가장 높으신 통치자가 세상에 오신다.
여기에서 하늘의 보화가 드러나고
여기에서 우리에게 하나님의 만나가 주어지리니
오 놀라워라! 순결함에 한 점도 흠이 없구나.

3. 레치타티보: 베이스

하나님의 영광과 보좌에서
그의 외아들이 오시네.
유다의 영웅이 나타나
기쁘게 길을 달려와
타락한 우리를 되찾아 주시네.
오 밝은 광채여, 오 놀라운 축복의 빛이여!

4. Aria: Bass D **C**

Streite, siege, starker Held!
Sei vor uns im Fleische kräftig!
    Sei geschäftig,
    das Vermögen in uns Schwachen
    stark zu machen!

5. Recitativo (Duetto): Soprano, Alto A-b **C**

Wir ehren diese Herrlichkeit
und nahen nun zu deiner Krippen
und preisen mit erfreuten Lippen,
was du uns zubereit';
die Dunkelheit verstört' uns nicht
und sahen dein unendlich Licht.

6. Choral (Duetto) b **C**

Lob sei Gott, dem Vater, g'ton,
lob sei Gott, sein'm ein'gen Sohn,
lob sei Gott, dem Heil'gen Geist,
immer und in Ewigkeit!

4. 아리아: 베이스

싸워서 이겨라, 강한 영웅이여!
우리를 위해 육신을 강건히 하여라!
열심히 노력하여
나약한 우리의 능력을
강하게 만들어라!

5. 레치타티보 (이중창): 소프라노, 알토

우리가 이 영광을 드높이며
당신의 요람으로 나아가
즐거운 입술로 찬양합니다,
당신이 우리에게 마련하신 것을.
어둠도 우리를 방해하지 못하니
우리는 당신의 무한한 빛을 보았습니다.

6. 코랄 (이중창)

하나님 아버지를 찬양하라
하나님의 외아들을 찬양하라
하나님의 성령을 찬양하라.
언제나 그리고 영원히!

BWV 36
Schwingt freudig euch empor

I Teil

1. Coro D 3/4

Schwingt freudig euch empor
zu den erhabnen Sternen,
ihr Zungen, die ihr itzt in Zion fröhlich seid!
Doch haltet ein! Der Schall darf sich nicht
weit entfernen,
es naht sich selbst zu euch der Herr der Herrlichkeit.

2. Choral: Soprano, Alto f♯ **C**

Nun komm, der Heiden Heiland,
der Jungfrauen Kind erkannt,
des sich wundert alle Welt,
Gott solch Geburt ihm bestellt.

3. Aria: Tenor b 3/8

Die Liebe zieht mit sanften Schritten
sein Treugeliebtes allgemach.
    Gleichwie es eine Braut entzücket,
    wenn sie den Bräutigam erblicket,
    so folgt ein Herz auch Jesu nach.

BWV 36

기쁘게 솟아올라라

- 1731년 라이프치히 작곡, 1731년 12월 2일 라이프치히 초연
- 오보에 다모레 2, 바이올린 2, 비올라, 콘티누오
- 마르틴 루터 (2, 6, 8); 필리프 니콜라이 (4); 피칸더 (1, 3, 5, 7: 추정)

제1부

1. 합창

기쁘게 솟아올라라
장엄한 별을 향해
지금 시온에서 즐거워하는 너희 혀들아!
그러나 멈추어라! 너희 소리는 너무 멀리
가서는 안 된다.
영광의 주님이 친히 너희에게 오시고 있으니.

2. 코랄: 소프라노, 알토

이제 오소서, 이교도의 구세주여
동정녀의 아기로 알려지고
온 세상이 경이롭게 여기는 분
하나님이 그의 탄생을 예정하셨네.

3. 아리아: 테너

사랑이 부드러운 발걸음으로
진정으로 사랑하는 이를 조금씩 끌어당기네.
신부가 신랑을 바라보며
몹시 기뻐하듯이
내 마음도 예수님을 따라가리라.

4. Choral D **C**

Zwingt die Saiten in Cythara
und lasst die süße Musica
ganz freudenreich erschallen,
dass ich möge mit Jesulein,
dem wunderschönen Bräut'gam mein,
in steter Liebe wallen!
Singet,
springet,
jubilieret, triumphieret, dankt dem Herren!
Groß ist der König der Ehren.

II Teil

5. Aria: Bass D **C**

Willkommen, werter Schatz!
Die Lieb und Glaube machet Platz
vor dich in meinem Herzen rein,
zieh bei mir ein!

6. Choral: Tenor b 3/4

Der du bist dem Vater gleich,
führ hinaus den Sieg im Fleisch,
dass dein ewig Gotts Gewalt
in uns das krank Fleisch enthalt.

7. Aria: Soprano G 12/8

Auch mit gedämpften, schwachen Stimmen
wird Gottes Majestät verehrt.

4. 코랄

키타라의 현을 움직여
감미로운 음악이
넘치는 기쁨으로 울리게 하자.
그러면 나는 놀랍도록 아름다운 나의 신랑
아기 예수와 함께
언제나 사랑이 용솟음치리라!
노래하라
춤을 추어라
환호하고, 승리의 노래를 부르고, 주님께 감사하라!
영광의 왕은 위대하시다.

제2부

5. 아리아: 베이스

어서 오소서, 귀중한 보배여!
사랑과 믿음이 당신을 위한
자리를 내 마음속에 깨끗이 만드니
내 안에 들어오소서!

6. 코랄: 테너

아버지와 같은 당신이
육신을 이기게 하시니
당신의 영원하신 거룩한 힘이
우리 안의 병든 육신을 지탱합니다.

7. 아리아: 소프라노

차분하고 조용한 목소리로도
하나님의 위엄을 경배할 수 있습니다.

Denn schallet nur der Geist darbei,
so ist ihm solches ein Geschrei,
das er im Himmel selber hört.

8. Choral b **C**

Lob sei Gott, dem Vater, g'ton,
lob sei Gott, sein'm ein'gen Sohn,
lob sei Gott, dem Heil'gen Geist,
immer und in Ewigkeit!

오직 영의 소리만 울릴지라도
그것은 주님이 하늘에서 직접 들으시는
큰 외침입니다.

8. 코랄

하나님 아버지를 찬양하라
하나님의 외아들을 찬양하라
하나님의 성령을 찬양하라.
언제나 그리고 영원히!

대강절 제4주일

서신서 빌립보서 4:4-7
복음서 요한복음 1:19-28

BWV 132

Bereitet die Wege, bereitet die Bahn!

1. Aria: Soprano A 6/8

Bereitet die Wege, bereitet die Bahn!
Bereitet die Wege
und machet die Stege
im Glauben und Leben
dem Höchsten ganz eben,
Messias kömmt an!

2. Recitativo: Tenor A-A **C**

Willst du dich Gottes Kind
und Christi Bruder nennen,
so müssen Herz und Mund
den Heiland frei bekennen.
Ja, Mensch, dein ganzes Leben
muss von dem Glauben Zeugnis geben!
Soll Christi Wort und Lehre
auch durch dein Blut versiegelt sein,
so gib dich willig drein!
Denn dieses ist der Christen Kron und Ehre.
Indes, mein Herz, bereite
noch heute
dem Herrn die Glaubensbahn

BWV 132
길을 준비하라, 넓은 길을 마련하라!

- 1715년 바이마르 작곡, 1715년 12월 22일 바이마르 초연
- 오보에, 바이올린 2, 비올라, 콘티누오
- 잘로몬 프랑크 (1-5); 엘리자베트 크로이치거 (6)

1. 아리아: 소프라노

길을 준비하라, 넓은 길을 마련하라!
길을 준비하고
높으신 분을 위해
믿음과 생명의
길을 내어라,
메시아가 오신다!

2. 레치타티보: 테너

자신을 하나님의 자녀요
그리스도의 형제라 부르고자 하면
마음과 입으로
기꺼이 구세주를 인정해야 합니다.
인간이여, 그대의 한평생은
믿음의 증거여야 합니다!
그리스도의 말씀과 가르침이
그대의 피로 봉인되어야 한다면
기꺼이 그렇게 하십시오!
그것이 그리스도인의 면류관이고 영예입니다.
이제 준비하라, 내 마음이여
오늘
주님이 오실 믿음의 길을.

und räume weg die Hügel und die Höhen,
die ihm entgegen stehen!
Wälz ab die schweren Sündensteine,
nimm deinen Heiland an,
dass er mit dir im Glauben sich vereine!

3. Aria: Bass E **C**

Wer bist du? Frage dein Gewissen,
da wirst du sonder Heuchelei,
ob du, o Mensch, falsch oder treu,
dein rechtes Urteil hören müssen.
Wer bist du? Frage das Gesetze,
das wird dir sagen, wer du bist,
ein Kind des Zorns in Satans Netze,
ein falsch und heuchlerischer Christ.

4. Recitativo: Alto b-D **C**

Ich will, mein Gott, dir frei heraus bekennen,
ich habe dich bisher nicht recht bekannt.
Ob Mund und Lippen gleich
dich Herrn und Vater nennen,
hat sich mein Herz doch von dir abgewandt.
Ich habe dich verleugnet mit dem Leben!
Wie kannst du mir ein gutes Zeugnis geben?
Als, Jesu, mich dein Geist und Wasserbad
gereiniget von meiner Missetat,
hab ich dir zwar stets feste Treu versprochen;
ach! aber ach! der Taufbund ist gebrochen.
Die Untreu reuet mich!

그분에게 방해가 될
언덕과 높은 곳을 평평히 만들어라!
무거운 죄의 돌을 굴려 보내고
너의 구세주를 받아들여
그가 너와 함께 믿음 속에서 하나가 되게 하라!

3. 아리아: 베이스

너는 누구냐? 네 양심에 물어보아라
그러면 거짓이든 참이든
가식 없이 정확한 판단을
듣게 되리라.
너는 누구냐? 율법에 물어보아라
그러면 네가 누구인지 말해줄 것이다.
사탄의 그물에 걸린 분노의 자식인지
거짓되고 위선적인 그리스도인인지를.

4. 레치타티보: 알토

하나님, 주님께 솔직하게 고백하오니
지금까지 나는 당신을 올바로 알지 못했습니다.
나의 입과 입술이 똑같이
당신을 주님이요 아버지라 불렀지만
내 마음은 당신을 외면했습니다.
당신을 나의 삶으로 부인하였습니다!
그러니 나를 어떻게 좋게 말하실 수 있을까요?
예수님, 당신의 성령과 세례로 내가
악행에서 벗어났을 때
나는 당신에게 늘 굳은 믿음을 약속했습니다.
아! 그러나 나는 세례의 약속을 어겼습니다.
신실하지 못했음을 내가 뉘우칩니다!

Ach Gott, erbarme dich,
ach hilf, dass ich mit unverwandter Treue
den Gnadenbund im Glauben stets erneue!

5. Aria: Alto b **C**

Christi Glieder, ach bedenket,
was der Heiland euch geschenket
durch der Taufe reines Bad!
Bei der Blut- und Wasserquelle
werden eure Kleider helle,
die befleckt von Missetat.
Christus gab zum neuen Kleide
roten Purpur, weiße Seide,
diese sind der Christen Staat.

6. Choral A **C**

Ertöt uns durch dein Güte,
erweck uns durch dein Gnad;
den alten Menschen kränke,
dass der neu' leben mag
wohl hie auf dieser Erden,
den Sinn und all Begehrden
und G'danken hab'n zu dir.

아 하나님, 자비를 베푸소서,
아, 내가 변치 않는 신실함으로
믿음 속에서 은혜의 맹세를 늘 새로 기억하게 하소서!

5. 아리아: 알토

그리스도의 구성원들이여, 생각하라,
구세주가 세례의 깨끗한 물로
너희에게 무엇을 주셨는지!
피와 물의 샘에서
악행으로 얼룩진
너희 옷이 깨끗해졌다.
그리스도는 새 옷으로
붉은 자색과 흰색 비단을 주셨으니
그것이 그리스도인의 옷이라.

6. 코랄

당신의 선하심으로 우리를 거듭나게 하소서
당신의 자비로 우리를 깨우소서.
낡은 사람을 꾸짖으시어
새사람으로 살게 하소서
이 땅에 있는 동안
마음과 모든 욕망과
생각이 당신을 향하게 하소서.

성탄절

서신서 디도서 2:11-14
이사야 9:2-7
복음서 누가복음 2:1-14

BWV 63

Christen, ätzet diesen Tag

1. Coro C 3/8

Christen, ätzet diesen Tag
in Metall und Marmorsteine!
    Kommt und eilt mit mir zur Krippen
    und erweist mit frohen Lippen
    euren Dank und eure Pflicht;
    denn der Strahl, so da einbricht,
    zeigt sich euch zum Gnadenscheine.

2. Recitativo: Alto C-a **C**

O sel'ger Tag! o ungemeines Heute,
an dem das Heil der Welt,
der Schilo, den Gott schon im Paradies
dem menschlichen Geschlecht verhieß,
nunmehro sich vollkommen dargestellt
und suchet Israel von der Gefangenschaft
und Sklavenketten
des Satans zu erretten.
Du liebster Gott, was sind wir Armen doch?
Ein abgefallnes Volk, so dich verlassen;
und dennoch willst du uns nicht hassen;
denn eh wir sollen noch nach dem Verdienst

BWV 63
그리스도인이여, 이 날을 새겨라

- 1714년 바이마르 작곡(추정), 1714년 12월 25일 바이마르 초연(추정)
- 트럼펫 4, 팀파니, 오보에 3, 바순, 바이올린 2, 콘티누오
- 요한 미하엘 하이네키우스(추정)

1. 합창

그리스도인이여, 이 날을 새겨라
쇠와 대리석에!
　　나와 함께 서둘러 구유로 가
　　기쁜 입술로
　　너희의 감사와 의무를 바쳐라.
　　지금 쏟아지는 빛이
　　은총의 빛으로 드러나고 있으니.

2. 레치타티보: 알토

오 축복의 날! 오 특별한 오늘
세상의 구원이자
하나님이 낙원에서
인류에게 약속한 메시아가
완전하게 드러난 날
그가 이스라엘을
사탄의 속박과
노예의 사슬에서 구해내는 날.
사랑의 하나님, 가련한 우리는 대체 누구입니까?
당신을 버린 타락한 백성.
그럼에도 당신은 우리를 미워하지 않으십니다.
우리가 마땅히 죄과에 따라

zu Boden liegen,
eh muss die Gottheit sich bequemen,
die menschliche Natur an sich zu nehmen
und auf der Erden
im Hirtenstall zu einem Kind zu werden.
O unbegreifliches, doch seliges Verfügen!

3. Aria (Duetto): Soprano, Bass a **C**

Gott, du hast es wohlgefüget,
was uns itzo widerfährt.
Drum lasst uns auf ihn stets trauen
und auf seine Gnade bauen,
denn er hat uns dies beschert,
was uns ewig nun vergnüget.

4. Recitativo: Tenor C-G **C**

So kehret sich nun heut
das bange Leid,
mit welchem Israel geängstet und beladen,
in lauter Heil und Gnaden.
Der Löw aus Davids Stamme ist erschienen,
sein Bogen ist gespannt,
das Schwert ist schon gewetzt,
womit er uns in vor'ge Freiheit setzt.

5. Aria (Duetto): Alto, Tenor G 3/8

Ruft und fleht den Himmel an,
kommt, ihr Christen, kommt zum Reihen,
ihr sollt euch ob dem erfreuen,

바닥에 엎드리기도 전에
하나님이 도리어
인간의 본성을 취하시고
이 땅에 내려와
목자의 마구간에서 어린아이가 되셨습니다.
오 헤아릴 길 없는, 복된 은혜!

3. 아리아 (이중창): 소프라노, 베이스

하나님, 이제 우리에게 일어난 일
모두 이루셨으니
우리가 늘 그분을 믿게 하시고
그의 은총에 기대어 살게 하소서.
그분이 은총을 내려주시어
우리가 영원토록 기뻐합니다.

4. 레치타티보: 테너

이렇게 오늘
이스라엘의 근심과 짐이었던
두려운 고통은
오로지 행복과 은총으로 바뀌네.
다윗의 족속에서 사자가 나타났으니
그의 활은 팽팽히 당겨지고
칼은 이미 벼려졌네.
그것으로 우리에게 옛날의 자유를 가져다주리라.

5. 아리아 (이중창): 알토, 테너

천국에 소리쳐 간청하라
오라, 그리스도인들아, 와서 춤을 추어라
너희는 기뻐하라

was Gott hat anheut getan!

Da uns seine Huld verpfleget
und mit so viel Heil beleget,
dass man nicht g'nug danken kann.

6. Recitativo: Bass e-C **C**

Verdoppelt euch demnach, ihr heißen
Andachtsflammen,
und schlagt in Demut brunstiglich zusammen!
Steigt fröhlich himmelan
und danket Gott fur dies, was er getan!

7. Coro C **C**

Höchster, schau in Gnaden an
diese Glut gebückter Seelen!

Lass den Dank, den wir dir bringen,
angenehme vor dir klingen,
lass uns stets in Segen gehn,
aber niemals nicht geschehn,
dass uns Satan möge qüalen.

하나님이 오늘 행하신 일을!
우리에게 은총을 내리고
구원을 베푸셨으니
아무리 감사해도 부족하리라.

6. 레치타티보: 베이스

그러니 더욱 강렬해져라, 너희 뜨거운
신앙의 불꽃이여,
겸허한 마음으로 열심히 무릎을 꿇어라!
즐겁게 천국으로 올라가
하나님이 행하신 일에 감사하라!

7. 합창

지고하신 분이여, 자비롭게 굽어보소서
이 가련한 영혼들의 타오르는 믿음을!
우리가 바치는 감사의 노래가
당신 앞에서 즐겁게 울리게 하소서
우리가 늘 축복 속에 걷게 하시고
절대로 사탄에게 괴롭힘을
당하지 않게 하소서.

BWV 91

Gelobet seist du, Jesu Christ

1. Coro (Choral) G **C**

Gelobet seist du, Jesu Christ,
dass du Mensch geboren bist
von einer Jungfrau, das ist wahr,
des freuet sich der Engel Schar.
Kyrie eleis!

2. Recitativo e Choral: Soprano e-e **C**

Der Glanz der höchsten Herrlichkeit,
das Ebenbild von Gottes Wesen,
hat in bestimmter Zeit
sich einen Wohnplatz auserlesen.
Des ew'gen Vaters einig's Kind,
Das ew'ge Licht von Licht geboren,
itzt man in der Krippe findt.
o Menschen, schauet an,
was hier der Liebe Kraft getan!
In unser armes Fleisch und Blut,
(Und war denn dieses nicht verflucht,
verdammt, verloren?)
verkleidet sich das ew'ge Gut.
So wird es ja zum Segen auserkoren.

BWV 91
찬미합니다, 예수 그리스도님

- 1724년 라이프치히 작곡, 1724년 12월 25일 라이프치히 초연
- 호른 2, 팀파니, 오보에 3, 바이올린 2, 비올라, 콘티누오
- 마르틴 루터 (1, 2, 6); 무명 시인 (3-5)

---

1. 합창 (코랄)

찬미합니다, 예수 그리스도님
동정녀에게서
인간으로 태어나시니
천사의 무리가 매우 기뻐합니다.
주여 자비를 베푸소서!

2. 레치타티보와 코랄: 소프라노

최고 주권자의 광채
하나님 존재의 그 모습이
예정된 때에
거하실 곳을 선택하셨네.
　　영원한 아버지의 외아들
빛에서 영원한 빛으로 태어나신 분이
　　지금 구유에 계시네.
오 사람들아, 보라
여기 사랑의 힘이 무엇을 행하였는지!
　　우리의 가련한 살과 피 안에
(이는 저주받고 더럽혀지고
　　버림받은 것이 아니었던가?)
　　영원한 선하심이 들어왔네.
그렇게 축복을 받기 위해 선택되었네.

3. Aria: Tenor a 3/4

Gott, dem der Erden Kreis zu klein,
den weder Welt noch Himmel fassen,
will in der engen Krippe sein.
Erscheinet uns dies ew'ge Licht,
so wird hinfüro Gott uns nicht
als dieses Lichtes Kinder hassen.

4. Recitativo: Bass G-C **C**

O Christenheit!
Wohlan, so mache dich bereit,
bei dir den Schöpfer zu empfangen.
Der grosse Gottessohn
kömmt als ein Gast zu dir gegangen.
Ach, lass dein Herz durch diese Liebe rühren;
er kömmt zu dir, um dich vor seinen Thron
durch dieses Jammertal zu führen.

5. Aria (Duetto): Soprano, Alto e **C**

Die Armut, so Gott auf sich nimmt,
hat uns ein ewig Heil bestimmt,
den Überfluss an Himmelsschätzen.
Sein menschlich Wesen machet euch
den Engelsherrlichkeiten gleich,
euch zu der Engel Chor zu setzen.

6. Choral G **C**

Das hat er alles uns getan,
sein groß Lieb zu zeigen an;

3. 아리아: 테너

하나님에게 이 세상은 너무 작아
땅도 하늘도 그를 담을 수 없네.
그 하나님이 좁은 구유에 있으려 하시네.
　　우리에게 영원한 빛으로 나타나시니
　　하나님은 그 빛의 자녀인 우리를
　　미워하시지 않으리라.

4. 레치타티보: 베이스

오 그리스도인들이여
이제 준비하여
너에게 창조주를 맞아들여라.
위대한 하나님의 아들이
너에게 손님으로 찾아왔도다.
아, 이 사랑이 너의 마음을 움직이게 하라.
그가 네게 오신 것은 이 슬픔의 골짜기를 지나
너를 그분의 보좌 앞으로 데려가기 위함이라.

5. 아리아 (이중창): 소프라노, 알토

하나님이 짊어지신 가난이
우리에게 영원한 구원을 약속하였으니
바로 넘치는 천국의 보화이네.
　　인간의 본성을 가진 그분은 너희를
　　천사의 영광과 같게 하시려
　　너희를 천사의 합창대에 앉히시네.

6. 코랄

그는 크신 사랑을 보여주기 위해
우리를 위해 이 모든 일을 하셨네.

des freu sich alle Christenheit
und dank ihm des in Ewigkeit.
Kyrie eleis!

BWV 110
Unser Mund sei voll Lachens

---

1. Coro D ₵, 9/8 3/4, C

Unser Mund sei voll Lachens und unsre Zunge voll Rühmens. Denn der Herr hat Großes an uns getan.

2. Aria: Tenor b C

Ihr Gedanken und ihr Sinnen,
schwinget euch anitzt von hinnen,
steiget schleunig himmelan
und bedenkt, was Gott getan!
Er wird Mensch, und dies allein,
dass wir Gottes Kinder sein.

3. Recitativo: Bass f♯-A C

Dir, Herr, ist niemand gleich. Du bist groß, und dein Name ist groß und kannst's mit der Tat beweisen.

모든 그리스도인이여 이를 기뻐하며
그에게 영원히 감사를 드리자.
주여 자비를 베푸소서!

BWV 110

우리 입가에는 웃음이 가득하고

- 1725년 라이프치히 작곡, 1725년 12월 25일 라이프치히 초연
- 트럼펫 3, 팀파니, 가로 플루트 2, 오보에 3(오보에 다모레, 오보에 다 카차), 바순, 바이올린 2, 비올라, 콘티누오
- 시편 126:2-3 (1); 예레미야 10:6 (3); 누가복음 2:14 (5); 게오르크 크리스티안 렘스 (2, 4, 6); 카스파르 퓌거 (7)

---

1. 합창

우리 입가에는 웃음이 가득하고 우리 혀에는
찬미가 넘치게 하소서. 주님은 우리를 위해 큰일을 하셨습니다.

2. 아리아: 테너

생각과 마음이여,
여기에서 껑충 뛰어
빠르게 하늘로 올라가
하나님이 하신 일을 생각하라!
그가 사람이 되셨으니, 이것만으로도
우리는 하나님의 자녀가 되었도다.

3. 레치타티보: 베이스

주님, 당신 같은 분은 없습니다. 당신은 위대하시고
당신의 이름은 크시니, 이는 행동으로 증명하지 못합니다.

4. Aria: Alto f♯ 3/4

Ach Herr, was ist ein Menschenkind,
dass du sein Heil so schmerzlich suchest?
Ein Wurm, den du verfluchest,
wenn Höll und Satan um ihn sind;
doch auch dein Sohn, den Seel und Geist
aus Liebe seinen Erben heißt.

5. Aria (Duetto): Soprano, Tenor A 12/8

Ehre sei Gott in der Höhe und Friede auf Erden
und den Menschen ein Wohlgefallen!

6. Aria: Bass D **C**

Wacht auf, ihr Adern und ihr Glieder,
und singt dergleichen Freudenlieder,
die unserm Gott gefällig sein.
Und ihr, ihr andachtsvollen Saiten,
sollt ihm ein solches Lob bereiten,
dabei sich Herz und Geist erfreun.

7. Choral b **C**

Halleluja! Halleluja! Gelobt sei Gott,
singen wir all aus unsers Herzens Grunde.
Denn Gott hat heut gemacht solch Freud,
die wir vergessen solln zu keiner Stunde.

4. 아리아: 알토

아 주님, 인간이 대체 무엇이기에
그를 그토록 고통스럽게 구원하려 하십니까?
지옥과 사탄에 둘러싸일 때면
인간은 당신이 저주하는 벌레입니다.
그러나 영혼과 정신이 사랑의 마음으로
자신의 상속인이라고 부르는 당신의 자녀이기도 합니다.

5. 아리아 (이중창): 소프라노, 테너

하늘 높은 데서는 하나님께 영광, 땅에서는
주님께서 사랑하시는 사람들에게 평화!

6. 아리아: 베이스

깨어나라, 너희들 핏줄과 팔다리여,
우리 하나님이 좋아하시는
기쁨의 노래를 불러라.
　　그리고 너희 경건한 현이여
　　주님의 마음과 영을 기쁘게 할
　　찬양을 준비하라.

7. 코랄

할렐루야! 할렐루야! 하나님을 찬양합시다
우리 모두 마음 깊은 곳에서 노래합니다.
오늘 하나님이 우리가 영원히 잊지 못할
기쁨을 주셨습니다.

BWV 191
Gloria in excelsis Deo

I. Teil

1. Coro D 3/8, **C**

Gloria in excelsis Deo. Et in terra pax hominibus bonae voluntatis.

II. Teil

2. Aria (Duetto): Soprano, Tenor G **C**

Gloria Patri et Filio et Spiritui sancto.

3. Coro D 3/4

Sicut erat in principio et nunc et semper
et in saecula saeculorum, Amen.

BWV 191

하늘 높은 데서는 하나님께 영광

- 1733년 라이프치히 작곡, 프로이센과 작센 사이의 평화 협정을 축하하는 1745년 성탄절 라이프치히에서 초연(추정), 라틴어 가사
- 트럼펫 3, 팀파니, 플루트 2, 오보에 2, 현악기, 콘티누오
- 누가복음 2:14 (1); 찬미가 (2, 3)

제1부

1. 합창

하늘 높은 데서는 하나님께 영광.
땅에서는 주님께서 사랑하시는 사람들에게 평화.

제2부

2. 아리아 (이중창): 소프라노, 테너

영광이 성부와 성자와 성령께.

3. 합창

처음과 같이 이제와 항상
영원히 아멘.

성탄절 다음 날

서신서 사도행전 6:8-15; 7:55-60

복음서 마태복음 23:34-39 또는 누가복음 2:15-20

BWV 40

Dazu ist erschienen der Sohn Gottes

1. Coro F C

Dazu ist erschienen der Sohn Gottes, dass er
die Werke des Teufels zerstöre.

2. Recitativo: Tenor F-B♭ C

Das Wort ward Fleisch und wohnet in der Welt,
das Licht der Welt bestrahlt den Kreis der Erden,
der große Gottessohn
verlässt des Himmels Thron,
und seiner Majestät gefällt,
ein kleines Menschenkind zu werden.
Bedenkt doch diesen Tausch, wer nur gedenken kann;
der König wird ein Untertan,
der Herr erscheinet als ein Knecht
und wird dem menschlichen Geschlecht
– o süßes Wort in aller Ohren! –
zu Trost und Heil geboren.

3. Choral g C

Die Sünd macht Leid;
Christus bringt Freud,
weil er zu Trost in diese Welt ist kommen.

BWV 40

하나님의 아들이 나타나신 것은

- 1723년 라이프치히 작곡, 1723년 12월 26일 라이프치히 초연
- 호른 2, 오보에 2, 바이올린 2, 비올라, 콘티누오
- 요한1서 3:8 (1); 카스파르 퓌거 (3); 파울 게르하르트 (6); 크리스티안 카이만 (8); 무명 시인 (2, 4, 5, 7)

1. 합창

하나님의 아들이 나타나신 것은
악마가 한 일을 멸하기 위함입니다.

2. 레치타티보: 테너

말씀은 육신이 되어 세상에 머물고 있고
세상의 빛은 둥근 땅을 비추고 있습니다.
크신 하나님의 아들이
천국의 보좌를 떠나
작은 아기가 되셨으니
존엄하신 분이 기뻐합니다.
그러나 생각할 줄 아는 이는 이 뒤바뀜을 생각해 보십시오.
왕이 신하가 되고
주인이 종으로 나타나
인류의
– 오, 만인의 귀에 들리는 달콤한 말씀 –
위로자와 구원자로 태어나셨음을.

3. 코랄

죄는 고통을 낳고
그리스도는 기쁨을 가져오니
그가 우리를 위로하러 세상에 오셨기 때문입니다.

Mit uns ist Gott
nun in der Not:
Wer ist, der uns als Christen kann verdammen?

4. Aria: Bass d 3/8

Höllische Schlange,
wird dir nicht bange?
Der dir den Kopf als ein Sieger zerknickt,
ist nun geboren,
und die verloren,
werden mit ewigem Frieden beglückt.

5. Recitativo: Alto B♭-B♭ **C**

Die Schlange, so im Paradies
auf alle Adamskinder
das Gift der Seelen fallen ließ,
bringt uns nicht mehr Gefahr;
des Weibes Samen stellt sich dar,
der Heiland ist ins Fleisch gekommen
und hat ihr alles Gift benommen.
Drum sei getrost, betrübter Sünder!

6. Choral d **C**

Schüttle deinen Kopf und sprich:
Fleuch, du alte Schlange!
Was erneur'st du deinen Stich,
machst mir angst und bange?
Ist dir doch der Kopf zerknickt,
und ich bin durchs Leiden

하나님이 이제
우리와 고난을 함께하시니
우리 그리스도인을 비난할 자 누가 있겠습니까?

4. 아리아: 베이스

지옥의 뱀아,
두렵지 않으냐?
네 머리를 부러뜨릴 승리자가
지금 태어나셨으니
절망한 이들은
영원한 평화를 얻어 행복하리라.

5. 레치타티보: 알토

뱀이 낙원에서
모든 아담의 자손들에게
남긴 영혼의 독은
이제 우리에게 위험하지 않습니다.
여인이 스스로 수태한 자손이 나타나
구세주가 육신으로 오시어
영혼의 모든 독을 없애셨습니다.
그러니 위안을 얻으라, 근심 많은 죄인들이여!

6. 코랄

네 머리를 흔들며 말하라.
도망가라, 너 옛날의 뱀이여!
왜 독침을 새로 만들어
나를 불안하고 두렵게 하느냐?
너의 머리는 부서졌고
나는 구세주의 수난을 통해

meines Heilands dir entrückt
in den Saal der Freuden.

7. Aria: Tenor F 12/8

Christenkinder, freuet euch!
Wütet schon das Höllenreich,
will euch Satans Grimm erschrecken:
Jesus, der erretten kann,
nimmt sich seiner Küchlein an
und will sie mit Flügeln decken.

8. Choral f **C**

Jesu, nimm dich deiner Glieder
ferner in Genaden an;
schenke, was man bitten kann,
zu erquicken deine Brüder:
Gib der ganzen Christenschar
Frieden und ein sel'ges Jahr!
Freude, Freude über Freude!
Christus wehret allem Leide.
Wonne, Wonne über Wonne!
Er ist die Genadensonne.

너에게서 벗어나
기쁨의 전당으로 들어왔도다.

7. 아리아: 테너

그리스도의 자녀들아, 기뻐하라!
지옥이 벌써 날뛰고
사탄의 분노가 너희를 놀라게 하겠지만
구원의 능력을 가진 예수님이
그의 병아리들을 돌보시며
그 날개로 품어주시리라.

8. 코랄

예수님, 당신의 지체를
자비롭게 돌보소서.
우리가 청하는 것을 들어주시고
당신의 형제들에게 새 삶을 주소서.
모든 그리스도인에게
평화와 복된 한 해를 주소서!
기쁨을 주시고, 기쁨에 기쁨을 더하소서!
그리스도는 모든 고난을 물리치십니다.
환희를 주시고, 환희에 환희를 더하소서!
그분은 자비의 태양이십니다.

BWV 121

Christum wir sollen loben schon

(For the Second Day of Christmas)

1. Coro (Choral) e-f♯ ¢

Christum wir sollen loben schon,
der reinen Magd Marien Sohn,
so weit die liebe Sonne leucht
und an aller Welt Ende reicht.

2. Aria: Tenor b 3/4

O du von Gott erhöhte Kreatur,
begreife nicht, nein, nein, bewundre nur:
Gott will durch Fleisch des Fleisches Heil erwerben.
Wie groß ist doch der Schöpfer aller Dinge,
und wie bist du verachtet und geringe,
um dich dadurch zu retten vom Verderben.

3. Recitativo: Alto D-C C

Der Gnade unermesslich's Wesen
hat sich den Himmel nicht
zur Wohnstatt auserlesen,
weil keine Grenze sie umschließt.
Was Wunder, dass allhie Verstand und Witz gebricht,
ein solch Geheimnis zu ergründen,
wenn sie sich in ein keusches Herze gießt.

BWV 121
그리스도를 진실로 찬양할지어다

- 1724년 라이프치히 작곡, 1724년 12월 26일 라이프치히 초연
- 코넷, 트롬본 3, 오보에 다모레, 바이올린 2, 비올라, 콘티누오
- 마르틴 루터 (1, 6); 무명 시인 (2-5)

1. 합창 (코랄)

그리스도를 진실로 찬양할지어다
흠 없는 동정녀 마리아의 아들
다정한 태양이 빛나고
온 세상 끝까지 다다를 때까지.

2. 아리아: 테너

하나님이 드높이신 피조물
이해하려 하지 말고, 다만 경탄하여라.
하나님은 육을 통해 육을 구원하려 하신다.
　　만물의 창조주는 위대하시니
　　너는 멸시당하고 보잘것없으나
　　그가 너를 멸망에서 구원하시리라.

3. 레치타티보: 알토

무한한 은총을 베푸는 존재가
자신이 거할 곳으로
천국을 택하지 않은 것은
그의 은총에 끝이 없기 때문이네.
은총이 순결한 마음에 쏟아 넘치니
이성과 지혜로 그 신비를 헤아리기
어려운 것도 놀랍지 않네.

Gott wählet sich den reinen Leib zu einem Tempel
seiner Ehren,
um zu den Menschen sich mit wundervoller Art
zu kehren.

4. Aria: Bass C **C**

Johannis freudenvolles Springen
erkannte dich, mein Jesu, schon.
Nun da ein Glaubensarm dich hält,
so will mein Herze von der Welt
zu deiner Krippe brünstig dringen.

5. Recitativo: Soprano G-b **C**

Doch wie erblickt es dich in deiner Krippe?
Es seufzt mein Herz: Mit bebender und fast
geschlossner Lippe
bringt es sein dankend Opfer dar.
Gott, der so unermesslich war,
nimmt Knechtsgestalt und Armut an.
Und weil er dieses uns zugut getan,
so lasset mit der Engel Chören
ein jauchzend Lob- und Danklied hören!

6. Choral e-f♯ **C**

Lob, Ehr und Dank sei dir gesagt,
Christ, geborn von der reinen Magd,
samt Vater und dem Heil'gen Geist
von nun an bis in Ewigkeit.

하나님은 놀라운 방식으로 인간에게
　　다가가기 위해
순결한 몸을 당신의 영광된 성전으로
　　선택하시네.

4. 아리아: 베이스

요한이 기쁨에 넘쳐 태중에서 뛰놀았음은
나의 예수님, 당신을 이미 알아보았기 때문입니다.
　　이제 믿음의 팔이 주님을 잡고 있으니
　　내 마음은 세상을 떠나
　　당신의 구유로 열심히 달려가겠나이다.

5. 레치타티보: 소프라노

그러나 내 마음이 구유 속의 주님을 어떻게 바라볼까요?
마음이 탄식합니다. 떨리면서도
　　열리지 않는 입술로
내가 감사의 예물을 드립니다.
헤아릴 길 없는 하나님이
종의 모습으로 나타나시어 가난을 택하셨습니다.
그가 우리를 위하여 이런 일을 하셨으니
천사의 합창단과 함께
환호하며 부르는 찬양과 감사의 노래를 들읍시다.

6. 코랄

영광과 찬양과 감사를 당신께 드리나이다
흠 없는 동정녀에게 태어나신 그리스도와
그 아버지와 성령께
지금부터 영원토록.

BWV 57
Selig ist der Mann

(Dialogus)

Seele (Soprano), Jesus (Bass)

1. Aria: Bass g 3/4

Selig ist der Mann, der die Anfechtung erduldet;
denn, nachdem er bewähret ist, wird er die Krone
des Lebens empfangen.

2. Recitativo: Soprano E♭-c **C**

Ach! dieser süße Trost
erquickt auch mir mein Herz,
das sonst in Ach und Schmerz
sein ewig Leiden findet
und sich als wie ein Wurm in seinem Blute windet.
Ich muss als wie ein Schaf
bei tausend rauen Wölfen leben;
ich bin ein recht verlassnes Lamm,
und muss mich ihrer Wut
und Grausamkeit ergeben.
Was Abeln dort betraf,
erpresset mir auch diese Tränenflut.
Ach! Jesu, wüsst ich hier

BWV 57
시련을 견디는 이는 행복하다

- 1725년 라이프치히 작곡, 1725년 12월 26일 라이프치히 초연
- 오보에 2, 알토 오보에, 바이올린 2, 비올라, 콘티누오
- 야고보서 1:12 (1); 아하스베루스 프리치 (8);
  게오르크 크리스티안 렘스 (2-7)

(대화)

영혼 (소프라노), 예수 (베이스)

1. 아리아: 베이스

시련을 견디는 이는 행복하다.
시련을 이겨낸 후에 생명의 월계관을
받을 것이기 때문이다

2. 레치타티보: 소프라노

아! 이 달콤한 위로가
내 마음까지 회복시키네.
비탄과 슬픔 속에서
끝없이 고통 받던 마음은
핏속에서 몸부림치는 벌레 같았네.
나는 한 마리 양처럼
수많은 거친 늑대들 틈에서 살아야 하네.
나는 철저히 버림받은 양으로
늑대의 분노와
잔인함에 내맡겨졌네.
그 옛날 아벨에게 닥쳤던 일이
지금 나의 눈물을 쏟게 하네.
아! 예수님, 내가 지금

nicht Trost von dir,
so müsste Mut und Herze brechen,
und voller Trauer sprechen:

3. Aria: Soprano c 3/4

Ich wünschte mir den Tod, den Tod,
wenn du, mein Jesu, mich nicht liebtest.
    Ja wenn du mich annoch betrübtest,
    so hätt ich mehr als Höllennot.

4. Recitativo (Dialogo): Bass, Soprano g-B♭ **C**

(Jesus)
Ich reiche dir die Hand
und auch damit das Herze.
(Seele)
Ach! süßes Liebespfand,
du kannst die Feinde stürzen
und ihren Grimm verkürzen.

5. Aria: Bass B♭ 3/4

(Jesus)
Ja, ja, ich kann die Feinde schlagen,
die dich nur stets bei mir verklagen,
drum fasse dich, bedrängter Geist.
    Bedrängter Geist, hör auf zu weinen,
    die Sonne wird noch helle scheinen,
    die dir itzt Kummerwolken weist.

당신의 위로를 받지 못한다면
내 용기와 마음이 무너져
슬픔 한가득 안고 말해야 하네.

3. 아리아: 소프라노

예수님, 당신이 나를 사랑하지 않는다면
나는 죽음을 원하나이다, 죽음을.
　　당신이 나를 슬프게 하신다면
　　나는 지옥보다 큰 시련을 겪을 것입니다.

4. 레치타티보 (대화): 베이스, 소프라노

(예수)
내가 너에게 손을 내미니
이로써 내 마음도 함께 내미노라.
(영혼)
아! 달콤한 사랑의 맹세
당신은 적을 넘어뜨리고
그들의 분노를 꺾을 수 있습니다.

5. 아리아: 베이스

(예수)
그렇다, 언제나 내게 와서 너를 비난한
적들을 나는 넘어뜨릴 수 있다.
그러니 진정하여라, 두려워하는 영혼아.
　　두려워하는 영혼아, 울지 마라
　　지금 너에게 슬픔의 구름이 드리워도
　　이제 태양이 밝게 비추리니.

6. Recitativo (Dialogo): Bass, Soprano E♭-d **C**

(Jesus)

In meinem Schoß liegt Ruh und Leben,
dies will ich dir einst ewig geben.

(Seele)

Ach! Jesu, wär ich schon bei dir,
ach, striche mir
der Wind schon über Gruft und Grab,
so könnt ich alle Not besiegen.
Wohl denen, die im Sarge liegen
und auf den Schall der Engel hoffen!
Ach! Jesu, mache mir doch nur,
wie Stephano, den Himmel offen!
Mein Herz ist schon bereit,
zu dir hinaufzusteigen.
Komm, komm, vergnügte Zeit!
Du magst mir Gruft und Grab
und meinen Jesum zeigen.

7. Aria: Soprano g-B♭ 3/8

Ich ende behende mein irdisches Leben,
mit Freuden zu scheiden verlang ich itzt eben.
Mein Heiland, ich sterbe mit höchster Begier,
hier hast du die Seele, was schenkest du mir?

6. 레치타티보 (대화): 베이스, 소프라노

(예수)
내 품에 평안과 생명이 있으니
내가 이것을 너에게 영원히 주리라.
(영혼)
아! 예수님, 지금 내가 당신 곁에 있다면
아, 바람이 내 무덤을
스치고 지나간다면
나는 모든 고난을 이겨낼 수 있습니다.
행복하여라, 관 속에 누워
천사의 노랫소리를 기다리는 사람은!
아! 예수님, 스데반*에게 그러셨듯이
제게 하늘을 열어주소서!
내 마음은 벌써 당신에게
올라갈 준비가 되었습니다.
오라, 오라, 즐거운 시간이여!
너는 내게 관과 무덤과
나의 예수님을 보여줄 수 있으니.

7. 아리아: 소프라노

내가 빠르게 지상의 삶을 끝내오니
이제 기쁘게 떠나기를 소망합니다.
구세주여, 내가 크게 원하여 죽사오니
여기 내 영혼을 드립니다. 주님은 내게 무엇을 주시렵니까?

* 성 스테파노스: 신약성경 「사도행전」에 나오는 인물로, 초대 예루살렘 교회에서 활동한 부제이며 그리스도교 최초의 순교자. 사도행전 7:56 참조.

8. Choral B♭ 3/4

Richte dich, Liebste, nach meinem Gefallen
und gläube,
dass ich dein Seelenfreund immer und ewig
verbleibe,
der dich ergötzt
und in den Himmel versetzt
aus dem gemarterten Leibe.

8. 코랄

내 사랑아, 내가 원하는 대로 따르라
그리고 믿어라,
내가 영원히 언제까지나 네 영혼의 친구로
남아 있겠다는 것을.
내가 너를 기쁘게 하고
고통당한 몸에서 일으켜 세워
하늘로 데려가리라.

성탄절 셋째 날

서신서 히브리서 1:1-14
복음서 요한복음 1:1-14

BWV 64

Sehet, welch eine Liebe hat uns der Vater erzeiget

1. Coro e **C**

Sehet, welch eine Liebe hat uns der Vater erzeiget,
dass wir Gottes Kinder heißen.

2. Choral G **C**

Das hat er alles uns getan,
sein groß' Lieb zu zeigen an;
des freu sich alle Christenheit
und dank ihm des in Ewigkeit.
Kyrie eleis!

3. Recitativo: Alto C-D **C**

Geh, Welt! behalte nur das Deine,
ich will und mag nichts von dir haben,
der Himmel ist nun meine,
an diesem soll sich meine Seele laben.
Dein Gold ist ein vergänglich Gut,
dein Reichtum ist geborget,
wer dies besitzt, der ist gar schlecht versorget.
Drum sag ich mit getrostem Mut:

BWV 64

보라, 아버지가 우리에게 베푸신 사랑이 얼마나 큰지

- 1723년 라이프치히 작곡, 1723년 12월 27일 라이프치히 초연
- 코르네티노, 트롬본 3, 오보에 다모레, 바이올린 2, 비올라, 콘티누오
- 요한1서 3:1 (1); 마르틴 루터 (2); 발타자르 킨더만 (4); 요한 프랑크 (8); 무명 시인 (3, 5-7)

1. 합창

보라, 아버지가 우리에게 베푸신 사랑이 얼마나 큰지.
그로 인해 우리는 하나님의 자녀라고 불리게 되었다.

2. 코랄

그가 우리에게 이 모든 일을 하신 것은
그의 큰 사랑을 보여주기 위함이네.
모든 그리스도인은 이를 기뻐하고
영원히 그분께 감사하라.
주님 자비를 베푸소서!

3. 레치타티보: 알토

떠나라, 세상이여! 오직 네 것만 지녀라,
나는 아무것도 네 것을 원하지 않는다.
천국이 나의 것이고
내 영혼이 그곳에서 위안을 얻으리라.
너의 황금은 덧없는 재물이고
너의 부유함은 빌린 것이니
이를 소유한 자는 가진 것이 없도다.
그러므로 내가 자신 있게 말하노라.

4. Choral D C

Was frag ich nach der Welt
und allen ihren Schätzen,
wenn ich mich nur an dir,
mein Jesu, kann ergötzen!
Dich hab ich einzig mir
zur Wollust vorgestellt:
Du, du bist meine Lust;
was frag ich nach der Welt!

5. Aria: Soprano b C

Was die Welt
in sich hält,
muss als wie ein Rauch vergehen.
    Aber was mir Jesus gibt
    und was meine Seele liebt,
    bleibet fest und ewig stehen.

6. Recitativo: Bass G-G C

Der Himmel bleibet mir gewiss,
und den besitz ich schon im Glauben.
Der Tod, die Welt und Sünde,
ja selbst das ganze Höllenheer
kann mir, als einem Gotteskinde,
denselben nun und nimmermehr
aus meiner Seele rauben.
Nur dies, nur einzig dies macht mir noch Kümmernis,
dass ich noch länger soll auf dieser Welt verweilen;
denn Jesus will den Himmel mit mir teilen,

4. 코랄

내가 왜 세상을 뒤쫓고
그곳의 재물을 탐하겠는가,
예수님, 당신 한 분만으로도
기쁨을 느낄 수 있는데!
나는 오직 주님만을
나의 기쁨으로 삼았네.
주님, 당신이 나의 기쁨인데
내가 왜 세상을 뒤쫓겠는가?

5. 아리아: 소프라노

세상 안에
있는 것들은
연기처럼 사라지리라.
　　그러나 예수님이 내게 주신 것과
　　내 영혼이 사랑하는 것은
　　영원토록 굳건히 남으리라.

6. 레치타티보: 베이스

천국은 분명 나를 위해 남아 있으리니
내가 벌써 믿음 안에서 그곳을 소유하였네.
죽음, 세상, 죄악,
심지어 지옥의 군대도
하나님의 자녀인 나의 영혼에서
지금도 앞으로도 영원히
천국을 빼앗지 못하네.
다만 나를 아직 근심케 하는 단 한 가지는
내가 이 세상에 더 오래 머물러야 한다는 것이네.
예수님은 천국을 나와 함께 누리고자 하시어

und dazu hat er mich erkoren,
deswegen ist er Mensch geboren.

7. Aria: Alto G $^6/_8$

Von der Welt verlang ich nichts,
wenn ich nur den Himmel erbe.
Alles, alles geb ich hin,
weil ich genug versichert bin,
dass ich ewig nicht verderbe.

8. Choral e **C**

Gute Nacht, o Wesen,
das die Welt erlesen!
Mir gefällst du nicht.
Gute Nacht, ihr Sünden,
bleibet weit dahinten,
kommt nicht mehr ans Licht!
Gute Nacht, du Stolz und Pracht!
Dir sei ganz, du Lasterleben,
gute Nacht gegeben!

나를 선택하시었네.
이것이 그가 인간으로 태어나신 이유이네.

7. 아리아: 알토

이 세상에서 나는 아무것도 바라지 않네,
내가 천국을 상속하기만 한다면.
모든 것, 모든 것을 나는 포기하리라,
내가 영원히 멸망하지 않을 것임을
확실히 보장받았기 때문이네.

8. 코랄

안녕, 세상을
선택한 존재여!
너는 내 마음에 들지 않는다.
안녕, 너희 죄악이여
멀리 저 뒤에 서서
더는 빛 가까이 오지 마라!
안녕, 교만과 허영이여!
방탕한 삶이여
너에게 영영 작별을 고하노라!

BWV 133

Ich freue mich in dir

1. Coro (Choral) D ¢

Ich freue mich in dir
und heiße dich willkommen,
mein liebes Jesulein!
Du hast dir vorgenommen,
mein Brüderlein zu sein.
Ach, wie ein süßer Ton!
Wie freundlich sieht er aus,
der große Gottessohn!

2. Aria: Alto A ¢

Getrost! es fasst ein heil'ger Leib
des Höchsten unbegreiflich's Wesen.
    Ich habe Gott – wie wohl ist mir geschehen! –
    von Angesicht zu Angesicht gesehen.
    Ach! meine Seele muss genesen.

3. Recitativo: Tenor f♯-D C

Ein Adam mag sich voller Schrecken
vor Gottes Angesicht
im Paradies verstecken!
Der allerhöchste Gott kehrt selber bei uns ein:

BWV 133
내가 당신 안에서 기뻐하며

- 1724년 라이프치히 작곡, 1724년 12월 27일 라이프치히 초연
- 코넷, 오보에 다모레 2, 바이올린 2, 비올라, 콘티누오
- 카스파르 치글러 (1, 6); 무명 시인 (2-5)

1. 합창 (코랄)

내가 당신 안에서 기뻐하며
당신을 환영합니다,
나의 사랑하는 어린 예수님!
주님은 나의 형제가 되려고
결심하셨습니다.
아, 얼마나 감미로운 소리인지요!
그 모습이 얼마나 다정한지요
위대하신 하나님의 아들이여!

2. 아리아: 알토

힘을 내어라! 거룩한 몸이
헤아릴 수 없는 최고의 존재를 감싸네.
  나는 하나님과 – 얼마나 행복한 일인가! –
  얼굴과 얼굴을 마주하였네.
  아! 내 영혼이 치유되리라.

3. 레치타티보: 테너

아담이 공포에 가득 차
낙원에서 하나님을 피해
몸을 숨겼네!
가장 높으신 하나님이 친히 우리에게 오시니

Und so entsetzet sich mein Herze nicht;
es kennet sein erbarmendes Gemüte.
Aus unermessner Güte
wird er ein kleines Kind
und heißt mein Jesulein.

4. Aria: Soprano b ₵, 12/8, ₵

Wie lieblich klingt es in den Ohren,
dies Wort: mein Jesus ist geboren,
wie dringt es in das Herz hinein!
Wer Jesu Namen nicht versteht
und wem es nicht durchs Herze geht,
der muss ein harter Felsen sein.

5. Recitativo: Bass b-D C

Wohlan, des Todes Furcht und Schmerz
erwägt nicht mein getröstet Herz.
Will er vom Himmel sich
bis zu der Erde lenken,
so wird er auch an mich
in meiner Gruft gedenken.
Wer Jesum recht erkennt,
der stirbt nicht, wenn er stirbt,
sobald er Jesum nennt.

6. Choral D C

Wohlan, so will ich mich
an dich, o Jesu, halten,
und sollte gleich die Welt
in tausend Stücken spalten.

내 마음은 두렵지 않네.
나는 그의 자비로운 성정을 아네.
헤아릴 길 없는 선하심으로
그는 어린아이가 되시니
이름을 아기 예수라 하네.

4. 아리아: 소프라노

이 말이 얼마나 사랑스럽게 들리는지요.
나의 예수님이 태어나셨네.
그 말이 내 마음을 뚫고 들어옵니다!
　　예수님의 이름을 이해하지 못하고
　　마음이 감응하지 않는 사람은
　　분명히 단단한 바위와 같을 것입니다.

5. 레치타티보: 베이스

위로 받은 내 마음은
죽음의 두려움과 고통을 생각하지 않네.
그분이 하늘에서
지상으로 내려오신다면
무덤에 있는 나도
생각하시리라.
진실로 예수님을 아는 사람은
그분의 이름을 부르는 순간
죽어도 죽지 않으리라.

6. 코랄

그러면 오 예수님
나는 당신을 붙잡으리라
세상이 곧
수천 개 조각으로 쪼개진다 해도

O Jesu, dir, nur dir,
dir leb ich ganz allein;
auf dich, allein auf dich,
mein Jesu, schlaf ich ein.

BWV 151

Süßer Trost, mein Jesus kömmt

---

1. Aria: Soprano G 12/8, ₵, 12/8

Süßer Trost, mein Jesus kömmt,
Jesus wird anitzt geboren!
    Herz und Seele freuet sich,
    denn mein liebster Gott hat mich
    nun zum Himmel auserkoren.

2. Recitativo: Bass D-e **C**

Erfreue dich, mein Herz,
denn itzo weicht der Schmerz,
der dich so lange Zeit gedrücket.
Gott hat den liebsten Sohn,
den er so hoch und teuer hält,
auf diese Welt geschicket.
Er lässt den Himmelsthron
und will die ganze Welt

오 예수님, 당신만을, 오직 당신만을
당신만을 위해 나는 온전히 살리라.
당신 안에서, 오직 당신 안에서
나의 예수님, 내가 잠들리라.

BWV 151

달콤한 위로를 주시는 예수님이 오셨다

- 1725년 라이프치히 작곡, 1725년 12월 27일 라이프치히 초연
- 가로 플루트, 오보에 다모레, 바이올린 2, 비올라, 콘티누오
- 게오르크 크리스티안 렘스 (1-4); 니콜라우스 헤르만 (5)

---

1. 아리아: 소프라노

달콤한 위로를 주시는 예수님이 오셨다
예수님이 지금 태어나셨다!
마음과 영혼이 기뻐하니
나의 사랑하는 하나님이
천국으로 가기 위해 나를 선택하셨다.

2. 레치타티보: 베이스

기뻐하라, 내 마음아,
너를 오래도록 짓눌렀던
고통이 지금 물러가네.
하나님이 높고 귀하게 여기시는
사랑하는 아들을
이 세상에 보내셨네.
그는 하늘의 보좌를 떠나
온 세상을

aus ihren Sklavenketten
und ihrer Dienstbarkeit erretten.
O wundervolle Tat!
Gott wird ein Mensch und will auf Erden
noch niedriger als wir und noch viel ärmer werden.

3. Aria: Alto e ¢

In Jesu Demut kann ich Trost,
in seiner Armut Reichtum finden.
    Mir macht desselben schlechter Stand
    nur lauter Heil und Wohl bekannt,
    ja, seine wundervolle Hand
    will mir nur Segenskränze winden.

4. Recitativo: Tenor b-G **C**

Du teurer Gottessohn,
nun hast du mir den Himmel aufgemacht
und durch dein Niedrigsein
das Licht der Seligkeit zuwege bracht.
Weil du nun ganz allein
des Vaters Burg und Thron
aus Liebe gegen uns verlassen,
so wollen wir dich auch
dafür in unser Herze fassen.

5. Choral G **C**

Heut schleußt er wieder auf die Tür
zum schönen Paradeis,
der Cherub steht nicht mehr dafür,
Gott sei Lob, Ehr und Preis.

노예의 사슬과
예속에서 구하시려 하네.
오 놀라운 행위!
하나님은 사람이 되시어 이 땅에서
우리보다 더 낮아지고 더 가난해지려 하네.

3. 아리아: 알토

나는 예수님의 겸손에서 위로를,
그분의 가난에서 부유함을 발견하네.
    이 열악한 상태는 나에게
    오직 구원과 풍요를 깨닫게 하네.
    그의 놀라운 손은
    내게 축복의 화환만을 엮어주려 하네.

4. 레치타티보: 테너

귀하신 하나님의 아들,
당신은 나에게 하늘을 열어주었고,
낮게 임하심으로써
행복의 빛을 안겨주었습니다.
당신께서 홀로
아버지의 성채와 보좌를
우리에 대한 사랑으로 버리셨으니
우리도 그 보답으로 당신을
우리 마음에 담으렵니다.

5. 코랄

오늘 그분은 멋진 낙원으로 들어가는
문을 다시 활짝 열었습니다.
이제 더는 천사가 그 앞을 지키고 있지 않으니
하나님께 찬양과 영광과 찬미를 드립니다.

성탄절 후의 주일

서신서 갈라디아서 4:1-7
복음서 누가복음 2:33-40

BWV 152

Tritt auf die Glaubensbahn

1. Sinfonia e/g $\mathbf{C}$, 3/8

2. Aria: Bass e/g 3/4

Tritt auf die Glaubensbahn,
Gott hat den Stein geleget,
der Zion hält und träget,
Mensch, stoße dich nicht dran!
Tritt auf die Glaubensbahn!

3. Recitativo: Bass e-G/g-B♭ $\mathbf{C}$

Der Heiland ist gesetzt
in Israel zum Fall und Auferstehen.
Der edle Stein ist sonder Schuld,
wenn sich die böse Welt
so hart an ihm verletzt,
ja, über ihn zur Höllen fällt,
weil sie boshaftig an ihn rennet
und Gottes Huld
und Gnade nicht erkennet!
Doch selig ist
ein auserwählter Christ,
der seinen Glaubensgrund auf diesen Eckstein leget,

BWV 152

믿음의 길로 걸어가라

- 1714년 바이마르 작곡, 1714년 12월 30일 바이마르 초연
- 리코더, 오보에, 비올라 다모레, 비올라 다 감바, 콘티누오
- 잘로몬 프랑크

1. 신포니아

2. 아리아: 베이스

믿음의 길로 걸어가라
하나님이 반석을 놓으시고
시온이 붙잡고 지탱하고 있으니
사람들아, 거기에 걸려 넘어지지 마라!
믿음의 길로 나아가라!

3. 레치타티보: 베이스

구세주는 이스라엘에서
쓰러졌다가 다시 일어나시도록 정해졌습니다.
고귀한 반석은 아무 잘못이 없습니다.
악한 세상이 거기에 부딪혀
심하게 다치고
그로 인해 지옥에 떨어질 뿐입니다.
악의적으로 돌을 향해 달려가고
하나님의 은혜와
자비를 알지 못했기 때문입니다!
그러나 행복한 이 있으니
선택된 그리스도인입니다.
믿음의 토대를 그 반석 위에 놓아

weil er dadurch Heil und Erlösung findet.

4. Aria: Soprano G/B♭ **C**

Stein, der über alle Schätze,
hilf, dass ich zu aller Zeit
durch den Glauben auf dich setze
meinen Grund der Seligkeit
und mich nicht an dir verletze,
Stein, der über alle Schätze!

5. Recitativo: Bass e-G/g-B♭ **C**

Es ärgre sich die kluge Welt,
dass Gottes Sohn
verlässt den hohen Ehrenthron,
dass er in Fleisch und Blut sich kleidet
und in der Menschheit leidet.
Die größte Weisheit dieser Erden
muss vor des Höchsten Rat
zur größten Torheit werden.
Was Gott beschlossen hat,
kann die Vernunft doch nicht ergründen;
die blinde Leiterin verführt die geistlich Blinden.

6. Aria (Duetto): Soprano, Bass e/g 6/4

(Seele)
Wie soll ich dich, Liebster der Seelen, umfassen?

(Jesus)
Du musst dich verleugnen und alles verlassen!

행복과 구원을 찾았기 때문입니다.

4. 아리아: 소프라노

어떤 보화보다 귀한 반석의 주님,
내가 영원토록
믿음을 통해 내 행복의 토대인
당신께 의지하게 하시고
내가 당신으로 인해 다치지 않게 하소서.
어떤 보화보다 귀한 반석의 주님!

5. 레치타티보: 베이스

영리한 세상아, 화를 내어라
하나님의 아들이
높은 영광의 보좌를 버리고
육신의 옷을 입으시고
인간 세상에서 고난을 당하셨음을.
이 세상의 가장 큰 지혜도
가장 높으신 분의 뜻 앞에서는
가장 어리석은 것이 되고 마는구나.
하나님이 결정하신 것은
사람의 이성으로 헤아릴 길이 없도다.
눈먼 길잡이가 영적으로 눈먼 사람을 인도하는구나.

6. 아리아 (이중창): 소프라노, 베이스

(영혼)

어떻게 하면 당신을 안을 수 있나요, 나의 가장 사랑하는 영혼이여?

(예수)

너 자신을 부인하고 모든 것을 버려야 한다!

(Seele)

Wie soll ich erkennen das ewige Licht?

(Jesus)

Erkenne mich gläubig und ärgre dich nicht!

(Seele)

Komm, lehre mich, Heiland, die Erde verschmähen!

(Jesus)

Komm, Seele, durch Leiden zur Freude zu gehen!

(Seele)

Ach, ziehe mich, Liebster, so folg ich dir nach!

(Jesus)

Dir schenk ich die Krone nach Trübsal und Schmach.

BWV 122

Das neugeborne Kindelein

---

1. Coro (Choral) g 3/8

Das neugeborne Kindelein,
das herzeliebe Jesulein
bringt abermal ein neues Jahr
der auserwählten Christenschar.

(영혼)

어떻게 하면 영원의 빛을 알아볼 수 있나요?

(예수)

믿음으로 나를 인정하고 조바심을 내지 마라!

(영혼)

오소서, 나를 가르치소서 구세주여, 이 세상을 버리라고!

(예수)

오너라 영혼이여, 시련을 지나 기쁨을 향해 가자!

(영혼)

아, 사랑하는 분이여, 나를 이끄소서, 내가 따르겠습니다!

(예수)

슬픔과 치욕을 견딘 후 너에게 면류관을 씌우리라.

BWV 122

새로 태어난 아기

- 1724년 라이프치히 작곡, 1724년 12월 31일 라이프치히 초연
- 리코더 3, 알토 오보에, 오보에 2, 콘티누오
- 치리아쿠스 슈네가스 (1, 4, 6); 무명 시인 (2-5)

---

1. 합창 (코랄)

새로 태어난 아기
사랑스러운 아기 예수가
선택된 그리스도인들에게
또 새해를 선사합니다.

2. Aria: Bass c ¢

O Menschen, die ihr täglich sündigt,
ihr sollt der Engel Freude sein.
Ihr jubilierendes Geschrei,
dass Gott mit euch versöhnet sei,
hat euch den süßen Trost verkündigt.

3. Recitativo: Soprano g-g **C**

Die Engel, welche sich zuvor
vor euch als vor Verfluchten scheuen,
erfüllen nun die Luft im höhern Chor,
um über euer Heil sich zu erfreuen.
Gott, so euch aus dem Paradies
aus englischer Gemeinschaft stieß,
lässt euch nun wiederum auf Erden
durch seine Gegenwart vollkommen selig werden:
So danket nun mit vollem Munde
vor die gewünschte Zeit im neuen Bunde.

4. Aria: Soprano, Tenor con Choral: Alto d 6/8

Ist Gott versöhnt und unser Freund,
O wohl uns, die wir an ihn glauben,
was kann uns tun der arge Feind?
sein Grimm kann unsern Trost nicht rauben;
Trotz Teufel und der Höllen Pfort,
ihr Wüten wird sie wenig nützen,
das Jesulein ist unser Hort.
Gott ist mit uns und will uns schützen.

2. 아리아: 베이스

오 사람들아, 날마다 죄를 짓는 이들아
너희는 천사들의 기쁨이 되어야 한다.
    하나님이 너희와 화해하셨다는
    천사들의 환호성이
    너희에게 달콤함 위로를 선포하였다.

3. 레치타티보: 소프라노

천사들이 전에는
저주받은 너희를 꺼려하였으나
이제는 너희의 구원을 기뻐하기 위해
높은 곳의 노랫소리로 대기를 채우네.
하나님이 너희를 낙원에 있는
천사들의 무리에서 쫓아내셨으나
이제 다시 지상에서
그분의 현존으로 너희를 온전히 행복하게 하시네.
그러므로 목소리 높여 감사하라
새로운 언약으로 소망했던 시간을 주심을.

4. 아리아: 소프라노, 테너 & 코랄: 알토

    하나님이 화해하시어 우리의 친구가 된다면
오 그를 믿는 우리는 행복하여라.
    사악한 적이 우리에게 무슨 짓을 할 수 있겠는가?
적의 분노는 우리의 위로를 빼앗아가지 못하네.
    악마와 지옥의 문이 기다린다 해도
저들이 진노해도 소용이 없으리.
    아기 예수는 우리의 피난처이네.
하나님이 우리와 함께 계시며 지켜주시리라.

5. Recitativo: Bass B♭-g C

Dies ist ein Tag, den selbst der Herr gemacht,
der seinen Sohn in diese Welt gebracht.
O sel'ge Zeit, die nun erfüllt!
O gläubigs Warten, das nunmehr gestillt!
O Glaube, der sein Ende sieht!
O Liebe, die Gott zu sich zieht!
O Freudigkeit, so durch die Trübsal dringt
und Gott der Lippen Opfer bringt!

6. Choral g 3/4

Es bringt das rechte Jubeljahr,
was trauern wir denn immerdar?
Frisch auf! itzt ist es Singenszeit,
das Jesulein wend't alles Leid.

BWV 28

Gottlob! nun geht das Jahr zu Ende

---

1. Aria: Soprano a 3/4

Gottlob! nun geht das Jahr zu Ende,
das neue rücket schon heran.
Gedenke, meine Seele, dran,

5. 레치타티보: 베이스

오늘은 주님이 친히 만드신 날
당신의 아들을 이 세상에 데려오셨네.
오 복된 시간이 지금 찾아왔네!
오 믿음 깊었던 기다림이 이루어졌네!
오 목표가 보이는 믿음이여!
오 하나님이 끌어당기는 사랑이여!
오 슬픔을 뚫고 하나님께
입술의 예물을 드리는 기쁨이여!

6. 코랄

진정한 축제의 해가 찾아오니
우리가 아직도 슬퍼할 까닭이 있을까요?
어서 일어납시다! 이제 노래할 시간입니다.
아기 예수가 모든 고난을 물리칩니다.

BWV 28

하나님을 찬양하자! 한 해가 저물고

- 1725년 라이프치히 작곡, 1725년 12월 30일 라이프치히 초연
- 코넷, 트롬본 3, 오보에 2, 알토 오보에, 바이올린 2, 비올라, 콘티누오
- 에르트만 노이마이스터 (1, 4, 5); 요한 그라만 (2); 예레미야 32:41 (3); 파울 에버 (6)

---

1. 아리아: 소프라노

하나님을 찬양하자! 한 해가 저물고
새해가 다가온다.
내 영혼아, 기억하라

wie viel dir deines Gottes Hände
im alten Jahre Guts getan!
Stimm ihm ein frohes Danklied an;
so wird er ferner dein gedenken
und mehr zum neuen Jahre schenken.

2. Coro (Choral) C ¢

Nun lob, mein Seel, den Herren,
was in mir ist, den Namen sein!
Sein Wohltat tut er mehren,
vergiss es nicht, o Herze mein!
Hat dir dein Sünd vergeben
und heilt dein Schwachheit groß,
errett' dein armes Leben,
nimmt dich in seinen Schoß.
Mit reichem Trost beschüttet,
verjüngt, dem Adler gleich.
Der Kön'g schafft Recht, behütet,
die leid'n in seinem Reich.

3. Recitativo ed Arioso: Bass e-e **C**

So spricht der Herr: Es soll mir eine Lust sein, dass ich ihnen Gutes tun soll, und ich will sie in diesem Lande pflanzen treulich, von ganzem Herzen und von ganzer Seele.

4. Recitativo: Tenor G-C **C**

Gott ist ein Quell, wo lauter Güte fleußt;
Gott ist ein Licht, wo lauter Gnade scheinet;

하나님의 손이 네게 얼마나 많은 것을
지난해에 베푸셨는지!
그분께 즐거운 감사의 노래를 불러드리자
그러면 주님은 너를 기억하시고
새해에 더 많은 것을 주시리라.

2. 합창 (코랄)

내 영혼아, 이제 주님을 찬양하라
내 안에 있는 모든 것들아, 그의 이름을 찬미하라!
주님은 더욱 자비를 베푸시리니
그것을 잊지 마라, 내 마음아!
그는 너의 죄를 용서하시고
너의 큰 나약함을 고쳐주시고
너의 가련한 삶을 구원하시고
너를 당신 품에 안아주신다.
넘치는 위로를 쏟아부으시고
너를 독수리처럼 기운차게 만드신다.
왕은 의로우시고, 그의 나라에서
고통 받는 이를 보호하신다.

3. 레치타티보와 아리오소: 베이스

주님이 말씀하시네: 나는 이 백성이
잘되는 것이 즐거우니, 온 마음과 정성을 쏟아
이 백성이 이 땅에 뿌리박고
살게 하리라.

4. 레치타티보: 테너

하나님은 오직 선하심이 흐르는 샘입니다.
하나님은 오직 자비만을 비추는 빛입니다.

Gott ist ein Schatz, der lauter Segen heißt;
Gott ist ein Herr, der's treu und herzlich meinet.
Wer ihn im Glauben liebt, in Liebe kindlich ehrt,
sein Wort von Herzen hört
und sich von bösen Wegen kehrt,
dem gibt er sich mit allen Gaben.
Wer Gott hat, der muss alles haben.

5. Aria (Duetto): Alto, Tenor C 6/8

Gott hat uns im heurigen Jahre gesegnet,
dass Wohltun und Wohlsein einander begegnet.
Wir loben ihn herzlich und bitten darneben,
er woll' auch ein glückliches neues Jahr geben.
Wir hoffen's von seiner beharrlichen Güte
und preisen's im Voraus mit dankbar'm Gemüte.

6. Choral a **C**

All solch dein Güt wir preisen,
Vater ins Himmels Thron,
die du uns tust beweisen
durch Christum, deinen Sohn,
und bitten ferner dich:
Gib uns ein friedsam Jahre,
für allem Leid bewahre
und nähr uns mildiglich.

하나님은 오직 축복이라 불리는 보배입니다.
하나님은 신실하고 친절한 마음을 가진 주님입니다.
그를 믿음으로 사랑하고, 사랑으로 아이처럼 존경하고,
그의 말씀을 진심으로 경청하고
나쁜 길을 멀리하는 이에게
하나님은 당신 자신과 온갖 선물을 주십니다.
하나님을 가진 이는 모든 것을 가졌습니다.

5. 아리아 (이중창): 알토, 테너

하나님이 올해에 우리를 축복하시어
선행과 행복이 만나게 하시었네.
우리는 그분을 진심으로 찬양하며
새해에도 행복한 한 해를 주시기를 청하네.
우리는 그분의 변함없는 선하심을 소망하며
미리 감사의 마음으로 찬미하네.

6. 코랄

그분의 모든 선하심을 우리가 찬양합니다.
하늘의 보좌에 계신 아버지
당신의 아들 그리스도를 통해
우리에게 선하심을 증명하신 분
당신께 간청하오니
우리에게 평화로운 한 해를 주시고
모든 고통에서 지켜주시고
우리를 아낌없이 보살펴주소서.

새해 첫날

서신서 갈라디아서 3:23-29
복음서 누가복음 2:21

BWV 190

Singet dem Herrn ein neues Lied!

1. Coro D 3/4

Singet dem Herrn ein neues Lied! Die Gemeine
der Heiligen soll ihn loben!
Lobet ihn mit Pauken und Reigen, lobet ihn mit
Saiten und Pfeifen!
Herr Gott, dich loben wir!
Alles, was Odem hat, lobe den Herrn!
Herr Gott, wir danken dir!
Halleluja!

2. Choral e Recitativo: Bass, Tenor, Alto b-A **C**

Herr Gott, dich loben wir,
(Bass)
Dass du mit diesem neuen Jahr
uns neues Glück und neuen Segen schenkest
und noch in Gnaden an uns denkest.
Herr Gott, wir danken dir,
(Tenor)
Dass deine Gütigkeit
in der vergangnen Zeit
das ganze Land und unsre werte Stadt

BWV 190
주님께 새 노래를 불러드리자!

- 1724년 라이프치히 작곡, 1724년 1월 1일 라이프치히 초연
- 트럼펫 3, 팀파니, 오보에 3, 오보에 다모레, 바이올린 2, 비올라, 콘티누오
- 시편 149:1, 150:4, 6 (1); 마르틴 루터 (1, 2); 요하네스 헤르만 (7); 무명 시인 (2-6)

---

1. 합창

주님께 새 노래를 불러드리자! 신도들아
모여서 그를 찬양하여라!
북치고 춤추며 찬양하고, 현과 피리로
찬양하여라!
주 하나님, 당신을 우리가 찬양합니다.
숨을 쉬는 자마다 주님을 찬양하여라!
주 하나님, 주님께 감사드립니다!
할렐루야!

2. 코랄 & 레치타티보: 베이스, 테너, 알토

　　주 하나님, 당신을 찬양합니다.
(베이스)
주님은 새해와 함께
우리에게 새로운 행복과 축복을 선물하시고
자비롭게 우리를 기억하십니다.
　　주 하나님, 당신께 감사드립니다.
(테너)
당신의 호의가
지난날
온 나라와 우리의 귀한 도시를

vor Teurung, Pestilenz und Krieg behütet hat.

Herr Gott, dich loben wir,

(Alto)

Denn deine Vatertreu
hat noch kein Ende,
sie wird bei uns noch alle Morgen neu.
Drum falten wir,
barmherz'ger Gott, dafür
in Demut unsre Hände
und sagen lebenslang
mit Mund und Herzen Lob und Dank.

Herr Gott, wir danken dir!

3. Aria: Alto A 3/4

Lobe, Zion, deinen Gott,
lobe deinen Gott mit Freuden,
auf! erzähle dessen Ruhm,
der in seinem Heiligtum
fernerhin dich als dein Hirt
will auf grüner Auen weiden.

4. Recitativo: Bass f♯-A **C**

Es wünsche sich die Welt,
was Fleisch und Blute wohlgefällt;
nur eins, eins bitt ich von dem Herrn,
dies eine hätt ich gern,
dass Jesus, meine Freude,
mein treuer Hirt, mein Trost und Heil
und meiner Seelen bestes Teil,

기근과 전염병과 전쟁에서 지켜주었습니다.
　　주 하나님, 당신을 찬양합니다.
(알토)
아버지 같은 당신의 신실함에는
끝이 없어
우리에게 날마다 새롭습니다.
그러므로
자비로운 하나님,
우리가 겸손히 두 손 모아
평생토록 입술과 마음으로
찬양과 감사를 드립니다.
　　주 하나님, 당신께 감사드립니다!

3. 아리아: 알토
찬양하라, 시온아, 너의 하나님을,
기쁘게 하나님을 찬양하라,
일어나라! 주님의 영광을 이야기하라
성전에 계신 그분이
목자가 되어 너를
파란 풀밭에서 먹이시리라.

4. 레치타티보: 베이스
세상은 살과 피가 좋아하는 것을
바랄지도 모릅니다.
다만 한 가지, 내가 주님께 바라는
한 가지가 있으니.
예수님, 나의 기쁨이고
나의 귀한 목자이며, 나의 위로와 구원 되시고
내 영혼 최고의 부분이신 예수님,

mich als ein Schäflein seiner Weide
auch dieses Jahr mit seinem Schutz umfasse
und nimmermehr aus seinen Armen lasse.
Sein guter Geist,
der mir den Weg zum Leben weist,
Regier und führe mich auf ebner Bahn,
so fang ich dieses Jahr in Jesu Namen an.

5. Aria (Duetto): Tenor, Bass D 6/8

Jesus soll mein Alles sein,
Jesus soll mein Anfang bleiben,
Jesus ist mein Freudenschein,
Jesus will ich mich verschreiben.
Jesus hilft mir durch sein Blut,
Jesus macht mein Ende gut.

6. Recitativo: Tenor b-A **C**

Nun, Jesus gebe,
dass mit dem neuen Jahr auch sein Gesalbter lebe;
er segne beides, Stamm und Zweige,
auf dass ihr Glück bis an die Wolken steige.
Es segne Jesus Kirch und Schul,
er segne alle treue Lehrer,
er segne seines Wortes Hörer;
er segne Rat und Richterstuhl;
er gieß auch über jedes Haus
in unsrer Stadt die Segensquellen aus;
er gebe, dass aufs neu
sich Fried und Treu
in unsern Grenzen küssen mögen.

어린양인 나를 올해에도
당신의 목장에서 보호하고 감싸주시고
다시는 당신 품에서 놓지 마소서.
그분의 선한 마음이
내게 생명으로 이르는 길을 알려주시니
나를 다스리시고 평탄한 길로 이끄소서.
내가 올 한 해도 예수님의 이름으로 시작하겠나이다.

5. 아리아 (이중창): 테너, 베이스

예수님은 나의 모든 것이 되어야 하고
예수님은 내 시작이어야 하고
예수님은 내 기쁨의 빛이고
예수님께 내가 헌신하려 하며
예수님이 그의 보혈로 나를 도우시며
예수님은 나의 마지막을 좋게 하십니다.

6. 레치타티보: 테너

예수님, 이제
새해와 함께 기름부음 받은 이에게 힘을 주소서
줄기와 가지를 모두 축복하시어
그들의 행복이 구름까지 오르게 하소서.
예수님, 교회와 학교를 축복하시고
모든 신실한 교사들을 축복하시고
당신 말씀을 경청하는 이들을 축복하시고
시의회와 재판석을 축복하소서.
우리 도시에 있는 집마다
축복의 샘물을 부어주소서.
바라오니, 다시금
평화와 신의가
우리 나라 안에서 서로 입 맞추게 하소서.

So leben wir dies ganze Jahr im Segen.

7. Choral D **C**

Lass uns das Jahr vollbringen
zu Lob dem Namen dein,
dass wir demselben singen
in der Christen Gemein;
wollst uns das Leben fristen
durch dein allmächtig Hand,
erhalt deine lieben Christen
und unser Vaterland.
Dein Segen zu uns wende,
gib Fried an allem Ende;
gib unverfälscht im Lande
dein seligmachend Wort.
Die Heuchler mach zuschanden
hier und an allem Ort!

BWV 41

Jesu, nun sei gepreiset

---

1. Coro (Choral) C **C**, 3/4, **¢**, **C**

Jesu, nun sei gepreiset

그러면 우리가 올해 내내 축복 속에서 살 것입니다.

7. 코랄

당신의 이름을 찬양하며
올해를 마치게 하소서,
우리가 그리스도인의 회중에서
이 노래를 부르게 하소서.
당신의 전능한 손으로
우리의 삶을 연장하고자 하신다면
당신이 사랑하는 그리스도인들과
우리의 조국을 지켜주소서.
당신의 축복을 우리에게 돌리시고
곳곳에 평화를 주소서.
당신의 축복의 말씀을
온전히 이 땅에 내리소서.
여기저기 사방에서
위선자를 꺾어버리소서!

BWV 41
예수님, 이제 당신을 찬양합니다

- 1724년 라이프치히 작곡, 1725년 1월 1일 라이프치히 초연
- 트럼펫 3, 팀파니, 오보에 3, 바이올린 2, 비올론첼로 피콜로, 비올라, 콘티누오
- 요하네스 헤르만 (1, 6); 무명 시인 (2-5)

---

1. 합창 (코랄)

예수님, 이제 당신을 찬양합니다

zu diesem neuen Jahr
für dein Güt, uns beweiset
in aller Not und G'fahr,
dass wir haben erlebet
die neu fröhliche Zeit,
die voller Gnaden schwebet
und ew'ger Seligkeit;
dass wir in guter Stille
das alt' Jahr hab'n erfüllet.
Wir woll'n uns dir ergeben
itzund und immerdar,
behüte Leib, Seel und Leben
hinfort durchs ganze Jahr!

2. Aria: Soprano G 6/8

Lass uns, o höchster Gott, das Jahr vollbringen,
damit das Ende so wie dessen Anfang sei.
Es stehe deine Hand uns bei,
dass künftig bei des Jahres Schluss
wir bei des Segens Überfluss
wie itzt ein Halleluja singen.

3. Recitativo: Alto a-e **C**

Ach! deine Hand, dein Segen muss allein
das A und O, der Anfang und das Ende sein.
Das Leben trägest du in deiner Hand,
und unsre Tage sind bei dir geschrieben;
dein Auge steht auf Stadt und Land;
du zählest unser Wohl und kennest unser Leiden,

이 새해에
우리에게 당신의 선하심을 보여주셨습니다.
모든 고난과 위험 속에서도
우리는 새롭게 기쁜 시간을
맞이하였습니다.
은혜가 충만하고
영원한 축복이 가득한 시간.
당신의 선하심으로 평안한 고요 속에서
지난해를 마쳤습니다.
주님께 우리를 바치려 합니다
지금 그리고 언제까지나.
우리 몸과 영혼과 생명을 지켜주소서
앞으로 일 년 내내!

2. 아리아: 소프라노

오 가장 높으신 하나님, 한 해를 완성하게 하소서
시작할 때처럼 끝을 맺게 하소서.
　　주님의 손길이 우리를 도와
　　앞으로 한 해를 마칠 때에
　　넘치는 축복 속에서
　　지금처럼 할렐루야를 노래하게 하소서.

3. 레치타티보: 알토

아! 당신의 손, 당신의 축복만이
알파요 오메가이며, 시작과 끝입니다.
우리의 생명은 당신 손에 있고
우리의 날들은 당신에게 적혀 있습니다.
당신의 눈은 도시와 농촌을 굽어보시고
당신은 우리의 행복을 살피시고 우리의 고통을 아십니다.

ach! gib von beiden,
was deine Weisheit will, worzu dich dein
Erbarmen angetrieben.

4. Aria: Tenor a **C**

Woferne du den edlen Frieden
für unsern Leib und Stand beschieden,
so lass der Seele doch dein selig machend Wort.
  Wenn uns dies Heil begegnet,
  so sind wir hier gesegnet
  und Auserwählte dort!

5. Recitativo: Bass e Coro C-C **C**

Doch weil der Feind bei Tag und Nacht
zu unserm Schaden wacht
und unsre Ruhe will verstören,
so wollest du, o Herre Gott, erhören,
wenn wir in heiliger Gemeine beten:
  Den Satan unter unsre Füße treten.
So bleiben wir zu deinem Ruhm
dein auserwähltes Eigentum
und können auch nach Kreuz und Leiden
zur Herrlichkeit von hinnen scheiden.

6. Choral C **C**, 3/4, **C**

Dein ist allein die Ehre,
dein ist allein der Ruhm;
Geduld im Kreuz uns lehre,
regier all unser Tun,

아! 둘 중 하나를 주소서.
당신의 지혜가 원하는 대로.
당신의 자비가 이끄는 대로.

4. 아리아: 테너

귀중한 평화를
우리의 몸과 형편에 주셨듯이
영혼에도 당신의 복된 말씀을 주소서.
　　그런 행복을 만난다면
　　우리는 지상에서 축복받은 사람이고
　　하늘에서는 선택된 자들입니다!

5. 레치타티보: 베이스와 합창

적이 밤낮으로
우리를 해하려 깨어 있고
우리의 평안을 깨뜨리려 하니
오 주 하나님, 우리가 거룩한 모임에서
드리는 기도를 들어주소서:
　　사탄을 우리 발아래 짓밟아주소서.
그러면 당신의 영광을 위해
우리는 당신이 선택한 소유물이 되고
시련과 고통 후에도
영광스럽게 이곳을 떠날 것입니다.

6. 코랄

명예는 오직 주님의 것
영광은 오직 주님의 것
시련 속에서 인내를 가르쳐주시고
우리의 모든 행동을 지배하소서.

bis wir fröhlich abscheiden
ins ewig Himmelreich,
zu wahrem Fried und Freude,
den Heil'gen Gottes gleich.
Indes mach's mit uns allen
nach deinem Wohlgefallen:
Solch's singet heut ohn Scherzen
die christgläubige Schar
und wünscht mit Mund und Herzen
ein selig's neues Jahr.

BWV 16

Herr Gott, dich loben wir

---

1. Coro (Choral) a-G **C**

Herr Gott, dich loben wir,
Herr Gott, wir danken dir.
Dich, Gott Vater in Ewigkeit,
ehret die Welt weit und breit.

2. Recitativo: Bass C-G **C**

So stimmen wir
bei dieser frohen Zeit

우리가 기쁘게 이곳을 떠나
영원히 하늘나라에 들어가
참된 평화와 기쁨에 이르고
하나님의 성인들과 똑같아질 때까지.
우리 모두를
당신 흡족한 대로 하소서.
그리스도를 믿는 무리가
오늘 진심을 다해 노래하고
입술과 마음으로
복된 새해를 소원합니다.

BWV 16
주 하나님, 당신을 찬양합니다

- 1725년 라이프치히 작곡, 1726년 1월 1일 라이프치히 초연
- 코르노 다 카차, 오보에 2, 오보에 다 카차, 바이올린 2, 비올라, 비올레타, 콘티누오
- 마르틴 루터 (1); 게오르크 크리스티안 렘스 (2-5); 파울 에버 (6)

---

1. 합창 (코랄)
주 하나님, 당신을 찬양합니다.
주 하나님, 당신께 감사합니다.
하나님 아버지, 당신을 영원히
온 세상이 경배합니다.

2. 레치타티보: 베이스
그리하여 우리는
이 기쁜 시간에

mit heißer Andacht an
und legen dir,
o Gott, auf dieses neue Jahr
das erste Herzensopfer dar.
Was hast du nicht von Ewigkeit
vor Heil an uns getan,
und was muss unsre Brust
noch itzt vor Lieb und Treu verspüren!
Dein Zion sieht vollkommne Ruh,
es fällt ihm Glück und Segen zu;
der Tempel schallt
von Psaltern und von Harfen,
und unsre Seele wallt,
wenn wir nur Andachtsglut in Herz und Munde führen.
Oh, sollte darum nicht ein neues Lied erklingen
und wir in heißer Liebe singen?

3. Aria: Bass e Coro C **C**

(Chor)
Lasst uns jauchzen, lasst uns freuen:
Gottes Güt und Treu
bleibet alle Morgen neu.

(Bass)
Krönt und segnet seine Hand,
ach so glaubt, dass unser Stand
ewig, ewig glücklich sei.

4. Recitativo: Alto e-C **C**

Ach treuer Hort,

뜨거운 신앙으로 노래하고
오 하나님 당신에게
새해를 맞아
마음에서 나오는 첫 예물을 바칩니다.
영원한 옛날부터 주님이
우리의 구원을 위해 하지 않은 일이 있을까요
우리의 가슴은
지금도 그 사랑과 신실함을 느낍니다!
당신의 시온은 완전한 평안을 바라보니
행복과 축복이 그의 것입니다.
성전에서
비파와 하프가 울려 퍼지고
열렬한 신앙을 마음과 입술에 올리면
우리의 영혼은 소용돌이칩니다.
오, 그러니 새로운 노래를 울리고
뜨거운 사랑으로 노래해야 하지 않을까요?

3. 아리아: 베이스와 합창

(합창)
환호하자, 기뻐하자:
하나님의 선하심과 신실함이
매일 아침 새로워지니.

> (베이스)
> 그의 손이 마무리하고 축복하니
> 아, 믿어라, 우리가
> 영원히, 영원히 행복하리니.

4. 레치타티보: 알토

아 믿음직한 피난처

beschütz auch fernerhin dein wertes Wort,
beschütze Kirch und Schule,
so wird dein Reich vermehrt
und Satans arge List gestört;
erhalte nur den Frieden
und die beliebte Ruh,
so ist uns schon genug beschieden,
und uns fällt lauter Wohlsein zu.
Ach! Gott, du wirst das Land
noch ferner wässern,
du wirst es stets verbessern,
du wirst es selbst mit deiner Hand
und deinem Segen bauen.
Wohl uns, wenn wir
dir für und für,
mein Jesus und mein Heil, vertrauen.

5. Aria: Tenor F 3/4

Geliebter Jesu, du allein
sollst meiner Seelen Reichtum sein.
Wir wollen dich vor allen Schätzen
in unser treues Herze setzen,
ja, wenn das Lebensband zerreißt,
stimmt unser gottvergnügter Geist
noch mit den Lippen sehnlich ein:
Geliebter Jesu, du allein
sollst meiner Seelen Reichtum sein.

앞으로도 당신의 귀한 말씀과
교회와 학교를 지켜주소서
그러면 당신의 나라가 커지고
사탄의 사악한 간계는 꺾일 것입니다.
오직 평화와
귀한 안식을 지켜주소서
넘치도록 받은 저희에게는
오직 행복만이 있을 뿐입니다.
아! 하나님, 당신은 이 땅을
물로 적셔
언제나 더 나은 곳으로 만드시고
직접 당신의 손과
당신의 축복으로 경작하시리라.
우리가 영원히
나의 예수이며 나의 구세주인 당신을
믿는다면 복될 것입니다.

5. 아리아: 테너

사랑하는 예수님, 오직 당신만이
내 영혼의 보배이어야 하네.
그 어떤 보화보다 당신을
우리의 신실한 마음에 품네.
생명의 끈이 끊어져도
주님을 기뻐하는 우리의 영혼은
입술로 간절히 노래하네.
사랑하는 예수님, 오직 당신만이
내 영혼의 보배이어야 하네.

6. Choral a **C**

All solch dein Güt wir preisen,
Vater ins Himmels Thron,
die du uns tust beweisen
durch Christum, deinen Sohn,
und bitten ferner dich,
gib uns ein friedlich Jahre,
vor allem Leid bewahre
und nähr uns mildiglich.

BWV 171

Gott, wie dein Name, so ist auch dein Ruhm

---

1. Coro D 2

Gott, wie dein Name, so ist auch dein Ruhm bis
an der Welt Ende.

2. Aria: Tenor A **C**

Herr, so weit die Wolken gehen,
gehet deines Namens Ruhm.
    Alles, was die Lippen rührt,
    alles, was noch Odem führt,

6. 코랄

그 모든 당신의 자비로움을 찬양합니다.
하늘의 보좌에 앉으신 아버지께서
당신의 아들 그리스도를 통해
우리에게 자비를 보여주셨습니다.
당신에게 간청하오니
평화로운 한 해를 주시고
모든 고통에서 지켜주시고
우리를 넉넉하게 먹여주소서.

BWV 171

하나님, 당신의 이름과 같이 당신을 찬양하는 소리도

- 1728년 라이프치히 작곡, 1729년 1월 1일 라이프치히 초연
- 트럼펫 3, 팀파니, 오보에 2, 바이올린 2, 비올라, 콘티누오
- 시편 48:10 (1); 피칸더 (2-5); 요하네스 헤르만 (6)

---

1. 합창

하나님, 당신의 이름과 같이 당신을 찬양하는 소리도
땅 끝까지 들립니다.

2. 아리아: 테너

주님, 구름이 흘러가는 곳까지
당신의 이름의 영광도 함께 갑니다.
　입술을 움직이는 모든 이들이
　숨을 쉬는 모든 이들이

wird dich in der Macht erhöhen.

3. Recitativo: Alto f♯-D **C**

Du süßer Jesus-Name du,
in dir ist meine Ruh,
du bist mein Trost auf Erden,
wie kann denn mir
im Kreuze bange werden?
Du bist mein festes Schloss und mein Panier,
da lauf ich hin,
wenn ich verfolget bin.
Du bist mein Leben und mein Licht,
mein Ehre, meine Zuversicht,
mein Beistand in Gefahr
und mein Geschenk zum neuen Jahr.

4. Aria: Soprano D 12/8

Jesus soll mein erstes Wort
in dem neuen Jahre heißen.
Fort und fort
lacht sein Nam in meinem Munde,
und in meiner letzten Stunde
ist Jesus auch mein letztes Wort.

5. Recitativo: Bass G-b **C**, 3/8, **C**

Und da du, Herr, gesagt:
Bittet nur in meinem Namen,
so ist alles Ja! und Amen!
so flehen wir,

당신의 권능을 드높입니다.

3. 레치타티보: 알토

예수의 달콤한 이름
당신 안에 나의 안식이 있고
당신이 지상에서 나의 위로가 되시니
어찌 내가
고난을 당해 두려워하겠습니까?
당신은 나의 굳건한 성이요 나의 깃발 되시니
내가 쫓길 때
그곳으로 달려갑니다.
당신은 나의 생명이요 나의 빛
나의 영광이요 나의 굳은 믿음
위험 속의 나의 구원자 되시니
새해에 받는 나의 선물입니다.

4. 아리아: 소프라노

예수는 새해에
나의 첫 말씀이 되리라.
언제까지나
그의 이름이 내 입술에서 웃으리라.
또한 나의 마지막 시간에
예수는 나의 마지막 말씀이 되리라.

5. 레치타티보: 베이스

그리고 주님이 말씀하셨습니다:
오직 나의 이름으로 간청하라.
그러면 모두 그리 되리라. 아멘!
그리하여 온 세상의 구세주인

du Heiland aller Welt, zu dir:
Verstoß uns ferner nicht,
behüt uns dieses Jahr
für Feuer, Pest und Kriegsgefahr!
Lass uns dein Wort, das helle Licht,
noch rein und lauter brennen;
gib unsrer Obrigkeit
und dem gesamten Lande
dein Heil des Segens zu erkennen;
gib allezeit
Glück und Heil zu allem Stande.
Wir bitten, Herr, in deinem Namen,
sprich: ja! darzu, sprich: Amen, Amen!

6. Choral D **C**, 3/4, **C**

Lass uns das Jahr vollbringen
zu Lob dem Namen dein,
dass wir demselben singen
in der Christen Gemein.
Wollst uns das Leben fristen
durch dein allmächtig Hand,
erhalt dein liebe Christen
und unser Vaterland!
Dein Segen zu uns wende,
gib Fried an allem Ende,
gib unverfälscht im Lande
dein seligmachend Wort,
die Teufel mach zuschanden
hier und an allem Ort!

당신께 간청합니다.
우리를 내치지 마시고
올해에도 불과 역병과
전쟁의 위험에서 지켜주소서!
밝은 빛인 당신의 말씀이
우리 마음에 들어와 타오르게 하소서
우리의 통치자와
온 나라가
당신의 축복의 구원을 알게 하시고
언제까지나 모든 계층에
행복과 건강을 주소서.
주님 당신의 이름으로 간청하오니
그리 될지어다, 아멘, 아멘이라고 말씀하소서!

6. 코랄

당신의 이름을 찬양하며
올해를 마치게 하소서
우리가 그리스도인의 회중에서
이 노래를 부르게 하소서.
당신의 전능한 손으로
우리의 삶을 연장하고자 하신다면
당신이 사랑하는 그리스도인들과
우리의 조국을 지켜주소서!
당신의 축복을 우리에게 돌리시고
곳곳에 평화를 주소서.
당신의 축복의 말씀을
온전히 이 땅에 내리소서.
여기저기 사방에서
위선자를 꺾어버리소서!

BWV 143

Lobe den Herrn, meine Seele

1. Coro B♭ 3/4

Lobe den Herrn, meine Seele.

2. Choral: Soprano B♭ C

Du Friedefürst, Herr Jesu Christ,
wahr' Mensch und wahrer Gott,
ein starker Nothelfer du bist
im Leben und im Tod;
drum wir allein
im Namen dein
zu deinem Vater schreien.

3. Recitativo: Tenor E♭-c C

Wohl dem, des Hülfe der Gott Jakob ist, des Hoffnung auf dem Herrn, seinem Gotte, stehet.

4. Aria: Tenor c C

Tausendfaches Unglück, Schrecken,
Trübsal, Angst und schneller Tod,
Völker, die das Land bedecken,
Sorgen und sonst noch mehr Not
sehen andre Länder zwar,

BWV 143

내 영혼아, 주를 찬양하여라 II

- 1708-1714년 뮐하우젠 작곡 및 초연(추정)
- 코르노 다 카차 3, 팀파니, 바순, 바이올린 2, 비올라, 콘티누오
- 시편 146:1 (1); 시편 146:5 (3); 시편 146:10 (5); 야코프 에버트 (2, 7); 무명 시인 (4, 6)

1. 합창

내 영혼아, 주를 찬양하여라.

2. 코랄: 소프라노

평화의 왕, 주 예수 그리스도님
참 사람이시고 참 하나님이시며
삶에서도 죽음에서도
강력한 구원자 되시니
우리는 오직
주님의 이름으로만
주님의 아버지께 외치나이다.

3. 레치타티보: 테너

행복하여라, 야곱의 하나님께 도움받는 사람
자기 하나님이신 주님께 희망을 거는 사람

4. 아리아: 테너

수천 겹의 불행, 공포,
슬픔, 두려움, 때 이른 죽음,
땅을 뒤덮은 이민족들,
다른 나라는 더 많은 걱정과
괴로움을 보고 있으나

aber wir ein Segensjahr.

5. Aria: Bass B♭ 3/4

Der Herr ist König ewiglich, dein Gott, Zion,
für und für.

6. Aria: Tenor con Choral g **C**

Jesu, Retter deiner Herde,
bleibe ferner unser Hort,
dass dies Jahr uns glücklich werde,
halte Wacht an jedem Ort.
Führ, o Jesu, deine Schar
bis zu jenem neuen Jahr.

7. Coro (Choral) B♭ 6/8

Halleluja.
Gedenk, Herr, jetzund an dein Amt,
dass du ein Friedfürst bist,
und hilf uns gnädig allesamt
jetzund zu dieser Frist;
lass uns hinfort
dein göttlich Wort
im Fried noch länger schallen.

우리는 복된 해를 맞이하네.

5. 아리아: 베이스

주는 영원토록 왕이시니, 시온아,
너의 하나님이 영원히 다스리신다.

6. 아리아: 테너와 코랄

예수님, 당신의 양떼의 구세주여
앞으로도 우리의 피신처 되어주시어
올해가 행복한 한 해 되게 하소서.
가는 곳마다 우리를 보호하소서.
오 예수님, 당신의 양떼를
다음 새해까지 이끌어주소서.

7. 합창 (코랄)

할렐루야.
주여, 이제 당신의 사명을 기억하소서.
당신은 평화의 왕이시니
저희를 모두 자비로써 도우소서
지금 그리고 언제까지나.
앞으로도 저희가
주님 당신의 말씀을
평화롭게 오래도록 울리게 하소서.

새해 첫 주일*

서신서 베드로전서 4:12-19
복음서 마태복음 2:13-23

* 새해 첫날과 주현절에 해당하는 1월 6일 사이의 일요일(7년 중에 4년만 있다)을 위한 칸타타.

BWV 153

Schau, lieber Gott, wie meine Feind

1. Choral a-e C

Schau, lieber Gott, wie meine Feind,
damit ich stets muss kämpfen,
so listig und so mächtig seind,
dass sie mich leichtlich dämpfen!
Herr, wo mich deine Gnad nicht hält,
so kann der Teufel, Fleisch und Welt
mich leicht in Unglück stürzen.

2. Recitativo: Alto a-b C

Mein liebster Gott, ach lass dich's doch erbarmen,
ach hilf doch, hilf mir Armen!
Ich wohne hier bei lauter Löwen und bei Drachen,
und diese wollen mir durch Wut und Grimmigkeit
in kurzer Zeit
den Garaus völlig machen.

3. Arioso: Bass e 3/8

Fürchte dich nicht, ich bin mit dir. Weiche nicht, ich bin dein Gott; ich stärke dich, ich helfe dir auch durch die rechte Hand meiner Gerechtigkeit.

BWV 153
보소서, 사랑의 하나님, 나의 적들이

- 1724년 라이프치히 작곡, 1724년 1월 2일 라이프치히 초연
- 바이올린, 비올라, 콘티누오
- 다비트 데니케 (1); 이사야 41:10 (3); 파울 게르하르트 (5); 마르틴 몰러 (9); 무명 시인 (2, 4, 6-8)

1. 코랄
보소서, 사랑의 하나님, 나의 적들이
내가 늘 싸워야 하는 적들이
얼마나 간교하고 강하여
나를 쉽게 내리누르는지를!
주여, 당신이 자비로 지켜주지 않으면
악마와 육신과 세상이
나를 쉽게 불행에 빠뜨립니다.

2. 레치타티보: 알토
나의 사랑하는 하나님, 자비를 베푸소서
아, 도우소서, 가련한 나를 도우소서!
나는 오직 사자와 용이 득실대는 이곳에 살고 있습니다.
이들이 분노와 잔인함으로
삽시간에
나를 완전히 없애려 합니다.

3. 아리오소: 베이스
두려워 말라, 내가 너의 곁에 있다. 걱정하지 말라,
내가 너의 하나님이다. 내가 너를 강하게 하고, 내 정의의
오른팔로 너를 도울 것이다.

4. Recitativo: Tenor G-d C

Du sprichst zwar, lieber Gott, zu meiner Seelen Ruh
mir einen Trost in meinen Leiden zu.
Ach, aber meine Plage
vergrößert sich von Tag zu Tage,
denn meiner Feinde sind so viel,
mein Leben ist ihr Ziel,
ihr Bogen wird auf mich gespannt,
sie richten ihre Pfeile zum Verderben,
ich soll von ihren Händen sterben;
Gott! meine Not ist dir bekannt,
die ganze Welt wird mir zur Marterhöhle;
hilf, Helfer, hilf! Errette meine Seele!

5. Choral e C

Und ob gleich alle Teufel
dir wollten widerstehn,
so wird doch ohne Zweifel
Gott nicht zurücke gehn;
was er ihm fürgenommen
und was er haben will,
das muss doch endlich kommen
zu seinem Zweck und Ziel.

6. Aria: Tenor a C

Stürmt nur, stürmt, ihr Trübsalswetter,
wallt, ihr Fluten, auf mich los!
Schlagt, ihr Unglücksflammen,
über mich zusammen,

4. 레치타티보: 테너

사랑의 하나님, 당신은 내 영혼의 안식을 위해
내가 괴로울 때 위로의 말씀을 주십니다.
아, 그러나 나의 고통은
나날이 커져만 갑니다.
나의 적들이 너무 많으니
그들의 목표는 나의 목숨입니다.
그들의 활은 나를 향해 당겨지고
화살은 내 멸망을 위해 조준합니다.
내가 그들 손에 죽으리니
하나님! 당신은 나의 곤경을 아십니다
온 세상이 나를 고문하는 동굴입니다
도우소서, 구원자여, 도우소서! 나의 영혼을 구하소서!

5. 코랄

모든 악마가
당신에게 대적한다 해도
의심할 나위 없이
하나님은 물러서지 않으리라.
그가 행하고
원하시는 것은
그의 계획과 목표를 위해
끝내 반드시 이루어지리라.

6. 아리아: 테너

몰아치네, 몰아치네, 너희 시련의 날씨여,
내게 물결쳐 오네, 너희 홍수여!
나를 덮치네,
너희 불행의 화염이여!

stört, ihr Feinde, meine Ruh,
spricht mir doch Gott tröstlich zu:
Ich bin dein Hort und Erretter.

7. Recitativo: Bass F-C **C**

Getrost! mein Herz,
erdulde deinen Schmerz,
lass dich dein Kreuz nicht unterdrücken!
Gott wird dich schon
zu rechter Zeit erquicken;
muss doch sein lieber Sohn,
dein Jesus, in noch zarten Jahren
viel größre Not erfahren,
da ihm der Wüterich Herodes
die äußerste Gefahr des Todes
mit mörderischen Fäusten droht!
Kaum kömmt er auf die Erden,
so muss er schon ein Flüchtling werden!
Wohlan, mit Jesu tröste dich
und glaube festiglich:
Denjenigen, die hier mit Christo leiden,
will er das Himmelreich bescheiden.

8. Aria: Alto G 3/4

Soll ich meinen Lebenslauf
unter Kreuz und Trübsal führen,
hört es doch im Himmel auf.
Da ist lauter Jubilieren,
daselbsten verwechselt mein Jesus das Leiden

내 안식을 깨뜨리네, 적들이여
그러나 하나님이 내게 주시는 위로의 말씀:
나는 너의 피난처이며 구원자이니라.

7. 레치타티보: 베이스

두려워 마라! 내 마음이여
너의 고통을 인내하라
네 고난에 짓눌리지 마라!
하나님은 너를
제때에 회복시키리라.
그가 사랑하는 아들
너의 예수님은 더 연약한 시기에
훨씬 큰 고난을 겪으셔야 했다.
잔인한 폭군 헤롯이
그를 죽이겠다고
무시무시한 주먹으로 위협했다!
이 땅에 오시자마자
그는 피난민이 되어야 했다!
그러니 예수님으로 위안을 받고
굳게 믿어라:
여기에서 그리스도와 함께 고통받는 자에게
그가 하늘나라를 주시리니.

8. 아리아: 알토

십자가 고난과 슬픔을 겪으며
내가 평생을 살아도
천국에서는 그치리라.
그곳에는 오직 환희뿐
바로 거기에서 나의 예수님이 고통을

mit seliger Wonne, mit ewigen Freuden.

9. Choral C 3/4

Drum will ich, weil ich lebe noch,
das Kreuz dir fröhlich tragen nach;
mein Gott, mach mich darzu bereit,
es dient zum Besten allezeit!

Hilf mir, mein Sach recht greifen an,
dass ich mein' Lauf vollenden kann,
hilf mir auch zwingen Fleisch und Blut,
für Sünd und Schanden mich behüt!

Erhalt mein Herz im Glauben rein,
so leb und sterb ich dir allein;
Jesu, mein Trost, hör mein Begier,
O mein Heiland, wär ich bei dir!

BWV 58

Ach Gott, wie manches Herzeleid

(Dialogus)

복된 환희와 영원한 기쁨으로 바꾸시네.

9. 코랄

그러니 나는 아직 살아 있으므로
당신을 따라 기쁘게 십자가를 지리라.
나의 하나님, 내가 준비하게 하소서
십자가는 언제나 나를 도우리니!

나의 일을 올바로 하게 하시어
나의 삶을 완성하게 하소서.
피와 살로 된 인간을 극복하게 하시어
죄악과 치욕에서 나를 지키소서!

내 마음을 믿음 속에서 깨끗하게 지키소서
그러면 나는 당신만을 위해 살고 죽으리라.
예수님, 내 위로자시여, 나의 청을 들으소서
오 나의 구세주여, 당신 곁에 있기를 원하나이다!

BWV 58
아 하나님, 얼마나 많은 마음의 고통을 II

- 1727년 라이프치히 작곡, 1727년 1월 5일 라이프치히 초연
- 오보에 2, 알토 오보에, 바이올린 2, 비올라, 콘티누오
- 마르틴 몰러 (1); 마르틴 벰 (5); 무명 시인 (2-4)

(대화)

1. Choral: Soprano con Aria: Bass C 3/4

Ach Gott, wie manches Herzeleid
Nur Geduld, Geduld, mein Herze,
begegnet mir zu dieser Zeit!
es ist eine böse Zeit!
Der schmale Weg ist Trübsals voll,
Doch der Gang zur Seligkeit
den ich zum Himmel wandern soll.
führt zur Freude nach dem Schmerze.
Nur Geduld, Geduld, mein Herze,
es ist eine böse Zeit!

2. Recitativo: Bass a-F **C**

Verfolgt dich gleich die arge Welt,
so hast du dennoch Gott zum Freunde,
der wider deine Feinde
dir stets den Rücken hält.
Und wenn der wütende Herodes
das Urteil eines schmähen Todes
gleich über unsern Heiland fällt,
so kommt ein Engel in der Nacht,
der lässet Joseph träumen,
dass er dem Würger soll entfliehen
und nach Ägypten ziehen.
Gott hat ein Wort, das dich vertrauend macht.
Er spricht: Wenn Berg und Hügel niedersinken,
wenn dich die Flut des Wassers will ertrinken,
so will ich dich doch nicht verlassen noch versäumen.

1. 코랄: 소프라노 & 아리아: 베이스

　　아 하나님, 얼마나 많은 마음의 고통을
오직 인내하라, 인내하라, 나의 마음아
　　지금 내가 겪고 있는지요!
사악한 시대로다!
　　좁은 길이 슬픔으로 가득합니다.
그러나 행복으로 가는 길은
　　천국에 이르기 위해 걸어야 하는 길은
고통이 지난 뒤 기쁨으로 이끄네.
오직 인내하라, 인내하라, 나의 마음아
사악한 시대로다!

2. 레치타티보: 베이스

곧 악한 세상이 박해한다 해도
너는 하나님을 친구로 두었노라.
그는 너의 적들에 맞서
항상 너를 보호하시는 분.
광포한 헤롯이
부끄러운 죽음의 판결을
우리 구세주에게 내려도
천사가 밤중에 내려와
요셉의 꿈에서 이르기를
살육자에게서 도망쳐
이집트로 가라 하였다.
하나님의 말씀으로 너는 믿게 되었으니
그가 말하였다: 산과 언덕이 무너지고
홍수가 너를 집어삼켜도
나는 너를 버리지도 않고 놓치지도 않으리라.

3. Aria: Soprano d **C**

Ich bin vergnügt in meinem Leiden,
denn Gott ist meine Zuversicht.
  Ich habe sichern Brief und Siegel,
  und dieses ist der feste Riegel,
  den bricht die Hölle selber nicht.

4. Recitativo: Soprano F-a **C**

Kann es die Welt nicht lassen,
mich zu verfolgen und zu hassen,
so weist mir Gottes Hand
ein andres Land.
Ach! könnt es heute noch geschehen,
dass ich mein Eden möchte sehen!

5. Choral: Soprano con Aria: Bass C 2/4

  Ich hab vor mir ein schwere Reis
Nur getrost, getrost, ihr Herzen,
  zu dir ins Himmels Paradeis,
hier ist Angst, dort Herrlichkeit!
  da ist mein rechtes Vaterland,
Und die Freude jener Zeit
  daran du dein Blut hast gewandt.
überwieget alle Schmerzen.
Nur getrost, getrost, ihr Herzen,
hier ist Angst, dort Herrlichkeit!

3. 아리아: 소프라노

고통 속에서도 나는 기쁘네
하나님이 나의 확신이시니.
　　내겐 확실한 보증과 인장이 있네.
　　그것이 단단한 빗장이니
　　지옥도 부러뜨리지 못하네.

4. 레치타티보: 소프라노

세상이 쉬지 않고
나를 박해하고 미워해도
하나님의 손은 나에게
다른 나라를 가리킵니다.
아! 오늘 그런 일이 일어난다면 좋겠네,
나의 에덴동산을 볼 수 있다면 좋겠네!

5. 코랄: 소프라노 & 아리아: 베이스

　　힘든 여행길을 떠나야 하네
힘내라, 힘내라, 마음이여
　　당신이 있는 천국의 낙원으로 가는 길
이곳엔 두려움이, 그곳엔 영광이!
　　그곳이 나의 진정한 조국이네.
그때에 누릴 기쁨을 위해
　　당신은 피를 흘렸습니다.
그 기쁨이 모든 고통을 누릅니다.
힘내라, 힘내라, 마음이여
이곳엔 두려움이, 그곳엔 영광이!

주현절*

서신서 이사야 60:1-6
복음서 마태복음 2:1-12

* 주현절(主顯節, Epiphany): 1월 6일로 공현절(公現節), 현현절(顯現節)이라고도 한다. 서방 교회에서는 동방박사들이 구세주를 경배하러 베들레헴에 온 것과 그리스도가 이방 민족 모두에게 자신을 드러내 보인 날로 기념한다. 초기 동방 교회에서는 그리스도가 하나님의 아들로서 온 세상 사람들 앞에 나타난 날, 즉 예수가 30회 탄생일에 세례를 받고 처음 공생애를 시작한 날로 보고 기념했다. 주현절 절기는 일반적으로 1월 6일부터 사순절이 시작되는 성회수요일 전까지 계속된다.

BWV 65

Sie werden aus Saba alle kommen

1. Coro C 12/8

Sie werden aus Saba alle kommen, Gold und Weihrauch bringen, und des Herren Lob verkündigen.

2. Choral a 3/4

Die Kön'ge aus Saba kamen dar,
Gold, Weihrauch, Myrrhen brachten sie dar,
Halleluja!

3. Recitativo: Bass F-G **C**

Was dort Jesaias vorhergesehn,
das ist zu Bethlehem geschehn.
Hier stellen sich die Weisen
bei Jesu Krippe ein
und wollen ihn als ihren König preisen.
Gold, Weihrauch, Myrrhen sind
die köstlichen Geschenke,
womit sie dieses Jesuskind
zu Bethlehem im Stall beehren.
Mein Jesu, wenn ich jetzt an meine Pflicht gedenke,
muss ich mich auch zu deiner Krippe kehren
und gleichfalls dankbar sein:

BWV 65
스바 사람들이 다 오리라

- 1724년 라이프치히 작곡, 1724년 1월 6일 라이프치히 초연
- 호른 2, 리코더 2, 오보에 다 카차 2, 바이올린 2, 비올라, 콘티누오
- 이사야 60:6 (1); 파울 게르하르트 (7); 무명 시인 (2-6)

1. 합창

스바 사람들이 다 오리라.
황금과 유향을 가지고 와 주님 찬송을 전파하리라.

2. 코랄

스바의 왕들이 와서
황금과 유향과 몰약을 드렸네.
할렐루야!

3. 레치타티보: 베이스

이사야가 그곳에서 예언한 일이
베들레헴에서 일어났네.
현자들이
예수의 구유 앞으로 나와
그를 저들의 왕으로 찬양하려 하네.
황금과 유향과 몰약
그 귀한 선물로
베들레헴의 마구간에 있는
아기 예수를 공경하네.
나의 예수님, 지금 나의 할 일을 생각하건대
나도 당신의 구유 앞으로 나가
감사를 드려야 하겠습니다.

Denn dieser Tag ist mir ein Tag der Freuden,
da du, o Lebensfürst,
das Licht der Heiden
und ihr Erlöser wirst.
Was aber bring ich wohl, du Himmelskönig?
Ist dir mein Herze nicht zu wenig,
so nimm es gnädig an,
weil ich nichts Edlers bringen kann.

4. Aria: Bass e C

Gold aus Ophir ist zu schlecht,
weg, nur weg mit eitlen Gaben,
die ihr aus der Erde brecht!
Jesus will das Herze haben.
Schenke dies, o Christenschar,
Jesu zu dem neuen Jahr!

5. Recitativo: Tenor a-e C

Verschmähe nicht,
du, meiner Seele Licht,
mein Herz, das ich in Demut zu dir bringe;
es schließt ja solche Dinge
in sich zugleich mit ein,
die deines Geistes Früchte sein.
Des Glaubens Gold, der Weihrauch des Gebets,
die Myrrhen der Geduld sind meine Gaben,
die sollst du, Jesu, für und für
zum Eigentum und zum Geschenke haben.
Gib aber dich auch selber mir,

이날은 내게 기쁨의 날
생명의 왕이신 당신이
이방인의 빛이요
그들의 구원자가 되신 날입니다.
하늘의 임금님, 내가 무엇을 드릴까요?
나의 마음을 하찮게 여기지 않으신다면
자비롭게 받아주소서
내 마음보다 더 값진 것을 가져갈 수 없으니.

4. 아리아: 베이스
오빌에서 난 황금은 너무 하찮으니
치워라, 땅에서 캐낸
덧없는 예물은 치워버려라!
예수님은 마음을 받고자 하시니
오 그리스도인들이여, 새해에는
예수님께 마음을 드려라!

5. 레치타티보: 테너
물리치지 마소서
그대, 내 영혼의 빛이여
내 마음을 겸허히 당신께 드립니다.
그 안에는
당신의 영의 열매들이
모두 들어 있습니다.
믿음의 황금과 기도의 유향과
인내의 몰약이 나의 예물이니
예수님, 그것은 영원히
당신 것이며 당신께 드리는 선물입니다.
나에겐 당신을 내어주시어

so machst du mich zum Reichsten auf der Erden;
denn, hab ich dich, so muss
des größten Reichtums Überfluss
mir dermaleinst im Himmel werden.

6. Aria: Tenor C 3/8

Nimm mich dir zu eigen hin,
nimm mein Herze zum Geschenke.
Alles, alles, was ich bin,
was ich rede, tu und denke,
soll, mein Heiland, nur allein
dir zum Dienst gewidmet sein.

7. Choral a **C**

Ei nun, mein Gott, so fall ich dir
getrost in deine Hände.
Nimm mich und mach es so mit mir
bis an mein letztes Ende,
wie du wohl weißt, dass meinem Geist
dadurch sein Nutz entstehe,
und deine Ehr je mehr und mehr
sich in ihr selbst erhöhe.

나를 이 땅에서 가장 부유한 사람으로 만드소서.
당신을 가지게 된다면
넘치도록 큰 재산을
언젠가는 천국에서 누리게 될 것입니다.

6. 아리아: 테너

나를 당신 것으로 받아주시고
나의 마음을 예물로 받으소서.
모든 것, 나의 존재의 모든 것,
나의 말과 행위와 생각은
나의 구세주여, 오직 당신만을
섬기려고 바친 것입니다.

7. 코랄

하나님, 지금 나를
안심하고 당신 손에 맡깁니다.
나를 받아주시고
나의 마지막 날까지
당신이 아시는 대로 내 영혼에
유익함이 되게 하시고
당신의 영광이 더욱더
그 안에서 높아지게 하소서.

BWV 123

Liebster Immanuel, Herzog der Frommen

1. Coro (Choral) b 9/8

Liebster Immanuel, Herzog der Frommen,
du, meiner Seele Heil, komm, komm nur bald!
Du hast mir, höchster Schatz, mein Herz genommen,
so ganz vor Liebe brennt und nach dir wallt.
Nichts kann auf Erden
mir liebers werden,
als wenn ich meinen Jesum stets behalt.

2. Recitativo: Alto f♯-A **C**

Die Himmelssüßigkeit, der Auserwählten Lust
erfüllt auf Erden schon mein Herz und Brust,
wenn ich den Jesusnamen nenne
und sein verborgnes Manna kenne:
Gleichwie der Tau ein dürres Land erquickt,
so ist mein Herz
auch bei Gefahr und Schmerz
in Freudigkeit durch Jesu Kraft entzückt.

3. Aria: Tenor f♯ **C**

Auch die harte Kreuzesreise
und der Tränen bittre Speise

BWV 123
사랑하는 임마누엘, 신심 깊은 이들의 주인이여

- 1725년 라이프치히 작곡, 1725년 1월 6일 라이프치히 초연
- 가로 플루트 2, 오보에 다모레 2, 바이올린 2, 비올라, 콘티누오
- 아하스베루스 프리치 (1, 6); 무명 시인 (2-5)

1. 합창 (코랄)

사랑하는 임마누엘, 신심 깊은 이들의 주인이여
내 영혼의 구원자여, 오소서, 빨리 오소서!
최고의 보물이여, 당신은 내 마음을 가져갔습니다.
사랑으로 활활 타오르고 당신을 향해 용솟음칩니다.
지상에서
나의 예수를 늘 품고 있는 것보다
더 소중한 것은 없습니다.

2. 레치타티보: 알토

천국의 달콤함, 선택된 사람들의 기쁨이
지상에서 벌써 내 마음과 가슴을 가득 채우네.
예수님의 이름을 부르고
그의 숨겨진 만나를 알아볼 때면
이슬이 메마른 땅을 적셔 생기를 주듯
내 마음은
위험과 고통이 닥쳐도
예수님의 힘을 통해 기쁨 속으로 들어가네.

3. 아리아: 테너

가혹한 십자가의 여행에도
눈물 섞인 쓰디쓴 음식에도

schreckt mich nicht.

Wenn die Ungewitter toben,
sendet Jesus mir von oben
Heil und Licht.

4. Recitativo: Bass A-D **C**

Kein Höllenfeind kann mich verschlingen,
das schreiende Gewissen schweigt.
Was sollte mich der Feinde Zahl umringen?
Der Tod hat selbsten keine Macht,
mir aber ist der Sieg schon zugedacht,
weil sich mein Helfer mir, mein Jesus, zeigt.

5. Aria: Bass D **C**

Lass, o Welt, mich aus Verachtung
in betrübter Einsamkeit!

Jesus, der ins Fleisch gekommen
und mein Opfer angenommen,
bleibet bei mir allezeit.

6. Choral b 3/2

Drum fahrt nur immer hin, ihr Eitelkeiten,
du, Jesu, du bist mein, und ich bin dein;
ich will mich von der Welt zu dir bereiten;
du sollst in meinem Herz und Munde sein.
Mein ganzes Leben
sei dir ergeben,
bis man mich einsten legt ins Grab hinein.

나는 놀라지 않네.
　　폭풍우가 휘몰아치면
　　예수님은 위에서 나에게 보내시네,
　　구원과 빛을.

4. 레치타티보: 베이스

지옥에 있는 적도 나를 삼키지 못하네.
아우성치는 양심은 침묵하네.
왜 적의 무리가 나를 둘러쌀까?
죽음조차 아무 힘이 없구나
승리는 이미 나의 것이니
나를 구원하는 예수님이 나타나셨네.

5. 아리아: 베이스

오 세상이여, 나를 경멸한다면
슬픈 고독 속에 내버려 두어라!
　　육신으로 오시고
　　내 예물을 받으신 예수님이
　　영원히 내 곁에 머무르리라.

6. 코랄

그러니 너희들 망상이여, 물러가라
당신, 예수님, 당신은 나의 것, 나는 당신의 것
나는 세상을 떠나 당신께 가렵니다.
당신은 내 마음과 입술에 계십니다.
나의 한평생을
당신께 바칩니다.
어느 날 내가 무덤에 누울 때까지.

주현절 후 첫 주일

서신서 로마서 12:1-6
복음서 누가복음 2:41-52

BWV 154

Mein liebster Jesus ist verloren

1. Aria: Tenor b 3/4

Mein liebster Jesus ist verloren:
O Wort, das mir Verzweiflung bringt,
o Schwert, das durch die Seele dringt,
o Donnerwort in meinen Ohren.

2. Recitativo: Tenor f♯-A **C**

Wo treff ich meinen Jesum an,
wer zeiget mir die Bahn,
wo meiner Seele brünstiges Verlangen,
mein Heiland, hingegangen?
Kein Unglück kann mich so empfindlich rühren,
als wenn ich Jesum soll verlieren.

3. Choral A **C**

Jesu, mein Hort und Erretter,
Jesu, meine Zuversicht,
Jesu, starker Schlangentreter,
Jesu, meines Lebens Licht!
Wie verlanget meinem Herzen,
Jesulein, nach dir mit Schmerzen!
Komm, ach komm, ich warte dein,

BWV 154

나의 소중한 예수님을 잃었네

- 1724년 라이프치히 작곡, 1724년 1월 9일 라이프치히 초연
- 오보에 다모레 2, 바이올린 2, 비올라, 콘티누오
- 마르틴 얀 (3); 누가복음 2:49 (5); 크리스티안 카이만 (8);
  무명 시인 (1, 2, 4, 6, 7)

---

1. 아리아: 테너

나의 소중한 예수님을 잃었네:
　　오 말씀이여, 내게 절망을 안겨주네
　　오 검이여, 영혼을 뚫고 들어오네
　　오 우레 같은 말씀이 귓가에 울리네.

2. 레치타티보: 테너

나의 예수님을 어디에서 만날까요
누가 그 길을 내게 알려줄까요
내 영혼이 열렬히 갈망하는
나의 구세주는 어디로 갔습니까?
예수를 잃는 것보다 더 크게
나를 뒤흔드는 불행은 없습니다.

3. 코랄

예수, 나의 피난처이자 구원자
예수, 나의 굳은 믿음
예수, 강력한 뱀 처단자
예수, 내 생명의 빛!
소년 예수여, 내 마음이 얼마나
고통스럽게 그대를 원하는지요!
오소서, 아 오소서, 내가 기다리고 있으니

komm, o liebstes Jesulein!

4. Aria: Alto A 12/8

Jesu, lass dich finden,
laß doch meine Sünden
keine dicke Wolken sein,
wo du dich zum Schrecken
willst für mich verstecken,
stelle dich bald wieder ein!

5. Arioso: Bass f# C

Wisset ihr nicht, dass ich sein muss in dem,
das meines Vaters ist?

6. Recitativo: Tenor D-f# C

Dies ist die Stimme meines Freundes,
Gott Lob und Dank!
Mein Jesu, mein getreuer Hort,
lässt durch sein Wort
sich wieder tröstlich hören;
ich war vor Schmerzen krank,
der Jammer wollte mir das Mark
in Beinen fast verzehren;
nun aber wird mein Glaube wieder stark,
nun bin ich höchst erfreut;
denn ich erblicke meiner Seele Wonne,
den Heiland, meine Sonne,
der nach betrübter Trauernacht
durch seinen Glanz mein Herze fröhlich macht.

오소서, 오 사랑의 소년 예수여!

4. 아리아: 알토

예수님, 나타나소서
나의 죄악을 짙은 구름으로
만들지 마소서.
나를 놀라게 하려고
당신은 숨으려 하시나
곧 다시 나타나소서!

5. 아리오소: 베이스

내가 내 아버지의 집에
있어야 할 줄을 너는 모르느냐?

6. 레치타티보: 테너

이것은 내 친구의 목소리
하나님께 찬양과 감사를 드립니다!
나의 예수님, 나의 신실한 피난처
그 말씀을 통해
다시 위로해주시네.
나는 고통으로 아팠으나,
참담함이 내 다리의
골수를 갉아먹으려 하였으나,
이제 내 믿음은 다시 강해졌고
나는 기쁨으로 가득하네
내가 내 영혼의 환희이신
구세주 나의 태양을 바라보네
어두운 슬픔의 밤이 지난 후
그 빛으로 내 마음을 기쁘게 하시네.

Auf, Seele, mache dich bereit!
Du musst zu ihm
in seines Vaters Haus, hin in den Tempel ziehn;
da lässt er sich in seinem Wort erblicken,
da will er dich im Sakrament erquicken;
doch, willst du würdiglich
sein Fleisch und Blut genießen,
so musst du Jesum auch in Buß und Glauben küssen.

7. Aria (Duetto): Alto, Tenor D **C**, 3/8, **C**

Wohl mir, Jesus ist gefunden,
nun bin ich nicht mehr betrübt.
Der, den meine Seele liebt,
zeigt sich mir zur frohen Stunden.
Ich will dich, mein Jesu, nun nimmermehr lassen,
ich will dich im Glauben beständig umfassen.

8. Choral D **C**

Meinen Jesum lass ich nicht,
geh ihm ewig an der Seiten;
Christus lässt mich für und für
zu den Lebensbächlein leiten.
Selig, wer mit mir so spricht:
Meinen Jesum lass ich nicht.

일어나라, 영혼아, 준비하라!
아버지의 집에 계신 그를 만나러
성전으로 가야 하리니.
그곳에서 그는 말씀으로 자신을 드러내고
성찬으로 너를 생기 있게 하리라.
네가 합당하게
그의 몸과 피를 받아 모시려면
회개와 믿음으로 예수에게 입을 맞춰야 하리라.

7. 아리아 (이중창): 알토, 테너

행복하여라, 예수님을 찾았으니
이제 나는 더 이상 슬프지 않네.
내 영혼이 사랑하는 그분은
기쁜 시간에 내게 나타나시네.
나의 예수님, 이제는 당신을 떠나지 않겠나이다.
믿음 속에서 언제나 당신을 포옹하겠나이다.

8. 코랄

나는 예수님을 떠나지 않으리라
영원히 그의 곁에서 걸으리라
그리스도는 나를 언제까지나
생명의 시냇가로 이끄시네.
행복하여라, 나와 함께 이렇게 말하는 사람:
나의 예수님을 떠나지 않으리라.

BWV 124

Meinen Jesum lass ich nicht

1. Coro (Choral) E 3/4

Meinen Jesum lass ich nicht,
weil er sich für mich gegeben,
so erfordert meine Pflicht,
klettenweis an ihm zu kleben.
Er ist meines Lebens Licht,
meinen Jesum lass ich nicht.

2. Recitativo: Tenor A-c♯ **C**

Solange sich ein Tropfen Blut
in Herz und Adern reget,
soll Jesus nur allein
mein Leben und mein Alles sein.
Mein Jesus, der an mir so große Dinge tut:
Ich kann ja nichts als meinen Leib und Leben
ihm zum Geschenke geben.

3. Aria: Tenor f♯ 3/4

Und wenn der harte Todesschlag
die Sinnen schwächt, die Glieder rühret,
wenn der dem Fleisch verhasste Tag
nur Furcht und Schrecken mit sich führet,

BWV 124
나는 예수를 떠나지 않으리라

- 1725년 라이프치히 작곡, 1725년 1월 7일 라이프치히 초연
- 호른, 콘체르탄테 오보에 다모레, 바이올린 2, 비올라, 콘티누오
- 크리스티안 카이만 (1, 6); 무명 시인 (2-5)

1. 합창 (코랄)

나는 예수를 떠나지 않으리라
나를 위해 몸 바치신 분이니
그에게 의지하고
절대로 떠나지 말아야 하리라.
그는 내 생명의 빛
나는 예수를 떠나지 않으리라.

2. 레치타티보: 테너

피 한 방울이
심장과 혈관에서 움직이는 한
오직 예수만이
나의 생명이요 나의 모든 것이라.
나의 예수, 나를 위해 놀라운 일을 행하시는 분
나는 그에게 내 몸과 생명을
예물로 드릴 뿐이라.

3. 아리아: 테너

가혹한 죽음이 나를 쳐
감각이 약해지고 사지가 마비되어도
육신이 싫어하는 날에
두려움과 공포만이 밀려들어도

doch tröstet sich die Zuversicht:
Ich lasse meinen Jesum nicht.

4. Recitativo: Bass A-A **C**

Doch ach!
Welch schweres Ungemach
empfindet noch allhier die Seele?
Wird nicht die hart gekränkte Brust
zu einer Wüstenei und Marterhöhle
bei Jesu schmerzlichstem Verlust?
Allein mein Geist sieht gläubig auf
und an den Ort, wo Glaub und Hoffnung prangen,
allwo ich nach vollbrachtem Lauf
dich, Jesu, ewig soll umfangen.

5. Aria (Duetto): Soprano, Alto A 3/4

Entziehe dich eilends, mein Herze, der Welt,
du findest im Himmel dein wahres Vergnügen.
    Wenn künftig dein Auge den Heiland erblickt,
    so wird erst dein sehnendes Herze erquickt,
    so wird es in Jesu zufriedengestellt.

6. Choral E **C**

Jesum lass ich nicht von mir,
geh ihm ewig an der Seiten;
Christus lässt mich für und für
zu den Lebensbächlein leiten.
Selig, der mit mir so spricht:
Meinen Jesum lass ich nicht.

나의 굳은 믿음은 평온을 주네:
나는 나의 예수를 떠나지 않으리라.

4. 레치타티보: 베이스

그러나 아!
내 영혼이 여기에서 얼마나
힘든 고난을 느끼고 있는지요?
예수님을 고통스럽게 잃어
크게 상처 입은 내 가슴은
사막으로 변하고 시련의 동굴이 되지 않을까요?
오직 내 영혼만이 신실하게 눈을 들어
믿음과 희망이 찬란히 빛나는 곳을 바라봅니다.
내가 한평생을 마친 후
예수님 당신을 영원히 품에 안을 곳입니다.

5. 아리아 (이중창): 소프라노, 알토

속히 세상에서 벗어나라, 내 마음이여
너는 천국에서 참된 즐거움을 찾으리라.
　　네 눈이 장차 구세주를 바라볼 때
　　너의 간절한 마음이 먼저 위안을 받고
　　예수 안에서 만족을 얻으리라.

6. 코랄

나는 예수를 떠나지 않으리라
영원히 그의 곁에서 걸으리라.
그리스도는 나를 언제까지나
생명의 시냇가로 이끄시네
행복하여라, 나와 함께 이렇게 말하는 사람:
나의 예수를 떠나지 않으리라.

BWV 32

Liebster Jesu, mein Verlangen

(Dialogus)

1. Aria: Soprano e **C**

(Seele)

Liebster Jesu, mein Verlangen,
sage mir, wo find ich dich?
Soll ich dich so bald verlieren
und nicht ferner bei mir spüren?
Ach! mein Hort, erfreue mich,
lass dich höchst vergnügt umfangen.

2. Recitativo: Bass b-b **C**

(Jesus)

Was ist's, dass du mich gesuchet? Weißt du nicht,
dass ich sein muss in dem, das meines Vaters ist?

3. Aria: Bass G 3/8

(Jesus)

Hier, in meines Vaters Stätte,
findt mich ein betrübter Geist.
Da kannst du mich sicher finden
und dein Herz mit mir verbinden,

BWV 32
사랑의 예수님, 나의 소망이여

- 1726년 라이프치히 작곡, 1726년 1월 13일 라이프치히 초연
- 오보에, 바이올린 2, 비올라, 콘티누오
- 게오르크 크리스티안 렘스 (1-5); 누가복음 2:49 (2); 파울 게르하르트 (6)

(대화)

1. 아리아: 소프라노

(영혼)
사랑의 예수님, 나의 소망이여
말해주소서, 어디에서 당신을 찾을 수 있습니까?
곧 당신을 잃어버리고
더 이상 내 곁에 없다고 느껴야 할까요?
아! 나의 피신처, 나를 즐겁게 하소서
당신을 지고의 기쁨으로 끌어안게 하소서.

2. 레치타티보: 베이스

(예수)
왜 나를 찾느냐? 내가 내 아버지의 집에
있어야 할 줄을 너는 모르느냐?

3. 아리아: 베이스

(예수)
이곳, 내 아버지가 계시는 집에서
슬퍼하는 영혼이 나를 찾는구나.
　　너는 여기에서 나를 확실히 찾을 것이요
　　네 마음은 나와 하나가 되리라

weil dies meine Wohnung heißt.

4. Recitativo (Dialogo): Soprano, Bass b-G **C**

(Seele)
Ach! heiliger und großer Gott,
so will ich mir
denn hier bei dir
beständig Trost und Hilfe suchen.
(Jesus)
Wirst du den Erdentand verfluchen
und nur in diese Wohnung gehn,
so kannst du hier und dort bestehn.
(Seele)
Wie lieblich ist doch deine Wohnung,
Herr, starker Zebaoth;
mein Geist verlangt
nach dem, was nur in deinem Hofe prangt.
Mein Leib und Seele freuet sich
in dem lebend'gen Gott:
Ach! Jesu, meine Brust liebt dich nur ewiglich.
(Jesus)
So kannst du glücklich sein,
wenn Herz und Geist
aus Liebe gegen mich entzündet heißt.
(Seele)
Ach! dieses Wort, das itzo schon
mein Herz aus Babels Grenzen reißt,
fass ich mir andachtsvoll in meiner Seele ein.

이곳은 내가 거하는 곳이기 때문이니라.

4. 레치타티보 (대화): 소프라노, 베이스

(영혼)

아! 거룩하고 크신 하나님

나는 이곳

당신 곁에서

끊임없이 위안과 도움을 구하렵니다.

(예수)

네가 세상과 인연을 끊고

이곳에 오기만 한다면

너는 하늘에도 지상에도 머물 수 있느니라.

(영혼)

당신이 계신 곳은 얼마나 사랑스러운지요

강한 만군의 주여

내 영혼이 바라는 것은

오직 당신의 궁전에서만 빛나고 있습니다

내 육신과 영혼이 살아 있는 하나님 안에서

즐거워합니다.

아! 예수여, 내 가슴은 영원히 당신만을 사랑합니다.

(예수)

너는 행복할 수 있느니라

네 마음과 영혼이

나를 사랑하는 마음으로 불타오른다면.

(영혼)

아! 지금 벌써 내 마음을

바벨의 경계에서 끌어내는 이 말씀을

경건하게 내 영혼에 새기렵니다.

5. Aria (Duetto): Soprano, Bass D **C**

(beide)
Nun verschwinden alle Plagen,
nun verschwindet Ach und Schmerz.
(Seele)
Nun will ich nicht von dir lassen,
(Jesus)
und ich dich auch stets umfassen.
(Seele)
Nun vergnüget sich mein Herz
(Jesus)
und kann voller Freude sagen:
(beide)
Nun verschwinden alle Plagen,
nun verschwindet Ach und Schmerz!

6. Choral G **C**

Mein Gott, öffne mir die Pforten
solcher Gnad und Gütigkeit,
lass mich allzeit allerorten
schmecken deine Süßigkeit!
Liebe mich und treib mich an,
dass ich dich, so gut ich kann,
wiederum umfang und liebe
und ja nun nicht mehr betrübe.

5. 아리아 (이중창): 소프라노, 베이스

(함께)

이제 모든 고난이 사라지네

이제 비탄과 고통이 사라지네.

(영혼)

이제 나는 당신을 떠나지 않으리라

(예수)

나도 너를 항상 안아주리라.

(영혼)

이제 내 마음이 즐거워하네

(예수)

그리고 기쁨으로 가득 차 말하리라

(함께)

이제 모든 고난이 사라지네

이제 비탄과 고통이 사라지네!

6. 코랄

나의 하나님, 내게 문을 열어주소서

은혜와 선함으로 가득한 문을.

내가 언제 어디에서나

당신의 달콤함을 맛보게 하소서!

나를 사랑하시고 나로 하여금

당신을 있는 힘껏

다시 끌어안고 사랑하게 하소서

그리고 더는 슬퍼하지 않게 하소서.

주현절 후 제2주일

서신서 로마서 12:6-16
복음서 요한복음 2:1-11

BWV 155

Mein Gott, wie lang, ach lange?

1. Recitativo: Soprano d-a **C**

Mein Gott, wie lang, ach lange?
Des Jammers ist zu viel,
ich sehe gar kein Ziel
der Schmerzen und der Sorgen!
Dein süßer Gnadenblick
hat unter Nacht und Wolken sich verborgen,
die Liebeshand zieht sich, ach! ganz zurück,
um Trost ist mir sehr bange.
Ich finde, was mich Armen täglich kränket,
der Tränen Maß wird stets voll eingeschenket,
der Freuden Wein gebricht;
mir sinkt fast alle Zuversicht.

2. Aria (Duetto): Alto, Tenor a **C**

Du musst glauben, du musst hoffen,
du musst gottgelassen sein!
  Jesus weiß die rechten Stunden,
  dich mit Hilfe zu erfreun.
  Wenn die trübe Zeit verschwunden,
  steht sein ganzes Herz dir offen.

BWV 155

나의 하나님, 얼마나, 아 얼마나 더 있어야 하는지요?

- 1716년 바이마르 작곡, 1716년 1월 19일 바이마르 초연
- 바이올린 2, 비올라, 바순, 콘티누오
- 잘로몬 프랑크 (1-4); 파울 스페라투스 (5)

1. 레치타티보: 소프라노

나의 하나님, 얼마나, 아 얼마나 더 있어야 하는지요?
슬픔이 너무 크고
끝이 보이지 않습니다.
고통과 걱정 때문에!
당신의 달콤한 자비의 눈빛은
밤과 구름 속으로 숨었습니다.
사랑의 손길은, 아! 완전히 움츠러들었습니다.
위로가 사라질까 두렵습니다.
무엇이 날마다 가련한 나를 괴롭히는지 알고 있습니다.
언제나 눈물의 잔이 가득 채워집니다
기쁨의 포도주가 부족합니다.
나의 굳은 믿음이 모두 사라집니다.

2. 아리아 (이중창): 알토, 테너

믿어야 하네, 소망해야 하네,
하나님을 믿어야 하네!
　　예수는 너를 도와 기쁘게 하실
　　올바른 때를 알고 계시네.
　　힘든 시간이 지나면
　　그의 온 마음이 네게 활짝 열리리라.

3. Recitativo: Bass C-F **C**

So sei, o Seele, sei zufrieden!
Wenn es vor deinen Augen scheint,
als ob dein liebster Freund
sich ganz von dir geschieden;
wenn er dich kurze Zeit verlässt,
Herz! glaube fest,
es wird ein Kleines sein,
da er für bittre Zähren
den Trost- und Freudenwein
und Honigseim für Wermut will gewähren!
Ach! denke nicht,
dass er von Herzen dich betrübe,
er prüfet nur durch Leiden deine Liebe,
er machet, dass dein Herz bei trüben Stunden weine,
damit sein Gnadenlicht
dir desto lieblicher erscheine;
er hat, was dich ergötzt,
zuletzt
zu deinem Trost dir vorbehalten;
drum lass ihn nur, o Herz, in allem walten!

4. Aria: Soprano F **C**

Wirf, mein Herze, wirf dich noch
in des Höchsten Liebesarme,
dass er deiner sich erbarme.
Lege deiner Sorgen Joch,
und was dich bisher beladen,
auf die Achseln seiner Gnaden.

3. 레치타티보: 베이스

오 영혼아, 만족하여라!
네가 보기에
사랑하는 친구가
너를 완전히 떠난 것 같아도.
그가 잠시 너를 떠났어도
마음이여! 굳게 믿어라
오래지 않으리라.
그가 쓰라린 눈물에는
위로와 기쁨의 포도주를,
고뇌에는 꿀을 베풀 것이니!
아! 그가 진심으로 너를 슬프게 한다고
생각하지 마라.
그는 오직 고통으로써 너의 사랑을 시험할 뿐이다.
그는 슬픈 때에 네 마음을 울게 하니
그의 은총의 빛이
너를 더욱 환히 비추게 하기 위함이다.
그는 네게 기쁨이 되는 것을
가장 마지막에
너를 위로하기 위해 남겨두었다.
그러니 마음이여, 그가 모든 일을 다스리도록 하라!

4. 아리아: 소프라노

던져라, 내 마음아, 너를 던져라
가장 높으신 분의 사랑의 품으로
그가 네게 자비를 베푸시도록.
네 근심에 멍에를 씌워라
지금까지 네가 지었던 짐을
그의 자비의 어깨에 얹어라.

5. Choral F 𝄴

Ob sich's anließ, als wollt er nicht,
lass dich es nicht erschrecken,
denn wo er ist am besten mit,
da will er's nicht entdecken.
Sein Wort lass dir gewisser sein,
und ob dein Herz spräch lauter Nein,
so lass doch dir nicht grauen.

BWV 3

Ach Gott, wie manches Herzeleid I

---

1. Coro (Choral) A 𝄴

Ach Gott, wie manches Herzeleid
begegnet mir zu dieser Zeit!
Der schmale Weg ist trübsalvoll,
den ich zum Himmel wandern soll.

2. Recitativo e Choral D-A 𝄴

Wie schwerlich lässt sich Fleisch und Blut
(Tenor)
So nur nach Irdischem und Eitlem trachtet
und weder Gott noch Himmel achtet,

5. 코랄

그분이 원하지 않는 것처럼 보여도
절대로 놀라지 마라.
그분은 자주 함께 계시는 곳에
자신을 드러내려 하지 않으시니.
그의 말씀을 더 확고히 받아들여라
네 마음이 '아니오'라고 말해도
그것 때문에 두려워하지 마라.

BWV 3

아 하나님, 얼마나 많은 마음의 고통을 I

- 1725년 라이프치히 작곡, 1725년 1월 14일 라이프치히 초연
- 호른, 트롬본, 오보에 다모레 2, 바이올린 2, 비올라, 콘티누오
- 마르틴 몰러 (1, 2, 6); 무명 시인 (3-5)

---

1. 합창 (코랄)

아 하나님, 얼마나 많은 마음의 고통을
지금 내가 겪고 있는지요!
좁은 길이 슬픔으로 가득합니다.
천국에 이르기 위해 걸어야 하는 길이.

2. 레치타티보와 코랄

살과 피가 얼마나
(테너)
세속의 것과 헛된 것만 좇으며
하나님과 천국을 외면하네.

zwingen zu dem ewigen Gut!

(Alto)

Da du, o Jesu, nun mein Alles bist,
und doch mein Fleisch so widerspenstig ist.
Wo soll ich mich denn wenden hin?

(Soprano)

Das Fleisch ist schwach, doch will der Geist;
so hilf du mir, der du mein Herze weißt.
Zu dir, o Jesu, steht mein Sinn.

(Bass)

Wer deinem Rat und deiner Hilfe traut,
der hat wohl nie auf falschen Grund gebaut,
da du der ganzen Welt zum Trost gekommen
und unser Fleisch an dich genommen,
so rettet uns dein Sterben
vom endlichen Verderben.
Drum schmecke doch ein gläubiges Gemüte
des Heilands Freundlichkeit und Güte.

3. Aria: Bass f♯ 3/4

Empfind ich Höllenangst und Pein,
doch muss beständig in dem Herzen
ein rechter Freudenhimmel sein.
Ich darf nur Jesu Namen nennen,
der kann auch unermessne Schmerzen
als einen leichten Nebel trennen.

4. Recitativo: Tenor c♯-E **C**

Es mag mir Leib und Geist verschmachten,

영원한 선함으로 가기가 힘든지요!

(알토)

오 예수님, 당신은 나의 전부이나
나의 육신은 이토록 완강합니다.
이제 나는 어디로 가야 할까요?

(소프라노)

육신은 약하나 내 영은 강합니다.
나를 도우소서, 나의 마음을 아시는 당신이여.
오 예수님, 나의 마음은 당신께 있습니다.

(베이스)

당신의 조언과 도움을 믿는 사람은
결코 잘못된 땅에 집을 짓지 않았습니다.
당신은 온 세상을 위로하러 오셨고
우리의 육신을 취하셨기에
당신의 죽음이 우리를
유한한 멸망으로부터 구합니다.
그러니 믿음 깊은 이들이여
구세주의 친절과 선하심을 맛보십시오.

3. 아리아: 베이스

지옥의 공포와 고통을 느껴도
마음속에는 끊임없이
진정한 기쁨의 천국이 있어야 하네.
나는 예수의 이름만 부를 수 있네
그는 헤아릴 수 없는 고통도
가벼운 안개처럼 없앨 수 있네.

4. 레치타티보: 테너

내 육신과 정신이 시들어도

bist du, o Jesu, mein
und ich bin dein,
will ich's nicht achten.
Dein treuer Mund
und dein unendlich Lieben,
das unverändert stets geblieben,
erhält mir noch den ersten Bund,
der meine Brust mit Freudigkeit erfüllet
und auch des Todes Furcht,
        des Grabes Schrecken stillet.
Fällt Not und Mangel gleich von allen Seiten ein,
mein Jesus wird mein Schatz und Reichtum sein.

5. Aria (Duetto): Soprano, Alto E **C**

Wenn Sorgen auf mich dringen,
will ich in Freudigkeit
zu meinem Jesu singen.
        Mein Kreuz hilft Jesus tragen,
        drum will ich gläubig sagen:
        Es dient zum Besten allezeit.

6. Choral A **C**

Erhalt mein Herz im Glauben rein,
so leb und sterb ich dir allein.
Jesu, mein Trost, hör mein Begier,
o mein Heiland, wär ich bei dir.

오 예수여, 당신이 나의 것이고
내가 당신의 것이라면
나는 개의치 않겠네.
당신의 신실한 입
당신의 무한한 사랑
늘 변함없이 그대로인데
내게 첫 언약을 지켜주시어
나의 가슴을 기쁨으로 채우고
죽음의 두려움도
    무덤의 공포도 잠재우시네.
고난과 궁핍이 사방에서 몰려와도
나의 예수는 나의 보물이며 보화 되시네.

5. 아리아 (이중창): 소프라노, 알토
근심이 파고들 때
나는 기쁜 마음으로
예수를 위해 노래하리라.
    십자가를 지는 나를 예수께서 도우시니
    나는 깊은 믿음으로 말하네:
    십자가는 언제나 나를 도우리라.

6. 코랄
내 마음을 믿음 속에서 깨끗하게 지키소서
그러면 당신만을 위해 살고 죽으리라.
예수님, 내 위로자시여, 나의 청을 들으소서
오 나의 구세주여, 당신 곁에 있기를 원하나이다!

BWV 13

Meine Seufzer, meine Tränen

1. Aria: Tenor d 12/8

Meine Seufzer, meine Tränen
können nicht zu zählen sein.
Wenn sich täglich Wehmut findet
und der Jammer nicht verschwindet,
ach! so muss uns diese Pein
schon den Weg zum Tode bahnen.

2. Recitativo: Alto B♭-F **C**

Mein liebster Gott lässt mich
annoch vergebens rufen
und mir in meinem Weinen
noch keinen Trost erscheinen.
Die Stunde lässet sich
zwar wohl von ferne sehen,
allein ich muss doch noch vergebens flehen.

3. Choral: Alto F **C**

Der Gott, der mir hat versprochen
seinen Beistand jederzeit,
der lässt sich vergebens suchen
jetzt in meiner Traurigkeit.

BWV 13
나의 탄식, 나의 눈물은

- 1726년 라이프치히 작곡, 1726년 1월 20일 라이프치히 초연
- 리코더 2, 오보에 다 카차, 바이올린 2, 비올라, 콘티누오
- 게오르크 크리스티안 렘스 (1, 2, 4, 5); 요한 헤르만 (3); 파울 플레밍 (6)

1. 아리아: 테너

나의 탄식, 나의 눈물은
셀 수가 없네.
　날마다 슬픔이 찾아오고
　고통이 사라지지 않는다면
　아! 이 고난은 우리에게
　죽음으로 가는 길을 닦으리라.

2. 레치타티보: 알토

사랑하는 하나님은 내게
아직도 그를 헛되이 부르게 하시고
내가 우는 중에도
위로하시지 않습니다.
시간이 멀리서
다가오는 게 보이나
헛되이도 나는 간청해야 합니다.

3. 코랄: 알토

하나님이 내게 약속하셨네
언제나 도움을 주겠노라고.
지금 슬픈 중에 나는 그의
도움을 구하나, 헛되도다.

Ach! Will er denn für und für
grausam zürnen über mir,
kann und will er sich der Armen
itzt nicht wie vorhin erbarmen?

4. Recitativo: Soprano B♭-B♭ **C**

Mein Kummer nimmet zu
und raubt mir alle Ruh,
mein Jammerkrug ist ganz
mit Tränen angefüllet,
und diese Not wird nicht gestillet,
so mich ganz unempfindlich macht.
Der Sorgen Kummernacht
drückt mein beklemmtes Herz darnieder,
drum sing ich lauter Jammerlieder.
Doch, Seele, nein,
sei nur getrost in deiner Pein:
Gott kann den Wermutsaft
gar leicht in Freudenwein verkehren
und dir alsdenn viel tausend Lust gewähren.

5. Aria: Bass g **C**

Ächzen und erbärmlich Weinen
hilft der Sorgen Krankheit nicht;
    aber wer gen Himmel siehet
    und sich da um Trost bemühet,
    dem kann leicht ein Freudenlicht
    in der Trauerbrust erscheinen.

아! 그는 영원히 나에게
분노하려는 것일까
가련한 이들에게 전처럼
지금도 자비를 베풀지 않으실까?

4. 레치타티보: 소프라노

나의 근심이 커지면서
나의 평안을 앗아가니
내 절규의 잔이 온통
눈물로 가득하네.
이 고난은 멈추지 않고
나를 무감각하게 만드네
근심과 걱정으로 지새우는 밤이
내 답답한 가슴을 짓누르니
나는 오직 비탄의 노래만 부르고 있네.
그러나 영혼이여,
고통에 처해도 용기를 내어라
하나님은 쓴맛을
기쁨의 포도주로 쉽게 바꾸시고
너에게 많은 기쁨을 허락하실 것이니.

5. 아리아: 베이스

탄식하고 슬프게 흐느껴도
근심의 병은 낫지 않으리.
　　그러나 하늘을 올려다보고
　　위로를 구하는 사람에게는
　　기쁨의 빛이 쉽게
　　슬픔의 가슴 속에 나타나리.

6. Choral B♭ **C**

So sei nun, Seele, deine
und traue dem alleine,
der dich erschaffen hat;
es gehe, wie es gehe,
dein Vater in der Höhe,
der weiß zu allen Sachen Rat.

6. 코랄

그러니 영혼아, 굳건하라
오직 너를 만드신
그분만 믿어라
무슨 일이 있어도
높은 곳에 계신 너의 아버지는
모든 것을 아시느니라.

주현절 후 제3주일

서신서 로마서 12:17-21
복음서 마태복음 8:1-13

BWV 73

Herr, wie du willt, so schick's mit mir

1. Coro(Choral) e Recitativo: Soprano, Tenor, Bass g **C**

Herr, wie du willt, so schick's mit mir
im Leben und im Sterben!

(Tenor)
Ach! aber ach! wie viel
lässt mich dein Wille leiden!
Mein Leben ist des Unglücks Ziel,
da Jammer und Verdruss
mich lebend foltern muss,
und kaum will meine Not im Sterben von mir scheiden.

Allein zu dir steht mein Begier,
Herr, lass mich nicht verderben!

(Bass)
Du bist mein Helfer, Trost und Hort,
so der Betrübten Tränen zählet
und ihre Zuversicht,
das schwache Rohr, nicht gar zerbricht;
und weil du mich erwählet,
so sprich ein Trost- und Freudenwort!

Erhalt mich nur in deiner Huld,
sonst wie du willt, gib mir Geduld,
denn dein Will ist der beste.

BWV 73

주님, 나를 당신 뜻대로 하소서

- 1724년 라이프치히 작곡, 1724년 1월 23일 라이프치히 초연
- 오보에 2, 바이올린 2, 비올라, 코르노 또는 오르간 오블리가토, 콘티누오
- 카스파르 비네만 (1); 루트비히 헬름볼트 (5); 무명 시인 (2-4)

1. 합창(코랄) & 레치타티보: 소프라노, 테너, 베이스

주님, 나를 당신 뜻대로 하소서
살아갈 때도 죽을 때도!

(테너)
아! 아! 당신의 뜻이
내게 얼마나 큰 고통을 주는지요!
나의 삶은 불행의 먹잇감입니다.
비탄과 원통함이
한평생 나를 괴롭히고
죽어서도 나의 고난은 떠나려 하지 않습니다.

나의 소망은 오직 당신
주님, 내가 멸망하지 않게 하소서!

(베이스)
당신은 나의 도움이요 위로요 피난처이니
상심한 사람들의 눈물을 헤아리시고
그들의 굳은 믿음과
연약한 갈대를 부러뜨리지 않으십니다.
당신이 나를 선택하셨으니
위로와 기쁨의 한 말씀을 하소서!

나를 당신의 은총으로 지켜주소서
그렇지 않다면 당신 뜻대로 내가 인내하게 하소서
당신의 뜻이 최선이십니다.

(Soprano)
Dein Wille zwar ist ein versiegelt Buch,
da Menschenweisheit nichts vernimmt;
der Segen scheint uns oft ein Fluch,
die Züchtigung ergrimmte Strafe,
die Ruhe, so du in dem Todesschlafe
uns einst bestimmt,
ein Eingang zu der Hölle.
Doch macht dein Geist uns dieses Irrtums frei
und zeigt, dass uns dein Wille heilsam sei.
    Herr, wie du willt!

2. Aria: Tenor E♭ **C**

Ach senke doch den Geist der Freuden
dem Herzen ein!
    Es will oft bei mir geistlich Kranken
    die Freudigkeit und Hoffnung wanken
    und zaghaft sein.

3. Recitativo: Bass c-c **C**

Ach, unser Wille bleibt verkehrt,
bald trotzig, bald verzagt,
des Sterbens will er nie gedenken;
allein ein Christ, in Gottes Geist gelehrt,
lernt sich in Gottes Willen senken
und sagt:

4. Aria: Bass c 3/4

Herr, so du willt,

(소프라노)
당신의 뜻은 봉인된 책입니다
인간의 지혜로는 읽을 수 없으니까요.
축복은 가끔 저주처럼 보이고
응징은 잔인한 처벌
죽음 같은 잠에서
언젠가 우리에게 주실 안식은
지옥으로 들어가는 문.
그러나 당신의 영은 이 착각을 바로잡고
당신의 뜻은 우리를 고쳐주실 것입니다.
　　주님, 당신 뜻대로 하소서!

2. 아리아: 테너

아, 기쁨의 정신을
마음에 심어라!
　　정신이 병든 이들이 종종
　　나의 기쁨과 희망을 흔들고
　　겁에 질려 있네.

3. 레치타티보: 베이스

아, 우리의 뜻이 뒤틀려 있습니다
때론 반항하고 때론 소심하며,
죽음에 대해서는 조금도 생각하지 않습니다.
오직 하나님의 영으로 가르침을 받은 그리스도인만이
하나님의 뜻 안에 들어가
말하는 법을 배웁니다.

4. 아리아: 베이스

주여, 당신 뜻대로

so presst, ihr Todesschmerzen,
die Seufzer aus dem Herzen,
wenn mein Gebet nur vor dir gilt.

Herr, so du willt,
so lege meine Glieder
in Staub und Asche nieder,
dies höchst verderbte Sündenbild.

Herr, so du willt,
so schlagt, ihr Leichenglocken,
ich folge unerschrocken,
mein Jammer ist nunmehr gestillt.

5. Choral c C

Das ist des Vaters Wille,
der uns erschaffen hat;
sein Sohn hat Guts die Fülle
erworben und Genad;
auch Gott der Heil'ge Geist
im Glauben uns regieret,
zum Reich des Himmels führet.
Ihm sei Lob Ehr und Preis!

너희 죽음의 고통이여,
내 마음에서 한숨을 찍어내어라
만일 내 기도가 오직 주님 앞에서 합당하다면.

주여, 당신 뜻대로
나의 팔과 다리를
먼지와 재 속에 눕히십시오
이 가장 타락한 죄악의 상징을.

주여, 당신 뜻대로
울려라, 너희 장례식의 종들아
내가 두려움 없이 따르리라
내 절규는 이제 잠잠해졌도다.

5. 코랄

이것이 우리를 만드신
아버지의 뜻이네.
그의 아들은 선함과 은혜를
풍성하게 받았네.
성령 하나님도
믿음 속에서 우리를 다스리고
하늘나라로 우리를 이끄시네.
그분께 찬미와 영광과 찬양이!

BWV 111

Was mein Gott will, das g'scheh allzeit

1. Coro (Choral) a ¢

Was mein Gott will, das g'scheh allzeit,
sein Will, der ist der beste;
zu helfen den'n er ist bereit,
die an ihn gläuben feste.
Er hilft aus Not, der fromme Gott,
und züchtiget mit Maßen:
Wer Gott vertraut, fest auf ihn baut,
den will er nicht verlassen.

2. Aria: Bass e C

Entsetze dich, mein Herze, nicht,
Gott ist dein Trost und Zuversicht
und deiner Seele Leben.
Ja, was sein weiser Rat bedacht,
dem kann die Welt und Menschenmacht
unmöglich widerstreben.

3. Recitativo: Alto b-b C

O Törichter! der sich von Gott entzieht
und wie ein Jonas dort
vor Gottes Angesichte flieht;

BWV 111

내 하나님의 뜻대로 늘 이루어지기 원하네

- 1725년 라이프치히 작곡, 1725년 1월 21일 라이프치히 초연
- 오보에 2, 바이올린 2, 비올라, 콘티누오
- 알브레히트 폰 브란덴부르크 변경백 (1, 6); 무명 시인 (2-5)

---

1. 합창 (코랄)

내 하나님의 뜻대로 늘 이루어지기 원하네
그의 뜻이 최선이라네.
굳게 하나님을 믿는 이들을
그는 늘 도우시려 하네.
거룩한 하나님, 그는 고통에 처한 우리를 도우시고
온화하게 우리를 꾸짖으시네.
하나님을 믿고 굳게 의지하는 사람을
그는 버리지 않으시네.

2. 아리아: 베이스

놀라지 마라, 내 마음이여
하나님은 너의 위로요 확신이고
네 영혼의 생명이로다.
    그의 지혜로운 충고가 결정하는 것에
    세상과 인간의 힘은
    맞서지 못하리라.

3. 레치타티보: 알토

오, 어리석은 자여! 하나님을 멀리하는 자
그 옛날 요나처럼
하나님의 면전에서 달아나는 자.

auch unser Denken ist ihm offenbar,
und unsers Hauptes Haar
hat er gezählet.
Wohl dem, der diesen Schutz erwählet
im gläubigen Vertrauen,
auf dessen Schluss und Wort
mit Hoffnung und Geduld zu schauen.

4. Aria (Duetto): Alto, Tenor G 3/4

So geh ich mit beherzten Schritten,
auch wenn mich Gott zum Grabe führt.
Gott hat die Tage aufgeschrieben,
so wird, wenn seine Hand mich rührt,
des Todes Bitterkeit vertrieben.

5. Recitativo: Soprano F-a **C**

Drum wenn der Tod zuletzt den Geist
noch mit Gewalt aus seinem Körper reißt,
so nimm ihn, Gott, in treue Vaterhände!
Wenn Teufel, Tod und Sünde mich bekriegt
und meine Sterbekissen
ein Kampfplatz werden müssen,
so hilf, damit in dir mein Glaube siegt!
O seliges, gewünschtes Ende!

6. Choral a **C**

Noch eins, Herr, will ich bitten dich,
du wirst mir's nicht versagen:
Wenn mich der böse Geist anficht,

그분은 우리의 생각도 훤히 아시고
우리의 머리카락까지
다 세셨도다.
행복하여라, 그의 보호하심을 택한 자
희망과 인내로
그의 뜻과 말씀을 우러러보려는
신실한 믿음을 가진 자.

4. 아리아 (이중창): 알토, 테너

나는 담대한 발걸음으로 걷네
비록 하나님이 나를 무덤으로 이끌어도.
　　그가 나의 모든 날을 세셨으니
　　그의 손이 내게 닿을 때
　　죽음의 고통은 내쫓기리라.

5. 레치타티보: 소프라노

그리하여 마침내 죽음이
내 몸에서 억지로 영혼을 꺼낼 때
하나님, 그것을 아버지 당신의 신실한 손으로 받아주소서!
악마와 죽음과 죄악이 나를 공격하고
내 임종의 베개가
전쟁터가 될 때
나를 도와 내 믿음이 당신 안에서 승리하게 하소서!
오 내가 소망하는 복된 종말이여!

6. 코랄

주님, 또 하나 간청하오니
나를 모른다 하지 않으시겠지요?
악한 영이 나를 시험할 때

lass mich doch nicht verzagen.
Hilf, steur und wehr, ach Gott, mein Herr,
zu Ehren deinem Namen.
Wer das begehrt, dem wird's gewährt;
drauf sprech ich fröhlich: Amen.

BWV 72

Alles nur nach Gottes Willen

---

1. Coro a 3/4

Alles nur nach Gottes Willen,
so bei Lust als Traurigkeit,
so bei gut als böser Zeit.
Gottes Wille soll mich stillen
bei Gewölk und Sonnenschein.
Alles nur nach Gottes Willen!
Dies soll meine Losung sein.

2. Recitativo, Arioso C-d **C**

O sel'ger Christ, der allzeit seinen Willen
in Gottes Willen senkt, es gehe wie es gehe,
bei Wohl und Wehe.
Herr, so du willt, so muss sich alles fügen!

내가 절망하지 않게 하소서.
하나님, 나의 주님, 나를 돕고 이끌고 막아주소서
당신의 이름에 영광이 되도록.
이를 간절히 바라는 자에게 그대로 주어지리니
내가 기쁘게 말하나이다. 아멘

BWV 72
모든 것은 오직 하나님의 뜻대로

- 1726년 라이프치히 작곡, 1726년 1월 27일 라이프치히 초연
- 오보에 2, 바이올린 2, 비올라, 콘티누오
- 잘로몬 프랑크 (1-5); 알브레히트 폰 브란덴부르크 변경백 (6)

---

1. 합창
모든 것은 오직 하나님의 뜻대로
기쁠 때도 슬플 때도
좋을 때도 나쁠 때도
하나님의 뜻은 나를 평온케 합니다.
흐린 날에도 맑은 날에도
모든 것은 오직 하나님의 뜻대로!
이것이 나의 기도입니다.

2. 레치타티보, 아리오소
오 복된 그리스도인이여, 언제나 제 뜻을
하나님의 뜻에 맡기는 자여, 무슨 일이 있어도,
건강할 때도 아플 때도.
주님, 당신의 뜻대로, 우리 모두 순종해야 합니다!

Herr, so du willt, so kannst du mich vergnügen!
Herr, so du willt, verschwindet meine Pein!
Herr, so du willt, werd ich gesund und rein!
Herr, so du willt, wird Traurigkeit zur Freude!
Herr, so du willt, und ich auf Dornen Weide!
Herr, so du willt, werd ich einst selig sein!
Herr, so du willt, – lass mich dies Wort
im Glauben fassen
und meine Seele stillen! –
Herr, so du willt, so sterb ich nicht,
ob Leib und Leben mich verlassen,
wenn mir dein Geist dies Wort ins Herze spricht!

3. Aria: Alto d **C**

Mit allem, was ich hab und bin,
will ich mich Jesu lassen,
kann gleich mein schwacher Geist und Sinn
des Höchsten Rat nicht fassen;
er führe mich nur immer hin
auf Dorn- und Rosenstraßen!

4. Recitativo: Bass a-G **C**

So glaube nun!
Dein Heiland saget: Ich will's tun!
Er pflegt die Gnadenhand
noch willigst auszustrecken,
wenn Kreuz und Leiden dich erschrecken,
er kennet deine Not und löst dein Kreuzesband.
Er stärkt, was schwach,

주님, 당신의 뜻대로, 나를 기쁘게 하실 수 있습니다!
주님, 당신의 뜻대로, 나의 고통이 사라질 것입니다!
주님, 당신의 뜻대로, 내가 건강하고 깨끗해질 것입니다!
주님, 당신의 뜻대로, 슬픔이 기쁨으로 바뀔 것입니다!
주님, 당신의 뜻대로, 내가 가시밭에서 초원을 찾겠습니다!
주님, 당신의 뜻대로, 내가 언젠가는 천국에 들어갈 것입니다!
주님, 당신의 뜻대로, – 이 말씀을
믿음 속에 새기게 하소서
그리고 나의 영혼을 잠재우소서! –
주님, 당신의 뜻대로, 나는 죽지 않을 것입니다
육신과 삶이 나를 버려도
당신의 영이 내 마음에 이 말씀을 해주신다면!

3. 아리아: 알토

내가 가진 모든 것과 내 존재의 모든 것으로
나는 예수를 받아들입니다.
　　내 연약한 정신과 마음이
　　하나님의 권고를 헤아리지 못해도
　　그가 언제나 나를
　　가시밭길과 장미의 길에서 이끄시길 원합니다!

4. 레치타티보: 베이스

그러니 이제 믿어라!
너의 구세주가 말하노니, 내가 그렇게 하리라!
그는 여전히 자비의 손길을
기꺼이 내밀고 있으니
시련과 고통이 너를 두렵게 할 때
그가 너의 고난을 알고 너를 시련에서 해방하리라.
그는 약한 자를 강하게 만들며

und will das niedre Dach
der armen Herzen nicht verschmähen,
darunter gnädig einzugehen.

5. Aria: Soprano C 3/4

Mein Jesus will es tun, er will dein Kreuz versüßen.
Obgleich dein Herze liegt in viel Bekümmernissen,
soll es doch sanft und still in seinen Armen ruhn,
wenn ihn der Glaube fasst! mein Jesus will es tun!

6. Choral a **C**

Was mein Gott will, das g'scheh allzeit,
sein Will, der ist der beste,
zu helfen den'n er ist bereit,
die an ihn glauben feste.
Er hilft aus Not, der fromme Gott,
und züchtiget mit Maßen.
Wer Gott vertraut, fest auf ihn baut,
den will er nicht verlassen.

가난한 자의 낮은 지붕을
뿌리치지 않고
자비롭게 그 안으로 들어가리라.

5. 아리아: 소프라노
나의 예수는 그렇게 하리라. 그는 네 시련을 달콤하게 하리라.
네 마음이 많은 번민에 휩싸여도
그의 두 팔에 안기면 부드럽고 평온해지리라.
믿음이 마음에 가득하다면! 나의 예수는 그렇게 하리라!

6. 코랄
내 하나님의 뜻대로 늘 이루어지기 원하네.
그의 뜻이 최선이라네.
굳게 하나님을 믿는 이들을
그는 늘 도우시려 하네.
거룩한 하나님, 그는 고통에 처한 우리를 도우시고
온화하게 우리를 꾸짖으시네.
하나님을 믿고 굳게 의지하는 사람을
그는 버리지 않으시네.

BWV 156

Ich steh mit einem Fuß im Grabe

1. Sinfonia F-C **C**

2. Aria: Tenor con Choral: Soprano F 3/4

Ich steh mit einem Fuß im Grabe,
    Mach's mit mir, Gott, nach deiner Güt,
bald fällt der kranke Leib hinein,
    hilf mir in meinen Leiden,
komm, lieber Gott, wenn dir's gefällt,
    was ich dich bitt, versag mir nicht.
ich habe schon mein Haus bestellt,
    Wenn sich mein Seel soll scheiden,
    so nimm sie, Herr, in deine Händ.
nur lass mein Ende selig sein!
    Ist alles gut, wenn gut das End.

3. Recitativo: Bass d-d **C**

Mein Angst und Not,
mein Leben und mein Tod
steht, liebster Gott, in deinen Händen;
so wirst du auch auf mich
dein gnädig Auge wenden.
Willst du mich meiner Sünden wegen

BWV 156

나는 한 발을 무덤에 딛고 서 있네

- 1729년 라이프치히 작곡, 1729년 1월 23일 라이프치히 초연(추정)
- 오보에, 바이올린 2, 비올라, 콘티누오
- 피칸더 (3-5); 요한 헤르만 샤인 (2); 카스파르 비네만 (6)

1. 신포니아

2. 아리아: 테너와 코랄: 소프라노

나는 한 발을 무덤에 딛고 서 있네
    하나님, 당신의 선하심대로 나와 함께하소서
곧 병든 몸이 쓰러지리니
    내가 고통스러워할 때 도우소서
사랑의 하나님, 당신 마음에 흡족하시면, 오소서
    내가 간청하는 바를 뿌리치지 마소서
나는 벌써 나의 집을 정리하였나이다
    내 영혼이 떠나야 한다면
    주님, 당신 손으로 받아주소서
오직 나의 마지막이 복되게 하소서!
    끝이 선하면 모든 것이 선하리니.

3. 레치타티보: 베이스

나의 불안과 고난,
나의 생명과 죽음이
사랑의 하나님, 당신 손에 있습니다.
당신은 나에게도
자비로운 눈길을 보내시겠지요.
내가 지은 죄로 인해

ins Krankenbette legen,
mein Gott, so bitt ich dich,
lass deine Güte größer sein als die Gerechtigkeit;
doch hast du mich darzu versehn,
dass mich mein Leiden soll verzehren,
ich bin bereit,
dein Wille soll an mir geschehn,
verschone nicht und fahre fort,
lass meine Not nicht lange währen;
je länger hier, je später dort.

4. Aria: Alto B♭ **C**

Herr, was du willt, soll mir gefallen,
weil doch dein Rat am besten gilt.
In der Freude,
in dem Leide,
im Sterben, in Bitten und Flehn
lass mir allemal geschehn,
Herr, wie du willt.

5. Recitativo: Bass g-a **C**

Und willst du, dass ich nicht soll kranken,
so werd ich dir von Herzen danken;
doch aber gib mir auch dabei,
dass auch in meinem frischen Leibe
die Seele sonder Krankheit sei
und allezeit gesund verbleibe.
Nimm sie durch Geist und Wort in Acht,
denn dieses ist mein Heil,

나를 병상에 눕히시겠다면
나의 하나님, 간청하오니
당신의 선하심이 정의보다 크게 하소서
내가 고통에 여위어가는 것이
당신의 섭리라면
나는 준비되어 있으니
당신의 뜻이 내게 이루어지게 하소서
나를 아끼지 마시고 뜻대로 하소서
내 고통이 오래가지 않게 하소서
지상에 오래 머무를수록 천상에 늦게 가리니.

4. 아리아: 알토

주님, 당신이 바라는 것이 내게는 기쁨이 됩니다
당신의 조언이 가장 합당하기 때문입니다.
　　기쁠 때
　　괴로울 때
　　죽을 때, 간청할 때, 애원할 때
　　주여, 언제나 당신 뜻대로
　　내게 이루어지게 하소서.

5. 레치타티보: 베이스

내가 병들지 않기를 바라신다면
주님께 마음 깊이 감사를 드리겠나이다.
그러나 그럴 때에도
나의 살아 있는 육신에
영혼이 질병에서 자유롭게 하소서
그리고 언제나 건강하게 하소서.
정신과 말씀으로 영혼을 보살피소서.
말씀은 나의 구원입니다.

und wenn mir Leib und Seel verschmacht,
so bist du, Gott, mein Trost und meines Herzens Teil!

6. Choral C **C**

Herr, wie du willt, so schick's mit mir
im Leben und im Sterben;
allein zu dir steht mein Begier,
Herr, lass mich nicht verderben!
Erhalt mich nur in deiner Huld,
sonst wie du willt, gib mir Geduld,
dein Will, der ist der beste.

나의 몸과 영혼이 고통으로 쇠약해져도
하나님, 당신은 위로자이며 내 마음의 한 부분입니다!

6. 코랄

주님, 나를 당신 뜻대로 하소서
살아갈 때도 죽을 때도.
나의 소망은 오직 당신
주님, 내가 멸망하지 않게 하소서!
나를 당신의 은총으로 지켜주소서
그렇지 않다면 당신 뜻대로 내가 인내하게 하소서
당신의 뜻이 최선이십니다.

주현절 후 제4주일

서신서 로마서 13:8-10
복음서 마태복음 8:23-27

BWV 81

Jesus schläft, was soll ich hoffen?

1. Aria: Alto e **C**

Jesus schläft, was soll ich hoffen?
Seh ich nicht
mit erblasstem Angesicht
schon des Todes Abgrund offen?

2. Recitativo: Tenor a-G **C**

Herr! warum trittest du so ferne?
Warum verbirgst du dich zur Zeit der Not,
da alles mir ein kläglich Ende droht?
Ach, wird dein Auge nicht durch meine Not beweget,
so sonsten nie zu schlummern pfleget?
Du wiesest ja mit einem Sterne
vordem den neubekehrten Weisen,
den rechten Weg zu reisen.
Ach, leite mich durch deiner Augen Licht,
weil dieser Weg nichts als Gefahr verspricht.

3. Aria: Tenor G 3/8

Die schäumenden Wellen von Belials Bächen

BWV 81

예수가 잠드시니, 어디에 기대야 할까?

- 1724년 라이프치히 작곡, 1724년 1월 30일 라이프치히 초연
- 리코더 2, 오보에 다모레 2, 바이올린 2, 비올라, 콘티누오
- 요한 프랑크 (7); 마태복음 8:26 (4); 무명 시인 (1-3, 5, 6)

1. 아리아: 알토

예수가 잠드시니, 어디에 기대야 할까?
　　안색이 창백한 나에게
　　벌써 죽음의 나락이
　　활짝 보이지 않는가?

2. 레치타티보: 테너

주여! 어찌하여 그리 멀리 가십니까?
모든 것이 비참한 종말로 나를 위협하는 때에
어찌하여 위급한 시간에 몸을 숨기십니까?
아, 평소에는 잠을 자지 않던
당신의 눈은 나의 고난을 보고 괴롭지 않습니까?
당신은 과거에 별 하나로
새로 개종한 현자들이 가야 할
올바른 길을 알려주었습니다.
아, 당신의 눈빛으로 나를 인도하소서
지금 이 길이 약속하는 것은 위험뿐입니다.

3. 아리아: 테너

벨리알*의 시내의 거센 물결이

* Belial: 구약 시대에, 죄악을 저지른 사람을 일컫던 말. 신약 성경의 고린도후서 6:15에서는 그리스도의 반대자인 사탄을 지칭했다.

verdoppeln die Wut.

Ein Christ soll zwar wie Wellen stehn,
wenn Trübsalswinde um ihn gehn,
doch suchet die stürmende Flut
die Kräfte des Glaubens zu schwächen.

4. Arioso: Bass b **C**

Ihr Kleingläubigen, warum seid ihr so furchtsam?

5. Aria: Bass e **C**

Schweig, aufgetürmtes Meer!
Verstumme, Sturm und Wind!
Dir sei dein Ziel gesetzet,
damit mein auserwähltes Kind
kein Unfall je verletzet.

6. Recitativo: Alto G-b **C**

Wohl mir, mein Jesus spricht ein Wort,
mein Helfer ist erwacht,
so muss der Wellen Sturm, des Unglücks Nacht
und aller Kummer fort.

7. Choral e **C**

Unter deinen Schirmen
bin ich vor den Stürmen
aller Feinde frei.
Lass den Satan wittern,
lass den Feind erbittern,
mir steht Jesus bei.

분노를 두 배로 키우네.

시련의 바람이 휘몰아치면
그리스도인은 물결처럼 일어나야 하리라.
그러나 사나운 물결이
믿음의 힘을 약하게 만드네.

4. 아리오소: 베이스

너희 믿음이 적은 자들아, 왜 그렇게 두려워하느냐?

5. 아리아: 베이스

잔잔하여라, 솟구친 바닷물이여!
침묵하여라, 폭풍우여!
너는 한계에 이르렀도다
내가 선택한 자녀가
사고를 당해서는 안 되기에.

6. 레치타티보: 알토

나의 예수가 말씀하시니, 나는 행복합니다.
나의 구원자가 깨어났으니
사나운 물결과 불운한 밤과
모든 근심은 이제 사라져야 합니다.

7. 코랄

당신이 보호하시면
나는 모든 적들의
폭풍우 앞에서 자유롭네.
사탄이 노하게 하소서
적이 원통하게 하소서
예수가 나를 지켜주시네.

Ob es itzt gleich kracht und blitzt,
ob gleich Sünd und Hölle schrecken,
Jesus will mich decken.

BWV 14

Wär Gott nicht mit uns diese Zeit

---

1. Coro (Choral) g 3/8

Wär Gott nicht mit uns diese Zeit,
so soll Israel sagen,
wär Gott nicht mit uns diese Zeit,
wir hätten müssen verzagen,
die so ein armes Häuflein sind,
veracht' von so viel Menschenkind,
die an uns setzen alle.

2. Aria: Soprano B♭ 3/4

Unsre Stärke heißt zu schwach,
unserm Feind zu widerstehen.
    Stünd uns nicht der Höchste bei,
    würd uns ihre Tyrannei
    bald bis an das Leben gehen.

지금 곧 천둥이 울리고 번개가 쳐도
죄악과 지옥이 두려움을 안겨도
예수가 나를 보호하시네.

BWV 14
하나님이 그때 우리 편이 아니었다면

- ✦ 1735년 라이프치히 작곡, 1735년 1월 30일 라이프치히 초연
- ♪ 코르노 다 카차, 오보에 2, 바이올린 2, 비올라, 콘티누오
- T 마르틴 루터 (1, 5); 무명 시인 (2-4)

---

1. 합창 (코랄)

하나님이 그때 우리 편이 아니었다면,
이스라엘이 말하노라,
하나님이 그때 우리 편이 아니었다면
우리는 절망했으리라.
가련한 무리에 지나지 않는 우리
우리에게 덤벼드는
수많은 사람에게 멸시받은 우리.

2. 아리아: 소프라노

우리의 힘은 미약하다 하네
적에게 맞서기에는.
　　지극히 높으신 분이 돕지 않으면
　　저들의 포악함이
　　곧 우리 목숨에까지 이르리라.

3. Recitativo: Tenor g-d **C**

Ja, hätt es Gott nur zugegeben,
wir wären längst nicht mehr am Leben,
sie rissen uns aus Rachgier hin,
so zornig ist auf uns ihr Sinn.
Es hätt uns ihre Wut
wie eine wilde Flut
und als beschäumte Wasser überschwemmet,
und niemand hätte die Gewalt gehemmet.

4. Aria: Bass g **C**

Gott, bei deinem starken Schützen
sind wir vor den Feinden frei.
    Wenn sie sich als wilde Wellen
    uns aus Grimm entgegenstellen,
    stehn uns deine Hände bei.

5. Choral g **C**

Gott Lob und Dank, der nicht zugab,
dass ihr Schlund uns möcht fangen.
Wie ein Vogel des Stricks kömmt ab,
ist unsre Seel entgangen:
Strick ist entzwei, und wir sind frei;
des Herren Name steht uns bei,
des Gottes Himmels und Erden.

3. 레치타티보: 테너

하나님이 그리 되도록 두셨다면
우리는 오래전에 죽은 목숨이리라.
저들은 복수심에서 우리를 욕보였겠고
미친 듯이 우리를 노렸으리라.
저들의 분노는 우리를
거센 홍수처럼
거품을 뿜는 물결처럼 집어삼켰으리라.
아무도 그 힘을 막지 못했으리라.

4. 아리아: 베이스

하나님, 당신이 굳건히 보호하시면
우리는 적으로부터 자유롭습니다.
    저들이 거친 물결처럼
    분노에 차 우리와 대적할 때
    당신의 두 손이 우리와 함께하십니다.

5. 코랄

하나님께 찬양과 감사를 드리자.
우리가 저들에게 먹히지 않도록 하신 분
새가 올가미에서 도망치듯이
우리의 영혼은 벗어났도다.
올가미는 갈라지고 우리는 살아났도다.
주님의 이름이 우리와 함께하신다.
하늘과 땅을 만드신 하나님의 이름이.

성모 마리아의 정결례 축일*

서신서 말라기 3:1-4
복음서 누가복음 2:22-32

* Purification of Mary: 2월 2일. 유대인의 전통과 모세의 율법에 따라 마리아가 출산한 지 40일째 되는 날, 양이나 비둘기를 제물로 바치는 정화 예식을 치르고 아기 예수를 예루살렘 성전에서 하나님께 봉헌한 것을 기념하는 날. 성촉절(聖燭節, Candlemas), 주님 봉헌 축일이라고 부른다.

BWV 83

Erfreute Zeit im neuen Bunde

1. Aria: Alto F 𝄴

Erfreute Zeit im neuen Bunde,
da unser Glaube Jesum hält.
Wie freudig wird zur letzten Stunde
die Ruhestatt, das Grab bestellt!

2. Aria (Choral) e Recitativo: Bass B♭ 6/8/𝄴

Herr, nun lässest du deinen Diener in Friede fahren,
wie du gesaget hast.
Was uns als Menschen schrecklich scheint,
ist uns ein Eingang zu dem Leben.
Es ist der Tod
ein Ende dieser Zeit und Not,
ein Pfand, so uns der Herr gegeben
zum Zeichen, dass er's herzlich meint
und uns will nach vollbrachtem Ringen
zum Frieden bringen.
Und weil der Heiland nun
der Augen Trost, des Herzens Labsal ist,
was Wunder, dass ein Herz
des Todes Furcht vergisst!
Es kann erfreut den Ausspruch tun:

BWV 83

새로운 언약으로 기쁜 날

- 1724년 라이프치히 작곡, 1724년 2월 2일 라이프치히 초연
- 호른 2, 오보에 2, 독주 바이올린, 바이올린 2, 비올라, 콘티누오
- 누가복음 2:29-31 (2); 마르틴 루터 (5); 무명 시인 (1, 3, 4)

---

1. 아리아: 알토

새로운 언약으로 기쁜 날
우리의 믿음이 예수님을 만난 날.
　　마지막 시간에 안식처가 될 무덤은
　　얼마나 기쁘게 준비되어 있을까!

2. 아리아(코랄)와 레치타티보: 베이스

주여, 이제 말씀하신 대로
당신의 종이 평화롭게 떠납니다.
　　우리 인간이 두렵게 생각하는 것
　　그것은 삶으로 들어가는 입구라네.
　　죽음은
　　지금 고통스러운 시간의 종말이자
　　주님이 진심의 증표로
　　주신 약속이네.
　　고난의 삶을 마친 후
　　우리를 평화로 데려가네.
　　구세주는 이제
　　내 눈의 평안이며 마음의 위안이시니
　　놀라워라, 내 마음이
　　죽음의 두려움을 잊는구나!
　　기쁘게 말하리라:

Denn meine Augen haben deinen Heiland gesehen,
welchen du bereitet hast vor allen Völkern.

3. Aria: Tenor F C

Eile, Herz, voll Freudigkeit
vor den Gnadenstuhl zu treten!
Du sollst deinen Trost empfangen
und Barmherzigkeit erlangen,
ja, bei kummervoller Zeit,
stark am Geiste, kräftig beten.

4. Recitativo: Alto d-a C

Ja, merkt dein Glaube noch viel Finsternis,
dein Heiland kann der Zweifel Schatten trennen;
ja, wenn des Grabes Nacht
die letzte Stunde schrecklich macht,
so wirst du doch gewiss
sein helles Licht im Tode selbst erkennen.

5. Choral d C

Es ist das Heil und selig Licht
für die Heiden,
zu erleuchten, die dich kennen nicht,
und zu weiden.
Er ist deins Volks Israel
der Preis, Ehre, Freud und Wonne.

내 눈은 당신이 만민에게 베푸신
당신의 구세주를 보았습니다.

3. 아리아: 테너

기쁨이 가득한 마음으로 서둘러라
은혜의 옥좌 앞으로 나아가라!
　　너는 위로를 얻고
　　자비를 누리리라.
　　고통이 가득한 시기에
　　강건한 정신으로 힘차게 기도하라.

4. 레치타티보: 알토

네 믿음에 아직 어둠이 많으나
너의 구세주는 의심의 그림자를 쫓아버리시리라.
무덤의 밤이
마지막 시간을 두렵게 만들 때
너는 분명히 죽음 속에서도
그의 밝은 빛을 보리라.

5. 코랄

그는 이방인들에게
구원이자 복된 빛이네.
주님을 모르는 그들을 밝게 비추고
먹이시네.
그는 당신의 백성 이스라엘에게
찬양이고 영광이고 기쁨이고 환희라네.

BWV 82

Ich habe genug

1. Aria: Bass c/e 3/8

Ich habe genug,
ich habe den Heiland, das Hoffen der Frommen,
auf meine begierigen Arme genommen;
ich habe genug!
Ich hab ihn erblickt,
mein Glaube hat Jesum ans Herze gedrückt;
nun wünsch ich, noch heute mit Freuden
von hinnen zu scheiden.

2. Recitativo: Bass A♭-B♭/C-D **C**

Ich habe genug.
Mein Trost ist nur allein,
dass Jesus mein und ich sein eigen möchte sein.
Im Glauben halt ich ihn,
da seh ich auch mit Simeon
die Freude jenes Lebens schon.
Lasst uns mit diesem Manne ziehn!
Ach! möchte mich von meines Leibes Ketten
der Herr erretten;
ach! wäre doch mein Abschied hier,

BWV 82

나는 만족합니다

- ✦ 1727년 라이프치히 작곡,
  1727년 2월 2일 라이프치히 초연(솔로 베이스 버전),
  1731년 2월 2일 라이프치히 재연(솔로 소프라노 버전)
- ♪ 오보에, 바이올린 2, 비올라, 콘티누오
- T 크리스토프 버크만

1. 아리아: 베이스

나는 만족합니다.
신심 깊은 이들의 희망인 구세주를
내가 애타는 팔로 안았습니다.
나는 만족합니다!
　　나는 그를 보았습니다
　　내 믿음이 예수를 가슴에 꼭 안았습니다.
　　이제 바라는 것은 오늘 기쁘게
　　이 세상을 떠나는 것입니다.

2. 레치타티보: 베이스

나는 만족합니다.
나에게 위로는 오직 이것뿐
예수가 나의 것이고 나는 그의 것이 되는 것
나는 믿음으로 그를 붙잡습니다.
시므온과 함께 벌써
저곳의 기쁜 삶을 바라봅니다.
이 사람과 함께 가게 하소서!
아! 주께서 나를
육신의 사슬에서 풀어주신다면
아! 나의 작별이 다가온다면

mit Freuden sagt ich, Welt, zu dir:
Ich habe genug.

3. Aria: Bass E♭/G **C**

Schlummert ein, ihr matten Augen,
fallet sanft und selig zu!
  Welt, ich bleibe nicht mehr hier,
  hab ich doch kein Teil an dir,
  das der Seele könnte taugen.
  Hier muss ich das Elend bauen,
  aber dort, dort werd ich schauen
  süßen Friede, stille Ruh.

4. Recitativo: Bass c-c/e-e **C**

Mein Gott! wenn kömmt das Schöne: Nun!

Da ich im Friede fahren werde
und in dem Sande kühler Erde
und dort bei dir im Schoße ruhn?
Der Abschied ist gemacht,
Welt, gute Nacht!

5. Aria: Bass c/e 3/8

Ich freue mich auf meinen Tod,
ach, hätt' er sich schon eingefunden.
  Da entkomm ich aller Not,
  die mich noch auf der Welt gebunden.

나는 세상에 대고 기쁘게 말하리라:
나는 만족합니다.

3. 아리아: 베이스

피곤한 눈이여, 잠에 들어라
부드럽고 행복하게 눈을 감아라!
    세상이여, 나는 이제 여기에 없다
    나는 세상의 일부가 아니다.
    그것이 영혼에 도움이 되리라.
    이곳에서는 불행을 쌓았으나
    저곳에서 나는 보리라
    달콤한 평화와 고요한 안식을.

4. 레치타티보: 베이스

나의 하나님! 아름다운 그 말씀은 언제 하시렵니까,
'지금'이라는 말씀은!
내가 평화롭게 세상을 떠나
차가운 대지의 모래 속으로 들어가
그곳에서 당신 품에서 안식할 날은?
작별은 결정되었으니
세상이여, 잘 있어요!

5. 아리아: 베이스

나는 나의 죽음을 기다립니다.
아, 벌써 죽음이 찾아왔다면
    나를 세상에 묶어놓았던
    모든 고난에서 도망쳤으리라.

BWV 125

Mit Fried und Freud ich fahr dahin

1. Coro(Choral) e 12/8

Mit Fried und Freud ich fahr dahin
in Gottes Willen;
getrost ist mir mein Herz und Sinn,
sanft und stille;
wie Gott mir verheißen hat,
der Tod ist mein Schlaf worden.

2. Aria: Alto b 3/4

Ich will auch mit gebrochnen Augen
nach dir, mein treuer Heiland, sehn.
　Wenngleich des Leibes Bau zerbricht,
　doch fällt mein Herz und Hoffen nicht.
　Mein Jesus sieht auf mich im Sterben
　und lässet mir kein Leid geschehn.

3. Recitativo e Choral: Bass a-b **C**

O Wunder, dass ein Herz
vor der dem Fleisch verhassten Gruft
und gar des Todes Schmerz
sich nicht entsetzet!
Das macht Christus, wahr' Gottes Sohn,

BWV 125
평화롭고 기쁘게 나는 떠나네

- 1725년 라이프치히 작곡, 1725년 2월 2일 라이프치히 초연
- 가로 플루트, 오보에 다모레, 바이올린 2, 비올라, 콘티누오, 호른
- 마르틴 루터 (1, 3, 6); 무명 시인 (2, 4, 5)

1. 합창(코랄)

평화롭고 기쁘게 나는 떠나네
하나님이 뜻하신 대로,
내 마음과 정신은 위로받았네
부드럽고 잔잔하게,
하나님이 약속하신 대로
죽음은 나의 잠이 되었네.

2. 아리아: 알토

나는 눈이 흐려져도
신실한 구세주여, 당신을 보리라.
육신이 부서져도
내 마음과 소망은 무너지지 않으리라.
나의 예수는 죽을 때에도 나를 살피시고
어떤 고통도 일어나지 않게 하시리라.

3. 레치타티보와 코랄: 베이스

오 놀라워라,
육신이 싫어하는 무덤과
죽음의 고통까지도
내 마음이 두려워하지 않다니!
이는 하나님의 참된 아들이며

der treue Heiland,
der auf dem Sterbebette schon
mit Himmelssüßigkeit den Geist ergötzet,
den du mich, Herr, hast sehen lan,
da in erfüllter Zeit ein Glaubensarm das Heil des Herrn umfinge;
und machst bekannt
von dem erhabnen Gott, dem Schöpfer aller Dinge,
dass er sei das Leben und Heil,
der Menschen Trost und Teil,
ihr Retter vom Verderben
im Tod und auch im Sterben.

4. Aria (Duetto): Tenor, Bass G **C**

Ein unbegreiflich Licht erfüllt
den ganzen Kreis der Erden.
Es schallet kräftig fort und fort
ein höchst erwünscht Verheißungswort:
Wer glaubt, soll selig werden.

5. Recitativo: Alto e-e **C**

O unerschöpfter Schatz der Güte,
so sich uns Menschen aufgetan: Es wird der Welt,
so Zorn und Fluch auf sich geladen,
ein Stuhl der Gnaden
und Siegeszeichen aufgestellt,
und jedes gläubige Gemüte
wird in sein Gnadenreich geladen.

신실한 구세주 그리스도가 하시는 일.
내가 죽음의 병상에 누웠을 때
천국의 달콤함으로 내 정신을 맑게 하시고
주여, 나로 하여금 보게 하신 분.
마지막 시간에 믿음의 팔이
주님의 구원을 붙잡으리라.
만물의 창조주 높으신 하나님이
삶이자 구원이며
인간의 위안이자 나눔이고
멸망에서 구원하는 분임을
드러내시네
죽을 때에도 죽은 후에도.

4. 아리아 (이중창): 테너, 베이스

알 수 없는 빛이
온 세상을 가득 채우네.
　　간절히 바라던 약속의 말씀
　　힘차게 계속 울리네:
　　믿는 자는 복이 있으리라.

5. 레치타티보: 알토

오, 다함이 없는 은혜의 보화가
우리 인간에게 드러났도다.
분노와 저주를 쌓아 올린 이 세상에
자비의 옥좌와
승리의 표지가 세워지리라.
그리하여 믿는 자마다
그의 자비의 왕국에 들어가리라.

6. Choral e **C**

Er ist das Heil und selig Licht
für die Heiden,
zu erleuchten, die dich kennen nicht,
und zu weiden.
Er ist deins Volks Israel
der Preis, Ehr, Freud und Wonne.

BWV 200

Bekennen will ich seinen Namen

---

1. Aria: Alto E **C**

Bekennen will ich seinen Namen,
er ist der Herr, er ist der Christ,
in welchem aller Völker Samen
gesegnet und erlöset ist.
Kein Tod raubt mir die Zuversicht:
Der Herr ist meines Lebens Licht.

6. 코랄

그는 이방인들에게
구원이자 복된 빛이네.
주님을 모르는 그들을 밝게 비추고
먹이시네.
그는 당신의 백성 이스라엘에게
찬양이고 영광이고 기쁨이고 환희라네.

BWV 200
내가 그의 이름을 고백하리라

- 1720년 고타에서 고트프리트 하인리히 슈퇼첼이 작곡한 곡을 1742년경 바흐가 편곡, 1742년 라이프치히 초연(추정)
- 바이올린 2, 콘티누오
- 무명 시인

---

1. 아리아: 알토

내가 그의 이름을 고백하리라
그는 주님이요 그리스도라
모든 민족의 자녀가
그에게서 축복과 구원을 받았네.
죽음도 내게서 믿음을 빼앗지 못하네
주는 내 삶의 빛이라.

칠순주일*

서신서 고린도전서 9:24-10:5
복음서 마태복음 20:1-16

* 셉투아게시마(Septuagesima): '그리스도의 부활 전 70일이 되는 날'이라는 뜻으로, 부활주일부터 시작되는 부활절 주간의 마지막 날인 토요일부터 거슬러 올라가 70일째가 되는 날을 말한다.

BWV 144

Nimm, was dein ist, und gehe hin

1. Coro b ¢

Nimm, was dein ist, und gehe hin.

2. Aria: Alto e 3/4

Murre nicht,
lieber Christ,
wenn was nicht nach Wunsch geschicht;
 sondern sei mit dem zufrieden,
 was dir dein Gott hat beschieden,
 er weiß, was dir nützlich ist.

3. Choral G C

Was Gott tut, das ist wohlgetan,
es bleibt gerecht sein Wille;
wie er fängt meine Sachen an,
will ich ihm halten stille.
Er ist mein Gott,
der in der Not
mich wohl weiß zu erhalten:
Drum lass ich ihn nur walten.

BWV 144

너의 품삯이니, 받아서 돌아가라

- 1724년 라이프치히 작곡, 1724년 2월 6일 라이프치히 초연
- 오보에 다모레, 오보에 2, 현악기, 콘티누오
- 마태복음 20:14 (1); 자무엘 로디가스트 (3); 알브레히트 폰 브란덴부르크 변경백 (6); 무명 시인 (2, 4, 5)

1. 합창

너의 품삯이니, 받아서 돌아가라.

2. 아리아: 알토

불평하지 마라.
사랑하는 그리스도인이여
원하는 대로 되지 않더라도.
　　하나님이 네게 주신 것에
　　만족하여라.
　　그는 네게 무엇이 유익한지 알고 계신다.

3. 코랄

하나님이 하시는 일은 선하시고
그의 뜻은 항상 의롭도다.
그가 나의 일을 어떻게 주관하시든
나는 그를 조용히 따르리라.
그는 나의 하나님
고난 속에서
나를 든든히 지켜주는 분
그러므로 나는 그의 섭리를 따르리라.

4. Recitativo: Tenor e-b **C**

Wo die Genügsamkeit regiert
und überall das Ruder führt,
da ist der Mensch vergnügt
mit dem, wie es Gott fügt.
Dagegen, wo die Ungenügsamkeit das Urteil spricht,
da stellt sich Gram und Kummer ein,
das Herz will nicht zufrieden sein,
und man gedenket nicht daran:
Was Gott tut, das ist wohlgetan.

5. Aria: Soprano b **C**

Genügsamkeit
ist ein Schatz in diesem Leben,
welcher kann Vergnügung geben
in der größten Traurigkeit,
Denn es lässet sich in allen
Gottes Fügung wohl gefallen
Genügsamkeit.

6. Choral b **C**

Was mein Gott will, das gscheh allzeit,
sein Will, der ist der beste.
Zu helfen den'n er ist bereit,
die an ihn glauben feste.
Er hilft aus Not, der fromme Gott,
und züchtiget mit Maßen.
Wer Gott vertraut, fest auf ihn baut,
den will er nicht verlassen.

4. 레치타티보: 테너

만족함을 알고
어디서나 분수에 맞게 사는 사람은
하나님이 정하신 것에
즐거워합니다.
그러나 불만에 차 만사를 판단하는 곳에서는
원망과 근심이 생깁니다.
마음은 만족할 줄 모르고
알지도 못합니다:
하나님이 하시는 일은 선하다는 것을.

5. 아리아: 소프라노

만족은
이 인생의 보배라.
크나큰 슬픔에 처했을 때도
즐거움을 주는 것.
하나님이 정하신 모든 일을
받아들이는 것이라
만족.

6. 코랄

내 하나님의 뜻이 늘 이루어지기를 바라네.
그의 뜻은 최선이네.
하나님은 그를 굳게 믿는 이들을
항상 도우시려 하네.
신실한 하나님은 고난에서 건져주시고
알맞은 벌을 내리시네.
하나님을 믿고 굳게 의지하는 자를
그는 버리시지 않네.

BWV 92

Ich hab in Gottes Herz und Sinn

1. Coro (Choral) b 6/8

Ich hab in Gottes Herz und Sinn
mein Herz und Sinn ergeben,
was böse scheint, ist mein Gewinn,
der Tod selbst ist mein Leben.
Ich bin ein Sohn des, der den Thron
des Himmels aufgezogen;
ob er gleich schlägt und Kreuz auflegt,
bleibt doch sein Herz gewogen.

2. Choral e Recitativo: Bass e-e **C**

Es kann mir fehlen nimmermehr!
Es müssen eh'r,
wie selbst der treue Zeuge spricht,
mit Prasseln und mit grausem Knallen
die Berge und die Hügel fallen:
Mein Heiland aber trüget nicht,
mein Vater muss mich lieben.
Durch Jesu rotes Blut bin ich in seine Hand geschrieben:
er schützt mich doch!
Wenn er mich auch gleich wirft ins Meer,
so lebt der Herr auf großen Wassern noch,

BWV 92
나는 하나님의 마음과 정신에

- 1725년 라이프치히 작곡, 1725년 1월 28일 라이프치히 초연
- 오보에 다모레 2, 바이올린 2, 비올라, 콘티누오
- 파울 게르하르트 (1, 2, 4, 7, 9); 무명 시인 (3, 5, 6, 8)

1. 합창 (코랄)

나는 하나님의 마음과 정신에
내 마음과 정신을 맡겼다네.
사악해 보이는 것은 나의 이익
죽음은 나의 인생.
나는 하늘의 보좌를
세우신 분의 아들이라.
그가 내게 십자가를 지우고 벌해도
그의 마음은 항상 인자하시네.

2. 코랄 & 레치타티보: 베이스

나는 아무것도 부족하지 않네!
오히려
신실한 증인이 직접 말하듯이
요란한 굉음과 무서운 소리를 내며
산과 언덕이 무너지리라:
나의 구세주는 속이지 않으시고
나의 아버지는 나를 사랑하시네.
예수의 붉은 피로 나는 그의 손에 적혀 있다네:
그는 나를 보호하시리라!
그가 나를 곧 바다에 던져도
주는 큰 물결 위에서 사시네

der hat mir selbst mein Leben zugeteilt,
drum werden sie mich nicht ersäufen.
Wenn mich die Wellen schon ergreifen
und ihre Wut mit mir zum Abgrund eilt,
so will er mich nur üben,
ob ich an Jonas werde denken,
ob ich den Sinn mit Petrus auf ihn werde lenken.
Er will mich stark im Glauben machen,
er will vor meine Seele wachen
und mein Gemüt,
das immer wankt und weicht,
in seiner Güt,
der an Beständigkeit nichts gleicht,
gewöhnen, fest zu stehen.
Mein Fuß soll fest
bis an der Tage letzten Rest
sich hier auf diesen Felsen gründen.
Halt ich denn Stand
und lasse mich in felsenfestem Glauben finden,
weiß seine Hand,
die er mir schon vom Himmel beut,
zu rechter Zeit
mich wieder zu erhöhen.

3. Aria: Tenor b **C**

Seht, seht! wie reißt, wie bricht, wie fällt,
was Gottes starker Arm nicht hält.
　　Seht aber fest und unbeweglich prangen,
　　was unser Held mit seiner Macht umfangen.

나에게 직접 생명을 주신 분.
그러므로 저들은 나를 물에 빠뜨려 죽이지 못하리라.
파도가 덮치고
그 분노가 나를 심연으로 끌고 내려가도
주는 나를 오직 시험하시리라
내가 요나스를 기억하는지
내가 베드로와 함께 그를 생각하는지 아시기 위함이라.
그는 나를 믿음 속에서 강하게 만들려 하시고
나의 영혼을 지키려 하시네.
그리고 내 심성이
늘 흔들리고 약해질 때마다
그의 선하심으로
어디에도 비할 바 없는 불굴의 선하심으로
굳게 서도록 하시려 하네.
내 발은 단단히
삶이 끝나 마지막 안식에 들 때까지
여기 이 바위를 딛고 있어야 하리라.
내가 흔들리지 않고 서서
바위처럼 단단한 믿음을 가진다면
그분의 손은 알리라
하늘에서 내게 뻗었던 그 손이
제때에
나를 다시 들어 올리리라는 것을.

3. 아리아: 테너

보라, 보라! 하나님의 강한 팔이 잡지 않는 것이
어떻게 끊어지고 어떻게 부러지고 어떻게 떨어지는지.
　　보라, 우리의 영웅이 권능으로 붙잡는 것이
　　어떻게 굳건하고 흔들림 없이 빛나는지.

Lasst Satan wüten, rasen, krachen,
der starke Gott wird uns unüberwindlich machen.

4. Choral: Alto f# **C**

Zudem ist Weisheit und Verstand
bei ihm ohn alle Maßen,
Zeit, Ort und Stund ist ihm bekannt,
zu tun und auch zu lassen.
Er weiß, wenn Freud, er weiß, wenn Leid
uns, seinen Kindern, diene,
und was er tut, ist alles gut,
ob's noch so traurig schiene.

5. Recitativo: Tenor D-b **C**

Wir wollen nun nicht länger zagen
und uns mit Fleisch und Blut,
weil wir in Gottes Hut,
so furchtsam wie bisher befragen.
Ich denke dran,
wie Jesus nicht gefürcht' das tausendfache Leiden;
er sah es an
als eine Quelle ewger Freuden.
Und dir, mein Christ,
wird deine Angst und Qual, dein bitter Kreuz und Pein
um Jesu willen Heil und Zucker sein.
Vertraue Gottes Huld
und merke noch, was nötig ist:
Geduld! Geduld!

사탄이 노하게 하고 날뛰게 하고 굉음을 내게 하라.
강한 하나님이 우리를 무적의 사람으로 만드시리라.

4. 코랄: 알토

그분의 지혜와 이성은
도저히 헤아릴 길 없어라.
그분은 행함과 행치 말아야 할
시간과 장소와 때를 알고 계시네.
언제 기쁨이, 언제 고통이 그분의 자녀인
우리에게 유익할지 알고 계시네.
그분이 행하시는 모든 것이 선하네
겉으로는 슬픈 듯이 보여도.

5. 레치타티보: 테너

이제 우리는 더 이상 머뭇거리지 않고
지금처럼 살과 피를
두려워하지 않으렵니다.
우리가 하나님의 보호 안에 있기 때문입니다.
기억합니다.
예수님이 수천 번의 고통을 두려워하지 않았음을.
그분에게 고통은
영원한 기쁨의 샘이었습니다.
그리고 성도여, 그대에게
불안과 고통, 쓰라린 십자가와 고뇌는
예수님으로 인하여 행복과 달콤함이 될 것입니다.
하나님의 은총을 믿고
무엇이 필요한지 기억하십시오:
인내! 인내!

6. Aria: Bass D 3/4

Das Brausen von den rauen Winden
macht, dass wir volle Ähren finden.
Des Kreuzes Ungestüm schafft bei den Christen Frucht,
drum lasst uns alle unser Leben
dem weisen Herrscher ganz ergeben.
Küsst seines Sohnes Hand, verehrt die treue Zucht.

7. Choral e Recitativo: Soprano, Alto, Tenor, Bass

b-D **C**

Ei nun, mein Gott, so fall ich dir
getrost in deine Hände.
(Bass)
So spricht der gottgelassne Geist,
wenn er des Heilands Brudersinn
und Gottes Treue gläubig preist.
Nimm mich und mache es mit mir
bis an mein letztes Ende.
(Tenor)
Ich weiß gewiss,
dass ich ohnfehlbar selig bin,
wenn meine Not und mein Bekümmernis
von dir so wird geendigt werden:
Wie du wohl weißt, dass meinem Geist
dadurch sein Nutz entstehe,
(Alto)
dass schon auf dieser Erden,
dem Satan zum Verdruss,
dein Himmelreich sich in mir zeigen muss
und deine Ehr je mehr und mehr

6. 아리아: 베이스

거세게 휘몰아치는 바람 덕분에
우리는 이삭을 한가득 찾아냅니다.
　　거친 십자가는 그리스도인들에게 열매를 맺게 합니다.
　　그러니 모두 우리의 삶을
　　지혜로운 주권자에게 온전히 맡깁시다.
　　그의 아들의 손에 입 맞추고 충실한 가르침을 숭배합시다.

7. 코랄 & 레치타티보: 소프라노, 알토, 테너, 베이스

　　아 나의 하나님, 이제 당신 손에
　　안심하고 나를 맡깁니다.
(베이스)
하나님을 믿는 영혼이 말합니다.
그가 구세주의 형제애와
하나님의 신실함을 찬양할 때에.
　　나를 데려가 마지막 순간까지
　　이끌어주소서.
(테너)
나는 확실히 아네.
나의 고난과 근심이
당신으로 인해 끝날 때
내가 틀림없이 복되다는 것을.
　　당신도 아시듯이, 나의 영혼이
　　그로 인해 혜택을 입었다는 것을.
(알토)
이 지상에서 이미
사탄에게는 원통하게도
당신의 하늘나라가 내 안에 나타나고
　　당신의 영광은 더욱더

sich in ihr selbst erhöhe.

(Soprano)

So kann mein Herz nach deinem Willen
sich, o mein Jesu, selig stillen,
und ich kann bei gedämpften Saiten
dem Friedensfürst ein neues Lied bereiten.

8. Aria: Soprano D 3/8

Meinem Hirten bleib ich treu.
Will er mir den Kreuzkelch füllen,
ruh ich ganz in seinem Willen,
er steht mir im Leiden bei.
Es wird dennoch, nach dem Weinen,
Jesu Sonne wieder scheinen.
Meinem Hirten bleib ich treu.
Jesu leb ich, der wird walten,
freu dich, Herz, du sollst erkalten,
Jesus hat genug getan.
Amen: Vater, nimm mich an!

9. Choral b **C**

Soll ich denn auch des Todes Weg
und finstre Straße reisen,
wohlan! ich tret auf Bahn und Steg,
den mir dein Augen weisen.
Du bist mein Hirt, der alles wird
zu solchem Ende kehren,
dass ich einmal in deinem Saal
dich ewig möge ehren.

드높아지리라는 것을.

(소프라노)

나의 마음은 당신 뜻에 따라
오 나의 예수님, 기쁘게 안식을 찾네.
나는 차분한 현의 소리로
평화의 왕을 위해 새 노래를 준비하네.

8. 아리아: 소프라노

나의 목자에게 나는 신실하리라.
그가 내 고난의 잔을 채우고자 하면
나는 온전히 그의 뜻을 따르리라.
그가 고통 속에 있는 나를 도우리라.
그러나 눈물을 흘리고 나면
예수님의 태양이 다시 비추리라.
나의 목자에게 나는 신실하리라.
나를 주관하는 예수를 위해 살리라
마음이여 기뻐하라, 너는 죽어야 하리라.
예수님은 충분히 하셨노라.
아멘: 아버지, 나를 받아주소서!

9. 코랄

죽음의 길을 걷고
어두운 길을 여행해야 한다면
그러면! 나는 당신의 눈이 가리키는
크고 작은 길을 가겠습니다.
당신은 나의 목자, 모든 것을
이렇게 끝맺음 하시는 분.
내가 언젠가는 당신의 법정에서
영원히 당신을 공경하게 하십니다.

BWV 84

Ich bin vergnügt mit meinem Glücke

1. Aria: Soprano e 3/4

Ich bin vergnügt mit meinem Glücke,
das mir der liebe Gott beschert.
    Soll ich nicht reiche Fülle haben,
    so dank ich ihm vor kleine Gaben
    und bin auch nicht derselben wert.

2. Recitativo: Soprano b-d **C**

Gott ist mir ja nichts schuldig,
und wenn er mir was gibt,
so zeigt er mir, dass er mich liebt;
ich kann nichts mir bei ihm verdienen,
denn was ich tu, ist meine Pflicht.
Ja! wenn mein Tun gleich noch so gut geschienen,
so hab ich doch nichts Rechtes ausgericht'.
Doch ist der Mensch so ungeduldig,
dass er sich oft betrübt,
wenn ihm der liebe Gott nicht überflüssig gibt.
Hat er uns nicht so lange Zeit
umsonst ernähret und gekleid't
und will uns einsten seliglich
in seine Herrlichkeit erhöhn?

BWV 84
나의 행운에 만족합니다

- 1727년 라이프치히 작곡(추정), 1727년 2월 9일 라이프치히 초연(추정)
- 오보에, 바이올린 2, 비올라, 콘티누오
- 에밀리에 율리아네 폰 슈바르츠부르크-루돌슈타트 (5); 무명 시인 (1-4)

1. 아리아: 소프라노

나의 행운에 만족합니다
사랑의 하나님이 내게 주신 행운.
　　많은 보화 내게 없어도
　　그가 주신 작은 선물에 감사합니다
　　나는 그것을 받을 자격이 없습니다.

2. 레치타티보: 소프라노

하나님은 내게 빚진 것이 없습니다.
그가 내게 무엇을 주실 때는
나를 사랑하심을 보여주는 것입니다.
나는 그분에게 받을 것이 없습니다.
내가 하는 일은 나의 의무입니다.
그렇습니다! 나의 행위가 아무리 선해 보여도
나는 옳은 일을 하지 않았습니다.
그러나 사람은 참을성이 없어
사랑의 하나님이 넘치도록 주시지 않으면
자주 슬퍼합니다.
그가 오랫동안 우리를
대가 없이 먹이고 입히지 않았습니까?
언젠가는 우리를 복되게
그의 영광으로 드높이려 하지 않겠습니까?

Es ist genug vor mich,
dass ich nicht hungrig darf zu Bette gehn.

3. Aria: Soprano G 3/8

Ich esse mit Freuden mein weniges Brot
und gönne dem Nächsten von Herzen das Seine.
Ein ruhig Gewissen, ein fröhlicher Geist,
ein dankbares Herze, das lobet und preist,
vermehret den Segen, verzuckert die Not.

4. Recitativo: Soprano e-f♯ **C**

Im Schweiße meines Angesichts
will ich indes mein Brot genießen,
und wenn mein' Lebenslauf
mein Lebensabend wird beschließen,
so teilt mir Gott den Groschen aus,
da steht der Himmel drauf.
Oh! wenn ich diese Gabe
zu meinem Gnadenlohne habe,
so brauch ich weiter nichts.

5. Choral b **C**

Ich leb indes in dir vergnüget
und sterb ohn alle Kümmernis,
mir g'nüget, wie es mein Gott füget,
ich glaub und bin es ganz gewiss:
Durch deine Gnad und Christi Blut
machst du's mit meinem Ende gut.

내가 굶주리지 않고 잠자리에 들도록
그는 내게 충분히 주셨습니다.

3. 아리아: 소프라노

나는 많지 않은 빵을 기쁘게 먹으며
이웃에게 진심으로 그가 먹을 빵을 베푸네.
깨끗한 양심, 즐거운 영혼,
감사하는 마음이 찬양하고 칭송하며
축복을 크게 하고 고통을 달게 하네.

4. 레치타티보: 소프라노

내 얼굴에 흐르는 땀에서
나는 빵의 맛을 보리라.
내 인생의 밤이
나의 삶을 닫을 때
하나님은 내게 동전을 주시리라.
천국이 새겨진 동전을.
오! 그 선물을
은혜로운 영생의 선물로 받는다면
나는 아무것도 필요하지 않으리라.

5. 코랄

나는 당신 안에서 만족하게 살다가
아무 근심 없이 세상을 떠나네.
하나님의 섭리대로 나는 부족함이 없음을
확실히 알고 믿고 있네.
당신은 자비와 그리스도의 피로써
나의 마지막을 선하게 만드셨으니.

육순주일*

서신서 고린도후서 11:19-12:9
복음서 누가복음 8:4-15

* 섹사게시마(Sexagesima): 부활절 전 60일째 되는 날. 사순절 2주 전 주일.

BWV 18

Gleichwie der Regen und Schnee vom Himmel fällt

1. Sinfonia g/a 6/4

2. Recitativo: Bass g-g/a-a C

Gleichwie der Regen und Schnee vom Himmel fällt und nicht wieder dahin kommet, sondern feuchtet die Erde und macht sie fruchtbar und wachsend, dass sie gibt Samen zu säen und Brot zu essen: Also soll das Wort, so aus meinem Munde gehet, auch sein; es soll nicht wieder zu mir leer kommen, sondern tun, das mir gefället, und soll ihm gelingen, dazu ich's sende.

3. Recitativo e Litania: Tenor, Bass E♭-c/F-d C

(Tenor)
Mein Gott, hier wird mein Herze sein:
Ich öffne dir's in meines Jesu Namen;
so streue deinen Samen
als in ein gutes Land hinein.
Mein Gott, hier wird mein Herze sein:
Lass solches Frucht, und hundertfältig, bringen.
O Herr, Herr, hilf! o Herr, lass wohlgelingen!
    Du wollest deinen Geist und Kraft

BWV 18
비와 눈이 하늘에서 떨어지면

- 1713년 또는 1714년 바이마르 작곡 및 초연
- 리코더 2, 비올라 4, 바순, 첼로, 콘티누오
- 이사야 55:10-12 (2); 에르트만 노이마이스터 (3, 4); 라자루스 슈펭글러 (5)

1. 신포니아

2. 레치타티보: 베이스

비와 눈이 하늘에서 떨어지면
다시는 돌아가지 않고 땅을 흠뻑 적셔
싹이 돋아 자라게 하며
파종할 씨를 주고 먹을 양식을 내주듯이,
나의 입에서 나가는 말도 내게 헛되이
돌아오지 않고 내 뜻을 이루어
그 받은 사명을 다하리라.

3. 레치타티보와 호칭 기도: 테너, 베이스

(테너)
나의 하나님, 내 마음은 여기에 있을 것입니다.
예수의 이름으로 당신에게 내 마음을 여니
당신의 씨앗을
이 기름진 땅에 뿌리소서.
나의 하나님, 내 마음은 여기에 있을 것입니다.
백배로 열매 맺게 하소서
오 주여, 주여, 도우소서! 오 주여 번성하게 하소서!
　　당신은 말씀에

zum Worte geben.

Erhör uns, lieber Herre Gott!

(Bass)

Nur wehre, treuer Vater, wehre,
dass mich und keinen Christen nicht
des Teufels Trug verkehre.
Sein Sinn ist ganz dahin gericht',
uns deines Wortes zu berauben
mit aller Seligkeit.

Den Satan unter unsre Füße treten.
Erhör uns, lieber Herre Gott!

(Tenor)

Ach! viel' verleugnen Wort und Glauben
und fallen ab wie faules Obst,
wenn sie Verfolgung sollen leiden.
So stürzen sie in ewig Herzeleid,
da sie ein zeitlich Weh vermeiden.

Und uns für des Türken und des Papsts
grausamen Mord und Lästerungen,
Wüten und Toben väterlich behüten.
Erhör uns, lieber Herre Gott!

(Bass)

Ein andrer sorgt nur für den Bauch;
inzwischen wird der Seele ganz vergessen;
der Mammon auch
hat vieler Herz besessen.
So kann das Wort zu keiner Kraft gelangen.
Und wie viel' Seelen hält
die Wollust nicht gefangen?

당신의 영과 능력을 보태려 하셨습니다.

사랑의 주 하나님, 우리의 기도를 들으소서!

(베이스)

지키소서, 신실한 아버지, 지키소서
악마의 속임수가 나와 성도들을
나쁜 길로 이끌지 않게 하소서.
악마가 노리는 것은 온전히
우리로부터 당신의 말씀을 빼앗는 것입니다
모든 행복까지.

사탄이 우리 발밑에 밟히게 하소서
사랑의 주 하나님, 우리의 기도를 들으소서!

(테너)

아! 많은 이들이 말씀과 믿음을 부인하고
박해의 고통을 당할 때면
썩은 과일처럼 떨어집니다.
그렇게 그들은 유한한 고통을 피하려고
영원한 마음의 고통에 빠집니다.

투르크인과 교황의
잔혹한 살육과 모독과 분노와 광포함으로부터
우리를 아버지의 사랑으로 지켜주소서.
사랑의 주 하나님, 우리의 기도를 들으소서!

(베이스)

어떤 이는 배만 채우려 하고
영혼을 완전히 망각합니다.
재물도 많은 이의
마음을 사로잡았습니다.
그리하여 말씀은 아무런 힘을 얻지 못합니다.
수많은 영혼이
욕망의 포로가 되지 않았을까요?

So sehr verführet sie die Welt,
die Welt, die ihnen muss anstatt des Himmels stehen,
darüber sie vom Himmel irregehen.
    Alle Irrige und Verführte wiederbringen.
    Erhör uns, lieber Herre Gott!

4. Aria: Soprano E♭/F **C**

Mein Seelenschatz ist Gottes Wort;
außer dem sind alle Schätze
solche Netze,
welche Welt und Satan stricken,
schnöde Seelen zu berücken.
Fort mit allen, fort, nur fort!
Mein Seelenschatz ist Gottes Wort.

5. Choral g/a **C**

Ich bitt, o Herr, aus Herzens Grund,
du wollst nicht von mir nehmen
dein heil'ges Wort aus meinem Mund;
so wird mich nicht beschämen
mein Sünd und Schuld, denn in dein Huld
setz ich all mein Vertrauen:
Wer sich nur fest darauf verlässt,
der wird den Tod nicht schauen.

세상은 영혼을 쉽게 유혹합니다.
하늘을 대신해 세상이 영혼을 사로잡으니
영혼은 하늘과 멀어집니다.
　　방황하고 유혹에 빠진 모든 이를 데려오소서.
　　사랑의 주 하나님, 우리의 기도를 들으소서.

4. 아리아: 소프라노

하나님의 말씀은 내 영혼의 보화라.
그 외의 다른 보화는 모두
세상과 사탄이
보잘것없는 영혼을 낚으려고
짜 놓는 그물이라.
모두 사라져라, 사라져라, 사라져라!
하나님의 말씀은 내 영혼의 보화라.

5. 코랄

오 주여, 마음 깊은 곳에서 간구하오니
저의 입에서 당신의 거룩한 말씀을
빼앗지 마소서.
그리하면 내가 과실과 죄과로 인해
부끄럽지 않을 것입니다.
나는 당신의 은총을 믿습니다.
그것을 굳게 믿는 자만이
죽음을 보지 않을 것입니다.

BWV 181
Leichtgesinnte Flattergeister

1. Aria: Bass e C

Leichtgesinnte Flattergeister
rauben sich des Wortes Kraft.
Belial mit seinen Kindern
suchet ohnedem zu hindern,
dass es keinen Nutzen schafft.

2. Recitativo: Alto e-b C

O unglücksel'ger Stand verkehrter Seelen,
so gleichsam an dem Wege sind;
und wer will doch des Satans List erzählen,
wenn er das Wort dem Herzen raubt,
das, am Verstande blind,
den Schaden nicht versteht noch glaubt.
Es werden Felsenherzen,
so boshaft widerstehn,
ihr eigen Heil verscherzen
und einst zugrundegehn.
Es wirkt ja Christi letztes Wort,
dass Felsen selbst zerspringen;
des Engels Hand bewegt des Grabes Stein,
ja, Mosis Stab kann dort

BWV 181
경박하고 변덕스러운 이들은

- 1724년 라이프치히 작곡, 1724년 2월 13일 라이프치히 초연
- 트럼펫, 가로 플루트, 오보에, 바이올린 2, 비올라, 콘티누오
- 무명 시인

1. 아리아: 베이스

경박하고 변덕스러운 이들은
말씀의 힘을 빼앗기네.
악마와 그 자식들은 어떻게든
막으려고 애쓰네
말씀을 쓸모없게 하려고.

2. 레치타티보: 알토

오 일그러진 영혼들의 비참한 모습
마치 길가에 서 있는 것 같구나.
사탄이 마음에서 말씀을 빼앗아갈 때
누가 과연 그의 속임수를 들려주겠는가.
눈이 멀어 판단하지 못하고
해로움을 이해하지도 믿지도 않는 마음.
냉혹한 이들은
불경하게 맞서다가
제 구원을 잃고
언젠가는 멸망하리라.
바위가 스스로 깨어진다는
그리스도의 마지막 말씀이 그대로 이루어지리라.
천사의 손이 무덤의 돌을 움직이고
모세의 지팡이는 그곳

aus einem Berge Wasser bringen.
Willst du, o Herz, noch härter sein?

3. Aria: Tenor b 3/8

Der schädlichen Dornen unendliche Zahl,
die Sorgen der Wollust, die Schätze zu mehren,
die werden das Feuer der höllischen Qual
in Ewigkeit nähren.

4. Recitativo: Soprano D-D **C**

Von diesen wird die Kraft erstickt,
der edle Same liegt vergebens,
wer sich nicht recht im Geiste schickt,
sein Herz beizeiten
zum guten Lande zu bereiten,
dass unser Herz die Süßigkeiten schmecket,
so uns dies Wort entdecket,
die Kräfte dieses und des künft'gen Lebens.

5. Coro D **C**

Lass, Höchster, uns zu allen Zeiten
des Herzens Trost, dein heilig Wort.
    Du kannst nach deiner Allmachtshand
    allein ein fruchtbar gutes Land
    in unsern Herzen zubereiten.

산에서 물을 솟아나게 하리라.
오 마음이여, 아직도 더 강퍅해지려는가?

3. 아리아: 테너

수없이 많은 해로운 가시들
재물을 늘리려는 욕심으로 생기는 근심
이것들이 지옥의 고통스러운 불길을
영원히 꺼뜨리지 않으리라.

4. 레치타티보: 소프라노

이것들로 인해 힘은 질식하고
고귀한 씨는 열매를 맺지 못합니다.
그러니 영을 따라 올바로 살면서
제때에 마음을 준비해
비옥한 땅을 갈아야 합니다.
그러면 우리 마음은 말씀이 알려준 대로
달콤한 것을 맛볼 것입니다.
이생과 내세의 힘을.

5. 합창

지극히 높으신 주여, 때마다 우리에게 허락하소서.
마음의 위안을, 당신의 거룩한 말씀을.
　　오직 당신의 전능한 손으로만
　　풍요롭고 복된 땅을
　　우리 마음에 마련할 수 있습니다.

BWV 126

Erhalt uns, Herr, bei deinem Wort

1. Coro (Choral) a **C**

Erhalt uns, Herr, bei deinem Wort,
und steur' des Papsts und Türken Mord,
die Jesum Christum, deinen Sohn,
stürzen wollen von seinem Thron.

2. Aria: Tenor e **C**

Sende deine Macht von oben,
Herr der Herren, starker Gott!
    Deine Kirche zu erfreuen
    und der Feinde bittern Spott
    augenblicklich zu zerstreuen.

3. Choral e Recitativo: Alto, Tenor a-e **C**

(Alto)
Der Menschen Gunst und Macht wird wenig nützen,
wenn du nicht willt das arme Häuflein schützen,
(Beide)
Gott Heilger Geist, du Tröster wert,
(Tenor)
du weißt, dass die verfolgte Gottesstadt
den ärgsten Feind nur in sich selber hat

BWV 126
주여, 말씀으로 우리를 지켜주소서

- 1725년 라이프치히 작곡, 1725년 2월 4일 라이프치히 초연
- 트럼펫, 오보에 2, 바이올린 2, 비올라, 콘티누오
- 마르틴 루터 (1-3, 6); 요한 발터 (7); 유스투스 요나스 (4, 5)

1. 합창 (코랄)

주여, 말씀으로 우리를 지켜주소서
교황과 투르크인의 살육을 막아주소서.
저들은 당신의 아들 예수 그리스도를
그의 보좌에서 밀어내려 합니다.

2. 아리아: 테너

높은 곳에서 당신의 능력을 내려주소서
주의 주, 강한 하나님!
    당신의 교회를 기쁘게 하고
    적들의 쓰라린 조롱을
    일거에 날려버릴 능력을.

3. 코랄 & 레치타티보: 알토, 테너

(알토)
당신이 가련한 양떼를 보호하시지 않으면
사람의 호의와 힘은 쓸 데가 없습니다.
(함께)
성령 하나님, 소중한 위로자
(테너)
당신은 아십니다. 박해받는 하나님의 도시가
거짓 형제들의 위태로운 행위로 인해

durch die Gefährlichkeit der falschen Brüder.

(Beide)

Gib dein'm Volk einerlei Sinn auf Erd,

(Alto)

dass wir, an Christi Leibe Glieder,

im Glauben eins, im Leben einig sei'n.

(Beide)

Steh bei uns in der letzten Not!

(Tenor)

Es bricht alsdann der letzte Feind herein

und will den Trost von unsern Herzen trennen;

doch lass dich da als unsern Helfer kennen.

(Beide)

G'leit uns ins Leben aus dem Tod!

4. Aria: Bass C 3/8

Stürze zu Boden, schwülstige Stolze!

Mache zunichte, was sie erdacht!

Lass sie den Abgrund plötzlich verschlingen,

wehre dem Toben feindlicher Macht,

lass ihr Verlangen nimmer gelingen!

5. Recitativo: Tenor a-d **C**

So wird dein Wort und Wahrheit offenbar

und stellet sich im höchsten Glanze dar,

dass du vor deine Kirche wachst,

dass du des heil'gen Wortes Lehren

zum Segen fruchtbar machst;

und willst du dich als Helfer zu uns kehren,

사악한 적을 그 안에 품고 있음을.

(함께)

당신의 민족이 이 땅에서 하나로 뭉치게 하소서.

(알토)

당신은 아십니다. 그리스도의 몸의 지체인 우리가
믿음 속에서 하나가 되고 삶에서 하나로 뭉칠 수 있음을.

(함께)

우리가 크게 어려울 때에 지켜주소서!

(테너)

마지막 적이 들이닥쳐
우리 마음에서 위안을 빼앗아가려 하나
당신이 우리의 구원자임을 알게 하소서.

(함께)

우리를 죽음에서 꺼내어 생명으로 이끄소서!

4. 아리아: 베이스

바닥으로 떨어져라, 부풀어 오른 오만함이여!
그것이 고안한 것을 파괴하소서!
　　오만함이 나락을 삼키게 하시고
　　날뛰는 적의 힘을 막아내시고
　　그들의 소원이 이루어지지 않게 하소서!

5. 레치타티보: 테너

이렇게 당신의 말씀과 진리가 알려지고
찬란한 영광 속에서 그 모습을 드러냅니다.
당신이 당신의 교회를 지키시고
거룩한 말씀의 가르침을
풍요로운 축복으로 바꾸셨음을.
당신이 구원자로 우리에게 오신다면

so wird uns denn in Frieden
des Segens Überfluss beschieden.

6. Choral a **C**

Verleih uns Frieden gnädiglich,
Herr Gott, zu unsern Zeiten;
es ist doch ja kein andrer nicht,
der für uns könnte streiten,
denn du, unser Gott, alleine.

Gib unsern Fürst'n und aller Obrigkeit
Fried und gut Regiment,
dass wir unter ihnen
ein geruh'g und stilles Leben führen mögen
in aller Gottseligkeit und Ehrbarkeit.
Amen.

우리는 평화롭게
축복을 넘치도록 받을 것입니다.

6. 코랄

주 하나님, 우리 시대에
은총으로 평화를 내려주소서.
우리를 위해 싸울 수 있는 이
또 누가 있으리오.
오직 우리 하나님 한 분뿐이시라.

우리의 군주와 모든 통치자에게
평화와 훌륭한 통치력을 주시어
우리가 그들 밑에서
경건하고 정직하게
평안하고 조용한 삶을 영위하게 하소서.
아멘.

부활절 50일 전✦

서신서 고린도전서 13:1-13
복음서 누가복음 18:31-43

✦ 킹카게시마(Quinquagesima): 부활절 전 50일로, 사순절 전 주일이다.

BWV 23

Du wahrer Gott und Davids Sohn

1. Aria (Duetto): Soprano, Alto c/b **C**

Du wahrer Gott und Davids Sohn,
der du von Ewigkeit in der Entfernung schon
mein Herzeleid und meine Leibespein
umständlich angesehn, erbarm dich mein!
  Und lass durch deine Wunderhand,
  die so viel Böses abgewandt,
  mir gleichfalls Hilf und Trost geschehen.

2. Recitativo: Tenor A♭-E♭/G-D **C**

Ach! gehe nicht vorüber;
du, aller Menschen Heil,
bist ja erschienen,
die Kranken und nicht die Gesunden zu bedienen.
Drum nehm ich ebenfalls an deiner Allmacht teil;
ich sehe dich auf diesen Wegen,
worauf man
mich hat wollen legen,
auch in der Blindheit an.
Ich fasse mich
und lasse dich

BWV 23
당신은 참 하나님이며 다윗의 자손

- 1723년 쾨텐 작곡(추정), 1724년 라이프치히 수정, 1723년 2월 7일 라이프치히 초연, 1724년 2월 20일 라이프치히 재연
- 오보에 2, 바이올린 2, 비올라, 콘티누오, 마지막 코랄에 코넷과 트롬본 3 추가
- 무명 시인

1. 아리아 (이중창): 소프라노, 알토

당신은 참 하나님이며 다윗의 자손
영원의 시간부터 벌써 저 멀리서
내 마음의 고뇌와 육신의 고통을
꼼꼼히 살피셨네. 자비를 베푸소서!
　당신의 놀라운 손길로
　많은 악을 물리친 그 손길로
　나에게도 도움과 위로를 주소서.

2. 레치타티보: 테너

아! 나를 지나치지 마소서
만인의 구원자시여
당신이 오신 것은
건강한 이가 아니라 아픈 이를 돕기 위함입니다.
그러므로 나도 당신의 전능함을 누리게 하소서.
이 길을 지나가는 당신의 모습이 보입니다.
저들은
내가 눈이 멀었음에도
나를 두고 가려 합니다.
마음을 다잡고
당신이 내게 축복을 내려주시지 않으면

nicht ohne deinen Segen.

3. Coro E♭/D 3/4

Aller Augen warten, Herr,
du allmächtger Gott, auf dich,
und die meinen sonderlich.
Gib denselben Kraft und Licht,
lass sie nicht
immerdar in Finsternissen!
Künftig soll dein Wink allein
der geliebte Mittelpunkt
aller ihrer Werke sein,
bis du sie einst durch den Tod
wiederum gedenkst zu schließen.

4. Choral g-c/f♯-b **C**

Christe, du Lamm Gottes,
der du trägst die Sünd der Welt,
erbarm dich unser!
Christe, du Lamm Gottes,
der du trägst die Sünd der Welt,
erbarm dich unser!
Christe, du Lamm Gottes,
der du trägst die Sünd der Welt,
gib uns dein' Frieden. Amen.

보내드리지 않겠습니다.

3. 합창

주여, 모든 이의 눈이 기다리고 있습니다
전능하신 하나님 당신을.
나의 눈은 더욱 애타게 기다립니다.
그들에게 힘과 빛을 주소서
그들을 언제까지나
어둠 속에 두지 마소서!
장차 당신은 손짓 하나만으로도
그들이 하는 일이 모이는
사랑의 중심이 될 것입니다.
언젠가 그들이 죽을 때 당신이
그들 눈을 다시 닫을 때까지.

4. 코랄

그리스도, 하나님의 어린양
세상의 죄를 짊어지신 분
우리에게 자비를 베푸소서!
그리스도, 하나님의 어린양
세상의 죄를 짊어지신 분
우리에게 자비를 베푸소서!
그리스도, 하나님의 어린양
세상의 죄를 짊어지신 분
우리에게 평화를 주소서. 아멘.

BWV 22
Jesus nahm zu sich die Zwölfe

1. Arioso: Tenor, Bass e Coro g **C**

(Tenor)

Jesus nahm zu sich die Zwölfe und sprach:

(Bass)

Sehet, wir gehn hinauf gen Jerusalem, und es wird
alles vollendet werden, das geschrieben ist von des
Menschen Sohn.

(Chor)

Sie aber vernahmen der keines und wussten nicht,
was das gesaget war.

2. Aria: Alto c 9/8

Mein Jesu, ziehe mich nach dir,
ich bin bereit, ich will von hier
und nach Jerusalem zu deinen Leiden gehn.
 Wohl mir, wenn ich die Wichtigkeit
 von dieser Leid- und Sterbenszeit
 zu meinem Troste kann durchgehends wohl verstehn!

3. Recitativo: Bass E♭-B♭ **C**

Mein Jesu, ziehe mich, so werd ich laufen,
denn Fleisch und Blut verstehet ganz und gar

BWV 22
예수가 열두 제자를 가까이 부르고 이르시되

- 1723년 쾨텐 작곡(추정), 1723년 2월 20일 라이프치히 초연
- 오보에, 바이올린 2, 비올라, 콘티누오
- 누가복음 18:31, 34 (1); 엘리자베트 크로이치거 (5); 무명 시인 (2-4)

1. 아리오소: 테너, 베이스 & 합창

(테너)

예수가 열두 제자를 가까이 부르고 이르시되

(베이스)

보라, 우리가 예루살렘으로 올라가니

사람의 아들에 대하여 기록된 모든 일이

이루어질 것이다.

(합창)

그러나 제자들은 한마디도 깨닫지 못하였고

그것이 무슨 말씀인지 알아듣지 못하였다.

2. 아리아: 알토

나의 예수여, 나를 당신께 이끌어주소서

나는 준비가 되었으니, 여기에서

예루살렘으로 가 당신의 고난을 함께하리라.

    내가 이 고난과 죽음의 시간이 얼마나 중요한지

    이해한다면 내게 위안이 되고

    행복하리라!

3. 레치타티보: 베이스

예수여, 나를 이끄시면 내가 가겠나이다.

당신의 제자들이 당신 말씀을 알아듣지 못했듯이

nebst deinen Jüngern nicht, was das gesaget war.
Es sehnt sich nach der Welt und nach
dem größten Haufen;
sie wollen beiderseits, wenn du verkläret bist,
zwar eine feste Burg auf Tabors Berge bauen;
hingegen Golgatha, so voller Leiden ist,
in deiner Niedrigkeit mit keinem Auge schauen.
Ach! kreuzige bei mir in der verderbten Brust
zuvörderst diese Welt und die verbotne Lust,
so werd ich, was du sagst, vollkommen wohl verstehen
und nach Jerusalem mit tausend Freuden gehen.

4. Aria: Tenor B♭ 3/8

Mein Alles in allem, mein ewiges Gut,
verbessre das Herze, verändre den Mut;
schlag alles darnieder,
was dieser Entsagung des Fleisches zuwider!
Doch wenn ich nun geistlich ertötet da bin,
so ziehe mich nach dir in Friede dahin!

5. Choral B♭ C

Ertöt uns durch dein Güte,
erweck uns durch dein Gnad;
den alten Menschen kränke,
dass der neu' leben mag
wohl hie auf dieser Erden,

살과 피는 도저히 이해하지 못합니다.
사람은 세상을 갈망하고 무리가 있는 곳을
동경합니다.
당신이 거룩하게 변모하셨을 때
제자들은 타보르* 산에 굳건한 성을 세우려 하지만
당신이 굴욕을 당하신 고난 가득한 골고다는
두 눈으로 보려 하지 않습니다.
아! 나의 타락한 가슴을 십자가 삼아
금지된 욕망과 이 세상을 가장 먼저 못 박으십시오.
그러면 당신이 하신 말씀을 내가 온전히 이해하고
한없이 기쁜 마음으로 예루살렘에 가겠습니다.

4. 아리아: 테너

나의 모든 것, 나의 영원한 보배여
용기를 드높이고 마음을 바로잡게 하소서.
육신의 포기에 맞서는
모든 것을 쓰러뜨리소서!
나의 영이 거듭날 때
당신이 있는 곳으로 데려가 평화롭게 살게 하소서!

5. 코랄

당신의 선하심으로 우리를 거듭나게 하소서
당신의 자비로 우리를 깨우소서.
낡은 사람을 꾸짖으시어
새 사람으로 살게 하소서
이 땅에 있는 동안

* Tabor: 이스라엘 북부 갈릴리 저지대에 있는 산. 기독교에서, 예수의 변모가 일어난 산으로 해석된다.

den Sinn und all Begehren
und G'danken hab'n zu dir.

BWV 127

Herr Jesu Christ, wahr' Mensch und Gott

---

1. Coro (Choral) F **C**

Herr Jesu Christ, wahr' Mensch und Gott,
der du littst Marter, Angst und Spott,
für mich am Kreuz auch endlich starbst
und mir deins Vaters Huld erwarbst,
ich bitt durchs bittre Leiden dein:
Du wollst mir Sünder gnädig sein.

2. Recitativo: Tenor B♭-F **C**

Wenn alles sich zur letzten Zeit entsetzet
und wenn ein kalter Todesschweiß
die schon erstarrten Glieder netzet,
wenn meine Zunge nichts als nur durch Seufzer spricht
und dieses Herze bricht:
Genug, dass da der Glaube weiß,
dass Jesus bei mir steht,
der mit Geduld zu seinem Leiden geht

마음과 모든 욕망과
생각이 당신을 향하게 하소서.

BWV 127

주 예수 그리스도는 참 사람이며 하나님이시네

- 1725년 라이프치히 작곡, 1725년 2월 11일 라이프치히 초연
- 트럼펫, 플루트 2, 오보에 2, 바이올린 2, 비올라, 콘티누오
- 파울 에버 (1, 5); 무명 시인 (2-4)

---

1. 합창 (코랄)

주 예수 그리스도는 참 사람이며 하나님이시네
고난과 두려움과 조롱을 당하시고
나를 위해 끝내 십자가에서 돌아가셨네
나에게 당신의 아버지의 은총을 얻어주셨네
나는 쓰라린 고통을 통해 간구하고
당신은 나 같은 죄인에게 은혜를 내려주시네.

2. 레치타티보: 테너

마지막 때에 모든 이가 놀랄 때
죽음을 앞두고 차가운 땀이
벌써 굳어버린 팔다리를 적실 때
내 혀는 아무 말도 못하고 오직 한숨만 쉴 때
이 마음이 부서질 때
믿음으로 예수께서 내 곁에 계심을
아는 것으로 족합니다.
인내하며 당신의 고난을 향해 가시고

und diesen schweren Weg auch mich geleitet
und mir die Ruhe zubereitet.

3. Aria: Soprano c **C**

Die Seele ruht in Jesu Händen,
wenn Erde diesen Leib bedeckt.
    Ach ruft mich bald, ihr Sterbeglocken,
    ich bin zum Sterben unerschrocken,
    weil mich mein Jesus wieder weckt.

4. Recitativo ed Aria: Bass C **C**

Wenn einstens die Posaunen schallen
und wenn der Bau der Welt
nebst denen Himmelsfesten
zerschmettert wird zerfallen,
so denke mein, mein Gott, im Besten;
wenn sich dein Knecht einst vors Gerichte stellt,
da die Gedanken sich verklagen,
so wollest du allein,
o Jesu, mein Fürsprecher sein
und meiner Seele tröstlich sagen:

Fürwahr, fürwahr, euch sage ich:
Wenn Himmel und Erde im Feuer vergehen,
so soll doch ein Gläubiger ewig bestehen.
    Er wird nicht kommen ins Gericht
    und den Tod ewig schmecken nicht.
    Nur halte dich,
    mein Kind, an mich:

나를 이 힘든 길로 인도하시며
내게 안식을 마련해주시는 분입니다.

3. 아리아: 소프라노

내 영혼이 예수님의 손에서 안식하네
흙이 이 몸을 덮을 때에.
아 죽음의 종소리여, 나를 곧 부르라
나는 죽음이 두렵지 않네.
예수님이 나를 다시 깨우시리라.

4. 레치타티보와 아리아: 베이스

언젠가 나팔이 울리고
세상의 건물이
창공과 함께
산산조각으로 부서질 때
나의 하나님, 나를 가장 좋은 모습으로 생각하소서.
언젠가 당신의 종이 심판을 받으러 나아갈 때
생각마저 나를 고발할 때
오 예수님, 오직 당신만이
나의 대변자가 되어
내 영혼을 위로하며 말씀하시리라:

진실로, 진실로 너희에게 말하니
하늘과 땅이 불 속으로 사라질 때
믿는 자는 영원히 살아남으리라.
그는 심판받지 않으며
죽음을 영원히 맛보지 않으리라.
그러니 오직
나를 따르라.

Ich breche mit starker und helfender Hand
des Todes gewaltig geschlossenes Band.

5. Choral F **C**

Ach, Herr, vergib all unsre Schuld,
hilf, dass wir warten mit Geduld,
bis unser Stündlein kömmt herbei,
auch unser Glaub stets wacker sei,
dein'm Wort zu trauen festiglich,
bis wir einschlafen seliglich.

BWV 127: Appendix

Coro (Choral)

Herr Jesu Christ, wahr' Mensch und Gott,
der du littst Marter, Angst und Spott,
für mich am Kreuz auch endlich starbst
und mir deins Vaters Huld erwarbst,
ich bitt durchs bittre Leiden dein:
Du wollst mir Sünder gnädig sein.

나는 강한 도움의 손으로
죽음과 단단히 결탁한 유대를 끊으리라.

5. 코랄

아, 주여, 우리의 죄를 용서하소서
우리가 인내하며 기다리게 도와주소서
우리의 시간이 다가올 때까지.
우리의 믿음도 언제나 강건하게 하소서
당신의 말씀을 굳게 믿으며
행복하게 잠이 들 때까지.

BWV 127 : 부록

합창 (코랄)

주 예수 그리스도는 참 사람이며 하나님이시네
고난과 두려움과 조롱을 당하시고
나를 위해 끝내 십자가에서 돌아가셨네
나에게 당신의 아버지의 은총을 얻어주셨네
나는 쓰라린 고통을 통해 간구하고
당신은 나 같은 죄인에게 은혜를 내려주시네.

BWV 159

Sehet! Wir gehn hinauf gen Jerusalem

1. Arioso: Bass e Recitativo: Alto — c-c C

Sehet!

Komm, schaue doch, mein Sinn,
wo geht dein Jesus hin?

Wir gehn hinauf

O harter Gang! hinauf?
O ungeheurer Berg, den meine Sünden zeigen!
Wie sauer wirst du müssen steigen!

gen Jerusalem.

Ach, gehe nicht!
Dein Kreuz ist dir schon zugericht',
wo du dich sollst zu Tode bluten;
hier sucht man Geißeln vor, dort bindt man Ruten;
die Bande warten dein;
ach, gehe selber nicht hinein!
Doch bliebest du zurücke stehen,
so müsst ich selbst nicht nach Jerusalem,
ach, leider in die Hölle gehen.

2. Aria: Alto con Choral: Soprano — E♭ 6/8

Ich folge dir nach

Ich will hier bei dir stehen,

BWV 159
보라! 우리는 예루살렘으로 올라간다

- 1729년 라이프치히 작곡, 1729년 2월 27일 라이프치히 초연
- 오보에, 바이올린 2, 비올라, 콘티누오
- 누가복음 18:31 (1); 파울 게르하르트 (2); 파울 슈토크만 (5); 피칸더 (1, 3, 4)

1. 아리오소: 베이스 & 레치타티보: 알토

보라!
와서 보라, 내 마음이여
너의 예수님은 어디로 가는가?
우리는 올라간다
오 잔인한 발걸음이여! 올라간다고?
오 거대한 산이여, 내 죄악이 가리키는 산!
당신은 얼마나 힘들게 올라가실까요!
예루살렘을 향해.
아, 가지 마십시오!
당신의 십자가는 당신이 피를 흘리며
죽어야 하는 곳에 이미 마련되어 있습니다.
여기에서 그들은 채찍을 찾고, 저기에서는 회초리를 묶습니다.
족쇄가 당신을 기다립니다.
아, 그곳으로 들어가지 마소서!
그러나 당신이 물러서 계신다면
나도 예루살렘으로 갈 필요가 없겠으나
아, 슬프게도 지옥에 가야 합니다.

2. 아리아: 알토 & 코랄: 소프라노

나는 당신을 따르리라
여기 당신 곁에 서 있으리라.

verachte mich doch nicht!

durch Speichel und Schmach;

am Kreuz will ich dich noch umfangen,

Von dir will ich nicht gehen,

bis dir dein Herze bricht.

dich lass ich nicht aus meiner Brust,

Wenn dein Haupt wird erblassen

Im letzten Todesstoß,

und wenn du endlich scheiden musst,

alsdenn will ich dich fassen,

sollst du dein Grab in mir erlangen.

in meinen Arm und Schoß.

3. Recitativo: Tenor B♭-B♭ **C**

Nun will ich mich,
mein Jesu, über dich
in meinem Winkel grämen;
die Welt mag immerhin
den Gift der Wollust zu sich nehmen,
ich labe mich an meinen Tränen
und will mich eher nicht
nach einer Freude sehnen,
bis dich mein Angesicht
wird in der Herrlichkeit erblicken,
bis ich durch dich erlöset bin;
da will ich mich mit dir erquicken.

4. Aria: Bass B♭ **C**

Es ist vollbracht,

나를 경멸하지 마십시오!
　　침과 모욕으로
십자가에서 나는 당신을 안으리라
　　당신을 떠나지 않으리라
　　당신의 마음이 아플 때까지.
당신을 내 가슴에서 보내지 않으리라
　　마지막 죽음의 순간에
　　당신의 머리가 창백해질 때,
당신이 끝내 떠나야 할 때,
　　나는 당신을 안으리라,
당신은 내 안에서 무덤에 누우리라.
　　나의 팔과 품 안에서.

3. 레치타티보: 테너

예수여, 이제 나는
내 은신처에서
당신을 슬퍼하리라.
세상은 여전히
욕망의 독을 마시겠으나
나는 내 눈물을 마시며
어떤 즐거움도
갈구하지 않으리라.
내 얼굴이 당신을
영광 속에서 보기 전까지는.
내가 당신으로 인해 구원받기 전까지는.
나는 당신과 함께 새 힘을 얻을 것이므로.

4. 아리아: 베이스

다 이루었다

das Leid ist alle,
wir sind von unserm Sündenfalle
in Gott gerecht gemacht.
Nun will ich eilen
und meinem Jesu Dank erteilen,
Welt, gute Nacht!
Es ist vollbracht!

5. Choral E♭ **C**

Jesu, deine Passion
ist mir lauter Freude,
deine Wunden, Kron und Hohn
meines Herzens Weide;
meine Seel auf Rosen geht,
wenn ich dran gedenke,
in dem Himmel eine Stätt
mir deswegen schenke.

고통은 끝났다.
우리는 원죄에서 풀려나
하나님 안에서 의로움을 받았다.
이제 나는 달려가
나의 예수께 감사를 드리리라.
세상이여, 안녕!
다 이루었다!

5. 코랄

예수님, 당신의 고난은
나의 참 기쁨이며
당신의 상처와 면류관과 당하신 조롱은
내 마음의 초원입니다.
천국의 자리가 내게
준비되어 있음을
생각할 때에
내 영혼은 장미꽃 위를 걷습니다.

사순절* 제3주일

서신서 에베소서 5:1-9
복음서 누가복음 11:14-28

* 기독교에서 그리스도의 수난을 기념하는 사순절은 부활절을 경건히 준비하는 기간이다. 재를 머리에 얹거나 이마에 바르며 죄를 통찰하는 성회수요일부터 시작해 부활주일 전날까지 평일 40일과 여섯 번의 주일을 합해서 46일간을 지킨다.

BWV 54

Widerstehe doch der Sünde

1. Aria: Alto E♭ **C**

Widerstehe doch der Sünde,
sonst ergreifet dich ihr Gift.
    Lass dich nicht den Satan blenden;
    denn die Gottes Ehre schänden
    trifft ein Fluch, der tödlich ist.

2. Recitativo: Alto c-A♭ **C**

Die Art verruchter Sünden
ist zwar von außen wunderschön;
allein man muss
hernach mit Kummer und Verdruss
viel Ungemach empfinden.
Von außen ist sie Gold;
doch, will man weiter gehn,
so zeigt sich nur ein leerer Schatten
und übertünchtes Grab.
Sie ist den Sodomsäpfeln gleich,
und die sich mit derselben gatten,
gelangen nicht in Gottes Reich.
Sie ist als wie ein scharfes Schwert,
das uns durch Leib und Seele fährt.

BWV 54

죄악과 싸워라

- 1714년 바이마르 작곡, 1715년 3월 24일 바이마르 초연(추정)
- 바이올린 2, 비올라, 콘티누오
- 게오르크 크리스티안 렘스

1. 아리아: 알토

죄악과 싸워라
그러지 않으면 그 독이 너를 집어삼키리라.
　　사탄에게 눈멀지 마라.
　　하나님의 명성을 더럽히는 자들은
　　죽음에 이르는 저주를 당하리니.

2. 레치타티보: 알토

불경스러운 죄악은
겉보기에는 아름답기 그지없어도
죄를 지은 후에는
근심과 불만으로
많은 역겨움을 느낍니다.
겉에서 보면 황금이어도
자세히 들여다보면
텅 빈 그림자와
덧칠한 무덤만 보입니다.
죄악은 소돔의 사과와 같습니다.
죄를 짓는 사람은
하나님 나라에 들어가지 못합니다.
죄악은 뾰족한 검과 같아서
우리 몸과 영혼을 찌릅니다.

3. Aria: Alto E♭ ¢

Wer Sünde tut, der ist vom Teufel,
denn dieser hat sie aufgebracht;
doch wenn man ihren schnöden Banden
mit rechter Andacht widerstanden,
hat sie sich gleich davongemacht.

3. 아리아: 알토

죄를 짓는 사람은 악마의 것이라.
악마가 죄를 일으키기 때문이라.
　　그러나 참된 신심으로
　　그 초라한 족쇄에 맞선다면
　　죄는 곧 달아나리라.

수태고지 축일✦

서신서	빌립보서 2:5-11
	이사야 7:10-16
복음서	누가복음 1:26-38

✦ 3월 25일. 천사 가브리엘이 동정녀 마리아에게 예수 그리스도를 잉태할 것임을 알린 일을 기념하는 날.

BWV 1

Wie schön leuchtet der Morgenstern

1. Coro(Choral) F 12/8

Wie schön leuchtet der Morgenstern
voll Gnad und Wahrheit von dem Herrn,
die söße Wurzel Jesse!
Du Sohn Davids aus Jakobs Stamm,
mein König und mein Bräutigam,
hast mir mein Herz besessen,
lieblich, freundlich,
schön und herrlich, groß und ehrlich, reich von Gaben,
hoch und sehr prächtig erhaben.

2. Recitativo: Tenor d-g **C**

Du wahrer Gottes und Marien Sohn,
du König derer Auserwählten,
wie söß ist uns dies Lebenswort,
nach dem die ersten Väter schon
so Jahr' als Tage zählten,
das Gabriel mit Freuden dort
in Bethlehem verheißen!

BWV 1
샛별이 참으로 아름답게 빛납니다

- 1725년 라이프치히 작곡, 1725년 3월 25일 라이프치히 초연
- 코넷 2, 오보에 다 카차 2, 합주 바이올린 2, 독주 바이올린 2, 비올라, 콘티누오
- 필리프 니콜라이 (1, 6); 무명 시인 (2-5)

1. 합창(코랄)

샛별이 참으로 아름답게 빛납니다
주님의 은혜와 진리가 가득합니다.
향기로운 이새의 뿌리!*
야곱의 가계에서 나온 다윗의 자손
나의 왕이며 나의 신랑이시여
당신은 나의 마음을 사로잡았습니다.
사랑스럽고 다정하고
아름답고 당당하며, 위대하고 충실하며 은총이 풍부하고
높고 화려하게 숭고하여라.

2. 레치타티보: 테너

당신은 하나님과 마리아의 참 아드님
그들이 선택한 백성의 왕,
이 생명의 말씀이 우리에게 얼마나 달콤한지요.
우리의 먼 조상들은 벌써
많은 날과 해를 세며 그 말씀을 기다렸습니다.
가브리엘이 기쁜 마음으로
베들레헴에서 약속하신 그 말씀!

* 다윗 왕의 아버지인 이새에서 시작되어 예수까지 내려오는 계보(이사야 11:1-10 참조).

O Süßigkeit, o Himmelsbrot,
das weder Grab, Gefahr, noch Tod
aus unsern Herzen reißen.

3. Aria: Soprano B♭ 𝄴

Erfüllet, ihr himmlischen göttlichen Flammen,
die nach euch verlangende gläubige Brust!
    Die Seelen empfinden die kräftigsten Triebe
    der brünstigsten Liebe
    und schmecken auf Erden die himmlische Lust.

4. Recitativo: Bass g-B♭ 𝄴

Ein irdscher Glanz, ein leiblich Licht
rührt meine Seele nicht;
ein Freudenschein ist mir von Gott entstanden,
denn ein vollkommnes Gut,
des Heilands Leib und Blut,
ist zur Erquickung da.
So muss uns ja
der überreiche Segen,
der uns von Ewigkeit bestimmt
und unser Glaube zu sich nimmt,
zum Dank und Preis bewegen.

5. Aria: Tenor F 3/8

Unser Mund und Ton der Saiten
sollen dir
für und für
Dank und Opfer zubereiten.

오 달콤함이여, 오 하늘의 양식이여
무덤도 위험도 죽음도
우리 마음에서 앗아가지 못할 그 말씀.

3. 아리아: 소프라노

채워주소서, 하늘에서 타오르는 신성한 불꽃이여,
그대를 갈망하는 믿음 깊은 가슴을!
　　우리의 영혼은 열렬한 사랑의
　　강렬한 충동을 느끼면서
　　이 땅에서 하늘의 열락을 맛봅니다.

4. 레치타티보: 베이스

세상의 광채도 육신의 빛도
내 영혼을 흔들지 못합니다.
내가 느끼는 기쁨의 빛은 하나님으로부터 왔습니다.
구세주의 몸과 피
그 완벽한 보물이
우리의 기쁨을 위해 왔습니다.
그러므로 우리는
영원으로부터 우리에게 주어지고
우리의 믿음을 받아들이는
넘치는 축복으로 인해
감사와 찬양을 드려야 합니다.

5. 아리아: 테너

우리의 입과 현의 소리가
당신에게
영원토록
감사와 제물을 바치리라.

Herz und Sinnen sind erhoben,
lebenslang
mit Gesang,
großer König, dich zu loben.

6. Choral F **C**

Wie bin ich doch so herzlich froh,
dass mein Schatz ist das A und O,
der Anfang und das Ende;
er wird mich doch zu seinem Preis
aufnehmen in das Paradeis,
des klopf ich in die Hände.
Amen!
Amen!
Komm, du schöne Freudenkrone,
bleib nicht lange,
deiner wart ich mit Verlangen.

가슴과 마음이 드높아집니다.
평생토록
노래하면서
위대한 왕이여, 당신을 찬양합니다.

6. 코랄

내 마음이 얼마나 기쁜지요.
나의 보화는 알파와 오메가
처음이자 마지막이라.
그분은 나를 낙원에 받아들여
당신을 찬양하게 하리라.
내가 손뼉을 치리라.
아멘!
아멘!
오소서, 그대 아름다운 기쁨의 면류관이여,
　　　오래 지체하지 마소서,
내가 당신을 애타게 기다리나이다.

종려주일*

서신서 빌립보서 2:5-11
고린도전서 11:23-32
복음서 마태복음 21:1-9

* 부활주일의 바로 전 주일. 십자가 수난 전 예루살렘에 들어온 예수를 향해 많은 이들이 종려나무 가지를 흔들며 환영한 날.

BWV 182

Himmelskönig, sei willkommen

1. Sonata G/B♭ 𝄵

2. Coro G/B♭ 𝄵

Himmelskönig, sei willkommen,
lass auch uns dein Zion sein!
    Komm herein,
    du hast uns das Herz genommen.

3. Recitativo: Bass C-C/E♭-E♭ 𝄵

Siehe, ich komme, im Buch ist von mir geschrieben;
deinen Willen, mein Gott, tu ich gerne.

4. Aria: Bass C/E♭ 𝄵

Starkes Lieben,
das dich, großer Gottessohn,
von dem Thron
deiner Herrlichkeit getrieben,
    dass du dich zum Heil der Welt
    als ein Opfer vorgestellt,
    dass du dich mit Blut verschrieben.

5. Aria: Alto e/g 𝄵

Leget euch dem Heiland unter,

BWV 182
하늘의 왕이여, 환영합니다

- 1714년 바이마르 작곡, 1714년 3월 25일 바이마르 초연
- 플라우토 돌체, 바이올린 2, 비올라 2, 콘티누오
- 잘로몬 프랑크 (2, 4-6, 8: 추정); 시편 40:7-8 (3); 파울 슈토크만 (7)

1. 소나타

2. 합창

하늘의 왕이여, 환영합니다
우리도 당신의 시온이 되게 하소서!
　　들어오소서,
　　당신은 우리의 마음을 가졌습니다.

3. 레치타티보: 베이스

보소서, 성경에 기록된 대로, 내가 왔습니다.
나의 하나님, 당신의 뜻을 내가 기꺼이 이루겠나이다.

4. 아리아: 베이스

크신 사랑이
하나님의 위대한 아들, 당신을
영광된 권좌에서
물러나게 하셨네.
　　세상의 구원을 위해
　　당신은 제물이 되었고
　　당신 피로 몸을 바치셨네.

5. 아리아: 알토

구세주 앞에 엎드려라

Herzen, die ihr christlich seid!

    Tragt ein unbeflecktes Kleid
    eures Glaubens ihm entgegen,
    Leib und Leben und Vermögen
    sei dem König itzt geweiht.

6. Aria: Tenor b/d 3/4

Jesu, lass durch Wohl und Weh
mich auch mit dir ziehen!
    Schreit die Welt nur ‚Kreuzige!',
    so lass mich nicht fliehen,
    Herr, von deinem Kreuzpanier;
    Kron und Palmen find ich hier.

7. Choral G/B♭ ¢

Jesu, deine Passion
ist mir lauter Freude,
deine Wunden, Kron und Hohn
meines Herzens Weide;
meine Seel auf Rosen geht,
wenn ich dran gedenke,
in dem Himmel eine Stätt
uns deswegen schenke.

8. Coro G/B♭ 3/8

So lasset uns gehen in Salem der Freuden,
begleitet den König in Lieben und Leiden.
    Er gehet voran
    und öffnet die Bahn.

너희 그리스도인의 마음이여!
흠 없는 믿음의 옷을 입고
그분께 나아가라
몸과 삶과 소유를
이제 왕이신 그분께 바쳐라.

6. 아리아: 테너

예수님, 좋을 때에도 슬플 때에도
내가 당신과 함께 가게 하소서!
세상이 '십자가에 매달아라' 하고 외쳐도
주여, 당신의 십자가 깃발에서
도망치지 않게 하소서.
내가 그곳에서 면류관과 종려나무를 찾았나이다.

7. 코랄

예수님, 당신의 고난은
나의 참 기쁨이며
당신의 상처와 면류관과 당하신 조롱은
내 마음의 초원입니다.
천국의 자리가 내게
준비되어 있음을
생각할 때에
내 영혼은 장미꽃 위를 걷습니다.

8. 합창

이제 우리 기쁨의 예루살렘으로 갑시다
사랑과 고난의 왕을 따릅시다.
그가 앞서가면서
길을 열어주십니다.

부활주일*

서신서 고린도전서 5:6-8
복음서 마가복음 16:1-8

* 교회력에서 부활절 절기는 부활주일부터 시작해 성령강림주일 전까지 50일간이며, 각각 주일 이름을 가지고 있다.

BWV 4

Christ lag in Todesbanden

1. Sinfonia e C

2. Versus I: Coro e C

Christ lag in Todesbanden
für unsre Sünd gegeben,
er ist wieder erstanden
und hat uns bracht das Leben;
des wir sollen fröhlich sein,
Gott loben und ihm dankbar sein
und singen halleluja,
halleluja!

3. Versus II: Soprano, Alto e C

Den Tod niemand zwingen kunnt
bei allen Menschenkindern,
das macht' alles unsre Sünd,
kein Unschuld war zu finden.
Davon kam der Tod so bald
und nahm über uns Gewalt,
hielt uns in seinem Reich gefangen.
Halleluja!

BWV 4
그리스도는 죽음의 멍에를 쓰고

- ✪ 1707-8년 뮐하우젠 작곡, 1724-25년 라이프치히 수정, 1707-8년 뮐하우젠 초연(추정)
- ♪ 코넷, 트롬본 3, 바이올린 2, 비올라 2, 콘티누오
- Ⓣ 마르틴 루터 (8), 무명 시인 (2-7)

1. 신포니아

2. 제1곡: 합창

그리스도는 죽음의 멍에를 쓰고
우리의 죄를 위해 희생하셨네.
그는 다시 살아나시고
우리에게 생명을 주시었네.
우리는 기쁘게
하나님을 찬양하고 감사드리며
할렐루야를 불러야 하리라.
할렐루야!

3. 제2곡: 소프라노, 알토

죽음을 이긴 자
온 인류 중에 없으니
그것은 모두 우리의 죄로 인한 것이네.
죄 없는 자 어디에도 없으니
곧 죽음이 찾아와
우리를 덮치고
제 나라에 붙잡아두었네.
할렐루야!

4. Versus III: Tenor e **C**

Jesus Christus, Gottes Sohn,
an unser Statt ist kommen
und hat die Sünde weggetan,
damit dem Tod genommen
all sein Recht und sein Gewalt,
da bleibet nichts denn Tods Gestalt,
den Stach'l hat er verloren.
Halleluja!

5. Versus IV: Coro e **C**

Es war ein wunderlicher Krieg,
da Tod und Leben rungen,
das Leben behielt den Sieg,
es hat den Tod verschlungen.
Die Schrift hat verkündigt das,
wie ein Tod den andern fraß,
ein Spott aus dem Tod ist worden.
Halleluja!

6. Versus V: Bass e 3/4

Hier ist das rechte Osterlamm,
davon Gott hat geboten,
das ist hoch an des Kreuzes Stamm
in heißer Lieb gebraten,
das Blut zeichnet unsre Tür,
das hält der Glaub dem Tode für,
der Würger kann uns nicht mehr schaden.
Halleluja!

4. 제3곡: 테너

예수 그리스도, 하나님의 아들이
우리가 있는 곳에 오시어
죄를 없애시고
죽음의 권세와 힘을
모두 빼앗으셨도다.
그리하여 남은 것은 오직 죽음의 형체뿐,
죽음은 독침을 잃어버렸도다.
할렐루야!

5. 제4곡: 합창

그것은 이상한 전쟁이었네.
죽음과 삶이 서로 싸우다
삶이 승리를 거머쥐고
죽음을 삼켜버렸네.
거룩한 책에 적혀 있나니,
하나의 죽음이 다른 죽음을 잡아먹고
죽음은 조롱이 되리라.
할렐루야!

6. 제5곡: 베이스

여기에 흠 없는 부활절의 어린양이 있네.
하나님이 보내주시었네.
십자가에 높이 달려
뜨거운 사랑으로 희생하셨네.
그 피를 우리 집 문에 바르니
믿음이 죽음을 막아내고
살육자는 우리를 더는 해하지 못하리라.
할렐루야!

7. Versus VI: Soprano, Tenor e **C**

So feiern wir das hohe Fest
mit Herzensfreud und Wonne,
das uns der Herre scheinen lässt,
er ist selber die Sonne,
der durch seiner Gnade Glanz
erleuchtet unsre Herzen ganz,
der Sünden Nacht ist verschwunden.
Halleluja!

8. Versus VII: Choral e **C**

Wir essen und leben wohl
in rechten Osterfladen,
der alte Sauerteig nicht soll
sein bei dem Wort der Gnaden,
Christus will die Koste sein
und speisen die Seel allein,
der Glaub will keins andern leben.
Halleluja!

7. 제6곡: 소프라노, 테너

우리는 큰 잔치를 벌이네.
마음속 기쁨과 환희로.
주님이 우리에게 보여주신 잔치.
그분이 바로 태양이시네
그는 자비로써 우리의 마음을
온통 밝게 비추시니
죄악의 밤은 사라지고 없네.
할렐루야!

8. 제7곡: 코랄

우리는 진정한 부활절의 빵을
먹고 살아가리라.
이제 낡은 누룩은
은혜의 말씀에 함께할 수 없으리라.
그리스도는 우리의 양식이 되고
우리의 영혼을 먹이시리라.
믿음은 다른 것 없이도 살아가리라.
할렐루야!

BWV 31

Der Himmel lacht! Die Erde jubilieret

1. Sonata C/E♭ 6/8

2. Coro C/E♭ C

Der Himmel lacht! Die Erde jubilieret
und was sie trägt in ihrem Schoß;
der Schöpfer lebt! Der Höchste triumphieret
und ist von Todesbanden los.
Der sich das Grab zur Ruh erlesen,
der Heiligste kann nicht verwesen.

3. Recitativo: Bass C-e/E♭-g C

Erwünschter Tag! Sei, Seele, wieder froh!
Das A und O,
der erst und auch der letzte,
den unsre schwere Schuld in Todeskerker setzte,
ist nun gerissen aus der Not!
Der Herr war tot,
und sieh, er lebet wieder;
lebt unser Haupt, so leben auch die Glieder.
Der Herr hat in der Hand
des Todes und der Hölle Schlüssel!
Der sein Gewand

BWV 31

하늘이 웃는다! 땅이 환호한다

- 1715년 바이마르 작곡, 1724년과 1731년 라이프치히 재공연을 위해 개정, 1715년 4월 21일 바이마르 초연, 1724년 4월 9일 라이프치히 재연
- 트럼펫 3, 팀파니, 오보에 3, 알토 오보에, 바이올린 2, 첼로 2, 콘티누오
- 잘로몬 프랑크 (1-8); 니콜라우스 헤르만 (9)

1. 소나타

2. 합창

하늘이 웃는다! 땅이 환호한다
땅이 자궁에 품고 있는 모든 것들이 기뻐한다.
창조주는 살아 계신다! 가장 높은 분이 승리하고
죽음의 속박에서 풀려나셨다.
무덤을 안식처로 택하신 분
지극히 거룩한 이는 썩지 않으리라.

3. 레치타티보: 베이스

간절히 기다렸던 날! 영혼아, 다시 기뻐하라!
알파이며 오메가요
처음이며 끝이신 분
우리의 무거운 죄로 죽음의 감옥에 갇혔다가
이제 고통에서 벗어나셨네!
주는 사망했다가
보라, 다시 살아나셨네.
머리가 살았으니 팔다리도 살리라.
주께서 손에 가지고 계시네
죽음과 지옥의 열쇠를!
주는 쓰라린 고난을 당하여

blutrot bespritzt in seinem bittern Leiden,
will heute sich mit Schmuck und Ehren kleiden.

4. Aria: Bass C/E♭ 𝄴

Fürst des Lebens, starker Streiter,
hochgelobter Gottessohn!
    Hebet dich des Kreuzes Leiter
    auf den höchsten Ehrenthron?
    Wird, was dich zuvor gebunden,
    nun dein Schmuck und Edelstein?
    Müssen deine Purpurwunden
    deiner Klarheit Strahlen sein?

5. Recitativo: Tenor a-G/c-B♭ 𝄴

So stehe dann, du gottergebne Seele,
mit Christo geistlich auf!
Tritt an den neuen Lebenslauf!
Auf! Von den toten Werken!
Lass, dass dein Heiland in dir lebt,
an deinem Leben merken!
Der Weinstock, der jetzt blüht,
trägt keine tote Reben!
Der Lebensbaum lässt seine Zweige leben!
Ein Christe flieht
ganz eilend von dem Grabe!
Er lässt den Stein,
er lässt das Tuch der Sünden
dahinten
und will mit Christo lebend sein.

붉은 피를 흘리셨으나
오늘은 영광으로 장식된 옷을 입으시리라.

4. 아리아: 베이스

생명의 군주, 강력한 전사
높이 찬양받는 하나님의 아들!
　　십자가의 사다리가 주님을
　　영광스러운 최고의 보좌로 들어 올리나요?
　　이전엔 주님을 묶었던 것이
　　이제는 당신의 장식이자 보석이 되나요?
　　주님의 선홍빛 상처는
　　당신의 투명한 광채가 되나요?

5. 레치타티보: 테너

그러니 일어나라, 믿음 깊은 영혼아,
그리스도를 마음에 모시고!
새로운 인생의 길을 걸어라!
일어나라! 죽은 행위를 떨쳐버려라!
구세주가 네 안에서 살고 계심을
너의 삶으로 보여주어라!
지금 피어나는 포도나무에는
죽은 열매가 열리지 않는다!
생명나무는 가지를 살게 하리라!
한 성도가 황급히
무덤에서 달아나네!
그는 돌을 남겨두고
죄의 옷을
남겨두고
그리스도와 더불어 살고자 하네.

6. Aria: Tenor G/B♭ C

Adam muss in uns verwesen,
soll der neue Mensch genesen,
der nach Gott geschaffen ist.
Du musst geistlich auferstehen
und aus Sündengräbern gehen,
wenn du Christi Gliedmaß bist.

7. Recitativo: Soprano e-C/g-E♭ C

Weil dann das Haupt sein Glied
natürlich nach sich zieht,
so kann mich nichts von Jesu scheiden.
Muss ich mit Christo leiden,
so werd ich auch nach dieser Zeit
mit Christo wieder auferstehen
zur Ehr und Herrlichkeit
und Gott in meinem Fleische sehen.

8. Aria: Soprano C/E♭ 3/4

Letzte Stunde, brich herein,
mir die Augen zuzudrücken!
Lass mich Jesu Freudenschein
und sein helles Licht erblicken,
lass mich Engeln ähnlich sein!
Letzte Stunde, brich herein!

9. Choral C/E♭ C

So fahr ich hin zu Jesu Christ,
mein' Arm tu ich ausstrecken;

6. 아리아: 테너

아담은 우리 안에서 소멸해야 하네.
하나님의 형상대로 창조된
새 사람이 나올 수 있도록.
너는 영적으로 부활하고
죄악의 무덤에서 나와야 하네.
네가 그리스도의 손과 발이라면.

7. 레치타티보: 소프라노

머리가 팔과 다리를
끌어당기니
나는 결코 예수와 헤어지지 못하네.
그리스도와 함께 고난을 당해야 한다면
이 시간 후에도 나는
그리스도와 함께 다시 부활하리라
명예와 영광을 위해
하나님을 내 육신으로 보리라.

8. 아리아: 소프라노

마지막 시간이여, 어서 다가와
나의 눈을 감겨라!
내가 예수의 기쁨의 광휘와
그의 밝은 빛을 보게 하라.
내가 천사와 같아지게 하라!
마지막 시간이여, 어서 다가와라!

9. 코랄

내가 예수 그리스도께 나아갑니다
나는 팔을 뻗고

so schlaf ich ein und ruhe fein,
kein Mensch kann mich aufwecken,
denn Jesus Christus, Gottes Sohn,
der wird die Himmelstür auftun,
mich führn zum ew'gen Leben.

잠에 들어 편히 쉬리이다.
누구도 나를 깨우지 못합니다.
하나님의 아들 예수 그리스도가
하늘의 문을 여시어
나를 영생으로 이끌기 때문입니다.

부활절 월요일

서신서 사도행전 10:34-43
복음서 누가복음 24:13-35

BWV 66

Erfreut euch, ihr Herzen

(Dialogus)

Furcht (Alto), Hoffnung (Tenor)

1. Coro D 3/8

Erfreut euch, ihr Herzen,
entweichet, ihr Schmerzen,
es lebet der Heiland und herrschet in euch.
  Ihr könnet verjagen
  das Trauren, das Fürchten, das ängstliche Zagen,
  der Heiland erquicket sein geistliches Reich.

2. Recitativo: Bass b-A **C**

Es bricht das Grab und damit unsre Not,
der Mund verkündigt Gottes Taten;
der Heiland lebt, so ist in Not und Tod
den Gläubigen vollkommen wohl geraten.

3. Aria: Bass D 3/8

Lasset dem Höchsten ein Danklied erschallen
vor sein Erbarmen und ewige Treu.
  Jesus erscheinet, uns Friede zu geben,
  Jesus berufet uns, mit ihm zu leben.

BWV 66
기뻐하라 마음이여

- 1724년 라이프치히 작곡(추정), 1724년 4월 10일 라이프치히 초연
- 트럼펫, 오보에 2, 바순, 바이올린 2, 비올라, 콘티누오
- 무명 시인

(대화)

두려움 (알토), 희망 (테너)

1. 합창

기뻐하라 마음이여
물러가라 고통이여
구세주가 너희 안에 살면서 다스리신다.
　　너희는 몰아낼 수 있다
　　슬픔, 두려움, 불안한 망설임을.
　　구세주가 그의 영의 나라를 되살리신다.

2. 레치타티보: 베이스

무덤이 열리고 우리의 고난은 끝이 났네
입으로 하나님이 하신 일을 선포하네.
구세주가 살아 계시니, 고난과 죽음 속에서도
믿는 자는 찬란히 번성하여라.

3. 아리아: 베이스

가장 높으신 분께 감사의 노래를 드리자
그의 자비와 영원한 믿음 앞에서.
　　예수가 나타나시어 우리에게 평화를 주시네.
　　예수가 사명을 주시어 우리에게 함께 살자 하시네.

Täglich wird seine Barmherzigkeit neu.

4. Recitativo (Dialogo) ed Arioso (Duetto): Tenor, Alto

G-D-A **C**

(Hoffnung)
Bei Jesu Leben freudig sein
ist unsrer Brust ein heller Sonnenschein.
Mit Trost erfüllt auf seinen Heiland schauen
und in sich selbst ein Himmelreich erbauen,
ist wahrer Christen Eigentum.
Doch weil ich hier ein himmlisch Labsal habe,
so sucht mein Geist hier seine Lust und Ruh,
mein Heiland ruft mir kräftig zu:
‚Mein Grab und Sterben bringt euch Leben,
mein Auferstehn ist euer Trost.'
Mein Mund will zwar ein Opfer geben,
mein Heiland, doch wie klein,
wie wenig, wie so gar geringe
wird es vor dir, o großer Sieger, sein,
wenn ich vor dich ein Sieg- und Danklied bringe.
(Hoffnung)
Mein Auge sieht den Heiland auferweckt,
es hält ihn nicht der Tod in Banden.
(Furcht)
Kein Auge sieht den Heiland auferweckt,
es hält ihn noch der Tod in Banden.
(Hoffnung)
Wie, darf noch Furcht in einer Brust entstehn?
(Furcht)

그분의 자비는 날마다 새로워지리라.

4. 레치타티보(대화)와 아리오소(이중창): 테너, 알토

(희망)
예수와 함께 살면서 기뻐함은
우리 가슴을 비추는 밝은 햇살입니다.
위안으로 충만해 구세주를 바라보고
마음속에 하늘나라를 건설함은
참된 그리스도인의 자산입니다.
내가 지상에서 하늘의 위로를 누리니
내 마음은 이곳에서 즐거움과 안식을 찾습니다.
나의 구세주가 나를 보고 크게 외칩니다:
'나의 무덤과 죽음은 너희에게 생명을 주고
나의 부활은 너희에게 위로이니라.'
내 입술이 제물을 바치려 합니다.
내가 승리의 노래와 감사의 노래를 부르면
오 구세주여, 위대한 승리자인 당신 앞에서
그것이 얼마나 작고
얼마나 하찮고, 얼마나 부족할까요.
(희망)
내 눈이 부활하는 구세주를 봅니다.
죽음은 그를 붙잡아두지 못합니다.
(두려움)
누구도 부활하는 구세주를 보지 못합니다.
죽음은 여전히 그를 구속하고 있습니다.
(희망)
어떻게, 두려움이 아직도 가슴에서 피어날 수 있습니까?
(두려움)

Lässt wohl das Grab die Toten aus?
(Hoffnung)
Wenn Gott in einem Grabe lieget,
so halten Grab und Tod ihn nicht.
(Furcht)
Ach Gott! der du den Tod besieget,
dir weicht des Grabes Stein, das Siegel bricht,
ich glaube, aber hilf mir Schwachen,
du kannst mich stärker machen;
besiege mich und meinen Zweifelmut,
der Gott, der Wunder tut,
hat meinen Geist durch Trostes Kraft gestärket,
dass er den auferstandnen Jesum merket.

5. Aria (Duetto): Alto, Tenor A 12/8

(Furcht)
Ich fürchte zwar des Grabes Finsternissen
und klagete, mein Heil sei nun entrissen.
(Hoffnung)
Ich fürchte nicht des Grabes Finsternissen
und hoffete, mein Heil sei nicht entrissen.
(Beide)
Nun ist mein Herze voller Trost,
und wenn sich auch ein Feind erbost,
will ich in Gott zu siegen wissen.

6. Choral f# **C**

Halleluja! Halleluja! Halleluja!
Des solln wir alle froh sein,

무덤이 죽은 이를 내보낼 수 있습니까?

(희망)

하나님이 무덤에 누워 계셔도

무덤과 죽음은 그를 붙잡아두지 못합니다.

(두려움)

아 하나님! 죽음을 이기시는 분

무덤의 돌이 옮겨지고 봉인이 풀립니다.

나는 믿사오나, 나약한 나를 도우소서.

당신은 나를 강하게 하실 수 있으니

나를 이기시고 나의 의심을 물리치소서.

기적을 행하시는 하나님은

위로의 힘으로 내 정신을 강하게 하시어

부활하신 예수를 보게 하셨습니다.

5. 아리아 (이중창): 알토, 테너

(두려움)

나는 무덤의 어둠이 두려워

내 구원이 빼앗겼다고 불평합니다.

(희망)

나는 무덤의 어둠이 두렵지 않아

내 구원은 빼앗기지 않기를 희망합니다.

(함께)

이제 내 가슴은 위안으로 충만합니다.

적이 화를 내더라도

나는 하나님 안에서 이길 것을 믿습니다.

6. 코랄

할렐루야! 할렐루야! 할렐루야!

우리는 모두 이를 기뻐해야 하리라.

Christus will unser Trost sein,

Kyrie eleis!

BWV 6

Bleib bei uns, denn es will Abend werden

---

1. Coro c 3/4 ¢, 3/4

Bleib bei uns, denn es will Abend werden, und der Tag hat sich geneiget.

2. Aria: Alto E♭ 3/8

Hochgelobter Gottessohn,
lass es dir nicht sein entgegen,
dass wir itzt vor deinem Thron
eine Bitte niederlegen:
Bleib, ach bleibe unser Licht,
weil die Finsternis einbricht.

3. Choral: Soprano B♭ ¢

Ach bleib bei uns, Herr Jesu Christ,
weil es nun Abend worden ist,
dein göttlich Wort, das helle Licht,

그리스도가 우리를 위로하시리라.
주여 자비를 베푸소서!

BWV 6

우리 곁에 머무소서, 저녁이 되었습니다

- 1725년 라이프치히 작곡, 1725년 4월 2일 라이프치히 초연
- 오보에 2, 오보에 다 카차, 비올론첼로 피콜로, 바이올린 2, 비올라, 콘티누오
- 누가복음 24:29 (1); 무명 시인 (2, 4, 5); 니콜라우스 젤네커 (3); 마르틴 루터 (6)

---

1. 합창

우리 곁에 머무소서, 저녁이 되었습니다.
그리고 날이 저물었습니다.

2. 아리아: 알토

높은 찬양 받으시는 하나님의 아들이여,
우리가 지금 당신의 보좌 앞에서
드리는 기도가
주님 뜻에 어긋나지 않게 하소서.
머무소서, 아 우리의 빛이여 머무소서
어둠이 닥쳐오리니.

3. 코랄: 소프라노

아, 주 예수 그리스도여, 우리 곁에 머무소서.
이제 저녁이 되었습니다.
당신의 거룩한 말씀과 밝은 빛이

lass ja bei uns auslöschen nicht.
In dieser letzt'n betrübten Zeit
verleih uns, Herr, Beständigkeit,
dass wir dein Wort und Sakrament
rein b'halten bis an unser End.

4. Recitativo: Bass d-g C

Es hat die Dunkelheit
an vielen Orten überhand genommen.
Woher ist aber dieses kommen?
Bloß daher, weil sowohl die Kleinen als die Großen
nicht in Gerechtigkeit
vor dir, o Gott, gewandelt
und wider ihre Christenpflicht gehandelt.
Drum hast du auch den Leuchter umgestoßen.

5. Aria: Tenor g ¢

Jesu, lass uns auf dich sehen,
dass wir nicht
auf den Sündenwegen gehen.
Lass das Licht
deines Worts uns heller scheinen
und dich jederzeit treu meinen.

6. Choral g C

Beweis dein Macht, Herr Jesu Christ,
der du Herr aller Herren bist;
beschirm dein arme Christenheit,
dass sie dich lob in Ewigkeit.

우리에게서 꺼지지 않게 하소서.
이 마지막 암담한 시간에
주여, 끈기를 주시어
우리가 당신의 말씀과 성사를
우리의 마지막 날까지 온전히 지키게 하소서.

4. 레치타티보: 베이스
수많은 곳에 어둠이
내려앉았습니다.
이 어둠은 어디에서 왔을까요?
오 하나님, 그것은 지위가 낮은 이도 높은 이도
모두 의롭게 당신 앞으로
나아가지 않고
그리스도인의 의무를 저버렸기 때문입니다.
그리하여 당신은 등경도 치워버리셨습니다.

5. 아리아: 테너
예수여, 우리가
죄악의 길을 가지 않고
당신을 바라보게 하소서.
주님의 말씀의 빛으로
우리를 더 밝게 비추소서.
언제나 신실하게 말씀하소서.

6. 코랄
주 예수 그리스도여, 당신의 능력을 보여주소서.
당신은 왕 중의 왕이십니다.
가련한 그리스도인들을 보호하시어
그들이 당신을 영원히 찬양하게 하소서.

부활절 화요일

서신서 사도행전 13:26-33
복음서 누가복음 24:36-47

BWV 134

Ein Herz, das seinen Jesum lebend weiß

1. Recitativo: Tenor, Alto B♭-B♭ **C**

(Tenor)

Ein Herz, das seinen Jesum lebend weiß,
empfindet Jesu neue Güte
und dichtet nur auf seines Heilands Preis.

(Alto)

Wie freuet sich ein gläubiges Gemüte.

2. Aria: Tenor B♭ 3/8

Auf, Gläubige, singet die lieblichen Lieder,
euch scheinet ein herrlich verneuetes Licht.
Der lebende Heiland gibt selige Zeiten,
auf, Seelen, ihr müsset ein Opfer bereiten,
bezahlet dem Höchsten mit Danken die Pflicht.

3. Recitativo: Tenor, Alto g-E♭ **C**

(Tenor)

Wohl dir, Gott hat an dich gedacht,
o Gott geweihtes Eigentum;
der Heiland lebt und siegt mit Macht
zu deinem Heil, zu seinem Ruhm
muss hier der Satan furchtsam zittern

BWV 134
예수가 살아 계심을 아는 마음은

- 1724년 라이프치히 작곡, 1724년 4월 11일 라이프치히 초연
- 오보에 2, 바이올린 2, 비올라, 콘티누오
- 무명 시인

1. 레치타티보: 테너, 알토

(테너)

예수가 살아 계심을 아는 마음은
예수의 새로운 은혜를 느끼네
그리하여 오직 구세주만을 찬양하네.

(알토)

믿음이 깊은 사람은 얼마나 기쁠까.

2. 아리아: 테너

일어나라, 신자들아, 기쁜 노래를 불러라.
찬란한 새 빛이 너희를 비추는구나.
　살아 있는 구세주가 복된 시간을 주시니
　일어나라, 영혼들아, 너희는 예물을 준비하여
　높으신 주께 감사의 마음으로 의무를 다하라.

3. 레치타티보: 테너, 알토

(테너)

복되도다, 하나님이 너를 생각하셨으니,
오 하나님의 거룩한 보배여.
살아 계시는 구세주는 너의 구원과
그의 영광을 위해 능력으로 승리하신다.
사탄은 두려워 떨 것이며

und sich die Hölle selbst erschüttern.
Es stirbt der Heiland dir zugut
und fähret vor dich zu der Höllen,
sogar vergießet er sein kostbar Blut,
dass du in seinem Blute siegst,
denn dieses kann die Feinde fällen,
und wenn der Streit dir an die Seele dringt,
dass du alsdann nicht überwunden liegst.
(Alto)
Der Liebe Kraft ist vor mich ein Panier
zum Heldenmut, zur Stärke in den Streiten:
Mir Siegeskronen zu bereiten,
nahmst du die Dornenkrone dir,
mein Herr, mein Gott, mein auferstandnes Heil,
so hat kein Feind an mir zum Schaden teil.
(Tenor)
Die Feinde zwar sind nicht zu zählen.
(Alto)
Gott schützt die ihm getreuen Seelen.
(Tenor)
Der letzte Feind ist Grab und Tod.
(Alto)
Gott macht auch den zum Ende unsrer Not.

4. Aria (Duetto): Alto, Tenor E♭ ¢

Wir danken und wir preisen dein brünstiges Lieben
und bringen ein Opfer der Lippen vor dich.
Der Sieger erwecket die freudigen Lieder,
der Heiland erscheinet und tröstet uns wieder

지옥마저 흔들리리라.
구세주는 너를 위해 사망하시고
너를 위해 지옥으로 나아가시며
값진 피를 흘리시어
네가 그의 피 안에서 승리하리라.
그 피는 적들을 넘어뜨리리니
싸움이 너의 영혼을 치고 들어와도
너는 정복당하지 않으리라.
(알토)
사랑의 힘은 내 앞에 세운 깃발이며
영웅의 기백과 강건한 싸움을 위한 것.
내게 승리의 면류관을 씌워주시려고
당신은 가시 면류관을 쓰셨습니다.
나의 주님, 나의 하나님, 나의 부활하신 구세주여
어떤 적도 나를 해치지 못합니다.
(테너)
적은 셀 수 없이 많으나
(알토)
하나님은 신실한 영혼들을 지켜주시네.
(테너)
마지막 적은 무덤이고 죽음이라.
(알토)
하나님은 우리의 고난을 끝내시려고 그렇게 하십니다.

4. 아리아 (이중창): 알토, 테너

우리는 주의 크신 사랑을 감사의 마음으로 찬양하면서
입술로 당신께 예물을 드립니다.
　　승리자는 기쁨의 노래를 일깨우고
　　구세주가 나타나 우리를 다시 위로하며

und stärket die streitende Kirche durch sich.

5. Recitativo: Tenor, Alto c-B♭ **C**

(Tenor)
Doch würke selbst den Dank in unserm Munde,
in dem er allzu irdisch ist;
ja schaffe, dass zu keiner Stunde
dich und dein Werk kein menschlich Herz vergisst;
ja, lass in dir das Labsal unsrer Brust
und aller Herzen Trost und Lust,
die unter deiner Gnade trauen,
vollkommen und unendlich sein.
Es schließe deine Hand uns ein,
dass wir die Wirkung kräftig schauen,
was uns dein Tod und Sieg erwirbt,
und dass man nun nach deinem Auferstehen
nicht stirbt, wenn man gleich zeitlich stirbt,
und wir dadurch zu deiner Herrlichkeit eingehen.
(Alto)
Was in uns ist, erhebt dich, großer Gott,
und preiset deine Huld und Treu;
dein Auferstehen macht sie wieder neu,
dein großer Sieg macht uns von Feinden los
und bringet uns zum Leben;
drum sei dir Preis und Dank gegeben.

6. Coro B♭ 3/8

Erschallet, ihr Himmel, erfreue dich, Erde,
lobsinge dem Höchsten, du glaubende Schar.

싸우는 교회를 그를 통해 강하게 만드십니다.

5. 레치타티보: 테너, 알토

(테너)

비록 지극히 세속적일지라도
우리의 입에서 감사의 말이 나오게 하소서.
그 어느 때라도
주님과 주님이 하신 일을 인간의 마음이 잊지 않게 하소서.
당신 안에서 우리 가슴의 생기와
당신의 자비 안에서 믿는
모든 마음의 위로와 기쁨이
완벽하고 끝이 없게 하소서.
주님의 손으로 우리를 안으시어
당신의 죽음과 승리가 가져올
변화를 우리가 똑똑히 보게 하소서.
그리고 당신이 부활하신 뒤에
우리는 곧 죽더라도 죽지 않으며
그로 인해 당신의 영광 안에 들어갈 것입니다.

(알토)

크신 하나님, 우리 안에 있는 것이 주를 높이고
주의 자비와 신실함을 찬양합니다.
주의 부활은 우리를 다시 새롭게 만들고
주의 크신 승리는 우리를 적으로부터 구하여
생명으로 이끕니다.
주께 찬양과 감사를 바치나이다.

6. 합창

울려라 하늘이여, 기뻐하라 땅이여
높으신 주님을 찬양하라, 너희 믿는 무리여

Es schauet und schmecket ein jedes Gemüte
des lebenden Heilands unendliche Güte,
er tröstet und stellet als Sieger sich dar.

BWV 145

Ich lebe, mein Herze, zu deinem Ergötzen

---

1. Aria (Duetto): Tenor, Soprano D 2/4

Jesus (Tenor), Seele (Soprano)

(Jesus)
Ich lebe, mein Herze, zu deinem Ergötzen,
mein Leben erhebet dein Leben empor.
(Seele)
Du lebest, mein Jesu, zu meinem Ergötzen,
dein Leben erhebet mein Leben empor.
(Beide)
Die klagende Handschrift ist völlig zerrissen,
der Friede verschaffet ein ruhig Gewissen
und öffnet den Sündern das himmlische Tor.

2. Recitativo: Tenor b-b **C**

Nun fordre, Moses, wie du willt,
das dräuende Gesetz zu üben,

살아 계신 구세주의 무한한 자비를
모든 이가 보고 느끼리라.
우리를 위로하는 그는 승리자로 나타나시리라.

BWV 145
나는, 내 마음아, 너의 기쁨을 위해 사네

✦ 1729년 라이프치히 작곡(추정), 1729년 4월 19일 라이프치히 초연
♪ 트럼펫, 가로 플루트, 오보에 다모레 2, 바이올린 2, 비올라, 콘티누오
Ⓣ 피칸더

---

1. 아리아 (이중창): 테너, 소프라노
예수 (테너), 영혼 (소프라노)
(예수)
나는, 내 마음아, 너의 기쁨을 위해 사네
나의 삶이 너의 삶을 드높이도다.
(영혼)
예수여, 당신은 나의 기쁨을 위해 사시네.
당신의 삶이 내 삶을 드높이네.
(함께)
주를 비난하는 글이 완전히 와해되고
평화는 조용히 양심을 회복시키고
죄인들에게 하늘의 문을 열어주네.

2. 레치타티보: 테너
모세여, 이제 당신 뜻대로 명령하십시오
무서운 법을 실천하라고.

ich habe meine Quittung hier
mit Jesu Blut und Wunden unterschrieben.
Dieselbe gilt,
ich bin erlöst, ich bin befreit
und lebe nun mit Gott in Fried und Einigkeit,
der Kläger wird an mir zuschanden,
denn Gott ist auferstanden.
Mein Herz, das merke dir!

3. Aria: Bass D 3/8

Merke, mein Herze, beständig nur dies,
wenn du alles sonst vergisst,
dass dein Heiland lebend ist;
lasse dieses deinem Gläuben
einen Grund und Feste bleiben,
auf solche besteht er gewiss.
Merke, meine Herze, nur dies.

4. Recitativo: Soprano A-f# C

Mein Jesus lebt,
das soll mir niemand nehmen,
drum sterb ich sonder Grämen.
Ich bin gewiss
und habe das Vertrauen,
dass mich des Grabes Finsternis
zur Himmelsherrlichkeit erhebt;
mein Jesus lebt,
ich habe nun genug,
mein Herz und Sinn

예수의 피와 상처로 서명한
나의 대답이 여기에 있습니다.
때가 왔습니다.
나는 구원받았고, 나는 풀려났습니다.
이제는 하나님과 하나가 되어 평화롭게 삽니다.
고발자는 내게 와서 무너질 것입니다.
하나님이 부활하셨습니다.
나의 마음이여, 이를 기억하여라!

3. 아리아: 베이스

나의 마음이여, 다른 것은 다 잊어도
이것만은 영원히 기억하라
너의 구세주가 살아 계심을.
이를 네 믿음의
기초로 삼아 굳건히 간직하라.
믿음은 그 위에서 흔들리지 않으리라.
나의 마음이여, 이것만은 기억하라.

4. 레치타티보: 소프라노

나의 예수님은 살아 계시네.
아무도 이 믿음을 내게서 빼앗지 못하네.
그러므로 나는 슬퍼하지 않고 죽으리라.
나는 확실히 알고 있네
또한 믿어 의심치 않네.
무덤의 어둠이 나를 들어올려
하늘의 영광 안으로 데려갈 것을.
나의 예수님은 살아 계시네,
나는 만족하네,
나의 마음과 생각은

will heute noch zum Himmel hin,
selbst den Erlöser anzuschauen.

5. Choral f♯ 3/4

Drum wir auch billig fröhlich sein,
singen das Halleluja fein
und loben dich, Herr Jesu Christ;
zu Trost du uns erstanden bist.
Halleluja!

BWV 158
Der Friede sei mit dir

---

1. Recitativo: Bass D-G 𝄴

Der Friede sei mit dir,
du ängstliches Gewissen!
Dein Mittler stehet hier,
der hat dein Schuldenbuch
und des Gesetzes Fluch
verglichen und zerrissen.
Der Friede sei mit dir,
der Fürste dieser Welt,
der deiner Seele nachgestellt,

구원자를 직접 뵙기 위하여
벌써 오늘 하늘로 오르려 하네.

5. 코랄
그러므로 우리가 기뻐함은 당연한 일이라.
할렐루야를 멋지게 노래하고
주 예수 그리스도 당신을 찬양하리라.
우리를 위로하려고 부활하셨음을.
할렐루야!

BWV 158
평화가 너와 함께 있으라

- 1713-17년 바이마르 작곡, 초연 일시 미상
- 오보에, 독주 바이올린, 콘티누오
- 요한 게오르크 알비누스 (2); 마르틴 루터 (4); 무명 시인 (1, 3)

---

1. 레치타티보: 베이스
평화가 너와 함께 있으라,
너 두려워하는 양심이여!
중재자가 여기에 계시니
그가 너의 죄목이 적힌 책과
율법의 저주를
조정하고 찢어버리셨다.
평화가 너와 함께 있으라.
이 세상의 왕은
너의 영혼을 기다렸으나

ist durch des Lammes Blut
bezwungen und gefällt.
Mein Herz, was bist du so betrübt,
da dich doch Gott durch Christum liebt?
Er selber spricht zu mir:
Der Friede sei mit dir!

2. Aria: Bass con Choral G **C**

Welt, ade, ich bin dein müde,
Salems Hütten stehn mir an,
    Welt, ade, ich bin dein müde,
    ich will nach dem Himmel zu,
wo ich Gott in Ruh und Friede
ewig selig schauen kann.
    da wird sein der rechte Friede
    und die ewig stolze Ruh.
Da bleib ich, da hab ich Vergnügen zu wohnen,
    Welt, bei dir ist Krieg und Streit,
    nichts denn lauter Eitelkeit;
da prang ich gezieret mit himmlischen Kronen.
    in dem Himmel allezeit
    Friede, Freud und Seligkeit.

3. Recitativo: Bass e-e **C**

Nun, Herr, regiere meinen Sinn,
damit ich auf der Welt,

어린양의 피로
패하고 쓰러지셨다.
나의 마음이여, 하나님이 그리스도를 통해
너를 사랑하시는데, 왜 슬퍼하느냐?
그가 내게 말씀하시니,
평화가 너와 함께 있으라!

2. 아리아: 베이스 & 코랄

세상이여 잘 있어라, 피곤하구나,
살렘*의 초막이 나에게 어울린다.
　　세상이여 잘 있어라, 피곤하구나,
　　나는 천국으로 가리라.
하나님을 평안과 안식 속에서
영원히 행복하게 바라볼 수 있는 곳.
　　그곳에 참된 평화가 있고
　　그곳에 위엄 있는 안식이 영원히 있으리.
나는 거기에 머무르리라, 거기에서 즐겁게 살리라,
　　세상의 전쟁과 싸움은
　　허영에 지나지 않을 뿐.
나는 거기에서 천국의 관으로 치장하고 찬란히 빛나리라.
　　천국에는 언제나
　　평화와 기쁨과 행복이 있으리라.

3. 레치타티보: 베이스

주여, 이제 나의 생각을 다스리소서.
그리하여 당신 뜻에 따라

* Salem: 구약 시대에 예루살렘 또는 시온과 동일시하던 곳(창세기 14:18 및 시편 76:3 참조).

so lang es dir, mich hier zu lassen, noch gefällt,
ein Kind des Friedens bin,
und lass mich zu dir aus meinen Leiden
wie Simeon in Frieden scheiden!

Da bleib ich, da hab ich Vergnügen zu wohnen,
da prang ich gezieret mit himmlischen Kronen.

4. Choral e **C**

Hier ist das rechte Osterlamm,
davon Gott hat geboten,
das ist hoch an des Kreuzes Stamm
in heißer Lieb gebraten,
des Blut zeichnet unsre Tür,
das hält der Glaub dem Tode für,
der Würger kann uns nicht rühren.
Halleluja!

내가 이 세상에 머무는 동안
평화의 자녀가 되게 하소서.
내가 고통에서 벗어나 당신에게 갈 때
시므온처럼 평화롭게 떠나게 하소서!

나는 거기에 머무르리라, 거기에서 즐겁게 살리라
나는 거기에서 천국의 관으로 치장하고 찬란히 빛나리라.

4. 코랄

여기에 흠 없는 부활절의 어린양이 있네.
하나님이 보내주시었네.
십자가에 높이 달려
뜨거운 사랑으로 희생하셨네.
그 피를 우리 집 문에 바르니
믿음이 죽음을 막아내고
살육자는 우리를 해하지 못하리라.
할렐루야!

부활절 후 첫 주일*

서신서 요한1서 5:4-10
복음서 요한복음 20:19-31

* 콰시모도게니티(Quasimodogeniti)라고 부르며, '새로 태어난 아이처럼'이란 뜻이다.

BWV 67

Halt im Gedächtnis Jesum Christ

1. Coro A ₵

Halt im Gedächtnis Jesum Christ, der auferstanden
ist von den Toten.

2. Aria: Tenor E **C**

Mein Jesus ist erstanden,
allein, was schreckt mich noch?
Mein Glaube kennt des Heilands Sieg,
doch fühlt mein Herze Streit und Krieg,
mein Heil, erscheine doch!

3. Recitativo: Alto c♯-F♯ **C**

Mein Jesu, heißest du des Todes Gift
und eine Pestilenz der Hölle:
Ach, dass mich noch Gefahr und Schrecken trifft!
Du legtest selbst auf unsre Zungen
ein Loblied, welches wir gesungen:

4. Choral f♯ 3/4

Erschienen ist der herrlich Tag,
dran sich niemand g'nug freuen mag:

BWV 67

기억하라, 예수 그리스도가

- 1724년 라이프치히 작곡, 1724년 4월 16일 라이프치히 초연
- 코르노 다 티라르시, 가로 플루트, 오보에 다모레 2, 바이올린 2, 비올라, 콘티누오
- 디모데후서 2:8 (1); 니콜라우스 헤르만 (4); 야코프 에버트 (7); 무명 시인 (2, 3, 5, 6)

---

1. 합창

기억하라, 예수 그리스도가
죽은 자 가운데서 살아나셨다.

2. 아리아: 테너

나의 예수가 부활하셨네.
그런데 나는 아직 무엇이 두려운가?
내 믿음은 구세주의 승리를 알지만
내 마음은 싸움과 전쟁을 느끼네.
나의 구세주여, 나타나소서!

3. 레치타티보: 알토

나의 예수여, 당신은 죽음의 독이며
지옥의 역병이라고 불리셨습니다.
아, 그 위험과 공포가 아직 나를 괴롭힙니다.
당신이 직접 우리의 혀에
찬송가를 주시니 우리가 노래를 부릅니다.

4. 코랄

영광의 날이 왔도다.
아무리 기뻐해도 모자라리라.

Christ, unser Herr, heut triumphiert,
all sein Feind er gefangen führt.
Halleluja!

5. Recitativo: Alto c♯-A **C**

Doch scheinet fast,
dass mich der Feinde Rest,
den ich zu groß und allzu schrecklich finde,
nicht ruhig bleiben lässt.
Doch, wenn du mir den Sieg erworben hast,
so streite selbst mit mir, mit deinem Kinde.
Ja, ja, wir spüren schon im Glauben,
dass du, o Friedefürst,
dein Wort und Werk an uns erfüllen wirst.

6. Aria: Bass e Coro A **C** / 3/4

Friede sei mit euch!
    Wohl uns! Jesus hilft uns kämpfen
    und die Wut der Feinde dämpfen,
    Hölle, Satan, weich!
Friede sei mit euch!
    Jesus holet uns zum Frieden
    und erquicket in uns Müden
    Geist und Leib zugleich.
Friede sei mit euch!
    O Herr, hilf und lass gelingen,
    durch den Tod hindurchzudringen
    in dein Ehrenreich!
Friede sei mit euch!

우리 주 그리스도가 오늘 승리하시고
모든 적을 사로잡으셨네.
할렐루야!

5. 레치타티보: 알토

그러나
남은 적들이 너무 많고
지극히 두렵습니다.
그들은 나를 조용히 두지 않을 것입니다.
그러나 당신은 나를 위해 승리를 쟁취하셨으니
나와 함께, 당신의 자손들과 함께 싸우십시오.
우리는 이미 믿음 속에서 느낍니다.
평화의 왕이신 당신은
우리 안에서 말씀과 행위를 이루실 것입니다.

6. 아리아: 베이스 & 합창

너희에게 평화가 있기를!
　　행복하여라! 예수께서 우리의 싸움을 돕고
　　적의 분노를 가라앉히네.
　　지옥과 사탄은 물러가라!
너희에게 평화가 있기를!
　　예수가 우리를 평화로 데려가
　　지친 우리에게 기운을 주시네.
　　마음도 몸도 똑같이.
너희에게 평화가 있기를!
　　오 주여, 저희를 도와
　　죽음을 뚫고 나아가게 하소서
　　당신의 영광된 나라를 향해!
너희에게 평화가 있기를!

7. Choral A **C**

Du Friedefürst, Herr Jesu Christ,
wahr' Mensch und wahrer Gott,
ein starker Nothelfer du bist
im Leben und im Tod:
Drum wir allein
im Namen dein
zu deinem Vater schreien.

BWV 42

Am Abend aber desselbigen Sabbats

---

1. Sinfonia D **C**

2. Recitativo: Tenor b-b **C**

Am Abend aber desselbigen Sabbats, da die Jünger versammlet und die Türen verschlossen waren aus Furcht für den Jüden, kam Jesus und trat mitten ein.

3. Aria: Alto G **C**, 12/8, **C**

Wo zwei und drei versammlet sind
in Jesu teurem Namen,

7. 코랄

평화의 왕, 주 예수 그리스도
참 사람이시고 참 하나님이시며
삶에서도 죽음에서도
강력한 구원자이시니
우리는 오직
주님의 이름으로만
주님의 아버지께 외치나이다.

BWV 42
그 안식일 저녁에

- 1725년 라이프치히 작곡, 1725년 4월 8일 라이프치히 초연
- 오보에 2, 바순, 바이올린 2, 비올라, 첼로, 콘티누오
- 요한복음 20:19 (2); 야코프 파브리치우스 (4); 요한 발터, 마르틴 루터 (7); 무명 시인 (3, 5, 6)

---

1. 신포니아

2. 레치타티보: 테너

그 안식일 저녁에
제자들이 유다인들을 두려워하여
모여 문을 닫아걸고 있을 때
예수가 그들 한가운데로 들어오셨다.

3. 아리아: 알토

예수의 귀한 이름으로
두세 명이 모인 곳에는

da stellt sich Jesus mitten ein
und spricht darzu das Amen.
    Denn was aus Lieb und Not geschicht,
    das bricht des Höchsten Ordnung nicht.

4. Choral (Duetto): Soprano, Tenor b 3/4

Verzage nicht, o Häuflein klein,
obgleich die Feinde willens sein,
dich gänzlich zu verstören,
und suchen deinen Untergang,
davon dir wird recht angst und bang:
Es wird nicht lange währen.

5. Recitativo: Bass G-a C

Man kann hiervon ein schön Exempel sehen
an dem, was zu Jerusalem geschehen;
denn da die Jünger sich versammlet hatten
im finstern Schatten,
aus Furcht für den Jüden,
so trat mein Heiland mitten ein,
zum Zeugnis, dass er seiner Kirche Schutz will sein.
Drum lasst die Feinde wüten!

6. Aria: Bass A ₵

Jesus ist ein Schild der Seinen,
wenn sie die Verfolgung trifft.
Denen muss die Sonne scheinen
mit der güldnen Überschrift:
Jesus ist ein Schild der Seinen,

예수님이 그 안에 들어와
아멘을 말씀하시리라.
　　사랑과 필요 때문에 일어난 일은
　　높으신 분의 질서도 깨뜨리지 못하리라.

4. 코랄 (이중창): 소프라노, 테너

낙담하지 마라, 작은 무리여
적들이 너를
완전히 혼란케 하고
너의 멸망을 바랄지라도.
너는 두렵고 무섭겠으나
오래 걸리지 않으리라.

5. 레치타티보: 베이스

예루살렘에서 일어난 일이
좋은 본보기가 됩니다.
제자들이 유다인들을 두려워하며
깊은 어둠 속에
모여 있을 때,
나의 구세주가 당신의 교회를 보호하겠다는 증표로
그들 한가운데로 들어가셨습니다.
그러니 적들을 분노케 하라!

6. 아리아: 베이스

예수는 당신 백성이 박해를 받을 때
보호하는 방패이시라.
태양이 그들을 비추면
황금 글자가 나타나리라.
예수는 당신 백성이 박해를 받을 때

wenn sie die Verfolgung trifft.

7. Choral f♯ **C**

Verleih uns Frieden gnädiglich,
Herr Gott, zu unsern Zeiten;
es ist doch ja kein andrer nicht,
der für uns könnte streiten,
denn du, uns'r Gott, alleine.

Gib unsern Fürsten und all'r Obrigkeit
Fried und gut Regiment,
dass wir unter ihnen
ein geruhig und stilles Leben führen mögen
in aller Gottseligkeit und Ehrbarkeit.
Amen.

보호하는 방패이시라.

7. 코랄

주 하나님, 우리 시대에
은총으로 평화를 내려주소서.
우리를 위해 싸울 수 있는 이
또 누가 있으리오.
오직 우리 하나님 한 분뿐이시라.

우리의 군주와 모든 통치자에게
평화와 훌륭한 통치력을 주시어
우리가 그들 밑에서
경건하고 정직하게
평안하고 조용한 삶을 영위하게 하소서.
아멘.

부활절 후 제2주일✦

서신서 베드로전서 2:21-25

복음서 요한복음 10:12-16

✦ 미제리코르디아스 도미니(Misericordias Domini)라고 부르며, '여호와의 자비하심'을 뜻한다.

BWV 104
Du Hirte Israel, höre

1. Coro G 3/4

Du Hirte Israel, höre, der du Joseph hütest wie der Schafe, erscheine, der du sitzest über Cherubim.

2. Recitativo: Tenor e-b **C**

Der höchste Hirte sorgt für mich,
was nützen meine Sorgen?
Es wird ja alle Morgen
des Hirten Güte neu.
Mein Herz, so fasse dich,
Gott ist getreu.

3. Aria: Tenor b **C**

Verbirgt mein Hirte sich zu lange,
macht mir die Wüste allzu bange,
mein schwacher Schritt eilt dennoch fort.
  Mein Mund schreit nach dir,
  und du, mein Hirte, wirkst in mir
  ein gläubig Abba durch dein Wort.

BWV 104
이스라엘의 목자여, 귀 기울이소서

- 1724년 라이프치히 작곡, 1724년 4월 23일 라이프치히 초연
- 오보에 다모레 2, 알토 오보에, 바이올린 2, 비올라, 콘티누오
- 시편 80:1 (1); 코르넬리우스 베커 (6); 무명 시인 (2-5)

1. 합창

이스라엘의 목자여, 귀 기울이소서, 요셉의 가문을 양떼처럼 보호하시는 이여, 그룹 위에 앉아 계시는 이여, 나타나소서.

2. 레치타티보: 테너

가장 높으신 목자가 나를 보호하시니
내게 무슨 근심이 있을까?
목자의 선하심이
매일 아침 새롭도다.
그러니 마음을 가다듬어라,
하나님은 신실하시다.

3. 아리아: 테너

나의 목자가 너무 오래 숨어 있어도
사막이 나를 두렵게 하여도
내 허약한 발걸음은 서둘러 달려갑니다.
　　내 입이 당신을 부르나이다.
　　나의 목자여, 당신은 말씀을 통해
　　내가 경건히 아바*를 부르게 하나이다.

* Abba: 아람어로 '아버지'를 의미한다.

4. Recitativo: Bass D-D **C**

Ja, dieses Wort ist meiner Seelen Speise,
ein Labsal meiner Brust,
die Weide, die ich meine Lust,
des Himmels Vorschmack, ja mein Alles heiße.
Ach! sammle nur, o guter Hirte,
uns Arme und Verirrte;
ach lass den Weg nur bald geendet sein
und führe uns in deinen Schafstall ein!

5. Aria: Bass D 12/8

Beglückte Herde, Jesu Schafe,
die Welt ist euch ein Himmelreich.
Hier schmeckt ihr Jesu Güte schon
und hoffet noch des Glaubens Lohn
nach einem sanften Todesschlafe.

6. Choral A **C**

Der Herr ist mein getreuer Hirt,
dem ich mich ganz vertraue,
zu Weid er mich, sein Schäflein, führt,
auf schöner grünen Aue,
zum frischen Wasser leit' er mich,
mein Seel zu laben kräftiglich
durchs selig Wort der Gnaden.

4. 레치타티보: 베이스

이 말씀은 내 영혼의 양식이요
내 가슴의 향유이며
초원이니, 나의 즐거움이자
천국의 맛이며 나의 모든 것이라 부르리라.
아! 거두어주소서, 선한 목자여
길 잃은 우리 불쌍한 이들을.
아, 곧 길이 끝나게 하시고
우리를 당신 집으로 데리고 가소서!

5. 아리아: 베이스

행복한 무리, 예수의 양떼
너희에게 세상은 천국이니
　　여기에서 벌써 예수의 자비를 맛보고
　　고요하게 영면에 든 뒤
　　믿음의 보상을 바라는구나.

6. 코랄

주는 나의 충실한 목자이니
내가 온전히 믿나이다.
그의 어린양인 나를
아름답고 파란 초지에서 풀밭으로 데려가시고.
시원한 물가로 인도하시니
복된 은총의 말씀으로
내 영혼이 생기가 넘치나이다.

BWV 85
Ich bin ein guter Hirt

1. Aria: Bass c **C**

Ich bin ein guter Hirt, ein guter Hirt lässt sein Leben
für die Schafe.

2. Aria: Alto g **C**

Jesus ist ein guter Hirt,
denn er hat bereits sein Leben
für die Schafe hingegeben,
die ihm niemand rauben wird.
Jesus ist ein guter Hirt.

3. Choral: Soprano B♭ 3/4

Der Herr ist mein getreuer Hirt,
dem ich mich ganz vertraue,
zur Weid er mich, sein Schäflein, führt
auf schöner grünen Aue,
zum frischen Wasser leit' er mich,
mein Seel zu laben kräftiglich
durch selig Wort der Gnaden.

4. Recitativo: Tenor E♭-A♭ **C**

Wenn die Mietlinge schlafen,

BWV 85

나는 선한 목자로다

- 1725년 라이프치히 작곡, 1725년 4월 15일 라이프치히 초연
- 오보에 2, 비올론첼로 피콜로, 바이올린 2, 비올라, 콘티누오
- 요한복음 10:11 (1); 코르넬리우스 베커 (3);
  에른스트 크리스토프 홈부르크 (6); 무명 시인 (2, 4, 5)

1. 아리아: 베이스

나는 선한 목자로다. 선한 목자는 자기 양을 위하여
목숨을 바친다.

2. 아리아: 알토

예수는 선한 목자이시네.
그는 이미 양떼를 위해
목숨을 바치셨네.
아무도 양들을 빼앗을 수 없네
예수는 선한 목자이시네.

3. 코랄: 소프라노

주는 나의 충실한 목자이시니
내가 온전히 믿나이다.
그의 어린양인 나를
아름답고 파란 초지에서 풀밭으로 데려가시고.
시원한 물가로 인도하시니
복된 은총의 말씀으로
내 영혼이 생기가 넘치나이다.

4. 레치타티보: 테너

고용한 머슴이 잠을 자면

da wachet dieser Hirt bei seinen Schafen,
so dass ein jedes in gewünschter Ruh
die Trift und Weide kann genießen,
in welcher Lebensströme fließen.
Denn sucht der Höllenwolf gleich einzudringen,
die Schafe zu verschlingen,
so hält ihm dieser Hirt doch seinen Rachen zu.

5. Aria: Tenor E♭ 9/8

Seht, was die Liebe tut.
Mein Jesus hält in zarter Hut
die Seinen feste eingeschlossen.
Ihr hat am Kreuzesstamm vergossen
für sie sein teures Blut.

6. Choral c **C**

Ist Gott mein Schutz und treuer Hirt,
kein Unglück mich berühren wird:
Weicht, alle meine Feinde,
die ihr mir stiftet Angst und Pein,
es wird zu eurem Schaden sein,
ich habe Gott zum Freunde.

목자가 양떼를 지키시니
양은 각자 바라는 대로 편히 쉬며
생명의 물이 흐르는
초원과 풀밭을 누립니다.
지옥의 늑대가 곧 들이닥쳐
양을 삼키려 해도
목자는 늑대의 목구멍을 닫습니다.

5. 아리아: 테너

보라, 사랑이 무슨 일을 하는지.
　　나의 예수는 양떼를 다정히 보호하시고
　　굳게 지키십니다.
　　그는 십자가에서 양떼를 위해
　　귀한 피를 흘리셨습니다.

6. 코랄

하나님이 내 피난처이며 충실한 목자이시면
어떤 불행도 나를 덮치지 못하리.
물러가라, 나의 모든 적들아
나에게 두려움과 고통을 안기는 자들이여
곧 너희가 해를 입으리니
하나님이 나의 친구이시라.

BWV 112

Der Herr ist mein getreuer Hirt

1. Versus I: Coro G ¢

Der Herr ist mein getreuer Hirt,
hält mich in seiner Hute,
darin mir gar nichts mangeln wird
irgend an einem Gute,
er weidet mich ohn Unterlass,
darauf wächst das wohlschmeckend Gras
seines heilsamen Wortes.

2. Versus II: Alto e 6/8

Zum reinen Wasser er mich weist,
das mich erquicken tue.
Das ist sein fronheiliger Geist,
der macht mich wohlgemute.
Er führet mich auf rechter Straß
seiner Geboten ohn Ablass
von wegen seines Namens willen.

3. Versus III: Bass C-G **C**

Und ob ich wandelt im finstern Tal,
fürcht ich kein Ungelücke
in Verfolgung, Leiden, Trübsal

BWV 112
주는 나의 충실한 목자이며

- 1729년 또는 1731년 라이프치히 작곡, 1731년 4월 8일 라이프치히 초연
- 코넷 2, 오보에 다모레 2, 바이올린 2, 비올라, 콘티누오
- 볼프강 모이슬린 개사 (시편 23장)

1. 제1곡: 합창

주는 나의 충실한 목자이며
나를 보호하시니
내가 무엇 하나
부족함이 없으리로다.
달콤한 풀이 자라는 곳에서
나를 쉬지 않고 먹이시니
이는 그의 유익한 말씀이로다.

2. 제2곡: 알토

깨끗한 물가로 인도하시어
나를 소생시키시네.
그의 거룩한 성령은
나를 쾌활하게 하시네.
올바른 길로 인도하시어
그의 이름을 위해
계명을 쉬지 않고 지키게 하시네.

3. 제3곡: 베이스

어둠의 계곡을 헤맬 때에도
나는 어떤 불행도 두렵지 않네
박해도, 고난도, 슬픔도,

und dieser Welte Tücke,
denn du bist bei mir stetiglich,
dein Stab und Stecken trösten mich,
auf dein Wort ich mich lasse.

4. Versus IV: Soprano, Tenor D 2

Du bereitest für mir einen Tisch
vor mein' Feinden allenthalben,
machst mein Herze unverzagt und frisch,
mein Haupt tust du mir salben
mit deinem Geist, der Freuden Öl,
und schenkest voll ein meiner Seel
deiner geistlichen Freuden.

5. Versus V: Choral G **C**

Gutes und die Barmherzigkeit
folgen mir nach im Leben,
und ich werd bleiben allezeit
im Haus des Herren eben,
auf Erd in christlicher Gemein
und nach dem Tod da werd ich sein
bei Christo, meinem Herren.

그리고 이 세상의 어떤 악의도.
당신이 언제나 내 곁에 계시고
당신의 지팡이와 막대기가 나를 위로하고
당신의 말씀을 내가 믿기 때문이라.

4. 제4곡: 소프라노, 테너

당신은 사방의 적들 앞에서
나에게 상을 차려주시고
내 마음이 두려움을 떨치고 새로워지게 하시네.
기쁨의 향유인 성령으로
내 머리에 기름을 바르시고
성령의 기쁨으로
내 영혼이 넘치도록 부어주시네.

5. 제5곡: 코랄

선함과 인자하심이
한평생 나를 따르리라.
나는 언제까지나
주님 집에 살리라.
지상에서는 그리스도인들과 함께
죽은 뒤에는
나의 주님이신 그리스도 곁에서.

부활절 후 제3주일*

서신서 베드로전서 2:11-17
복음서 요한복음 16:16-22

* 유빌라테(Jubilate)라고 하며, '여호와께 환호한다'는 뜻이다.

BWV 12

Weinen, Klagen, Sorgen, Zagen

1. Sinfonia f C

2. Coro f 3/2

Weinen, Klagen,
Sorgen, Zagen,
Angst und Not
sind der Christen Tränenbrot,
die das Zeichen Jesu tragen.

3. Recitativo: Alto c-c C

Wir müssen durch viel Trübsal in das Reich Gottes eingehen.

4. Aria: Alto c C

Kreuz und Krone sind verbunden,
Kampf und Kleinod sind vereint.
Christen haben alle Stunden
ihre Qual und ihren Feind,
doch ihr Trost sind Christi Wunden.

5. Aria: Bass E♭ C

Ich folge Christo nach,

BWV 12
흐느끼고 탄식하고, 근심하고 두려워하고

✦ 1714년 바이마르 작곡, 1724년 라이프치히 개정,
1714년 4월 22일 바이마르 초연, 1724년 4월 30일 라이프치히 재연
♪ 트럼펫, 오보에, 바순, 바이올린 2, 비올라 2, 콘티누오
T 사도행전 14:22 (3); 자무엘 로디가스트 (7); 잘로몬 프랑크 (2, 4-6: 추정)

1. 신포니아

2. 합창

흐느끼고 탄식하고
근심하고 두려워하고
불안해하고 고난을 당함은
그리스도인이 먹는 눈물 젖은 빵이라.
　　예수의 증표를 지닌 그리스도인들.

3. 레치타티보: 알토

우리는 많은 고난을 겪은 뒤
하나님의 나라로 들어가야 합니다.

4. 아리아: 알토

십자가와 면류관은 함께 있고
싸움과 보화는 하나가 되네.
　　그리스도인은 매 시간
　　고통을 당하고 적들과 맞서나
　　그들의 위로는 그리스도의 상처라네.

5. 아리아: 베이스

나는 그리스도를 따르리.

von ihm will ich nicht lassen
im Wohl und Ungemach,
im Leben und Erblassen.
Ich küsse Christi Schmach,
ich will sein Kreuz umfassen.
Ich folge Christo nach,
von ihm will ich nicht lassen.

6. Aria con Choral: Tenor g 3/4

Sei getreu, alle Pein
wird doch nur ein Kleines sein.
Nach dem Regen
blüht der Segen,
alles Wetter geht vorbei.
Sei getreu, sei getreu!

7. Choral B♭ **C**

Was Gott tut, das ist wohlgetan,
dabei will ich verbleiben,
es mag mich auf die raue Bahn
Not, Tod und Elend treiben,
so wird Gott mich
ganz väterlich
in seinen Armen halten:
Drum lass ich ihn nur walten.

좋을 때도 힘들 때도
살아서도 죽어서도
그를 떠나지 않으리.
나는 그리스도의 치욕에 입 맞추리.
그의 십자가를 끌어안고
그리스도를 따르며
떠나지 않으리.

6. 아리아와 코랄: 테너

믿음을 지켜라, 모든 고통은
하찮은 것이 되리라.
비가 온 뒤
축복이 피어나니
폭풍우는 물러가리라.
믿음을 지켜라, 믿음을 지켜라!

7. 코랄

하나님이 하시는 일은 선하시니
내가 굳게 믿으리라.
험한 길에 던져지고
고난과 죽음과 불행이 덮쳐도
하나님은 나를
아버지처럼
팔에 안아주시리.
그러므로 나는 그의 섭리를 따르리라.

BWV 103

Ihr werdet weinen und heulen

1. Coro e Arioso: Bass b 3/4, C, 3/4

Ihr werdet weinen und heulen, aber
die Welt wird sich freuen.
Ihr aber werdet traurig sein.
Doch eure Traurigkeit soll in Freude
verkehret werden.

2. Recitativo: Tenor f♯-c♯ **C**

Wer sollte nicht in Klagen untergehn,
wenn uns der Liebste wird entrissen?
Der Seele Heil, die Zuflucht kranker Herzen
acht' nicht auf unsre Schmerzen.

3. Aria: Alto f♯ 6/8

Kein Arzt ist außer dir zu finden,
ich suche durch ganz Gilead;
wer heilt die Wunden meiner Sünden,
weil man hier keinen Balsam hat?
Verbirgst du dich, so muss ich sterben.
Erbarme dich, ach, höre doch!
Du suchest ja nicht mein Verderben,

BWV 103
너희는 울며 슬퍼하겠으나

- 1725년 라이프치히 작곡, 1725년 4월 22일 라이프치히 초연
- 트럼펫, 피콜로 플루트, 가로 플루트, 오보에 다모레 2, 바이올린 2, 비올라, 콘티누오
- 요한복음 16:20 (1); 파울 게르하르트 (6); 크리스티아네 마리아네 폰 치글러 (2-5)

1. 합창과 아리오소: 베이스

너희는 울며 슬퍼하겠으나
세상은 기뻐하리라.
너희는 근심하리라.
그러나 너희 근심이 도리어
기쁨으로 바뀌리라.

2. 레치타티보: 테너

사랑하는 사람을 빼앗긴다면
누가 슬픔으로 애가 타지 않을까요?
영혼의 구원, 병든 마음의 피난처는
우리의 고통을 돌아보지 않습니다.

3. 아리아: 알토

당신 외에는 나를 고칠 이 없어라.
온 길르앗을 다 찾아보아도.
누가 내 죄악의 상처를 치료할까,
이곳에는 향유가 없는데?
당신이 숨어 계시면 나는 죽으리니
자비를 베푸소서, 아, 귀 기울이소서!
당신은 나의 멸망을 원하지 않으니.

wohlan, so hofft mein Herze noch.

4. Recitativo: Alto b-D **C**

Du wirst mich nach der Angst
auch wiederum erquicken;
so will ich mich zu deiner Ankunft schicken,
ich traue dem Verheißungswort,
dass meine Traurigkeit
in Freude soll verkehret werden.

5. Aria: Tenor D **C**

Erholet euch, betrübte Sinnen,
ihr tut euch selber allzu weh.
Lasst von dem traurigen Beginnen,
eh ich in Tränen untergeh,
mein Jesus lässt sich wieder sehen,
o Freude, der nichts gleichen kann!
Wie wohl ist mir dadurch geschehen,
nimm, nimm mein Herz zum Opfer an!

6. Choral b **C**

Ich hab dich einen Augenblick,
o liebes Kind, verlassen:
Sieh aber, sieh, mit großem Glück
und Trost ohn alle Maßen
will ich dir schon die Freudenkron
aufsetzen und verehren;
dein kurzes Leid soll sich in Freud
und ewig Wohl verkehren.

내 마음은 아직도 그리 되기를 바라나이다.

4. 레치타티보: 알토

두려움이 지나가면 당신은 내게
다시 생기를 주시리라
나는 당신이 오실 때를 준비하리라.
나의 슬픔이
기쁨으로 바뀌리라는
약속의 말씀을 내가 믿나이다.

5. 아리아: 테너

상심한 마음이여, 회복하여라
너희는 스스로를 아프게 하는구나.
괴로운 시작을 버려라
내가 눈물로 애통해하기 전에
예수님이 다시 나타나시리라.
오 기쁨이여, 어디에도 비할 데 없는 분!
이로써 나에게 행복이 다가오니
내 마음을 희생으로 삼으소서!

6. 코랄

내가 잠시 당신을
떠났었지요, 사랑하는 이여.
그러나 보십시오, 큰 행복과
헤아릴 수 없는 위안으로
당신에게 기쁨의 면류관을
씌우고 숭배하겠습니다.
당신의 짧은 고통은 기쁨과
영원한 평안으로 바뀔 것입니다.

BWV 146

Wir müssen durch viel Trübsal in das Reich Gottes eingehen

1. Sinfonia d **C**

2. Coro g 3/4

Wir müssen durch viel Trübsal in das Reich
Gottes eingehen.

3. Aria: Alto B♭ **C**

Ich will nach dem Himmel zu,
schnödes Sodom, ich von dir
sind nunmehr geschieden.
  Meines Bleibens ist nicht hier,
  denn ich lebe doch bei dir
  nimmermehr in Frieden.

4. Recitativo: Soprano g-d **C**

Ach! wer doch schon im Himmel wär!
Wie dränget mich nicht die böse Welt!
Mit Weinen steh ich auf,
mit Weinen leg ich mich zu Bette,
wie trüglich wird mir nachgestellt!
Herr! merke, schaue drauf,

BWV 146

우리는 많은 시련을 거쳐 하나님의 나라로 들어가야 하리라

- 1726년 라이프치히 작곡, 1726년 5월 12일 라이프치히 초연(추정)
- 가로 플루트, 알토 오보에, 오보에 2, 오보에 다모레 2, 바이올린 2, 비올라, 콘티누오
- 사도행전 14:22 (2); 그레고리우스 리히터 (8); 무명 시인 (3-7)

1. 신포니아

2. 합창

우리는 많은 시련을 거쳐 하나님의 나라로
들어가야 하리라.

3. 아리아: 알토

나는 천국으로 가리라
사악한 소돔이여, 너와 나는
이제부터 갈라졌도다.
　　내가 머물 곳은 여기가 아니네
　　네 곁에서 산다면
　　영원히 평화는 없으리라.

4. 레치타티보: 소프라노

아! 지금 벌써 천국에 있다면!
사악한 세상이 나를 괴롭히지 않겠지요!
눈물을 흘리며 잠자리에서 일어나고
눈물을 흘리며 잠자리에 듭니다.
저들은 나를 속인 채 노리고 있습니다!
주여! 기억하소서, 바라보소서.

sie hassen mich, und ohne Schuld,
als wenn die Welt die Macht
mich gar zu töten hätte;
und leb ich denn mit Seufzen und Geduld
verlassen und veracht',
so hat sie noch an meinem Leide
die größte Freude.
Mein Gott, das fällt mir schwer.
Ach! wenn ich doch,
mein Jesu, heute noch
bei dir im Himmel wär!

5. Aria: Soprano d **C**

Ich säe meine Zähren
mit bangem Herzen aus.
Jedoch mein Herzeleid
wird mir die Herrlichkeit
am Tage der seligen Ernte gebären.

6. Recitativo: Tenor a-a **C**

Ich bin bereit,
mein Kreuz geduldig zu ertragen;
ich weiß, dass alle meine Plagen
nicht wert der Herrlichkeit,
die Gott an den erwählten Scharen
und auch an mir wird offenbaren.
Jetzt wein ich, da das Weltgetümmel
bei meinem Jammer fröhlich scheint.
Bald kommt die Zeit,

저들은 이유 없이 나를 미워합니다.
마치 세상이 나를 죽일
힘을 가진 듯합니다.
나는 한숨을 쉬며 인내하고 삽니다.
버림받았고 멸시를 당합니다.
저들은 내 고통에서
큰 기쁨을 느낍니다.
나의 하나님, 참기 어렵습니다.
아! 예수님
내가 오늘이라도
천국에서 당신 곁에 있을 수만 있다면!

5. 아리아: 소프라노
두려운 마음으로
눈물을 뿌리네.
그러나 내 마음의 고통은
복된 수확의 날이 되면
영광을 안겨주리라.

6. 레치타티보: 테너
나는 준비가 되어 있습니다.
십자가를 끈기 있게 짊어질 준비가.
나는 압니다. 내 모든 고통이
하나님이 선택하신 무리와
나에게 보여주실 영광을
누릴 자격이 없음을.
지금 나는 흐느낍니다. 혼란한 세상이
내 슬픔을 기뻐하는 것 같습니다.
곧 때가 오겠지요.

da sich mein Herz erfreut
und da die Welt einst ohne Tröster weint.
Wer mit dem Feinde ringt und schlägt,
dem wird die Krone beigelegt;
denn Gott trägt keinen nicht mit Händen
in den Himmel.

7. Aria (Duetto): Tenor, Bass F 3/8

Wie will ich mich freuen, wie will ich mich laben,
wenn alle vergängliche Trübsal vorbei!
    Da glänz ich wie Sterne und leuchte wie Sonne,
    da störet die himmlische selige Wonne
    kein Trauern, Heulen und Geschrei.

8. Choral F **C**

Denn wer selig dahin fähret,
da kein Tod mehr klopfet an,
dem ist alles wohl gewähret,
was er ihm nur wünschen kann.
Er ist in der festen Stadt,
da Gott seine Wohnung hat;
er ist in das Schloss geführet,
das kein Unglück nie berühret.

내 마음이 기뻐할 때가,
그리고 세상이 위로자 없이 흐느낄 때가.
적과 대적해 싸우는 사람은
면류관을 쓸 것입니다.
하나님은 일하지 않은 사람은
하늘로 올려주시지 않기 때문입니다.

7. 아리아 (이중창): 테너, 베이스

세상의 시련이 모두 끝나면
나는 얼마나 기뻐하고, 얼마나 즐거워할까!
　　그때 나는 별처럼 반짝이고 태양처럼 빛나리라.
　　슬픔도, 울부짖음도, 외침도
　　천국의 복된 행복을 방해하지 못하리라.

8. 코랄

행복하게 세상을 떠나는 이
더는 죽음이 문을 두드리지 않는 이는
원하는 것을
모두 얻으리라.
그는 하나님이 거하시는
강한 도시에서 살리라.
그리고 더는 불행이 건드리지 못하는
성으로 인도되리라.

부활절 후 제4주일*

서신서 야고보서 1:17-21
복음서 요한복음 16:5-15

* 칸타테(Cantate)라고 하며, '여호와를 찬양하라'는 뜻이다.

BWV 166

Wo gehest du hin?

1. Arioso: Bass B♭ 3/8

Wo gehest du hin?

2. Aria: Tenor g **C**

Ich will an den Himmel denken
und der Welt mein Herz nicht schenken.
    Denn ich gehe oder stehe,
    so liegt mir die Frag im Sinn:
    Mensch, ach Mensch, wo gehst du hin?

3. Choral: Soprano c **C**

Ich bitte dich, Herr Jesu Christ,
halt mich bei den Gedanken
und lass mich ja zu keiner Frist
von dieser Meinung wanken,
sondern dabei verharren fest,
bis dass die Seel aus ihrem Nest
wird in den Himmel kommen.

4. Recitativo: Bass g-d **C**

Gleichwie die Regenwasser bald verfließen
und manche Farben leicht verschießen,

BWV 166
어디로 가시나이까?

- 1724년 라이프치히 작곡, 1724년 5월 7일 라이프치히 초연
- 오보에, 바이올린 2, 비올라, 콘티누오
- 요한복음 16:5 (1); 바르톨로메우스 링발트 (3); 에밀리에 율리아네 폰 슈바르츠부르크-루돌슈타트 (6); 무명 시인 (2, 4, 5)

1. 아리오소: 베이스

어디로 가시나이까?

2. 아리아: 테너

나는 천국으로 가려 하네
이 세상에는 마음을 주지 않으려네.
　　가든, 머물든
　　내 마음에 질문 하나 남아 있네.
　　아, 어디로 가시나이까?

3. 코랄: 소프라노

주 예수 그리스도여, 간청하오니
나의 생각이 흩어지지 않게 하시고
어느 때라도 결코
이 결심이 흔들리지 않게 하소서.
내 영혼이 둥지를 떠나
천국에 오를 때까지
이 생각을 굳건히 지키게 하소서.

4. 레치타티보: 베이스

빗물이 흘러내리고
색깔도 쉽게 바래듯이

so geht es auch der Freude in der Welt,
auf welche mancher Mensch so viele Stücken hält;
denn ob man gleich zuweilen sieht,
dass sein gewünschtes Glücke blüht,
so kann doch wohl in besten Tagen
ganz unvermut' die letzte Stunde schlagen.

5. Aria: Alto B♭ 3/4

Man nehme sich in Acht,
wenn das Gelücke lacht.
    Denn es kann leicht auf Erden
    vor abends anders werden,
    als man am Morgen nicht gedacht.

6. Choral g **C**

Wer weiß, wie nahe mir mein Ende!
Hin geht die Zeit, her kommt der Tod;
ach, wie geschwinde und behände
kann kommen meine Todesnot.
Mein Gott, ich bitt durch Christi Blut:
Mach's nur mit meinem Ende gut!

많은 이들이 중하게 여기는
세상 기쁨 또한 그러하네.
자주 볼 수 있듯이
원하는 행복이 꽃을 활짝 피우지만
가장 좋은 날에
뜻밖에도 마지막 순간이 닥치네.

5. 아리아: 알토

조심하라,
행운이 활짝 웃을 때를.
　　이 땅에서는
　　아침에 생각지 못했던 일이
　　저녁이 되기 전 쉽게 일어날 수 있으니.

6. 코랄

내 끝이 얼마나 가까운지 누가 알까!
시간이 흐르면, 죽음이 오는 법.
아, 내 죽음의 고통이 얼마나
빠르고 민첩하게 올 수 있을까.
나의 하나님, 그리스도의 피로 간구하오니
나의 끝을 좋게 하소서!

BWV 108

Es ist euch gut, dass ich hingehe

1. Aria: Bass A C

Es ist euch gut, dass ich hingehe; denn so ich nicht hingehe, kömmt der Tröster nicht zu euch. So ich aber gehe, will ich ihn zu euch senden.

2. Aria: Tenor f♯ 3/4

Mich kann kein Zweifel stören,
auf dein Wort, Herr, zu hören.
Ich glaube, gehst du fort,
so kann ich mich getrösten,
dass ich zu den Erlösten
komm an gewünschten Port.

3. Recitativo: Tenor b-A C

Dein Geist wird mich also regieren,
dass ich auf rechter Bahne geh;
durch deinen Hingang kommt er ja zu mir,
ich frage sorgensvoll: Ach, ist er nicht schon hier?

4. Coro D ¢

Wenn aber jener, der Geist der Wahrheit, kommen wird, der wird euch in alle Wahrheit leiten. Denn er

BWV 108
내가 떠나가는 것이 너희에게 좋으리라

- 1725년 라이프치히 작곡, 1725년 4월 29일 라이프치히 초연
- 오보에 다모레 2, 바이올린 2, 비올라, 콘티누오
- 크리스티아네 마리아네 폰 치글러 (2, 3, 5); 요한복음 16:7 (1); 요한복음 16:13 (4); 파울 게르하르트 (6)

1. 아리아: 베이스

내가 떠나가는 것이 너희에게 좋으리라.
내가 떠나가지 않으면 위로자가 너희에게 오지 않으리라.
그러니 내가 가서 그 분을 보내리라.

2. 아리아: 테너

어떤 의심도 나를 막지 못하리니
주여, 당신 말씀에 귀 기울이겠나이다.
당신이 떠나시면
내가 구원받은 이들이 있는
원하는 항구로 갈 수 있음을
믿고 기다리겠나이다.

3. 레치타티보: 테너

당신의 영이 나를 다스리시어
내가 옳은 길을 가게 하시리라.
당신이 떠나면 그분이 내게 오시리라.
내가 근심에 차 묻습니다. 아, 그분은 이미 오지 않았습니까?

4. 합창

그러나 진리의 성령이 오시면
너희를 이끌어 온전히 깨닫게 하여 주시리라.

wird nicht von ihm selber reden, sondern was er hören wird, das wird er reden; und was zukünftig ist, wird er verkündigen.

5. Aria: Alto b 6/8

Was mein Herz von dir begehrt,
ach, das wird mir wohl gewährt.
Überschütte mich mit Segen,
führe mich auf deinen Wegen,
dass ich in der Ewigkeit
schaue deine Herrlichkeit!

6. Choral b **C**

Dein Geist, den Gott vom Himmel gibt,
der leitet alles, was ihn liebt,
auf wohl gebähntem Wege.
Er setzt und richtet unsren Fuß,
dass er nicht anders treten muss,
als wo man findt den Segen.

그는 자기 생각대로 말하지 않고
들은 대로 일러주실 것이며, 앞으로 다가올 일도
알려주시리라.

5. 아리아: 알토

나의 마음이 당신에게 바라는 것은
무엇이든 내게 허락되리라.
내게 넘치도록 축복을 주시고
당신의 길로 나를 인도하시어
내가 영원토록
당신의 영광을 보게 하소서!

6. 코랄

하나님이 하늘에서 내려주신 당신의 성령은
그를 사랑하는 모든 이를
올바른 길로 이끄십니다.
그는 우리 발걸음을 옳은 방향으로 놓으시어
축복이 있는 길이 아니면
걷지 않게 하십니다.

부활절 후 제5주일*

서신서　야고보서 1:22-27
복음서　요한복음 16:23-30

* 로가테(Rogate)라고 부르며, '여호와께 간구하라'라는 뜻이다.

BWV 86

Wahrlich, wahrlich, ich sage euch

1. Arioso: Bass E ¢

Wahrlich, wahrlich, ich sage euch, so ihr den Vater etwas bitten werdet in meinem Namen, so wird er's euch geben.

2. Aria: Alt A 3/4

Ich will doch wohl Rosen brechen,
wenn mich gleich die Dornen stechen.
  Denn ich bin der Zuversicht,
  dass mein Bitten und mein Flehen
  Gott gewiss zu Herzen gehen,
  weil es mir sein Wort verspricht.

3. Choral: Soprano f♯ 6/8

Und was der ewig gütig Gott
in seinem Wort versprochen hat,
geschworn bei seinem Namen,
das hält und gibt er g'wiss fürwahr.
Der helf uns zu der Engel Schar
durch Jesum Christum, amen!

BWV 86

내가 진실로, 진실로 너희에게 이르노니

- 1724년 라이프치히 작곡, 1724년 5월 14일 라이프치히 초연
- 오보에 다모레 2, 바이올린 2, 비올라, 콘티누오
- 요한복음 16:23 (1); 게오르크 그륀발트 (3); 파울 스페라투스 (6); 무명 시인 (2, 4, 5)

1. 아리오소: 베이스

내가 진실로, 진실로 너희에게 이르노니
너희가 내 이름으로 아버지께 구하면
아버지께서 무엇이든지 주시리라.

2. 아리아: 알토

가시에 찔려도
나는 장미를 꺾으리라.
　　하나님이 말씀으로 약속하셨기에
　　나의 호소와 간청이
　　그의 마음을 움직일 것을
　　내가 굳게 믿기 때문이라.

3. 코랄: 소프라노

영원히 자비로우신 하나님은
말씀으로 약속하시고
그의 이름으로 맹세하신 것을
진심으로 지키고 베푸시네.
우리가 예수 그리스도를 통해
천사의 무리에게 올라가게 하소서, 아멘!

4. Recitativo: Tenor b-E **C**

Gott macht es nicht gleichwie die Welt,
die viel verspricht und wenig hält;
denn was er zusagt, muss geschehen,
dass man daran kann seine Lust und Freude sehen.

5. Aria: Tenor E **C**

Gott hilft gewiss;
wird gleich die Hülfe aufgeschoben,
wird sie doch drum nicht aufgehoben.
Denn Gottes Wort bezeiget dies:
Gott hilft gewiss!

6. Choral E **C**

Die Hoffnung wart' der rechten Zeit,
was Gottes Wort zusaget;
wenn das geschehen soll zur Freud,
setzt Gott kein g'wisse Tage.
Er weiß wohl, wenn's am besten ist,
und braucht an uns kein arge List;
des solln wir ihm vertrauen.

4. 레치타티보: 테너

하나님이 하시는 일은 세상 사람과 같지 않다네.
세상은 많은 약속을 하고 적게 지킨다네.
하나님이 약속하신 일은 반드시 일어나고야 말리니
거기에서 우리는 즐거움과 기쁨을 느끼네.

5. 아리아: 테너

하나님은 분명히 도우시네.
도움이 늦게 온다고 해서
오지 않는 것은 아니라네.
하나님의 말씀이 보여주는 것은 바로 이것:
하나님은 분명히 도우시네!

6. 코랄

희망이 때를 기다리고 있으니
이는 하나님이 말씀으로 약속하신 대로입니다.
그 일이 언제 일어나 우리를 기쁘게 할지
하나님은 날을 정해놓지 않았습니다.
그러나 언제가 가장 좋을지 주님은 알고 계시며
우리에게 나쁜 꾀를 쓰지 않으십니다.
우리는 그분을 믿어야 합니다.

BWV 87

Bisher habt ihr nichts gebeten in meinem Namen

1. (Arioso): Bass d C

Bisher habt ihr nichts gebeten in meinem Namen.

2. Recitativo: Alto a-g C

O Wort, das Geist und Seel erschreckt!
Ihr Menschen, merkt den Zuruf, was dahinter steckt!
Ihr habt Gesetz und Evangelium
vorsätzlich übertreten,
und diesfalls möcht' ihr ungesäumt
in Buß und Andacht beten.

3. Aria: Alto g C

Vergib, o Vater, unsre Schuld
und habe noch mit uns Geduld,
wenn wir in Andacht beten
    und sagen: Herr, auf dein Geheiß,
    ach, rede nicht mehr sprichwortsweis,
    hilf uns vielmehr vertreten.

4. Recitativo: Tenor d-c C

Wenn unsre Schuld bis an den Himmel steigt,

BWV 87

지금까지 너희는 내 이름으로 아무것도 구하지 않았다

- 1725년 라이프치히 작곡, 1725년 5월 6일 라이프치히 초연
- 오보에 2, 오보에 다 카차 2, 바이올린 2, 비올라, 콘티누오
- 요한복음 16:24 (1); 요한복음 16:33 (5); 크리스티아네 마리아네 폰 치글러 (2-4, 6); 하인리히 뮐러 (7)

1. (아리오소): 베이스

지금까지 너희는 내 이름으로 아무것도 구하지 않았다.

2. 레치타티보: 알토

오, 말씀은 정신과 영혼에 두려움을 안기는구나!
사람들아, 그 뒤에 숨어 있는 외침을 기억하라!
너희는 율법과 복음을
고의로 어겼노라.
그러하니 지체 없이
속죄하고 예배를 드리며 기도하라.

3. 아리아: 알토

아버지, 우리 죄를 용서하시고
아직은 우리를 인내하소서.
우리가 경건하게 기도하오니
　　주여, 당신 뜻대로 하소서
　　아, 더는 비유로 말씀하지 마시고
　　우리를 위해 기도해주소서.

4. 레치타티보: 테너

우리 죄가 하늘에 닿을 때

du siehst und kennest ja mein Herz, das nichts vor dir verschweigt;
drum suche mich zu trösten!

5. (Arioso): Bass c 3/8

In der Welt habt ihr Angst; aber seid getrost, ich habe die Welt überwunden.

6. Aria: Tenor B♭ 12/8

Ich will leiden, ich will schweigen,
Jesus wird mir Hülf erzeigen,
denn er tröst' mich nach dem Schmerz.
Weicht, ihr Sorgen, Trauer, Klagen,
denn warum sollt ich verzagen?
Fasse dich, betrübtes Herz!

7. Choral d **C**

Muss ich sein betrübet?
So mich Jesus liebet,
ist mir aller Schmerz
über Honig süße,
tausend Zuckerküsse
drücket er ans Herz.
Wenn die Pein sich stellet ein,
seine Liebe macht zur Freuden
auch das bittre Leiden.

내 마음이 당신 앞에서 아무것도 숨기지 못함을
당신은 아십니다.
그러니 나를 위로하소서!

5. (아리오소): 베이스

너희는 세상에서 고난을 당하겠으나, 용기를 내어라, 내가 세상을 이겼도다.

6. 아리아: 테너

나는 고통받으리라, 나는 침묵하리라.
예수가 나를 도와주시리라.
그는 고통 후에 나를 위로하시니
근심이여, 슬픔이여, 비탄이여, 사라져라.
왜 내가 절망해야 하는가?
용기를 내어라, 어두운 마음이여!

7. 코랄

내가 슬퍼해야 할까요?
예수가 나를 사랑하시면
내 모든 고통은
꿀보다 달고
수천 번의 달콤한 입맞춤처럼
내 마음을 누르네.
고난이 시작되면
그분의 사랑은 쓰라린 고통마저
기쁨으로 만드네.

예수 승천일*

서신서 사도행전 1:1-11
복음서 마가복음 16:14-20

* 예수 그리스도가 무덤에서 부활하고 40일째 되는 날 하늘로 올라갔음(누가복음 24:44-53)을 기리는 날. 매년 부활주일 후 제6주 목요일에 해당한다.

BWV 37

Wer da gläubet und getauft wird

1. Coro A 3/2

Wer da gläubet und getauft wird, der wird selig werden.

2. Aria: Tenor A C

Der Glaube ist das Pfand der Liebe,
die Jesus für die Seinen hegt.
Drum hat er bloß aus Liebestriebe,
da er ins Lebensbuch mich schriebe,
mir dieses Kleinod beigelegt.

3. Choral: Soprano, Alto D 12/8 (4/4)

Herr Gott Vater, mein starker Held!
Du hast mich ewig vor der Welt
in deinem Sohn geliebet.
Dein Sohn hat mich ihm selbst vertraut,
er ist mein Schatz, ich bin sein' Braut,
sehr hoch in ihm erfreuet.
Eia!
Eia!
Himmlisch Leben wird er geben mir dort oben;
ewig soll mein Herz ihn loben.

BWV 37

믿고 세례를 받는 사람은

- 1724년 라이프치히 작곡, 1724년 5월 18일 라이프치히 초연
- 오보에 다모레 2, 바이올린 2, 비올라, 콘티누오
- 마가복음 16:16 (1); 필리프 니콜라이 (3); 요한 콜로제 (6); 무명 시인 (2, 4, 5)

1. 합창

믿고 세례를 받는 사람은 구원을 받으리라.

2. 아리아: 테너

믿음은 사랑의 증거
예수가 당신 백성을 위해 품고 계시네.
　　그는 오직 사랑의 마음으로
　　나를 생명의 책에 적으시고
　　이 귀한 보물을 내게 주셨네.

3. 코랄: 소프라노, 알토

주 하나님 아버지, 나의 강한 영웅이시여!
당신은 세상이 있기 전 영원부터
나를 당신의 아들 안에서 사랑하셨나이다.
당신의 아들이 나를 자신과 결혼하게 하니
그는 나의 보배요 나는 그의 신부라
내가 그분 안에서 크게 기뻐하나이다.
아이아!
아이아!
그는 내게 하늘의 생명을 주시리니
내 마음이 그를 영원히 찬양하리이다.

4. Recitativo: Bass b-b **C**

Ihr Sterblichen, verlanget ihr,
mit mir
das Antlitz Gottes anzuschauen?
So dürft ihr nicht auf gute Werke bauen;
denn ob sich wohl ein Christ
muss in den guten Werken üben,
weil es der ernste Wille Gottes ist,
so macht der Glaube doch allein,
daß wir vor Gott gerecht und selig sein.

5. Aria: Bass b **C**

Der Glaube schafft der Seele Flügel,
daß sie sich in den Himmel schwingt,
die Taufe ist das Gnadensiegel,
das uns den Segen Gottes bringt;
und daher heißt ein sel'ger Christ,
wer gläubet und getaufet ist.

6. Choral A **C**

Den Glauben mir verleihe
an dein' Sohn Jesum Christ,
mein Sünd mir auch verzeihe
allhier zu dieser Frist.
Du wirst mir's nicht versagen,
was du verheißen hast,
daß er mein Sünd tu' tragen
und lös' mich von der Last.

4. 레치타티보: 베이스

사람들아, 너희는
나와 함께
하나님의 얼굴을 보기 원하느냐?
그렇다면 선행에만 의존해서는 안 되는 법.
무릇 그리스도인은
하나님의 엄숙한 뜻에 따라
선행을 해야 하나
우리가 하나님 앞에서 의롭고 복됨을 받는 길은
오직 믿음 하나뿐이라네.

5. 아리아: 베이스

믿음은 영혼에 날개를 달아
천국으로 날아오르게 하고,
세례는 하나님의 축복을
내려주는 자비의 인장이네.
그러므로 믿고 세례를 받는 이를
복된 그리스도인이라고 부르네.

6. 코랄

나에게 당신의 아들
예수 그리스도에 대한 믿음을 주소서.
내가 이 땅에 사는 동안
나의 죄 또한 용서하소서.
나의 죄를 없애주시고
나를 악에서 구해주신다고
내게 약속하신 것을
당신은 거절하지 않을 것입니다.

BWV 128

Auf Christi Himmelfahrt allein

1. Coro (Choral) G **C**

Auf Christi Himmelfahrt allein
ich meine Nachfahrt gründe
und allen Zweifel, Angst und Pein
hiermit stets überwinde;
denn weil das Haupt im Himmel ist,
wird seine Glieder Jesus Christ
zu rechter Zeit nachholen.

2. Recitativo: Tenor e-b **C**

Ich bin bereit, komm, hole mich!
Hier in der Welt
ist Jammer, Angst und Pein;
hingegen dort, in Salems Zelt,
werd' ich verkläret sein.
Da seh' ich Gott von Angesicht zu Angesicht,
wie mir sein heilig Wort verspricht.

3. Aria e Recitativo: Bass D 3/4, **C**, 3/4

Auf, auf, mit hellem Schall
verkündigt überall:
Mein Jesus sitzt zur Rechten!

BWV 128
그리스도가 승천하셔야

- 1725년 라이프치히 작곡, 1725년 5월 10일 라이프치히 초연
- 트럼펫, 코넷 2, 오보에 2, 오보에 다 카차, 바이올린 2, 비올라, 콘티누오
- 에른스트 존네만 (1); 마테우스 아베나리우스 (5);
  크리스티아네 마리아네 폰 치글러 (2-4)

1. 합창 (코랄)

그리스도가 승천하셔야
내가 따라 올라가고
모든 의심과 불안과 고통을
항상 이겨낼 수 있으리라.
머리가 하늘에 계시니
때가 되면 예수 그리스도가
팔다리도 데리러 오시리라.

2. 레치타티보: 테너

나는 준비되었으니, 와서 나를 데려가소서!
여기 세상에는
비탄과 불안과 고통이 있네.
그러나 그곳, 살렘의 장막에 가면
나는 모습이 변하리라.
하나님의 거룩한 말씀이 약속한 대로
그곳에서 나는 그분과 대면하리라.

3. 아리아와 레치타티보: 베이스

일어나라, 일어나라, 밝은 소리로
온누리에 알려라.
예수님이 오른편에 앉아 계신다!

Wer sucht mich anzufechten?
Ist er von mir genommen,
ich werd einst dahin kommen,
wo mein Erlöser lebt.
Mein' Augen werden ihn in größter Klarheit schauen.
O könnt' ich im voraus mir eine Hütte bauen!
Wohin? Vergeb'ner Wunsch!
Er wohnet nicht auf Berg und Tal,
sein' Allmacht zeigt sich überall;
so schweig', verweg'ner Mund,
und suche nicht dieselbe zu ergründen!

4. Aria (Duetto): Alto, Tenor b 6/8

Sein' Allmacht zu ergründen,
wird sich kein Mensche finden,
mein Mund verstummt und schweigt.
Ich sehe durch die Sterne,
daß er sich schon von ferne
zur Rechten Gottes zeigt.

5. Choral G **C**

Alsdenn so wirst du mich
zu deiner Rechten stellen
und mir als deinem Kind
ein gnädig Urteil fällen,
mich bringen zu der Lust,
wo deine Herrlichkeit
ich werde schauen an
in alle Ewigkeit.

누가 나를 시험하려 하는가?
그분은 나에게서 떠나갔으나
언젠가 나는 구원자가 사는
그곳으로 가리라.
내 눈으로 그분을 분명하게 보리라.
아, 내가 미리 초막을 지을 수 있다면!
어디에? 부질없는 소원인가!
그분은 산과 계곡에 사시지 않는다.
그분의 전능이 온누리에 나타나리니
불손한 입이여, 그 전능을 헤아리려
하지 말고 침묵하라!

4. 아리아 (이중창): 알토, 테너

그의 전능을 헤아릴 사람
이 땅에는 없으리.
나의 입은 닫히고 침묵하네.
　　별들 사이로 보이네.
　　그가 벌써 저 멀리
　　하나님의 오른편에 앉아 계시네.

5. 코랄

그런 다음 주는 나를
당신의 오른편에 세우시고
당신 자녀인 나를
자비롭게 판단하시리라.
그 후 나를 기쁨이 있는 곳으로 데려가시리라.
당신의 영광을
내가 영원히
바라볼 수 있는 곳으로.

BWV 43

Gott fähret auf mit Jauchzen

1. Teil

1. Coro C C, ¢

Gott fähret auf mit Jauchzen und der Herr mit heller Posaune. Lobsinget, lobsinget Gott, lobsinget, lobsinget unserm Könige.

2. Recitativo: Tenor a-G C

Es will der Höchste sich ein Siegsgepräng' bereiten,
da die Gefängnisse er selbst gefangen führt.
Wer jauchzt ihm zu? Wer ist's, der die Posaunen rührt?
Wer gehet ihm zur Seiten?
Ist es nicht Gottes Heer,
das seines Namens Ehr',
Heil, Preis, Reich, Kraft und Macht
mit lauter Stimme singet
und ihm nun ewiglich ein Halleluja bringet.

3. Aria: Tenor G 3/8

Ja tausend mal tausend begleiten den Wagen,
dem König der Kön'ge lobsingend zu sagen,
daß Erde und Himmel sich unter ihm schmiegt

BWV 43
환호 소리 높은 중에 하나님이 오르신다

- 1726년 라이프치히 작곡, 1726년 5월 30일 라이프치히 초연
- 트럼펫 3, 팀파니, 오보에 2, 바이올린 2, 비올라, 콘티누오
- 시편 47:6-7 (1); 마가복음 16:19 (4); 요한 리스트 (11);
  무명 시인 (2, 3, 5-10)

제1부

1. 합창

환호 소리 높은 중에 하나님이 오르신다, 밝은 나팔 소리 나는 중에 주께서 올라가신다. 찬미하라, 하나님을 찬미하라, 찬양하라, 우리 왕을 찬양하라.

2. 레치타티보: 테너

가장 높으신 분이 승리의 향연을 준비하려 하신다
그가 포로들을 직접 사로잡았다.
누가 그에게 환호를 보내는가? 누가 나팔을 울리는가?
누가 그의 곁에서 걷고 있는가?
하나님의 군대가
그의 이름으로 찬양하고,
구원과 찬미와 나라와 힘과 권능을
큰 소리로 노래하고,
영원히 할렐루야를 바칩니다.

3. 아리아: 테너

수백만의 수레가 호위하며
왕 중의 왕을 찬양하며 노래하니
하늘과 땅이 그 앞에 엎드리고

und was er bezwungen, nun gänzlich erliegt.

4. Recitativo: Soprano e-e **C**

Und der Herr, nachdem er mit ihnen geredet hatte,
ward er aufgehoben gen Himmel und sitzet zur
rechten Hand Gottes.

5. Aria: Soprano e **C**

Mein Jesus hat nunmehr
das Heilandwerk vollendet
und nimmt die Wiederkehr
zu dem, der ihn gesendet.
Er schließt der Erde Lauf,
ihr Himmel, öffnet euch
und nehmt ihn wieder auf!

2. Teil

6. Recitativo: Bass C-C **C**

Es kommt der Helden Held,
des Satans Fürst und Schrecken,
der selbst den Tod gefällt,
getilgt der Sünden Flecken,
zerstreut der Feinde Hauf';
ihr Kräfte, eilt herbei
und holt den Sieger auf.

7. Aria: Bass C **C**

Er ist's, der ganz allein

그가 정복한 것들이 모두 굴복하네.

4. 레치타티보: 소프라노

주께서 제자들과 말씀을 나누시고
하늘로 오르신 후에 하나님 오른편에
앉으시니라.

5. 아리아: 소프라노

나의 예수님이 이제
구원의 사명을 마치시고
그를 보내신 분께
다시 돌아가네.
예수님이 지상의 여정을 끝내니
하늘이여, 문을 열어
그를 다시 받아들여라!

제2부

6. 레치타티보: 베이스

영웅 중의 영웅이 오신다,
사탄의 군주이며 공포이신 분.
죽음을 직접 무너뜨리고
죄악의 얼룩을 지우시고
적의 무리를 흩어지게 하셨네.
힘들이여, 어서 달려와
승리자를 들어 올려라.

7. 아리아: 베이스

오직 그분만이

die Kelter hat getreten
voll Schmerzen, Qual und Pein,
Verlor'ne zu erretten
durch einen teuren Kauf.
Ihr Thronen, mühet euch
und setzt ihm Kränze auf!

8. Recitativo: Alto a-a **C**

Der Vater hat ihm ja
ein ewig Reich bestimmet:
Nun ist die Stunde nah,
da er die Krone nimmet
für tausend Ungemach.
Ich stehe hier am Weg
und schau ihm freudig nach.

9. Aria: Alto a 3/4

Ich sehe schon im Geist,
wie er zu Gottes Rechten
auf seine Feinde schmeißt,
zu helfen seinen Knechten
aus Jammer, Not und Schmach.
Ich stehe hier am Weg
und schau ihm sehnlich nach.

10. Recitativo: Soprano G-e **C**

Er will mir neben sich

아픔과 고통과 고뇌에 가득 차
포도즙 틀을 밟으셨네.*
큰 대가를 치르고
길 잃은 백성을 구하기 위함이라.
너희 권좌들아, 그분에게
화환을 씌워라!

8. 레치타티보: 알토

아버지께서 그에게
영원한 나라를 주셨도다.
이제 시간이 가까웠으니
그가 많은 고난을 겪고
왕관을 쓰시네.
내가 여기 길가에 서서
기쁘게 그분을 바라보네.

9. 아리아: 알토

나는 벌써 마음으로 보네.
그가 하나님의 오른편에서
적들을 집어 던지고
당신의 종들을 도와
비탄과 고난과 치욕에서 꺼내심을.
내가 여기 길가에 서서
애타게 그분을 바라보네.

10. 레치타티보: 소프라노

그분은 당신 곁에

* 이사야 63:3 참조. 악인의 심판에 대한 비유.

die Wohnung zubereiten,
damit ich ewiglich
ihm stehe an der Seiten,
befreit von Weh und Ach!
Ich stehe hier am Weg
und ruf' ihm dankbar nach.

11. Choral G 3/4

Du Lebensfürst, Herr Jesu Christ,
der du bist aufgenommen
gen Himmel, da dein Vater ist
und die Gemein' der Frommen,
wie soll ich deinen großen Sieg,
den du durch einen schweren Krieg
erworben hast, recht preisen
und dir g'nug Ehr' erweisen?

Zieh uns dir nach, so laufen wir,
gib uns des Glaubens Flügel!
Hilf, daß wir fliehen weit von hier
auf Israelis Hügel!
Mein Gott! wenn fahr' ich doch dahin,
woselbst ich ewig fröhlich bin?
Wenn werd ich vor dir stehen,
dein Angesicht zu sehen?

나의 거처를 마련하려 하시네.
내가 영원히
슬픔과 아픔에서 벗어나
당신 곁에서 머물 수 있도록!
내가 여기 길가에 서서
그분을 보며 감사의 말을 외치네.

11. 코랄

생명의 왕, 주 예수 그리스도는
신앙인의 공동체와
아버지가 계신 하늘에
들어가셨네.
당신이 힘든 싸움을 통해
얻은 큰 승리를
내가 어떻게 찬양하고
당신께 영광을 드려야 할까요?

당신께로 이끄시면 우리가 가겠으니
우리에게 믿음의 날개를 주소서!
우리가 여기에서 멀리 있는
이스라엘의 언덕으로 갈 수 있게 하소서!.
나의 하나님! 영원히 즐겁게 살 수 있는
그곳으로 내가 언제 갈까요?
내가 언제 당신 앞에 서서
주의 얼굴을 뵈오리까?

BWV 11

Lobet Gott in seinen Reichen

1. Coro D 2/4

Lobet Gott in seinen Reichen,
preiset ihn in seinen Ehren,
rühmet ihn in seiner Pracht;
 sucht sein Lob recht zu vergleichen,
 wenn ihr mit gesamten Chören
 ihm ein Lied zu Ehren macht!

2. Recitativo: Tenor b-A **C**

(Evangelist)
Der Herr Jesus hub seine Hände auf und segnete seine Jünger, und es geschah, da er sie segnete, schied er von ihnen.

3. Recitativo: Bass f♯-a **C**

Ach, Jesu, ist dein Abschied schon so nah?
Ach, ist denn schon die Stunde da,
da wir dich von uns lassen sollen?
Ach, siehe, wie die heißen Tränen
von unsern blassen Wangen rollen,

BWV 11
하나님을 경배하라 주의 나라에서
(예수 승천일 오라토리오)

- 1735년 라이프치히 작곡, 1735년 5월 19일 라이프치히 초연
- 트럼펫 3, 팀파니, 플루트 2, 오보에 2, 바이올린 2, 비올라, 콘티누오
- 누가복음 24:50-51 (2); 사도행전 1:9 및 마태복음 16:19 (5); 사도행전 1:10-11 (7) 누가복음 24:52 및 사도행전 1:12 (8), 요한 리스트 (6); 고트프리트 빌헬름 자케르 (11); 무명 시인 (1, 3, 4, 8, 10)

1. 합창

하나님을 경배하라 주의 나라에서
하나님을 찬미하라 주의 영광 안에서
하나님을 찬양하라 주의 광휘 안에서.
  합창하는 이들과 모두 함께
  주의 영광을 위해 노래할 때
  그분을 올바로 찬양하여라!

2. 레치타티보: 테너

(복음서 저자)
주 예수가 손을 들어 제자들을 축복하셨다.
이렇게 축복하시면서 그들을
떠나셨다.

3. 레치타티보: 베이스

아 예수님, 당신이 떠나실 때가 벌써 가까웠나요?
아, 벌써 시간이 다가왔나요?
우리가 당신과 헤어져야 할 시간이?
아, 우리의 창백한 뺨에서 흐르는
뜨거운 눈물을 보시고

wie wir uns nach dir sehnen,
wie uns fast aller Trost gebricht.
Ach, weiche doch noch nicht!

4. Aria: Alto a C

Ach, bleibe doch, mein liebstes Leben,
ach, fliehe nicht so bald von mir!
Dein Abschied und dein frühes Scheiden
bringt mir das allergrößte Leiden,
ach ja, so bleibe doch noch hier;
sonst werd ich ganz von Schmerz umgeben.

5. Recitativo: Tenor e-f♯ C

(Evangelist)
Und ward aufgehoben zusehends und fuhr auf
gen Himmel, eine Wolke nahm ihn weg vor ihren
Augen, und er sitzet zur rechten Hand Gottes.

6. Choral D 3/4

Nun lieget alles unter dir,
dich selbst nur ausgenommen;
die Engel müssen für und für
dir aufzuwarten kommen.
Die Fürsten stehn auch auf der Bahn
und sind dir willig untertan;
Luft, Wasser, Feuer, Erden
muss dir zu Dienste werden.

우리가 얼마나 당신을 그리워하는지 보시고
어떤 위로도 우리에게 소용없음을 헤아리소서.
아, 가지 마소서!

4. 아리아: 알토

아, 가지 마소서, 내 소중한 생명이여
아, 그렇게 서둘러 떠나지 마소서!
    주님의 떠나심과 이른 헤어짐은
    내게 크나큰 고통을 안깁니다.
    아, 그러니 여기에 머무르소서.
    그렇지 않으면 고통이 나를 덮칠 것입니다.

5. 레치타티보: 테너

(복음서 저자)
그리고 주님은 사도들이 보는 앞에서 하늘로
올라가셨는데, 구름에 싸여 그 모습이 보이지 않게 되었다.
주님이 하나님 오른편에 앉으셨다.

6. 코랄

이제 모든 것이 당신 아래에 있네.
오직 주 당신만이 예외이네.
천사들이 영원토록
당신에게 시중들러 오리라.
군주들도 길에 서서
기꺼이 당신에게 복종하리라.
공기와 물과 불과 흙이
당신을 섬겨야 하리라.

7. Recitativo: Tenor, Bass D-D **C**

(Evangelist, zwei Männer in weißen Kleidern)

(Evangelist)

Und da sie ihm nachsahen gen Himmel fahren,
siehe, da stunden bei ihnen zwei Männer in weißen
Kleidern, welche auch sagten:

(Beide)

Ihr Männer von Galiläa, was stehet ihr und sehet
gen Himmel? Dieser Jesus, welcher von euch
ist aufgenommen gen Himmel, wird kommen,
wie ihr ihn gesehen habt gen Himmel fahren.

8. Recitativo: Alto G-b [**C**]

Ach ja! so komme bald zurück:
Tilg' einst mein trauriges Gebärden,
sonst wird mir jeder Augenblick
verhaßt und Jahren ähnlich werden.

9. Recitativo: Tenor D-G **C**

(Evangelist)

Sie aber beteten ihn an, wandten um gen Jerusalem
von dem Berge, der da heißet der Ölberg, welcher ist
nahe bei Jerusalem und liegt einen Sabbater-Weg
davon, und sie kehreten wieder gen Jerusalem mit
großer Freude.

10. Aria: Soprano G 3/8

Jesu, deine Gnadenblicke
kann ich doch beständig sehn.

7. 레치타티보: 테너, 베이스

(복음서 저자, 흰옷 입은 두 명의 남자)

(복음서 저자)

그들이 주님께서 하늘로 올라가는 모습을 보는 동안
흰옷 입은 두 명의 남자가 나타나 그들 옆에 서서
말하였다.

(함께)

갈릴리 사람들아, 왜 너희는 여기에 서서
하늘만 쳐다보느냐? 너희 곁을 떠나 승천하신
예수는 너희가 보는 앞에서 하늘로 올라가시던
그 모습대로 다시 오실 것이다.

8. 레치타티보: 알토

그렇습니다! 곧 다시 오소서.
나의 보잘것없는 지난날 행실을 지워주소서.
그렇지 않으면 내게는 매 순간이
추악하여 오랜 세월과도 같을 것입니다.

9. 레치타티보: 테너

(복음서 저자)

그들은 주님께 경배한 뒤
그 올리브 산이라고 하는 산을 떠나
안식일에 걸어도 괜찮을 거리에 있는
예루살렘으로 크게 기뻐하며
돌아왔다.

10. 아리아: 소프라노

예수님, 당신의 자비로운 눈빛을
제가 쉬지 않고 바라봅니다.

Deine Liebe bleibt zurücke,
daß ich mich hier in der Zeit
an der künft'gen Herrlichkeit
schon voraus im Geist erquicke,
wenn wir einst dort vor dir stehn.

11. Choral D 6/4

Wenn soll es doch geschehen,
wenn kömmt die liebe Zeit,
daß ich ihn werde sehen
in seiner Herrlichkeit?
Du Tag, wenn wirst du sein,
daß wir den Heiland grüßen,
daß wir den Heiland küssen?
Komm, stelle dich doch ein!

당신의 사랑이 남아 있으니
내가 지금 여기에서
앞날의 영광과
언젠가 그곳에서 당신 앞에 설 때를 생각하며
벌써 마음속에 생기를 얻습니다.

11. 코랄

그날이 언제일까
그 귀한 때가 언제 올까
내가 그분을
그의 영광 안에서 보는 날이?
언제나 올까
우리가 구세주를 맞이하는 날
우리가 구세주에게 입 맞추는 날?
오소서, 나타나소서!

예수 승천일 후 첫 주일*

서신서 베드로전서 4:8-11
복음서 요한복음 15:26-16:4

* 엑사우디(Exaudi)라고 하며, '여호와여 나의 절규를 들으소서'를 뜻한다.

BWV 44

Sie werden euch in den Bann tun I

1. Aria (Duetto): Tenor, Bass g 3/4

Sie werden euch in den Bann tun.

2. Coro g ¢

Es kömmt aber die Zeit, dass, wer euch tötet,
wird meinen, er tue Gott einen Dienst daran.

3. Aria: Alto c 3/4

Christen müssen auf der Erden
Christi wahre Jünger sein.
Auf sie warten alle Stunden,
bis sie selig überwunden,
Marter, Bann und schwere Pein.

4. Choral: Tenor E♭ C

Ach Gott, wie manches Herzeleid
begegnet mir zu dieser Zeit.
Der schmale Weg ist trübsalvoll,
den ich zum Himmel wandern soll.

5. Recitativo: Bass g-d C

Es sucht der Antichrist,

BWV 44
사람들은 너희를 회당에서 쫓아내리라 I

- 1724년 라이프치히 작곡, 1724년 5월 21일 라이프치히 초연
- 오보에 2, 바순, 바이올린 2, 비올라, 콘티누오
- 요한복음 16:2 (1, 2); 마르틴 몰러 (4); 파울 플레밍 (7); 무명 시인 (3, 5, 6)

1. 아리아 (이중창): 테너, 베이스

사람들은 너희를 회당에서 쫓아내리라.

2. 합창

너희를 죽이는 사람들이 오히려 그것이
하나님을 섬기는 일이라고 생각할 때가 오리라.

3. 아리아: 알토

이 땅의 그리스도인은
그리스도의 참 제자가 되어야 하네.
　　매 시간이 그들을 기다리고 있네.
　　그들이 행복하게
　　고통과 추방과 힘든 고난을 이겨낼 때까지.

4. 코랄: 테너

하나님, 내 마음이 요즈음
얼마나 자주 아픈지요.
내가 천국을 갈 때 걸어야 할
좁은 길이 슬픔으로 가득합니다.

5. 레치타티보: 베이스

적그리스도,

das große Ungeheuer,
mit Schwert und Feuer
die Glieder Christi zu verfolgen,
weil ihre Lehre ihm zuwider ist.
Er bildet sich dabei wohl ein,
es müsse sein Tun Gott gefällig sein.
Allein, es gleichen Christen denen Palmenzweigen,
die durch die Last nur desto höher steigen.

6. Aria: Soprano B♭ **C**

Es ist und bleibt der Christen Trost,
dass Gott vor seine Kirche wacht.
  Denn wenn sich gleich die Wetter türmen,
  so hat doch nach den Trübsalstürmen
  die Freudensonne bald gelacht.

7. Choral B♭ **C**

So sei nun, Seele, deine
und traue dem alleine,
der dich erschaffen hat.
Es gehe, wie es gehe,
dein Vater in der Höhe,
der weiß zu allen Sachen Rat.

거대한 괴물이
검과 불을 가지고
그리스도의 팔과 다리를 박해하려 합니다.
그들의 교리를 싫어하기 때문입니다.
괴물은 자신의 행동이
하나님의 마음에 들 거라고 생각합니다.
그리스도인은 종려나무 가지와 같습니다.
지은 짐이 무거울수록 더 높이 올라갑니다.

6. 아리아: 소프라노

그리스도인에게 영원히 위로가 되리니,
하나님이 그의 교회를 지키시리라.
　　폭풍우가 곧 몰아쳐도
　　시련을 견딘 후에는
　　기쁨의 태양이 활짝 웃었도다.

7. 코랄

그러니 영혼아, 굳건하여라
오직 너를 만드신
그분만 믿어라.
무슨 일이 있어도
높은 곳에 계신 너의 아버지는
모든 것을 아시느니라.

BWV 183

Sie werden euch in den Bann tun II

1. Recitativo: Bass a-e **C**

Sie werden euch in den Bann tun, es kömmt aber die Zeit, dass, wer euch tötet, wird meinen, er tue Gott einen Dienst daran.

2. Aria: Tenor e **C**

Ich fürchte nicht des Todes Schrecken,
ich scheue ganz kein Ungemach.
Denn Jesus' Schutzarm wird mich decken,
ich folge gern und willig nach;
wollt ihr nicht meines Lebens schonen
und glaubt, Gott einen Dienst zu tun,
er soll euch selber noch belohnen,
wohlan, es mag dabei beruhn.

3. Recitativo: Alto G-C **C**

Ich bin bereit, mein Blut und armes Leben
vor dich, mein Heiland, hinzugeben,
mein ganzer Mensch soll dir gewidmet sein;
ich tröste mich, dein Geist wird bei mir stehen,
gesetzt, es sollte mir vielleicht zuviel geschehen.

BWV 183
사람들은 너희를 회당에서 쫓아내리라 II

- 1725년 라이프치히 작곡, 1725년 5월 13일 라이프치히 초연
- 오보에 다모레 2, 오보에 다 카차 2, 비올론첼로 피콜로, 바이올린 2, 비올라, 콘티누오
- 요한복음 16:2 (1); 파울 게르하르트 (5); 크리스티아네 마리아네 폰 치글러 (2-4)

1. 레치타티보: 베이스

사람들은 너희를 회당에서 쫓아내리라.
너희를 죽이는 사람들이 오히려 그것이 하나님을 섬기는 일이라고 생각할 때가 오리라.

2. 아리아: 테너

나는 죽음의 공포가 두렵지 않네
나는 어떤 고난도 무섭지 않네.
예수님의 팔이 나를 안전하게 지켜주시고
내가 기꺼이 그 뒤를 따를 것이기 때문이네.
너희가 내 목숨을 아끼지 않으려 하고
하나님을 섬기고 있다고 믿는다면
주가 직접 너희에게 갚아주시리니
그것으로 족하리라.

3. 레치타티보: 알토

나는 내 피와 가련한 삶을
구세주인 당신께 바칠 준비가 되어 있습니다.
나의 모든 존재를 당신에게 드립니다.
내게 너무 많은 일이 일어날 때
당신의 영이 내 곁에 머문다면 내게 위안이 될 것입니다.

4. Aria: Soprano C $^{3}/_{8}$

Höchster Tröster, Heilger Geist,
der du mir die Wege weist,
darauf ich wandeln soll,
hilf meine Schwachheit mit vertreten,
denn von mir selbst kann ich nicht beten,
ich weiß, du sorgest vor mein Wohl!

5. Choral a **C**

Du bist ein Geist, der lehret,
wie man recht beten soll;
dein Beten wird erhöret,
dein Singen klinget wohl.
Es steigt zum Himmel an,
es steigt und lässt nicht abe,
bis der geholfen habe,
der allein helfen kann.

4. 아리아: 소프라노

최고의 위로자, 성령이여
나에게 길을 알려주시니
내가 그 길을 걸어야 하리라.
나는 스스로를 위해 기도하지 못하니
중보하여 나의 약한 곳을 도우소서.
당신이 나의 행복을 보살피심을 나는 압니다.

5. 코랄

당신은 가르치시는 영
올바로 기도하는 법을 알려주시네.
당신의 기도가 들리고
당신의 노래가 울려 퍼지네.
기도와 노래가 하늘로 오르니
오르면서 멈추지 않네.
홀로 도우실 수 있는 분이
도울 때까지.

성령강림주일*

서신서 사도행전 2:1-13
복음서 요한복음 14:23-31

* 부활절 후의 제7주일. 그리스도의 부활 후 50일째 되는 날로, 제자들이 성령을 받고 예수가 교회에 현존함을 기리는 날.

BWV 172

Erschallet, ihr Lieder, erklinget, ihr Saiten!

1. Coro C/D 3/8

Erschallet, ihr Lieder, erklinget, ihr Saiten!
O seligste Zeiten!
Gott will sich die Seelen zu Tempeln bereiten.

2. Recitativo: Bass a-C/b-D **C**

Wer mich liebet, der wird mein Wort halten, und mein Vater wird ihn lieben, und wir werden zu ihm kommen und Wohnung bei ihm machen.

3. Aria: Bass C/D **C**

Heiligste Dreieinigkeit,
großer Gott der Ehren,
komm doch, in der Gnadenzeit
bei uns einzukehren,
komm doch in die Herzenshütten,
sind sie gleich gering und klein,
komm und lass dich doch erbitten,
komm und ziehe bei uns ein!

4. Aria: Tenor a/b 3/4

O Seelenparadies,

BWV 172

울려 퍼져라 너희 노래여, 울려라 너희 현이여!

- 1714년 바이마르 작곡, 1714년 5월 20일 바이마르 초연
- 트럼펫 3, 팀파니, 바순, 바이올린 2, 비올라 2, 콘티누오
- 잘로몬 프랑크 (1, 3-5, 7: 추정); 요한복음 14:23 (2); 필리프 니콜라이 (6)

1. 합창

울려 퍼져라 너희 노래여, 울려라 너희 현이여!
오 큰 축복의 시간이여!
　　하나님이 영혼들을 성소로 가게 하시네.

2. 레치타티보: 베이스

나를 사랑하는 사람은 내 말을 지킬 것이다. 그러면
나의 아버지께서도 그를 사랑하시겠고 아버지와 나는 그를
찾아가 그와 함께 살 것이다.

3. 아리아: 베이스

거룩한 삼위일체
크신 영광의 하나님이여
　　자비의 시간에
　　우리에게 나타나소서.
　　보잘것없고 작으나
　　우리 마음의 초막에 들어오시어
　　당신께 간구하게 하소서
　　오셔서 우리 곁에 머무소서!

4. 아리아: 테너

오 영혼의 낙원이여

das Gottes Geist durchwehet,
der bei der Schöpfung blies,
der Geist, der nie vergehet;
auf, auf, bereite dich,
der Tröster nahet sich.

5. Aria (Duetto) con Choral: Soprano, Alto F/G **C**

(Seele)
Komm, lass mich nicht länger warten,
komm, du sanfter Himmelswind,
wehe durch den Herzensgarten!
(Heiliger Geist)
Ich erquicke dich, mein Kind.
(Seele)
Liebste Liebe, die so süße,
aller Wollust Überfluss,
ich vergeh, wenn ich dich misse.
(Heiliger Geist)
Nimm von mir den Gnadenkuss.
(Seele)
Sei im Glauben mir willkommen,
höchste Liebe, komm herein!
Du hast mir das Herz genommen.
(Heiliger Geist)
Ich bin dein, und du bist mein!

6. Choral F/G **C**

Von Gott kömmt mir ein Freudenschein,
wenn du mit deinen Äugelein

하나님의 성령이 가득하도다

창조 때에 불어넣으신

영원히 사라지지 않을 성령.

일어나라, 일어나서 준비하라

위로자가 가까이 오신다.

5. 아리아(이중창) & 코랄: 소프라노, 알토

(영혼)

오소서, 내가 오래 기다리지 않게 하소서

오소서, 부드러운 천국의 바람이여

마음속 정원에 불어오소서!

(성령)

나의 자녀여, 내가 너를 새롭게 하리라

(영혼)

귀중한 사랑이여, 너무나 달콤하여

다른 환락은 필요가 없네

당신이 없으면 나는 죽으리라.

(성령)

내가 주는 은혜의 입맞춤을 받아라.

(영혼)

믿음으로 당신을 환영합니다

최고의 사랑이여, 들어오소서!

당신은 내 마음을 가졌습니다.

(성령)

나는 네 것이고 너는 내 것이라!

6. 코랄

하나님에게서 기쁨의 빛이 내려오네,

그분이 두 눈으로

mich freundlich tust anblicken.
O Herr Jesu, mein trautes Gut,
dein Wort, dein Geist, dein Leib und Blut
mich innerlich erquicken.
Nimm mich
freundlich
in dein Arme, dass ich warme werd von Gnaden:
Auf dein Wort komm ich geladen.

7. Coro

Erschallet, ihr Lieder, erklinget, ihr Saiten!
O seligste Zeiten!

BWV 59

Wer mich liebet, der wird mein Wort halten I

---

1. Duetto: Soprano, Bass C **C**

Wer mich liebet, der wird mein Wort halten, und mein Vater wird ihn lieben, und wir werden zu ihm kommen und Wohnung bei ihm machen.

나를 자애롭게 바라보시네.
오 주 예수님, 내 사랑하는 보배여,
당신의 말씀, 당신의 정신, 당신의 살과 피가
나의 내면을 새롭게 합니다.
나를 다정하게
당신의 팔로 안으시어
내가 당신의 자비로 따스함을 얻게 하소서
당신 말씀에 내가 초대받았나이다.

7. 합창

울려 퍼져라 너희 노래여, 울려라 너희 현이여!
오 큰 축복의 시간이여!

BWV 59

나를 사랑하는 사람은 내 말을 지킬 것이다 I

- 1724년 라이프치히 작곡 및 초연(추정)
- 트럼펫 2, 팀파니, 바이올린 2, 비올라, 콘티누오
- 요한복음 14:23 (1); 에르트만 노이마이스터 (2, 4); 마르틴 루터 (3, 5)

---

1. 이중창: 소프라노, 베이스

나를 사랑하는 사람은 내 말을 지킬 것이다.
그러면 나의 아버지께서도 그를 사랑하시겠고
아버지와 나는 그를 찾아가 그와 함께 살 것이다.

2. Recitativo: Soprano a-G **C**

O, was sind das für Ehren,
worzu uns Jesus setzt?
Der uns so würdig schätzt,
dass er verheißt,
samt Vater und dem Heilgen Geist
in unsre Herzen einzukehren.
O, was sind das für Ehren?
Der Mensch ist Staub,
der Eitelkeit ihr Raub,
der Müh und Arbeit Trauerspiel
und alles Elends Zweck und Ziel.
Wie nun? Der Allerhöchste spricht,
er will in unsern Seelen
die Wohnung sich erwählen.
Ach, was tut Gottes Liebe nicht?
Ach, dass doch, wie er wollte,
ihn auch ein jeder lieben sollte.

3. Choral G **C**

Komm, Heiliger Geist, Herre Gott,
erfüll mit deiner Gnaden Gut
deiner Gläubigen Herz, Mut und Sinn.
Dein brünstig Lieb entzünd in ihn'n.
O Herr, durch deines Lichtes Glanz
zu dem Glauben versammelt hast
das Volk aus aller Welt Zungen;
das sei dir, Herr, zu Lob gesungen.
Halleluja, halleluja.

2. 레치타티보: 소프라노

오, 이 얼마나 큰 영광인가?
예수가 우리 앞에 놓으신 영광.
그는 우리를 귀하게 여기시어
아버지와 성령과 함께
우리 마음속에 오신다고
약속하시네.
오, 이 얼마나 큰 영광인가?
인간은 먼지,
허영의 먹이,
노고와 노동의 비극,
모든 불행의 끝이며 목표라네.
그렇다면? 가장 높으신 분이 말씀하시니
그가 우리 영혼들 가운데에서
살 집을 택하시리라.
아, 하나님의 사랑이 하지 못하는 일이 있을까?
아, 그가 원하시는 대로
누구나 그를 사랑해야 하리라.

3. 코랄

오소서, 성령이여, 주 하나님
주님의 은혜로운 보배로
당신을 믿는 이들의 마음과 용기와 생각을 채우소서
그들 안에 당신의 열렬한 사랑의 불을 붙이소서.
오 주님, 당신 빛의 광채로
온누리의 백성을 모아
믿음을 갖게 하셨으니
주님, 당신을 찬양하는 노래를 부르겠나이다.
할렐루야, 할렐루야.

4. Aria: Bass C 𝄴

Die Welt mit allen Königreichen,
die Welt mit aller Herrlichkeit
kann dieser Herrlichkeit nicht gleichen,
womit uns unser Gott erfreut:
Dass er in unsern Herzen thronet
und wie in einem Himmel wohnet.
Ach Gott, wie selig sind wir doch,
wie selig werden wir erst noch,
wenn wir nach dieser Zeit der Erden
bei dir im Himmel wohnen werden.

BWV 74

Wer mich liebet, der wird mein Wort halten II

---

1. Coro C 𝄴

Wer mich liebet, der wird mein Wort halten, und mein Vater wird ihn lieben, und wir werden zu ihm kommen und Wohnung bei ihm machen.

2. Aria: Soprano F 𝄴

Komm, komm, mein Herze steht dir offen,

4. 아리아: 베이스

왕국이 있는 세상도
영광이 있는 세상도
하나님이 주시어 우리를 기쁘게 하는
이 영광에 비할 바 없으리라.
하나님이 우리 마음속에 앉아
천국에서처럼 사시네.
아 하나님, 우리가 얼마나 행복한지요
또한 이 땅에서 시간이 다한 뒤
하늘에 계신 당신 곁에서 살게 된다면
우리가 얼마나 행복할까요.

BWV 74

나를 사랑하는 사람은 내 말을 지킬 것이다 II

- 1725년 라이프치히 작곡, 1725년 5월 20일 라이프치히 초연
- 트럼펫 3, 팀파니, 오보에 2, 오보에 다 카차, 바이올린 2, 비올라, 콘티누오
- 요한복음 14:23 (1); 요한복음 14:28 (4); 로마서 8:1 (6);
크리스티아네 마리아네 폰 치글러 (2, 3, 5, 7); 파울 게르하르트 (8)

---

1. 합창

나를 사랑하는 사람은 내 말을 지킬 것이다.
그러면 나의 아버지께서도 그를 사랑하시겠고
아버지와 나는 그를 찾아가 그와 함께 살 것이다.

2. 아리아: 소프라노

오소서, 오소서, 내 마음을 당신에게 열었으니

ach, lass es deine Wohnung sein!
Ich liebe dich, so muss ich hoffen:
Dein Wort trifft jetzo bei mir ein;
denn wer dich sucht, fürcht', liebt und ehret,
dem ist der Vater zugetan.
Ich zweifle nicht, ich bin erhöret,
dass ich mich dein getrösten kann.

3. Recitativo: Alto d-a **C**

Die Wohnung ist bereit.
Du findst ein Herz, das dir allein ergeben,
drum lass mich nicht erleben,
dass du gedenkst, von mir zu gehn.
Das lass ich nimmermehr, ach,
nimmermehr geschehen!

4. Aria: Bass e **C**

Ich gehe hin und komme wieder zu euch.
Hättet ihr mich lieb, so würdet ihr euch freuen.

5. Aria: Tenor G **C**

Kommt, eilet, stimmet Sait und Lieder
in muntern und erfreuten Ton.
Geht er gleich weg, so kömmt er wieder,
der hochgelobte Gottessohn.
    Der Satan wird indes versuchen,
    den Deinigen gar sehr zu fluchen.
    Er ist mir hinderlich,

아, 당신의 거처가 되게 하소서!
내가 당신을 사랑하므로, 희망합니다.
당신의 말씀이 지금 나에게서 실현되었습니다.
당신을 찾고, 두려워하고, 사랑하고, 경배하는 이를
아버지께서 좋아하십니다.
주께서 나의 기도를 들으심을 내가 의심하지 않으니
내가 당신을 믿고 기다립니다.

3. 레치타티보: 알토
머물 곳이 준비되었습니다.
당신은 오직 당신에게만 바쳐진
마음을 찾아내시리니
나를 떠나겠다고 생각하지 마소서.
그런 일은 절대로, 절대로
일어나지 않게 하소서!

4. 아리아: 베이스
나는 떠났다가 너희에게 다시 오리라.
너희가 나를 사랑한다면 내가 아버지께 가는 것을
기뻐하리라.

5. 아리아: 테너
서둘러 오라, 즐겁고 기쁜 소리로
현을 가다듬어 노래를 불러라.
주는 곧 떠나시지만 다시 오리라
높이 칭송받는 하나님의 아들.
사탄은 그사이에
당신의 백성을 저주하며
나에게 방해가 되리니

so glaub ich, Herr, an dich.

6. Recitativo: Bass e-C **C**

Es ist nichts Verdammliches an denen,
die in Christo Jesu sind.

7. Aria: Alto C 3/8

Nichts kann mich erretten
von höllischen Ketten
als, Jesu, dein Blut.
Dein Leiden, dein Sterben
macht mich ja zum Erben:
Ich lache der Wut.

8. Choral a **C**

Kein Menschenkind hier auf der Erd
ist dieser edlen Gabe wert,
bei uns ist kein Verdienen;
hier gilt gar nichts als Lieb und Gnad,
die Christus uns verdienet hat
mit Büßen und Versühnen.

주여, 내가 당신을 믿나이다.

6. 레치타티보: 베이스

그리스도와 함께 사는 사람들은
결코 단죄받는 일이 없습니다.

7. 아리아: 알토

그 무엇도 나를 지옥의 사슬에서
구할 수 없네.
예수님, 오직 당신의 보혈로만 할 수 있네.
　당신의 고난과 당신의 죽음이
　나를 당신의 상속자로 만드네
　나는 지옥의 분노를 웃어넘기네.

8. 코랄

이 땅의 그 누구도
이 귀한 선물을 받을 가치가 없네
우리는 그럴 자격이 없네.
사랑과 은혜보다 귀한 것, 이곳에는 없네
그리스도가 속죄와 화해로
우리를 위해 남겨주셨네.

BWV 34

O ewiges Feuer, o Ursprung der Liebe

1. Coro D 3/4

O ewiges Feuer, o Ursprung der Liebe,
entzünde die Herzen und weihe sie ein.
    Lass himmlische Flammen
    durchdringen und wallen,
    wir wünschen, o Höchster,
    dein Tempel zu sein,
    ach, lass dir die Seelen im Glauben gefallen.

2. Recitativo: Tenor b-f♯ **C**

Herr, unsre Herzen halten dir
dein Wort der Wahrheit für:
Du willst bei Menschen gerne sein,
drum sei das Herze dein;
Herr, ziehe gnädig ein.
Ein solch erwähltes Heiligtum
hat selbst den größten Ruhm.

3. Aria: Alto A **C**

Wohl euch, ihr auserwählten Seelen,
die Gott zur Wohnung ausersehn.
    Wer kann ein größer Heil erwählen?

BWV 34

오 영원한 불길이여, 오 사랑의 샘이여

- 1727년 라이프치히 작곡, 1727년 6월 1일 라이프치히 초연
- 트럼펫 3, 팀파니, 가로 플루트 2, 오보에 2, 바이올린 2, 비올라, 콘티누오
- 무명 시인

1. 합창

오 영원한 불길이여, 오 사랑의 샘이여
우리 마음을 불태워 거룩하게 하라.
　　하늘의 불길이 마음에
　　들어와 용솟음치게 하라
　　오 지극히 높으신 분, 바라옵건대
　　우리가 당신의 성소가 되게 하시고
　　우리들 영혼이 믿음을 통해 당신을 기쁘게 하소서.

2. 레치타티보: 테너

주여, 우리 마음은 당신의
진리의 말씀을 지킵니다.
당신은 사람들과 함께 계시려 하니
우리 마음은 당신 것입니다.
주여, 은총으로 들어오소서.
그런 선택된 성소는
가장 큰 영광을 안고 있습니다.

3. 아리아: 알토

너희 선택받은 영혼들이여, 복되도다
하나님이 머무실 곳으로 너희를 뽑으셨으니.
　　누가 이보다 더 큰 구원을 받을 수 있을까?

Wer kann des Segens Menge zählen?
Und dieses ist vom Herrn geschehn.

4. Recitativo: Bass f♯-A **C**

Erwählt sich Gott die heilgen Hütten,
die er mit Heil bewohnt,
so muss er auch den Segen auf sie schütten,
so wird der Sitz des Heiligtums belohnt.
Der Herr ruft über sein geweihtes Haus
das Wort des Segens aus:

5. Coro D **C**, ¢

Friede über Israel.
Dankt den höchsten Wunderhänden,
dankt, Gott hat an euch gedacht.
Ja, sein Segen wirkt mit Macht,
Friede über Israel,
Friede über euch zu senden.

누가 이 축복의 크기를 헤아릴 수 있을까?
이는 주께서 행하신 일이로다.

4. 레치타티보: 베이스

하나님이 은총과 함께 거하실
거룩한 장막을 선택하시니,
그곳에 축복을 내려주시면
성소의 자리가 보답을 받으리라.
주님은 그의 거룩한 집에
축복의 말씀을 내리시리라.

5. 합창

이스라엘에 평화 있으라.
높은 곳에 계신 주님의 놀라운 손에 감사하라.
감사하라, 하나님은 너희를 기억하셨다.
그의 축복은 권능으로 효과를 내니
이스라엘과
너희에게 평화를 보내시리라.

성령강림절 월요일

서신서 사도행전 10:42-48
복음서 요한복음 3:16-21

BWV 173

Erhöhtes Fleisch und Blut

1. Recitativo: Tenor D-D **C**

Erhöhtes Fleisch und Blut,
das Gott selbst an sich nimmt,
dem er schon hier auf Erden
ein himmlisch Heil bestimmt,
des Höchsten Kind zu werden,
erhöhtes Fleisch und Blut!

2. Aria: Tenor D **C**

Ein geheiligtes Gemüte
sieht und schmecket Gottes Güte.
Rühmet, singet, stimmt die Saiten,
Gottes Güte auszubreiten!

3. Aria: Alto b **C**

Gott will, o ihr Menschenkinder,
an euch große Dinge tun.
  Mund und Herze, Ohr und Blicke
  können nicht bei diesem Glücke
  und so heilger Freude ruhn.

BWV 173
고귀한 살과 피

- 1724년 라이프치히 작곡(악보 망실), 1727년 버전 존재, 1724년 5월 29일 또는 1727년 6월 2일 라이프치히 초연
- 가로 플루트 2, 바이올린 2, 비올라, 콘티누오
- 무명 시인

1. 레치타티보: 테너

고귀한 살과 피
하나님이 스스로 취하셨네
이곳 지상에서 이미
하늘의 구원을 명하시어
하나님의 자녀가 되라 하셨네.
고귀한 살과 피!

2. 아리아: 테너

거룩함을 입은 이들이
하나님의 선함을 보고 느끼네.
찬양하라, 노래하라, 현을 울려라
하나님의 자비를 널리 알려라!

3. 아리아: 알토

오, 인간의 자녀들아,
하나님이 너희에게 큰일을 하시려 하네.
　입과 심장, 귀와 눈은
　이런 행복과 거룩한 기쁨 속에서
　쉴 틈이 없네.

4. Aria (Duetto): Soprano, Bass G-D-A 3/4

(Bass)
So hat Gott die Welt geliebt,
sein Erbarmen
hilft uns Armen,
dass er seinen Sohn uns gibt,
Gnadengaben zu genießen,
die wie reiche Ströme fließen.
(Soprano)
Sein verneuter Gnadenbund
ist geschäftig
und wird kräftig
in der Menschen Herz und Mund,
dass sein Geist zu seiner Ehre
gläubig zu ihm rufen lehre.
(Beide)
Nun wir lassen unsre Pflicht
Opfer bringen,
dankend singen,
da sein offenbartes Licht
sich zu seinen Kindern neiget
und sich ihnen kräftig zeiget.

5. Recitativo (Duetto): Soprano, Tenor f♯-b **C**

Unendlichster, den man doch Vater nennt,
wir wollen dann das Herz zum Opfer bringen,
aus unsrer Brust, die ganz vor Andacht brennt,
soll sich der Seufzer Glut zum Himmel schwingen.

4. 아리아 (이중창): 소프라노, 베이스

(베이스)

하나님이 세상을 지극히 사랑하시어
그의 자비가
우리 가련한 이들을 도우려
당신의 아들을 보내셨네.
풍부하게 흐르는 냇물처럼
은혜의 선물을 누리게 하시네.

(소프라노)

주님의 새로운 은총의 언약이
분주하고 강력하게
우리의 심장과 입에서 힘을 발하네.
주님의 성령이 그의 영광을 위해
경건하게
그를 부르라 가르치네.

(함께)

이제 우리는 의무를 다하고
예물을 바치며
감사의 노래를 부르네.
주님의 나타나신 빛이
그의 자녀들에게 비추며
당신의 모습을 강하게 드러내네.

5. 레치타티보 (이중창): 소프라노, 테너

아버지라고 불리는 무한한 분이여
우리가 마음을 예물로 드리려 합니다.
신심으로 활활 타오르는 우리의 가슴에서
뜨거운 한숨이 하늘로 오를 것입니다.

6. Coro D 3/4

Rühre, Höchster, unsern Geist,
dass des höchsten Geistes Gaben
ihre Würkung in uns haben!
Da dein Sohn uns beten heißt,
wird es durch die Wolken dringen
und Erhörung auf uns bringen.

BWV 68
Also hat Gott die Welt geliebt

---

1. Coro (Choral) d 12/8

Also hat Gott die Welt geliebt,
dass er uns seinen Sohn gegeben.
Wer sich im Glauben ihm ergibt,
der soll dort ewig bei ihm leben.
Wer glaubt, dass Jesus ihm geboren,
der bleibet ewig unverloren,
und ist kein Leid, das den betrübt,
den Gott und auch sein Jesus liebt.

6. 합창

가장 높으신 분, 우리의 영을 흔드시어
성령의 은사가
우리 안에서 빛을 내게 하소서!
당신의 아들이 우리에게 기도하라 명하셨으니
기도가 구름을 뚫고 올라가
당신이 귀 기울이게 하소서.

BWV 68

하나님이 세상을 사랑하시어

- 1725년 라이프치히 작곡, 1725년 5월 21일 라이프치히 초연
- 코넷, 트롬본 3, 오보에 2, 알토 오보에, 오보에 다 카차, 바이올린 2, 비올라, 비올론첼로 피콜로, 콘티누오
- 잘로몬 리스코비우스 (1); 크리스티아네 마리아네 폰 치글러 (2-4); 요한복음 3:18 (5)

---

1. 합창 (코랄)

하나님이 세상을 사랑하시어
당신의 아들을 우리에게 주셨네.
믿음으로 헌신하는 이는
그곳에서 영원히 주님과 함께 살리라.
예수님이 자신을 위해 태어났다고 믿는 이는
영원히 멸망하지 않으리라.
하나님과 예수님이 사랑하는 사람은
어떤 고난에도 슬퍼하지 않으리라.

2. Aria: Soprano F ¢

Mein gläubiges Herze,
frohlocke, sing, scherze,
dein Jesus ist da!
Weg Jammer, weg Klagen,
ich will euch nur sagen:
Mein Jesus ist nah.

3. Recitativo: Bass d-G **C**

Ich bin mit Petro nicht vermessen,
was mich getrost und freudig macht,
dass mich mein Jesus nicht vergessen.
Er kam nicht nur, die Welt zu richten,
nein, nein, er wollte Sünd und Schuld
als Mittler zwischen Gott und Mensch
vor diesmal schlichten.

4. Aria: Bass C **C**

Du bist geboren mir zugute,
das glaub ich, mir ist wohl zumute,
weil du vor mich genug getan.
Das Rund der Erden mag gleich brechen,
will mir der Satan widersprechen,
so bet ich dich, mein Heiland, an.

5. Coro a-d ¢

Wer an ihn gläubet, der wird nicht gerichtet;
wer aber nicht gläubet, der ist schon gerichtet;
denn er gläubet nicht an den Namen des
eingebornen Sohnes Gottes.

2. 아리아: 소프라노

내 신실한 마음이여
기뻐하라, 노래하라, 즐거워하라
너의 예수께서 오셨다!
　　슬픔이여 물러가라, 비탄이여 사라져라
　　내가 말하고 싶은 것은 오직 이것:
　　나의 예수께서 가까이 계신다.

3. 레치타티보: 베이스

나는 베드로와 마찬가지로 외람되지 않아
확신과 기쁨이 넘칩니다.
예수가 나를 잊지 않으심을 믿습니다.
그는 세상을 심판하러 오시지 않았습니다.
오히려 중재자로서
하나님과 인간 사이에서
죄에 관해 중재하려 하셨습니다.

4. 아리아: 베이스

당신이 나를 위해 태어나셨음을
내가 믿습니다. 당신은 나를 위해
충분히 하셨으니 내가 만족합니다.
　　둥근 지구가 무너져도
　　사탄이 나의 말에 반박해도
　　나는 구세주 당신에게 경배합니다.

5. 합창

그를 믿는 자는 심판받지 않으리라
그러나 믿지 않는 이는 이미 심판을 받았노라.
하나님의 외아들의 이름을
믿지 않았기 때문이라.

BWV 174

Ich liebe den Höchsten von ganzem Gemüte

1. Sinfonia G **C**

2. Aria: Alto D 6/8

Ich liebe den Höchsten von ganzem Gemüte,
er hat mich auch am höchsten lieb.
Gott allein
soll der Schatz der Seelen sein,
da hab ich die ewige Quelle der Güte.

3. Recitativo: Tenor b-b **C**

O Liebe, welcher keine gleich!
O unschätzbares Lösegeld!
Der Vater hat des Kindes Leben
vor Sünder in den Tod gegeben
und alle, die das Himmelreich
verscherzet und verloren,
zur Seligkeit erkoren.
Also hat Gott die Welt geliebt!
Mein Herz, das merke dir
und stärke dich mit diesen Worten;
vor diesem mächtigen Panier
erzittern selbst die Höllenpforten.

BWV 174
내 온 마음으로 지극히 높은 분을 사랑하네

- 1729년 라이프치히 작곡, 1729년 6월 6일 라이프치히 초연
- 코르노 다 카차 2, 오보에 2, 알토 오보에, 바이올린 3, 비올라 3, 첼로 3, 콘티누오
- 피칸더 (2-4); 마르틴 샬링 (5)

1. 신포니아

2. 아리아: 알토

내 온 마음으로 지극히 높은 분을 사랑하네
그도 나를 지극히 사랑하네.
　　오직 하나님만이
　　영혼의 보물이라네.
　　그곳에 선하심의 영원한 샘이 있네.

3. 레치타티보: 테너

오, 사랑이여, 비할 데가 없구나!
헤아릴 수 없는 속죄의 값이여!
아버지가 죄인들을 위해
자식의 생명을 죽음에 내던지고.
하늘나라를 잃어버린
모든 이들을 선택하여
축복하셨습니다.
하나님은 세상을 사랑하신 것입니다!
내 마음이여, 이를 기억하고
이 말씀으로 너를 강건히 하라:
이 힘찬 깃발 앞에서는
지옥의 문조차 무서워 떠네.

4. Aria: Bass G ¢

Greifet zu,
fasst das Heil, ihr Glaubenshände!
Jesus gibt sein Himmelreich
und verlangt nur das von euch:
Gläubt getreu bis an das Ende!

5. Choral D C

Herzlich lieb hab ich dich, o Herr.
Ich bitt, wollst sein von mir nicht fern
mit deiner Hülf und Gnaden.
Die ganze Welt erfreut mich nicht,
nach Himmel und Erden frag ich nicht,
wenn ich dich nur kann haben.
Und wenn mir gleich mein Herz zerbricht,
so bist du doch mein Zuversicht,
mein Heil und meines Herzens Trost,
der mich durch sein Blut hat erlöst.
Herr Jesu Christ,
mein Gott und Herr, mein Gott und Herr,
in Schanden lass mich nimmermehr!

4. 아리아: 베이스

잡아라,
너희 믿음의 손이여, 구원을 잡아라!
  예수님이 하늘나라를 주시지만
  너희에게 바라시는 것은 단 하나:
  끝까지 믿음을 버리지 마라!

5. 코랄

오 주님, 당신을 마음 깊이 사랑합니다.
간청하오니, 내게서 멀리 떠나지 마소서
당신의 도움과 자비를 베푸소서.
당신을 가질 수만 있다면
온 세상도 내게는 기쁨을 주지 못하고
하늘과 땅에 대해서도 나는 묻지 않으리.
내 마음이 곧 무너진다 해도
당신은 나의 확고한 믿음이요
나의 구원이요 내 마음의 위안이시며
그분의 피로 나를 구원하신 분이네.
주 예수 그리스도여,
나의 주 하나님, 나의 주 하나님
나를 치욕 속에 버려두지 마소서!

성령강림절 화요일

서신서 사도행전 8:14-17
복음서 요한복음 10:1-10

BWV 184

Erwünschtes Freudenlicht

1. Recitativo: Tenor G-G **C**

Erwünschtes Freudenlicht,
das mit dem neuen Bund anbricht
durch Jesum, unsern Hirten!
Wir, die wir sonst in Todes Tälern irrten,
empfinden reichlich nun,
wie Gott zu uns
den längst erwünschten Hirten sendet,
der unsre Seele speist
und unsern Gang durch Wort und Geist
zum rechten Wege wendet.
Wir, sein erwähltes Volk, empfinden seine Kraft;
in seiner Hand allein ist, was uns Labsal schafft,
was unser Herze kräftig stärket.
Er liebt uns, seine Herde,
die seinen Trost und Beistand merket.
Er ziehet sie vom Eitlen, von der Erde,
auf ihn zu schauen
und jederzeit auf seine Huld zu trauen.
O Hirte, so sich vor die Herde gibt,
der bis ins Grab und bis in Tod sie liebt!
Sein Arm kann denen Feinden wehren,

BWV 184

열망하던 기쁨의 빛이

- 1724년 라이프치히 작곡, 1724년 5월 30일 라이프치히 초연
- 가로 플루트 2, 바이올린 2, 비올라, 콘티누오
- 아나르크 폰 빌덴펠스 (5); 무명 시인 (1-4, 6)

1. 레치타티보: 테너

열망하던 기쁨의 빛이
새로운 언약과 함께 비쳐 옵니다.
우리의 목자 예수님을 통해!
죽음의 골짜기를 헤매던 우리는
하나님이 우리에게
오래 열망해왔던 목자를 보내심을
절절하게 느낍니다.
그는 우리 영혼을 먹이시고
말씀과 영으로 우리의 발걸음을
올바른 길로 이끄십니다.
그분이 선택한 백성인 우리는 그의 힘을 느낍니다.
우리에게 생기를 주고 우리 마음을 강하게 만드는 것은
오직 그의 손에 있습니다.
그는 당신의 양떼인 우리를 사랑하시며
우리는 그의 위로와 도움을 깨닫습니다.
그는 양떼를 허영에서, 이 땅에서 끌어내어
당신을 바라보게 하고
언제나 그의 은총을 믿게 하십니다.
양떼를 위해 헌신하는 목자여,
무덤과 죽음에 이를 때까지 양떼를 사랑하시는 분!
그의 팔은 적을 막아내고

sein Sorgen kann uns Schafe geistlich nähren,
ja, kömmt die Zeit,
durchs finstre Tal zu gehen,
so hilft und tröstet uns sein sanfter Stab.
Drum folgen wir mit Freuden bis ins Grab.
Auf! Eilt zu ihm, verklärt vor ihm zu stehen.

2. Aria (Duetto): Soprano, Alto G 3/8

Gesegnete Christen, glückselige Herde,
kommt, stellt euch bei Jesu mit Dankbarkeit ein!
Verachtet das Locken der schmeichlenden Erde,
dass euer Vergnügen vollkommen kann sein!

3. Recitativo: Tenor C-D **C**

So freuet euch, ihr auserwählten Seelen!
Die Freude gründet sich in Jesu Herz.
Dies Labsal kann kein Mensch erzählen.
Die Freude steigt auch unterwärts
zu denen, die in Sündenbanden lagen,
die hat der Held aus Juda schon zuschlagen.
Ein David steht uns bei.
Ein Heldenarm macht uns von Feinden frei.
Wenn Gott mit Kraft die Herde schützt,
wenn er im Zorn auf ihre Feinde blitzt,
wenn er den bittern Kreuzestod
vor sie nicht scheuet,
so trifft sie ferner keine Not,
so lebet sie in ihrem Gott erfreuet.
Hier schmecket sie die edle Weide

그의 보살핌은 우리 양떼를 영적으로 먹이십니다.
어두운 골짜기를 걸어야 할
때가 오면
그의 부드러운 지팡이가 우리를 돕고 위로하니
우리는 기쁘게 무덤까지 그분을 따릅니다.
일어나라! 서둘러 그에게 가서, 변모한 얼굴로 그분 앞에 서자.

2. 아리아 (이중창): 소프라노, 알토

축복받은 그리스도인이여, 행복한 양떼여,
오라, 예수 앞에 감사하는 마음으로 나타나라!
　　아부하는 이 땅의 유혹을 경멸하여
　　너희의 즐거움이 완벽해지도록 노력하라!

3. 레치타티보: 테너

기뻐하라, 너희 선택된 영혼들아!
기쁨의 토대는 예수님의 마음속.
이 위로는 어떤 사람도 형언할 길 없네.
기쁨은 아래로도 내려가
죄악에 매여 있던 사람들까지 찾아가네
유다의 영웅이 때려눕힌 죄인들.
다윗이 우리 곁에 있네.
영웅의 팔이 우리를 적에게서 해방하네.
하나님이 힘으로 양떼를 보호하고
분노로 적에게 불화살을 날리고
그들 앞에서 쓰디쓴 십자가의 죽음도
마다하지 않으면
양떼는 앞으로 어떤 고난도 당하지 않고
하나님 안에서 기쁘게 살리라.
그들은 이 귀한 풀밭에서 먹고

und hoffet dort vollkommne Himmelsfreude.

4. Aria: Tenor b 3/4

Glück und Segen sind bereit,
die geweihte Schar zu krönen.
Jesus bringt die güldne Zeit,
welche sich zu ihm gewöhnen.

5. Choral D C

Herr, ich hoff je, du werdest die
in keiner Not verlassen,
die dein Wort recht als treue Knecht
im Herzn und Glauben fassen;
gibst ihn' bereit die Seligkeit
und lässt sie nicht verderben.
O Herr, durch dich bitt ich, lass mich
fröhlich und willig sterben.

6. Coro G 2

Guter Hirte, Trost der Deinen,
lass uns nur dein heilsam Wort!
Lass dein gnädig Antlitz scheinen,
bleibe unser Gott und Hort,
der durch allmachtsvolle Hände
unsern Gang zum Leben wende!

완전한 천국의 기쁨을 고대하리라.

4. 아리아: 테너

행복과 은총이 거룩한 무리에게
왕관을 씌울 준비가 되어 있네.
    예수는 당신께 순종하는 이들에게
    황금시대를 가져오리라.

5. 코랄

주여, 내가 바라오니,
당신의 말씀을 충실한 종으로서
마음과 믿음에 올바로 새긴 이들을
곤경에 빠트리지 마소서.
주는 그들에게 이미 복을 내리시고
그들이 멸망하지 않게 하십니다.
오 주여, 당신을 통해 기도하오니
내가 기쁘게, 기꺼이 죽게 하소서.

6. 합창

선한 목자여, 당신 백성을 위로하는 분,
우리에게 유익한 말씀만 주소서!
    당신의 자비로운 얼굴이 빛나게 하시고
    영원히 우리의 하나님이자 피난처가 되어주시고
    전능한 손으로
    우리의 발걸음을 생명으로 이끄소서!

BWV 175
Er rufet seinen Schafen mit Namen

1. Recitativo: Tenor G-G **C**

Er rufet seinen Schafen mit Namen und führet sie hinaus.

2. Aria: Alto e 12/8

Komm, leite mich,
es sehnet sich
mein Geist auf grüner Weide!
Mein Herze schmacht,
ächzt Tag und Nacht,
mein Hirte, meine Freude.

3. Recitativo: Tenor a-C **C**

Wo find ich dich?
Ach, wo bist du verborgen?
Oh! Zeige dich mir bald!
Ich sehne mich.
Brich an, erwünschter Morgen!

4. Aria: Tenor C **¢**

Es dünket mich, ich seh dich kommen,

BWV 175
그가 자기 양의 이름을 각각 불러

- 1725년 라이프치히 작곡, 1725년 5월 22일 라이프치히 초연
- 트럼펫 2, 리코더 3, 바이올린 2, 비올라, 독주 비올론첼로 피콜로, 콘티누오
- 크리스티아네 마리아네 폰 치글러 (2-6); 요한 리스트 (7); 요한복음 10:3 (1); 요한복음 10:6 (5)

1. 레치타티보: 테너

그가 자기 양의 이름을 각각 불러
밖으로 데리고 나간다.

2. 아리아: 알토

오소서, 나를 인도하소서.
내 영이 푸른 풀밭에서
그리워하나이다!
　　내 마음이 갈망하고
　　밤낮으로 신음하니
　　나의 목자여, 나의 기쁨이여.

3. 레치타티보: 테너

당신을 어디에서 찾을 수 있습니까?
아, 당신은 어디에 숨어 계십니까?
오! 나에게 곧 나타나소서!
내가 당신을 그리워합니다.
기다리던 아침이여, 밝아오소서!

4. 아리아: 테너

당신이 오는 모습이 보입니다.

du gehst zur rechten Türe ein.
Du wirst im Glauben aufgenommen
und musst der wahre Hirte sein.
Ich kenne deine holde Stimme,
die voller Lieb und Sanftmut ist,
dass ich im Geist darob ergrimme,
wer zweifelt, dass du Heiland seist.

5. Recitativo: Alto, Bass a-D **C**

(Alto)
Sie vernahmen aber nicht, was es war, das er zu ihnen gesaget hatte.
(Bass)
Ach ja! Wir Menschen sind oftmals den Tauben zu vergleichen: Wenn die verblendete Vernunft nicht weiß, was er gesaget hatte.
O! Törin, merke doch, wenn Jesus mit dir spricht,
dass es zu deinem Heil geschicht.

6. Aria: Bass D 6/8

Öffnet euch, ihr beiden Ohren,
Jesus hat euch zugeschworen,
dass er Teufel, Tod erlegt.
    Gnade, G'nüge, volles Leben
    will er allen Christen geben,
    wer ihm folgt, sein Kreuz nachträgt.

7. Choral G **C**

Nun, werter Geist, ich folg dir;

당신은 올바른 문으로 들어옵니다.
믿음으로 받아들여지니
당신은 참된 목자가 되어야 합니다.
나는 사랑과 부드러움으로 가득한
당신의 고운 목소리를 압니다.
그러므로 나는 당신이 구세주임을
의심하는 자에게 마음으로 화를 냅니다.

5. 레치타티보: 알토, 베이스

(알토)
그러나 그들은 그가 말한 것이 무슨 뜻인지
알아듣지 못하였다.
(베이스)
아 그렇다! 그가 무엇을 말했는지
눈먼 이성이 모를 때면 우리 인간은
가끔 귀머거리와 비슷하다.
오! 어리석은 자여, 예수가 너에게 말을 할 때는
너의 구원을 위한 것임을 기억하라.

6. 아리아: 베이스

너희의 두 귀를 열어라.
예수가 약속하셨다
악마와 죽음을 쓰러뜨리겠다고.
　　은총과 만족과 충만한 삶을
　　그는 모든 그리스도인에게 주시리라.
　　그를 따르는 자는 그의 십자가를 지는 것이라.

7. 코랄

고귀한 영이여, 이제 내가 당신을 따르리니

hilf, dass ich suche für und für
nach deinem Wort ein ander Leben,
das du mir willt aus Gnaden geben.
Dein Wort ist ja der Morgenstern,
der herrlich leuchtet nah und fern.
Drum will ich, die mich anders lehren,
in Ewigkeit, mein Gott, nicht hören.
Halleluja, halleluja!

내가 영원토록 당신 말씀을 좇아
당신이 나에게 은총으로 주시려는
다른 삶을 찾게 도우소서.
당신의 말씀은 샛별이니
가깝고도 먼 곳에서 찬란하게 빛납니다.
그러므로 다른 것을 가르치는 사람의 말을
나의 하나님, 나는 영원히 듣지 않을 것입니다.
할렐루야, 할렐루야!

삼위일체주일*

서신서 로마서 11:33-36

복음서 요한복음 3:1-15

* Trinity Sunday: 성령강림주일 후의 첫 주일. 서구 개신교 교회에서는 삼위일체주일 이후의 주일을 '삼위일체주일 후 주일'로 계산하며, 이때부터 교회력이 시작되는 대강절 이전까지가 교회력의 후반부를 차지하는 가장 긴 비축제 기간이다.

BWV 165
O heil'ges Geist- und Wasserbad

1. Aria: Soprano G C

O heil'ges Geist- und Wasserbad,
das Gottes Reich uns einverleibet
und uns ins Buch des Lebens schreibet!
O Flut, die alle Missetat
durch ihre Wunderkraft ertränket
und uns das neue Leben schenket!
O heil'ges Geist- und Wasserbad!

2. Recitativo: Bass e-a C

Die sündige Geburt verdammter Adamserben
gebieret Gottes Zorn, den Tod und das Verderben.
Denn was vom Fleisch geboren ist,
ist nichts als Fleisch, von Sünden angestecket,
vergiftet und beflecket.
Wie selig ist ein Christ!
Er wird im Geist- und Wasserbade
ein Kind der Seligkeit und Gnade.
Er ziehet Christum an
und seiner Unschuld weiße Seide,
er wird mit Christi Blut, der Ehren Purpurkleide,
im Taufbad angetan.

BWV 165

오 성령과 물로 받는 세례여

- 1715년 바이마르 작곡, 1715년 6월 16일 바이마르 초연
- 바이올린 2, 비올라, 콘티누오
- 잘로몬 프랑크 (1-5); 루트비히 헬름볼트 (6)

1. 아리아: 소프라노

오 성령과 물로 받는 세례여,
우리를 하나님의 나라에 들이고
생명의 책에 기록하네!
오 물결이여, 모든 악행을
그 기적의 힘으로 물에 빠트리고
우리에게 새로운 생명을 주네!
오 성령과 물로 받는 세례여!

2. 레치타티보: 베이스

아담의 저주받은 자손의 죄 많은 탄생이
하나님의 분노, 죽음, 파멸을 낳습니다.
육신에서 태어난 것은
죄악에 오염되고 중독되고 더럽혀진
육신일 뿐이기 때문입니다.
그리스도인은 얼마나 행복한지요!
그는 성령과 물로 세례를 받고
행복과 은혜의 자녀가 됩니다.
그는 순결의 흰 비단을 입어
그리스도로 옷을 입습니다.
그리스도의 피와 영광의 보라색 옷을 입고
세례를 받습니다.

3. Aria: Alto e 12/8

Jesu, der aus großer Liebe
in der Taufe mir verschriebe
Leben, Heil und Seligkeit,
hilf, dass ich mich dessen freue
und den Gnadenbund erneue
in der ganzen Lebenszeit.

4. Recitativo: Bass b-G **C**

Ich habe ja, mein Seelenbräutigam,
da du mich neu geboren,
dir ewig treu zu sein geschworen,
hochheil'ges Gotteslamm;
doch hab ich, ach! den Taufbund oft gebrochen
und nicht erfüllt, was ich versprochen,
erbarme, Jesu, dich
aus Gnaden über mich!
Vergib mir die begangne Sünde,
du weißt, mein Gott, wie schmerzlich ich empfinde
der alten Schlangen Stich;
das Sündengift verderbt mir Leib und Seele,
hilf, dass ich gläubig dich erwähle,
blutrotes Schlangenbild,
das an dem Kreuz erhöhet,
das alle Schmerzen stillt
und mich erquickt, wenn alle Kraft vergehet.

5. Aria: Tenor G **C**

Jesu, meines Todes Tod,

3. 아리아: 알토

예수님, 큰 사랑으로
세례를 베푸시며 나에게
생명과 구원과 행복을 주신 분.
내가 기뻐하게 하시고
그 은혜의 약속을
평생 새롭게 하게 하소서.

4. 레치타티보: 베이스

내 영혼의 신랑이여,
당신이 나를 새로 태어나게 하였으니
나는 당신께 영원히 충실하겠다고 맹세했습니다.
거룩한 하나님의 어린양이여.
그러나 아! 나는 세례의 맹세를 자주 깼고
약속한 것을 지키지 않았습니다.
예수님, 자비를 베푸시어
나를 불쌍히 여기소서!
내가 지은 죄를 용서하소서.
하나님, 오래전 뱀이 문 곳 때문에
내가 얼마나 고통스러워하는지 당신은 아십니다.
죄의 독이 내 몸과 영혼을 파괴하니
내가 믿음으로 당신을 택하게 하소서
피처럼 붉은 뱀의 형상
십자가에 높이 달려 있습니다.
힘이 다할 때마다 십자가는
모든 고통을 잠재워 나를 회복시킵니다.

5. 아리아: 테너

예수님, 내 죽음의 죽음이여,

lass in meinem Leben
und in meiner letzten Not
mir für Augen schweben,
dass du mein Heilschlänglein seist
vor das Gift der Sünde.
Heile, Jesu, Seel und Geist,
dass ich Leben finde!

6. Choral G **C**

Sein Wort, sein Tauf, sein Nachtmahl
dient wider allen Unfall,
der Heil'ge Geist im Glauben
lehrt uns darauf vertrauen.

BWV 194

Höchsterwünschtes Freudenfest

---

1. Coro B♭ ¢, 3/4, ¢

Höchsterwünschtes Freudenfest,
das der Herr zu seinem Ruhme
im erbauten Heiligtume
uns vergnügt begehen lässt.
Höchsterwünschtes Freudenfest!

내 인생과
나의 마지막 고난 때에
깨닫게 하소서.
당신이 죄의 독을 없애실
치유의 작은 뱀이라는 것을.
예수님, 내 영혼과 정신을 구하시어
내가 생명을 얻게 하소서!

6. 코랄

그의 말씀, 그의 세례, 그의 만찬은
어떤 불행도 막아주네
믿음 속의 성령이 우리에게
그를 신뢰하라고 가르치네.

BWV 194

간절히 고대하던 기쁨의 축제를

- 1723년 라이프치히 작곡, 1723년 11월 2일 슈퇴름탈 초연
  1724년 6월 4일 라이프치히 재연
- 오보에 3, 바이올린 2, 비올라, 콘티누오
- 요한 헤르만(6); 무명 시인(1-5)

---

1. 합창

간절히 고대하던 기쁨의 축제를
주님이 그의 영광을 위해
거룩한 성전에서 우리에게
즐겁게 지내도록 하시네.
간절히 고대하던 기쁨의 축제를!

2. Recitativo: Bass B♭-B♭ C

Unendlich großer Gott, ach, wende dich
zu uns, zu dem erwähleten Geschlechte,
und zum Gebete deiner Knechte!
Ach, lass vor dich
durch ein inbrünstig Singen
der Lippen Opfer bringen!
Wir weihen unsre Brust dir offenbar
zum Dankaltar.
Du, den kein Haus, kein Tempel fasst,
da du kein Ziel noch Grenzen hast,
lass dir dies Haus gefällig sein,
es sei dein Angesicht
ein wahrer Gnadenstuhl, ein Freudenlicht.

3. Aria: Bass B♭ 12/8

Was des Höchsten Glanz erfüllt,
wird in keine Nacht verhüllt,
was des Höchsten heil'ges Wesen
sich zur Wohnung auserlesen,
wird in keine Nacht verhüllt,
was des Höchsten Glanz erfüllt.

4. Recitativo: Soprano g-E♭ C

Wie könnte dir, du höchstes Angesicht,
da dein unendlich helles Licht
bis in verborgne Gründe siehet,
ein Haus gefällig sein?
Es schleicht sich Eitelkeit allhie an allen Enden ein.

2. 레치타티보: 베이스

무한히 크신 하나님,
아, 당신이 택하신 종족인 우리를 보시고
당신 종들의 기도를 들으소서!
아, 당신 앞에서
열정적으로 노래하며
입술로 봉헌하게 하소서!
당신에게 우리의 마음을
감사의 제단에 드립니다.
당신은 끝도 한계도 없는 분이시니
집도 성전도 당신을 담을 수 없습니다.
이 집을 흡족히 여기시고
당신의 얼굴이
참된 은총의 보좌, 기쁨의 빛이 되게 하소서.

3. 아리아: 베이스

높으신 분의 광채가 가득 채우는 것은
밤에도 가려지지 않네.
높으신 분의 거룩한 존재가
거처로 선택한 곳은
밤에도 가려지지 않네
높으신 분의 광채가 가득 채우는 것.

4. 레치타티보: 소프라노

높은 곳에 계신 얼굴이여,
당신의 무한히 밝은 빛이
숨어 있는 구석까지 보시는데
집이 어떻게 당신 마음에 들겠습니까?
사방에서 허영이 스며듭니다.

Wo deine Herrlichkeit einziehet,
da muss die Wohnung rein
und dieses Gastes würdig sein.
Hier wirkt nichts Menschenkraft,
drum lass dein Auge offenstehen
und gnädig auf uns gehen;
so legen wir in heil'ger Freude dir
die Farren und die Opfer unsrer Lieder
vor deinem Throne nieder
und tragen dir den Wunsch in Andacht für.

5. Aria: Soprano E♭ ¢

Hilf, Gott, dass es uns gelingt
und dein Feuer in uns dringt,
dass es auch in dieser Stunde
wie in Esaiae Munde
seiner Wirkung Kraft erhält
und uns heilig vor dich stellt.

6. Choral B♭ C

Heil'ger Geist ins Himmels Throne,
gleicher Gott von Ewigkeit
mit dem Vater und dem Sohne,
der Betrübten Trost und Freud!
Allen Glauben, den ich find,
hast du in mir angezündt,
über mir in Gnaden walte,
ferner deine Gnad erhalte.

당신의 영광이 들어오는 곳마다
집은 순결해야 하고
손님을 맞이하기에 합당해야 합니다.
인간의 힘은 이곳에서 쓸모가 없으니
당신의 눈을 크게 뜨시고
은혜롭게 우리를 바라보소서.
그러면 우리는 거룩한 기쁨으로
당신의 보좌 앞에서 노래를 바치고
경건하게 우리의 소망을
당신께 말하겠습니다.

5. 아리아: 소프라노

하나님, 우리를 번성하게 하시고
당신의 불길이 우리 안에 들어오게 하시고
이 시간에도
이사야의 입에서처럼
효력을 발하게 하시고
우리를 거룩하게 당신 앞에 세우소서.

6. 코랄

하늘의 보좌에 앉으신 성령은
영원하신 하나님으로서
아버지와 아들과 같으시니
고난받는 이들의 위로이며 기쁨이네!
내게 있는 모든 믿음을
당신은 내 안에서 불을 붙이셨으니
자비로 나를 다스리시고
그 자비가 지속되게 하소서.

Deine Hilfe zu mir sende,
o du edler Herzensgast!
Und das gute Werk vollende,
das du angefangen hast.
Blas in mir das Fünklein auf,
bis dass nach vollbrachtem Lauf
ich den Auserwählten gleiche
und des Glaubens Ziel erreiche.

BWV 176

Es ist ein trotzig und verzagt Ding

---

1. Coro c **C**

Es ist ein trotzig und verzagt Ding um aller Menschen Herze.

2. Recitativo: Alto g-g **C**

Ich meine, recht verzagt,
dass Nikodemus sich bei Tage nicht,
bei Nacht zu Jesu wagt.
Die Sonne musste dort bei Josua so lange stille stehn,
so lange bis der Sieg vollkommen war geschehn;
hier aber wünschet Nikodem:
O säh ich sie zu Rüste gehn!

오, 고귀한 내 마음의 손님이여
나에게 도움을 보내소서!
당신이 시작하신
선한 일을 완성하소서.
내 마음에 작은 불꽃을 일으켜
내가 갈 길 다 걸은 후
선택받은 이들과 내가 같아지고
믿음의 종착지에 도달하게 하소서.

BWV 176
사람의 마음은 고집스럽고 소심하다

- 1725년 라이프치히 작곡, 1725년 5월 27일 라이프치히 초연
- 오보에 2, 오보에 다 카차, 바이올린 2, 비올라, 콘티누오
- 예레미야 17:9 (1); 파울 게르하르트 (6); 크리스티아네 마리아네 폰 치글러 (2-5)

---

1. 합창
사람의 마음은 고집스럽고 소심하다.

2. 레치타티보: 알토
니고데모가 예수님을 밤에 찾아오고
낮에는 오지 않은 것은
참으로 소심하였다.
여호수아가 완전한 승리를 거둘 때까지
해는 가만히 그곳에 멈추어 있어야 했다.
그러나 지금 니고데모는 이렇게 소망하고 있으니,
아, 해가 저무는 것을 보았으면!

3. Aria: Soprano B♭ 𝄵

Dein sonst hell beliebter Schein
soll vor mich umnebelt sein,
weil ich nach dem Meister frage,
denn ich scheue mich bei Tage.
Niemand kann die Wunder tun,
denn sein Allmacht und sein Wesen,
scheint, ist göttlich auserlesen,
Gottes Geist muss auf ihm ruhn.

4. Recitativo: Bass F-g 𝄴

So wundre dich, o Meister, nicht,
warum ich dich bei Nacht ausfrage!
Ich fürchte, dass bei Tage
mein Ohnmacht nicht bestehen kann.
Doch tröst ich mich, du nimmst mein Herz und Geist
zum Leben auf und an,
weil alle, die nur an dich glauben,
nicht verloren werden.

5. Aria: Alto E♭ 3/8

Ermuntert euch, furchtsam und schüchterne Sinne,
erholet euch, höret, was Jesus verspricht:
Dass ich durch den Glauben den Himmel gewinne.
Wenn die Verheißung erfüllend geschicht,
werd ich dort oben
mit Danken und Loben
Vater, Sohn und Heil'gen Geist
preisen, der dreieinig heißt.

3. 아리아: 소프라노

당신의 밝고 사랑스러운 빛은
나를 위해 어둑어둑해지리라.
스승님을 뵈러 가야 하나
나는 낮이 두렵기 때문이네.
아무도 이 기적을 행할 수 없네.
그분의 전능과 본질은
하나님이 택하신 듯하니
하나님의 영이 그 위에서 편히 쉬리라.

4. 레치타티보: 베이스

그러므로 이상하게 여기지 마십시오, 스승님,
내가 왜 밤에 와서 당신에게 묻는지를!
나의 나약함이 낮을 견디지 못할까
두렵습니다.
그러나 나는 당신이 내 마음과 영을 받아
드높이실 것임을 위로로 삼습니다.
당신만을 믿는 이들은 모두
멸망하지 않기 때문입니다.

5. 아리아: 알토

용기를 내어라, 겁 많고 소심한 영혼이여
생기를 되찾고 예수님이 약속한 말을 들어보아라,
내가 믿음으로 천국을 얻으리라던 그 약속을.
약속이 지켜지면
나는 그곳 천국에서
감사와 찬양으로
삼위일체이신 아버지와 아들과 성령을
찬미하리라.

6. Choral f-c **C**

Auf dass wir also allzugleich
zur Himmelspforten dringen
und dermaleinst in deinem Reich
ohn alles Ende singen,
dass du alleine König seist,
hoch über alle Götter,
Gott Vater, Sohn und Heil'ger Geist,
der Frommen Schutz und Retter,
ein Wesen drei Personen.

BWV 129

Gelobet sei der Herr, mein Gott

---

1. Coro D **C**

Gelobet sei der Herr,
mein Gott, mein Licht, mein Leben,
mein Schöpfer, der mir hat
mein Leib und Seel gegeben,
mein Vater, der mich schützt
von Mutterleibe an,
der alle Augenblick
viel Guts an mir getan.

6. 코랄

찬미하라, 우리가 함께
천국 문으로 들어가
언젠가는 당신의 나라에서
끝없이 노래를 부르리라.
당신만이 유일한 왕이시며
높은 곳에서 모든 신을 굽어보시네.
하나님 아버지, 아들, 성령
경건한 이들의 보호자이자 구원자이며
세 분으로 존재하나 본질은 한 분이네.

BWV 129

주님을 찬양합니다, 나의 하나님

- 1726년 라이프치히 작곡, 1727년 6월 8일 라이프치히 초연
- 트럼펫 3, 팀파니, 가로 플루트, 오보에 2, 바이올린 2, 비올라, 콘티누오
- 요한 올레아리우스

---

1. 합창

주님을 찬양합니다
나의 하나님, 나의 빛, 나의 생명
나에게 몸과 영혼을 주신
나의 창조주.
태어날 때부터 나를 보호하시는
나의 아버지.
모든 순간마다 내게 선함을
베푸셨네.

2. Aria: Bass A 3/8

Gelobet sei der Herr,
mein Gott, mein Heil, mein Leben,
des Vaters liebster Sohn,
der sich für mich gegeben,
der mich erlöset hat
mit seinem teuren Blut,
der mir im Glauben schenkt
sich selbst, das höchste Gut.

3. Aria: Soprano e ¢

Gelobet sei der Herr,
mein Gott, mein Trost, mein Leben,
des Vaters werter Geist,
den mir der Sohn gegeben,
der mir mein Herz erquickt,
der mir gibt neue Kraft,
der mir in aller Not
Rat, Trost und Hülfe schafft.

4. Aria: Alto G 6/8

Gelobet sei der Herr,
mein Gott, der ewig lebet,
den alles lobet, was
in allen Lüften schwebet;
gelobet sei der Herr,
des Name heilig heißt,
Gott Vater, Gott der Sohn
und Gott der Heil'ge Geist.

2. 아리아: 베이스

주님을 찬양합니다
나의 하나님, 나의 구원, 나의 생명
아버지가 가장 사랑하는 아들,
나를 위해 몸 바치시고
당신의 귀한 피로
나를 구원하시고
믿음 속에서 나에게
최고의 자산인 당신을 주셨네.

3. 아리아: 소프라노

주님을 찬양합니다
나의 하나님, 나의 위안, 나의 생명
아버지의 귀중한 영을
그 아들이 내게 주셨네.
내 마음을 소생시키고
새로운 힘을 주시고
어떤 고난에서도 나에게
충고와 위안과 도움을 주시네.

4. 아리아: 알토

주님을 찬양합니다
나의 하나님, 영원히 사시는 분
천지에서 움직이는
만물이 찬양하네.
주님을 찬양합니다
이름이 거룩히 여김을 받으시는 분
하나님 아버지, 하나님 아들
하나님 성령.

5. Choral D **C**

Dem wir das Heilig itzt
mit Freuden lassen klingen
und mit der Engel Schar
das Heilig, Heilig singen,
den herzlich lobt und preist
die ganze Christenheit:
Gelobet sei mein Gott
in alle Ewigkeit!

BWV 192

Nun danket alle Gott

---

1. Coro G 3/4

Nun danket alle Gott
mit Herzen, Mund und Händen,
der große Dinge tut
an uns und allen Enden,
der uns von Mutterleib
und Kindesbeinen an
unzählig viel zugut
und noch jetzund getan.

5. 코랄

우리가 지금 기쁘게
'거룩하시도다'를 부르며
천사의 무리와 함께
'상투스'의 노래를 바치는 분,
그분을 모든 그리스도인들이
마음 깊이 찬양하고 찬미하네.
나의 하나님을 찬양합니다
영원히!

BWV 192

이제 모두 하나님께 감사하라

- 1730년 라이프치히 작곡, 1730년 6월 4일 라이프치히 초연
- 가로 플루트 2, 오보에 2, 바이올린 2, 비올라, 콘티누오
- 마르틴 링카르트

---

1. 합창

이제 모두 하나님께 감사하라,
마음과 입술과 손으로.
우리가 어디에 있든지
그분은 우리를 위해 큰일을 하시네.
우리가 모태에 있을 때와
어렸을 적부터
수없이 많은 호의를 베푸셨고
앞으로도 베푸시리라.

2. Aria (Duetto): Soprano, Bass D 2/4

Der ewig reiche Gott
woll uns bei unserm Leben
ein immer fröhlich Herz
und edlen Frieden geben
und uns in seiner Gnad
erhalten fort und fort
und uns aus aller Not
erlösen hier und dort.

3. Coro G 12/8

Lob, Ehr und Preis sei Gott,
dem Vater und dem Sohne
und dem, der beiden gleich
im hohen Himmelsthrone,
dem dreieinigen Gott,
als der ursprünglich war
und ist und bleiben wird
jetzund und immerdar.

2. 아리아 (이중창): 소프라노, 베이스

영원토록 풍요로운 하나님
우리가 살아갈 때에
늘 즐거운 마음과
귀한 평화를 주시고
우리를 그의 자비로
영원히 지켜주시고
지상과 하늘에서
우리를 모든 시련에서 구하소서.

3. 합창

찬양과 영광과 찬미가 하나님
아버지와 아들 그리고
높은 하늘의 보좌에 있는
그 두 분과 동등하신
삼위일체의 하나님께
처음부터 계셨고
지금도 계시며 앞으로도
영원히 계실 분에게.

세례자 요한 축일*

서신서 이사야 40:1-5
복음서 누가복음 1:57-80

* 6월 24일. 엘리사벳이 세례자 요한을 임신한 지 여섯 달째에 성모 마리아가 예수를 잉태했다고 전하는 누가복음 1:26-38에 따라, 세례자 요한의 탄생일인 6월 24일을 축일로 기념하고 있다.

BWV 167

Ihr Menschen, rühmet Gottes Liebe

1. Aria: Tenor G 𝄴 12/8

Ihr Menschen, rühmet Gottes Liebe
und preiset seine Gütigkeit!
  Lobt ihn aus reinem Herzenstriebe,
  dass er uns zu bestimmter Zeit
  das Horn des Heils, den Weg zum Leben
  an Jesu, seinem Sohn, gegeben.

2. Recitativo: Alto e-e 𝄴

Gelobet sei der Herr Gott Israel,
der sich in Gnaden zu uns wendet
und seinen Sohn
vom hohen Himmelsthron
zum Welterlöser sendet.
Erst stellte sich Johannes ein
und musste Weg und Bahn
dem Heiland zubereiten;
hierauf kam Jesus selber an,
die armen Menschenkinder
und die verlornen Sünder
mit Gnad und Liebe zu erfreun
und sie zum Himmelreich in wahrer Buß zu leiten.

BWV 167

사람들아, 하나님의 사랑을 찬양하여라

- 1723년 라이프치히 작곡, 1723년 6월 24일 라이프치히 초연
- 클라리노, 오보에, 오보에 다 카차, 바이올린 2, 비올라, 콘티누오
- 요한 그라만 (5); 무명 시인 (1-4)

1. 아리아: 테너

사람들아, 하나님의 사랑을 찬양하여라
그의 선하심을 칭송하여라!
　순수한 마음으로 그를 찬미하여라.
　그가 약속한 때에 우리에게
　구원의 뿔을 주시고 그의 아들 예수께 가는
　생명의 길을 보여주셨으니.

2. 레치타티보: 알토

이스라엘의 주 하나님을 찬양합니다,
그는 우리를 자비롭게 바라보시고
당신의 아들을
하늘의 높은 보좌에서
세상의 구원자로 보내셨습니다.
처음에는 요한이 와서
구세주께 이르는 길을
준비하였습니다.
그런 뒤 예수께서 나타나시어
가련한 인간들과
타락한 죄인들에게
자비와 사랑으로 기쁨을 주시고
그들을 참된 회개와 함께 하늘나라로 인도하십니다.

3. Aria (Duetto): Soprano, Alto a 3/4, C, 3/4

Gottes Wort, das trüget nicht,
es geschieht, was er verspricht.
    Was er in dem Paradies
    und vor so viel hundert Jahren
    denen Vätern schon verhieß,
    haben wir gottlob erfahren.

4. Recitativo: Bass C-G C

Des Weibes Samen kam,
nachdem die Zeit erfüllet;
der Segen, den Gott Abraham,
dem Glaubensheld, versprochen,
ist wie der Glanz der Sonne angebrochen,
und unser Kummer ist gestillet.
Ein stummer Zacharias preist
mit lauter Stimme Gott vor seine Wundertat,
die er dem Volk erzeiget hat.
Bedenkt, ihr Christen, auch, was Gott an euch getan
und stimmet ihm ein Loblied an!

5. Choral G 3/4

Sei Lob und Preis mit Ehren
Gott Vater, Sohn, Heiligem Geist!
Der woll' in uns vermehren,
was er uns aus Gnad verheißt,
dass wir ihm fest vertrauen,
gänzlich verlass'n auf ihn,

3. 아리아 (이중창): 소프라노, 알토

하나님의 말씀은 거짓이 없네
그가 약속하신 대로 이루어지네.
　　그가 낙원에서
　　오래전에
　　우리의 아버지들에게 약속하신 것을
　　우리는 기쁜 마음으로 보았네.

4. 레치타티보: 베이스

때가 되자
여자의 자손이 나왔습니다.
하나님이 믿음의 영웅 아브라함에게
약속하신 축복은
태양의 광채처럼 쏟아져 내리고
우리의 근심은 멈추었습니다.
말 못하던 스가랴는 큰 소리로
하나님이 행하시고 백성에게 보여주신
기적을 찬양합니다.
그리스도인들이여, 하나님이 여러분에게 행하신 것을 기억하고
그를 위해 찬미가를 부릅시다!

5. 코랄

영광으로 찬미하고 찬양합니다
하나님 아버지, 아들, 성령이여!
은총으로 약속하신 것을
우리 안에서 자라게 하시어
우리가 그를 굳게 믿고
온전히 의지하고

von Herzen auf ihn bauen,
dass unser Herz, Mut und Sinn
ihm festiglich anhangen;
darauf sing'n wir zur Stund:
Amen, wir werden's erlangen,
gläub'n wir aus Herzens Grund.

BWV 7

Christ unser Herr zum Jordan kam

---

1. Coro(Choral) e **C**

Christ unser Herr zum Jordan kam
nach seines Vaters Willen,
von Sankt Johann's die Taufe nahm,
sein Werk und Amt zu erfüllen;
da wollt' er stiften uns ein Bad,
zu waschen uns von Sünden,
ersäufen auch den bittern Tod
durch sein selbst Blut und Wunden;
es galt ein neues Leben.

2. Aria: Bass G **C**

Merkt und hört, ihr Menschenkinder,

마음 깊이 발판으로 삼게 하시고
우리의 마음과 용기와 생각이
그에게 확고히 매달리게 하소서.
이를 위해 지금 노래하오니
아멘, 우리가 온 마음으로 믿으면
얻으리이다.

BWV 7
우리 주 그리스도가 요단 강에 오셨네

- 1724년 라이프치히 작곡, 1724년 6월 24일 라이프치히 초연
- 오보에 다모레 2, 바이올린 2, 비올라, 콘티누오
- 마르틴 루터 (1, 7); 무명 시인 (2-6)

---

1. 합창(코랄)

우리 주 그리스도가 요단 강에 오셨네
아버지의 뜻에 따라
당신의 사역과 사명을 다하기 위해
성 요한에게 세례를 받으셨네.
주는 우리가 물에 들어가
죄악을 씻어내게 하시고
당신의 피와 상처로
쓰라린 죽음도 물에 가라앉게 하시어
새 생명을 얻게 하셨네.

2. 아리아: 베이스

듣고 기억하라, 사람의 자녀들이여

was Gott selbst die Taufe heißt.

Es muss zwar hier Wasser sein,
doch schlecht Wasser nicht allein.
Gottes Wort und Gottes Geist
tauft und reiniget die Sünder.

3. Recitativo: Tenor e-d **C**

Dies hat Gott klar
mit Worten und mit Bildern dargetan,
am Jordan ließ der Vater offenbar
die Stimme bei der Taufe Christi hören;
er sprach: Dies ist mein lieber Sohn,
an diesem hab ich Wohlgefallen,
er ist vom hohen Himmelsthron
der Welt zugut'
in niedriger Gestalt gekommen
und hat das Fleisch und Blut
der Menschenkinder angenommen;
den nehmet nun als euren Heiland an
und höret seine teuren Lehren!

4. Aria: Tenor a 9/8 3/4

Des Vaters Stimme ließ sich hören,
der Sohn, der uns mit Blut erkauft,
ward als ein wahrer Mensch getauft.
Der Geist erschien im Bild der Tauben,
damit wir ohne Zweifel glauben,
es habe die Dreifaltigkeit
uns selbst die Taufe zubereit'.

하나님 자신이 무엇을 세례라 칭하시는지를.

여기에 물이 있기는 있으나
그것이 전부는 아니다.
하나님의 말씀과 성령이
죄인에게 세례를 주고 깨끗하게 하리라.

3. 레치타티보: 테너

이는 하나님이 분명히
말씀과 비유로 보여주셨다.
요단 강에서 아버지는
그리스도가 세례를 받을 때 음성으로 말씀하셨다.
이는 내가 사랑하는 아들,
내 마음에 드는 아들이다.
그는 높은 하늘의 보좌에서
세상을 위해
겸손한 모습으로 오시어
사람의 자녀의
살과 피를 취하셨으니
그것을 너희의 구세주로 받아들이고
그의 귀중한 가르침을 들어라!

4. 아리아: 테너

아버지의 음성이 들리고
피로써 우리를 구원한 그 아들이
참 사람으로 세례를 받았네.
성령이 비둘기의 형상으로 나타나니
성삼위가 직접 우리에게
세례를 주심을
우리가 의심 없이 믿게 하기 위함이라.

5. Recitativo: Bass e-b **C**

Als Jesu dort nach seinen Leiden
und nach dem Auferstehn
aus dieser Welt zum Vater wollte gehn,
sprach er zu seinen Jüngern:
Geht hin in alle Welt und lehret alle Heiden,
wer glaubet und getaufet wird auf Erden,
der soll gerecht und selig werden.

6. Aria: Alto e **C**

Menschen, glaubt doch dieser Gnade,
dass ihr nicht in Sünden sterbt
noch im Höllenpfuhl verderbt!
Menschenwerk und -heiligkeit
gilt vor Gott zu keiner Zeit.
Sünden sind uns angeboren,
wir sind von Natur verloren;
Glaub und Taufe macht sie rein,
dass sie nicht verdammlich sein.

7. Choral e-b **C**

Das Aug allein das Wasser sieht,
wie Menschen Wasser gießen,
der Glaub allein die Kraft versteht
des Blutes Jesu Christi,
und ist vor ihm ein' rote Flut
von Christi Blut gefärbet,
die allen Schaden heilet gut,
von Adam her geerbet,
auch von uns selbst begangen.

5. 레치타티보: 베이스

예수가 그곳에서 수난을 당하고
부활하신 뒤
이 세상을 떠나 아버지께 가려 할 때
제자들에게 말씀하셨다:
온 세상을 다니며 모든 이방인들에게 가르쳐라,
이 땅에서 믿고 세례를 받는 이는
의롭고 복될 것이라.

6. 아리아: 알토

사람들아, 이 은총을 믿어라.
너희가 죄악 속에서도 죽지 않고
지옥의 구덩이에서도 멸망하지 않음을!
사람의 일과 신성함은 절대로
하나님보다 중요하지 않네.
우리는 죄를 타고 났고
처음부터 타락한 자들이라.
믿음과 세례는 우리를 깨끗하게 만들어
저주받지 않게 하리라.

7. 코랄

사람이 물을 부을 때
눈은 오직 그 물만 보지만
믿음은 예수 그리스도의 피의
힘을 깨닫습니다.
믿음 앞에서 그것은
그리스도의 피로 물든
붉은 물결입니다.
아담에게서 물려받은 상처와
우리 스스로 만든 상처도 치유합니다.

BWV 30
Freue dich, erlöste Schar

I. Teil

1. Coro D 2/4

Freue dich, erlöste Schar,
freue dich in Sions Hütten.
  Dein Gedeihen hat itzund
  einen rechten festen Grund,
  dich mit Wohl zu überschütten.

2. Recitativo: Bass b-G **C**

Wir haben Rast,
und des Gesetzes Last
ist abgetan.
Nichts soll uns diese Ruhe stören,
die unsre liebe' Väter oft
gewünscht, verlanget und gehofft.
Wohlan,
es freue sich, wer immer kann,
und stimme seinem Gott zu Ehren
ein Loblied an,
und das im höhern Chor,
ja, singt einander vor!

BWV 30

기뻐하라, 구원받은 무리여

- 1738년 라이프치히(추정), 1738년 6월 24일 라이프치히 또는 그 이후 초연(추정)
- 가로 플루트 2, 오보에 2, 오보에 다모레, 바이올린 2, 비올라, 콘티누오
- 무명 시인(1-5, 7-12); 요한 올레아리우스 (6)

제1부

1. 합창

기뻐하라, 구원받은 무리여
시온의 초막에서 기뻐하라
　　너의 번영은 지금부터
　　올바르고 굳건한 토대 위에 서 있으니
　　행복이 너에게 쏟아지리라.

2. 레치타티보: 베이스

우리가 휴식을 얻었으니
율법의 짐이
사라졌네.
아무것도 우리의 평안을 방해하지 못하네,
사랑하는 우리의 아버지들이 자주
소원하고 바라고 희망했던 평안을.
자,
기뻐할 수 있는 사람은 기뻐하라
찬미가를 불러
하나님의 영광을 노래하라.
천상의 합창단에서
서로서로 노래를 불러라!

3. Aria: Bass G 3/8

Gelobet sei Gott, gelobet sein Name,
der treulich gehalten Versprechen und Eid!
    Sein treuer Diener ist geboren,
    der längstens darzu auserkoren,
    dass er den Weg dem Herrn bereit'.

4. Recitativo: Alto D-c♯ C

Der Herold kömmt und meldt den König an,
er ruft; drum säumet nicht
und macht euch auf
mit einem schnellen Lauf,
eilt dieser Stimme nach!
Sie zeigt den Weg, sie zeigt das Licht,
wodurch wir jene sel'ge Auen
dereinst gewisslich können schauen.

5. Aria: Alto A C

Kommt, ihr angefochtnen Sünder,
eilt und lauft, ihr Adamskinder,
euer Heiland ruft und schreit!
    Kommet, ihr verirrten Schafe,
    stehet auf vom Sündenschlafe,
    denn itzt ist die Gnadenzeit!

6. Choral A C

Eine Stimme lässt sich hören
in der Wüste weit und breit,
alle Menschen zu bekehren:

3. 아리아: 베이스

하나님을 찬양하네, 그의 이름을 찬양하네
언약과 맹세를 신실하게 지키신 분!
    그의 충실한 종이 태어났다
    주님의 길을 준비하도록
    오래전에 선택된 종이.

4. 레치타티보: 알토

전령이 나타나 왕이 오실 것임을 알리네
그가 외치네: 그러므로 지체하지 말고
빠른 걸음으로
준비하며
이 목소리를 따르라!
목소리는 길을 보여주고, 빛을 보여주리라
그러면 우리는 언젠가 반드시
축복받은 초지를 바라보리라.

5. 아리아: 알토

오라, 유혹에 빠진 죄인들이여
서둘러 달려오라, 아담의 자손들이여
너희 구세주가 부르고 외치신다!
    오라, 너희 길 잃은 양들아
    죄악의 잠에서 깨어 일어나라.
    은총의 시간이 가까웠으니!

6. 코랄

광야에서 크게
외치는 소리가 들리네
모든 사람에게 회개하라 하네.

Macht dem Herrn den Weg bereit,
machet Gott ein ebne Bahn,
alle Welt soll heben an,
alle Täler zu erhöhen,
dass die Berge niedrig stehen.

II. Teil

7. Recitativo: Bass e-f♯ 𝄴

So bist du denn, mein Heil, bedacht,
den Bund, den du gemacht
mit unsern Vätern, treu zu halten
und in Gnaden über uns zu walten;
drum will ich mich mit allem Fleiß
dahin bestreben,
dir, treuer Gott, auf dein Geheiß
in Heiligkeit und Gottesfurcht zu leben.

8. Aria: Bass b 2/4

Ich will nun hassen
und alles lassen,
was dir, mein Gott, zuwider ist.
  Ich will dich nicht betrüben,
  hingegen herzlich lieben,
  weil du mir so gnädig bist.

9. Recitativo: Soprano f♯-G 𝄴

Und obwohl sonst der Unbestand
den schwachen Menschen ist verwandt,

주님의 길을 닦고
하나님의 길을 고르게 하라.
온 세상이 나서서
모든 골짜기를 높이 올리면
산이 낮아지리라.

제2부

7. 레치타티보: 베이스
나의 구세주여, 당신은
우리 조상들과 맺은 언약을
신실하게 지키시고
우리를 자비롭게 다스리려 하십니다.
그러므로 나는 온 힘을 다하여
신실한 하나님 당신의 명령대로
거룩하고 경외하는 마음으로 살도록
노력하겠습니다.

8. 아리아: 베이스
이제 나는 미워하리라
그리고 그만두리라
나의 하나님 당신이 싫어하는 것을.
　　나는 당신을 슬프게 하지 않으리라
　　그리고 마음 깊이 사랑하리라
　　당신이 내게 큰 은혜를 베푸셨으니.

9. 레치타티보: 소프라노
마음이 변하는 것이
나약한 인간의 천성이라 해도

so sei hiermit doch zugesagt:
Sooft die Morgenröte tagt,
solang ein Tag den andern folgen lässt,
so lange will ich steif und fest,
mein Gott, durch deinen Geist
dir ganz und gar zu Ehren leben.
Dich soll sowohl mein Herz als Mund
nach dem mit dir gemachten Bund
mit wohlverdientem Lob erheben.

10. Aria: Soprano e 9/8

Eilt, ihr Stunden, kommt herbei,
bringt mich bald in jene Auen!
    Ich will mit der heil'gen Schar
    meinem Gott ein' Dankaltar
    in den Hütten Kedar bauen,
    bis ich ewig dankbar sei.

11. Recitativo: Tenor b-D **C**

Geduld, der angenehme Tag
kann nicht mehr weit und lange sein,
da du von aller Plag
der Unvollkommenheit der Erden,
die dich, mein Herz, gefangen hält,
vollkommen wirst befreiet werden.
Der Wunsch trifft endlich ein,

지금 확실히 말할 수 있습니다.
여명이 밝아오고
하루가 지나 또 하루가 계속되는 한
나는 흔들리지 않고 굳건하게
나의 하나님의 성령을 통해
당신의 영광을 위해 살겠습니다.
나의 마음과 입은
당신과 맺은 언약에 따라
마땅히 드려야할 찬양을 바쳐야 합니다.

10. 아리아: 소프라노

서둘러라, 시간이여, 달려오라
나를 곧 저기 초지로 데려가라!
내가 거룩한 무리와 함께
게달*의 초막에서
하나님께 감사의 제단을 쌓고
영원토록 감사를 드리리라.

11. 레치타티보: 테너

인내하라, 좋은 날이
머잖아 찾아오리라.
그때가 되면 너의 마음을 붙들고 있는
지상의 모든 고통과
불완전함에서
완전히 해방되리라.
마침내 소원이 이루어지리라

* Kedar: 아브라함과 이집트 여자 몸종 하갈 사이에서 태어난 아들인 이스마엘의 아들. 아라비아 북서쪽에 살던 그 후손의 부족을 가리키는 이름이기도 하다.

da du mit den erlösten Seelen
in der Vollkommenheit
von diesem Tod des Leibes bist befreit,
da wird dich keine Not mehr quälen.

12. Coro D 2/4

Freue dich, geheil'gte Schar,
Freue dich in Sions Auen!
    Deiner Freude Herrlichkeit,
    deiner Selbstzufriedenheit
    wird die Zeit kein Ende schauen.

네가 구원받은 영혼들과 함께
이 육신의 죽음에서 완전히 해방되면
그때는 어떤 고통도
너를 괴롭히지 못하리라.

12. 합창

기뻐하라, 거룩한 무리여
기뻐하라 시온의 초지에서!
    너의 찬란한 기쁨과
    너의 만족은
    시간이 흘러도 끝이 없으리라.

삼위일체주일 후 첫 주일

서신서 요한1서 4:16-21
복음서 누가복음 16:19-31

BWV 75

Die Elenden sollen essen

I. Teil

1. Coro e 3/4, C

Die Elenden sollen essen, dass sie satt werden, und die nach dem Herrn fragen, werden ihn preisen. Euer Herz soll ewiglich leben.

2. Recitativo: Bass b-e C

Was hilft des Purpurs Majestät,
da sie vergeht?
Was hilft der görßte Überfluss,
weil alles, so wir sehen,
verschwinden muss?
Was hilft der Kitzel eitler Sinnen,
denn unser Leib muss selbst von hinnen?
Ach, wie geschwind ist es geschehen,
dass Reichtum, Wollust, Pracht
den Geist zur Hölle macht!

3. Aria: Tenor G 3/4

Mein Jesus soll mein Alles sein!
    Mein Purpur ist sein teures Blut,

BWV 75

가난한 사람은 배불리 먹고

- 1723년 라이프치히 작곡, 1723년 5월 30일 라이프치히 초연
- 트럼펫, 오보에 2, 오보에 다모레, 현악기, 콘티누오
- 시편 22:26 (1); 자무엘 로디가스트 (7, 14); 무명 시인 (2-6, 8-13)

제1부

1. 합창

가난한 사람은 배불리 먹고
주를 찾는 사람은 주를 찬양하리라.
너희들 마음이 영원히 살리라.

2. 레치타티보: 베이스

보랏빛 위엄이 무슨 소용인가?
왕의 권세가 사라지는데.
넘치는 풍요가 무슨 소용인가?
우리 눈에 보이는 모든 것이
사라지고 말 텐데.
덧없는 감각의 욕망이 무슨 소용인가?
우리의 육신은 사라져야 하는데.
아, 부와 정욕과 호사가
어찌나 빠르게
정신을 지옥으로 만드는지!

3. 아리아: 테너

예수는 나의 모든 것 되시네!
    나의 권세는 그의 귀한 피

er selbst mein allerhöchstes Gut,
und seines Geistes Liebesglut
mein allersüß'ster Freudenwein.

4. Recitativo: Tenor a-C **C**

Gott stürzet und erhöhet
in Zeit und Ewigkeit.
Wer in der Welt den Himmel sucht,
wird dort verflucht.
Wer aber hier die Hölle überstehet,
wird dort erfreut.

5. Aria: Soprano a 3/8

Ich nehme mein Leiden mit Freuden auf mich.
Wer Lazarus' Plagen
geduldig ertragen,
den nehmen die Engel zu sich.

6. Recitativo: Soprano G-G **C**

Indes schenkt Gott ein gut' Gewissen,
dabei ein Christe kann
ein kleines Gut mit großer Lust genießen.
Ja, führt er auch durch lange Not
zum Tod,
so ist es doch am Ende wohlgetan.

7. Choral G **C**

Was Gott tut, das ist wohlgetan;
muss ich den Kelch gleich schmecken,

그는 내 최고의 자산
그분 영의 빛나는 사랑은
나의 가장 달콤한 기쁨의 포도주라네.

4. 레치타티보: 테너

하나님은 넘어뜨리고 일으켜 세우시네
지금도 앞으로도 영원히.
세상에서 천국을 찾는 이는
그곳에서 저주를 받으리라.
세상에서 지옥을 견디는 이는
그곳에서 기쁨을 얻으리라

5. 아리아: 소프라노

나는 내 고난을 기쁘게 받아들이네.
나사로의 고통을
참고 견디는 이는
천사들이 데려가리라.

6. 레치타티보: 소프라노

하나님이 깨끗한 양심을 주시니
그리스도인은
작은 일도 큰 기쁨으로 즐깁니다.
주께서 오랜 고난을 통해
죽음으로 이끄시더라도
결국 그것은 좋은 일이 될 것입니다.

7. 코랄

하나님이 하시는 일은 선하도다.
비록 내 생각에 쓴맛이 나는 잔을

der bitter ist nach meinem Wahn,
lass ich mich doch nicht schrecken,
weil doch zuletzt
ich werd' ergötzt
mit süßem Trost im Herzen;
da weichen alle Schmerzen.

II. Teil

8. Sinfonia G ¢

9. Recitativo: Alto e-G C

Nur eines kränkt
ein christliches Gemüte:
Wenn es an seines Geistes Armut denkt.
Es gläubt zwar Gottes Güte,
die alles neu erschafft;
doch mangelt ihm die Kraft,
dem überirds'chen Leben
das Wachstum und die Frucht zu geben.

10. Aria: Alto e 3/8

Jesus macht mich geistlich reich.
Kann ich seinen Geist empfangen,
will ich weiter nichts verlangen;
denn mein Leben wächst zugleich.
Jesus macht mich geistlich reich.

마셔야 하더라도
나는 놀라지 않으리라.
마지막에는 내가
달콤한 위안을 받고
마음이 즐거워질 것이기에.
그땐 모든 고통이 물러가리라.

제2부

8. 신포니아

9. 레치타티보: 알토
그리스도인의 마음을
괴롭히는 단 하나는
그의 영혼의 빈곤이네.
그는 모든 것을 새롭게 하는
하나님의 선하심을 믿으나
영적인 삶에
성장과 열매를 선물할
힘이 부족하네.

10. 아리아: 알토
예수는 나를 영적으로 풍요롭게 하시네.
내가 그의 영을 받을 수 있다면
더는 아무것도 바라지 않으리라.
내 삶은 더불어 성장할 것이기 때문이라.
예수는 나를 영적으로 풍요롭게 하시네.

11. Recitativo: Bass D-C 𝄴

Wer nur in Jesu bleibt,
die Selbstverleugnung treibt,
dass er in Gottes Liebe
sich gläubig übe,
hat, wenn das Irdische verschwunden,
sich selbst und Gott gefunden.

12. Aria: Bass C 𝄴

Mein Herze glaubt und liebt.
  Denn Jesu süße Flammen,
  aus den' die meinen stammen,
  gehn über mich zusammen,
  weil er sich mir ergibt.

13. Recitativo: Tenor a-G 𝄴

O Armut, der kein Reichtum gleicht!
Wenn aus dem Herzen
die ganze Welt entweicht
und Jesus nur allein regiert,
so wird ein Christ zu Gott geführt!
Gib, Gott, dass wir es nicht verscherzen!

14. Choral G 𝄴

Was Gott tut, das ist wohlgetan,
dabei will ich verbleiben.
Es mag mich auf die raue Bahn
Not, Tod und Elend treiben;
so wird Gott mich

11. 레치타티보: 베이스

예수 안에 거하며
자기를 희생하고
하나님의 사랑 안에서
신앙을 단련하는 사람은
세상의 것이 사라질 때
자신과 하나님을 찾았도다.

12. 아리아: 베이스

내 마음이 믿고 사랑하네.
    예수님의 달콤한 불꽃
    나의 것을 만드신 그 불꽃이
    나와 함께 가시기 때문이네.
    그가 나를 위해 몸을 바치셨으니.

13. 레치타티보: 테너

오, 어떤 풍요에도 비할 수 없는 빈곤!
마음속에서
온 세상이 사라지고
오직 예수께서 홀로 다스릴 때에
그리스도인은 하나님께 인도되리라!
하나님, 우리가 이를 잃어버리지 않게 하소서!

14. 코랄

하나님이 하시는 일은 선하시니
내가 굳게 믿으리라.
험한 길에 던져지고
고난과 죽음과 불행이 덮쳐도
하나님은 나를

ganz väterlich
in seinen Armen halten;
drum lass ich ihn nur walten.

BWV 20

O Ewigkeit, du Donnerwort I

I. Teil

1. Coro (Choral) F **C**, 3/4, **C**

O Ewigkeit, du Donnerwort,
o Schwert, das durch die Seele bohrt,
o Anfang sonder Ende!
O Ewigkeit, Zeit ohne Zeit,
ich weiß vor großer Traurigkeit
nicht, wo ich mich hinwende.
Mein ganz erschrocken Herz erbebt,
dass mir die Zung am Gaumen klebt.

2. Recitativo: Tenor a-c **C**

Kein Unglück ist in aller Welt zu finden,
das ewig dauernd sei:
Es muss doch endlich mit der Zeit einmal

아버지처럼
팔에 안아주시리.
그러므로 나는 그의 섭리를 따르리라.

BWV 20
오 영원이여, 우레 같은 말씀이여 I

- 1724년 라이프치히 작곡, 1724년 6월 11일 라이프치히 초연
- 트럼펫, 오보에 3, 바이올린 2, 비올라, 콘티누오
- 요한 리스트 (1, 7, 11); 무명 시인 (2-6, 8-10)

제1부

1. 합창 (코랄)
오 영원이여, 우레 같은 말씀이여
오 영혼을 꿰뚫는 검
오 끝이 없는 시작!
오 영원이여, 시간을 넘어선 시간
나는 너무 슬픈 나머지
어디로 가야 할지 알지 못하네.
두려움에 내 마음은 떨리고
혀는 입천장에 붙었네.

2. 레치타티보: 테너
영원히 지속되는 불행은
이 세상에 없습니다.
세월과 더불어 언젠가는

verschwinden.
Ach! aber ach! die Pein der Ewigkeit hat nur kein Ziel;
sie treibet fort und fort ihr Marterspiel,
ja, wie selbst Jesus spricht,
aus ihr ist kein Erlösung nicht.

3. Aria: Tenor c 3/4

Ewigkeit, du machst mir bange,
ewig, ewig ist zu lange!
Ach, hier gilt fürwahr kein Scherz.
Flammen, die auf ewig brennen,
ist kein Feuer gleich zu nennen;
es erschrickt und bebt mein Herz,
wenn ich diese Pein bedenke
und den Sinn zur Höllen lenke.

4. Recitativo: Bass g-d C

Gesetzt, es dau're der Verdammten Qual
so viele Jahr, als an der Zahl
auf Erden Gras, am Himmel Sterne wären;
gesetzt, es sei die Pein so weit hinausgestellt,
als Menschen in der Welt
von Anbeginn gewesen,
so wäre doch zuletzt
derselben Ziel und Maß gesetzt:
Sie müsste doch einmal aufhören.
Nun aber, wenn du die Gefahr,
Verdammter! tausend Millionen Jahr
mit allen Teufeln ausgestanden,

사라지고야 맙니다.
아! 아! 그러나 영원의 고통에는 끝이 없습니다.
쉬지 않고 괴로움의 유희를 계속합니다.
예수께서 말씀하시듯이
그 고통에서는 구원받지 못합니다.

3. 아리아: 테너
영원이여, 너는 나를 두렵게 하는구나.
영원, 영원은 너무 길구나!
아, 이것은 정말로 유희가 아니네.
영원히 타오르는 불길은
그 어떤 불과도 비교할 수 없네.
이 고통을 떠올리고
지옥에 생각이 미칠 때면
내 마음은 두렵고 떨려오네.

4. 레치타티보: 베이스
저주받은 이의 고통이
땅에 있는 풀, 하늘에 있는 별의
수만큼 오래 계속된다 해도,
그들의 괴로움이
인간이 세상에 존재했던
시간만큼 계속된다 해도,
마침내 언젠가는
그 마지막과 한계가 정해져 있으니
어느 때고 고통은 끝날 것이다.
그러나 저주받은 이여!
온갖 악마가 따라붙는 수십억 년의
위협을 네가 이겨내더라도

so ist doch nie der Schluss vorhanden;
die Zeit, so niemand zählen kann,
fängt jeden Augenblick
zu deiner Seelen ew'gem Ungelück
sich stets von neuem an.

5. Aria: Bass B♭ **C**

Gott ist gerecht in seinen Werken:
Auf kurze Sünden dieser Welt
hat er so lange Pein bestellt;
ach, wollte doch die Welt dies merken!
Kurz ist die Zeit, der Tod geschwind,
bedenke dies, o Menschenkind!

6. Aria: Alto d 3/4

O Mensch, errette deine Seele,
entfliehe Satans Sklaverei
und mache dich von Sünden frei,
damit in jener Schwefelhöhle
der Tod, so die Verdammten plagt,
nicht deine Seele ewig nagt.
O Mensch, errette deine Seele!

7. Choral F **C**

Solang ein Gott im Himmel lebt
und über alle Wolken schwebt,
wird solche Marter währen:
Es wird sie plagen Kält und Hitz,
Angst, Hunger, Schrecken, Feu'r und Blitz

거기에는 끝이 없을 것이다.
시간은 아무도 셀 수 없는 것
언제라도 다시 시작되어
네 영혼의 영원한 불행을 보며
매번 처음부터 새로 흘러간다.

5. 아리아: 베이스

하나님은 하시는 일마다 의로우시네.
　　이 세상의 짧은 죄악에도
　　그는 긴 세월의 고통을 마련하셨네.
　　아, 세상은 기억해야 하리라!
　　시간은 짧고 죽음은 빠르니
　　인간의 자녀들아, 이것을 명심하라!

6. 아리아: 알토

오 사람이여, 네 영혼을 구하라
사탄의 종살이에서 달아나고
죄악에서 벗어나라.
그래야 저 유황불 구덩이에서
저주받은 이를 괴롭히는 죽음이
네 영혼을 영원히 갉아먹지 않으리라.
오 사람이여, 네 영혼을 구하라!

7. 코랄

하나님이 하늘에 계시는 한
모든 구름 위에서 떠다니시는 한
그러한 고통은 계속되리라.
추위와 더위, 불안, 굶주림, 공포,
불과 번개가 사람들을 괴롭히겠으나

und sie doch nicht verzehren.
Denn wird sich enden diese Pein,
wenn Gott nicht mehr wird ewig sein.

II. Teil

8. Aria: Bass C **C**

Wacht auf, wacht auf, verloren Schafe,
ermuntert euch vom Sündenschlafe
und bessert euer Leben bald!
Wacht auf, eh die Posaune schallt,
die euch mit Schrecken aus der Gruft
zum Richter aller Welt vor das Gerichte ruft!

9. Recitativo: Alto a-a **C**

Verlass, o Mensch, die Wollust dieser Welt,
Pracht, Hoffart, Reichtum, Ehr und Geld;
bedenke doch
in dieser Zeit annoch,
da dir der Baum des Lebens grünet,
was dir zu deinem Friede dienet!
Vielleicht ist dies der letzte Tag,
kein Mensch weiß, wenn er sterben mag.
Wie leicht, wie bald
ist mancher tot und kalt!
Man kann noch diese Nacht
den Sarg vor deine Türe bringen.
Drum sei vor allen Dingen
auf deiner Seelen Heil bedacht!

집어삼키지는 않으리라.
이 고통은 하나님이 더는
영원하지 않을 때 끝날 것이기 때문이다.

제2부

8. 아리아: 베이스

깨어나라, 깨어나라, 길 잃은 양이여
죄악의 잠을 떨치고 일어나
당장 너희의 삶을 선하게 바꿔라!
깨어나라, 온 세상의 심판자가 있는 법정에
데려가려고 무섭게 너희를 무덤에서 불러내는
나팔이 울리기 전에!

9. 레치타티보: 알토

오 사람이여, 이 세상의 정욕,
화려함, 교만, 부, 명예, 돈을 버리십시오.
하지만 아직 여기에 있는 동안
생각해보십시오.
생명나무가 푸르른 이곳에서
무엇이 당신의 평화에 도움이 되는지를!
어쩌면 지금이 마지막 날일지 모릅니다.
아무도 자신이 죽을 때를 모릅니다.
얼마나 쉽게, 얼마나 빨리
많은 이들이 죽고, 또 몸이 식는지요!
이 밤이 가기 전에
당신 문 앞에 관이 놓일 수도 있습니다.
그러므로 무엇보다
당신 영혼의 구원을 생각하십시오!

10. Aria (Duetto): Alto, Tenor a 3/4

O Menschenkind,
hör auf geschwind,
die Sünd und Welt zu lieben,
dass nicht die Pein,
wo Heulen und Zähnklappen sein,
dich ewig mag betrüben!
Ach, spiegle dich am reichen Mann,
der in der Qual
auch nicht einmal
ein Tröpflein Wasser haben kann!

11. Choral F C

O Ewigkeit, du Donnerwort,
o Schwert, das durch die Seele bohrt,
o Anfang sonder Ende!
O Ewigkeit, Zeit ohne Zeit,
ich weiß vor großer Traurigkeit
nicht, wo ich mich hinwende.
Nimm du mich, wenn es dir gefällt,
Herr Jesu, in dein Freudenzelt!

10. 아리아 (이중창): 알토, 테너

오 사람의 자녀들아,
죄악과 세상을 사랑하기를
빨리 그만두어라.
울부짖고 이를 덜덜 떠는
고통이 너를
영원히 괴롭히지 않도록!
아, 고통 속에서
한 모금의 물조차 마실 수 없는
부자에게 너의 모습을
비추어보아라!

11. 코랄

오 영원이여, 우레 같은 말씀이여
오 영혼을 꿰뚫는 검
오 끝이 없는 시작!
오 영원이여, 시간을 넘어선 시간
나는 너무 슬픈 나머지
어디로 가야 할지 알지 못하네.
주 예수님, 당신 마음에 드신다면
나를 데려가소서, 당신의 기쁨의 장막으로!

BWV 39

Brich dem Hungrigen dein Brot

I. Teil

1. Coro g 3/4, **C**, 3/8

Brich dem Hungrigen dein Brot und die, so in Elend sind, führe ins Haus! So du einen nacket siehest, so kleide ihn und entzeuch dich nicht von deinem Fleisch. Alsdenn wird dein Licht herfürbrechen wie die Morgenröte, und deine Besserung wird schnell wachsen, und deine Gerechtigkeit wird für dir hergehen, und die Herrlichkeit des Herrn wird dich zu sich nehmen.

2. Recitativo: Bass B♭-a **C**

Der reiche Gott wirft seinen Überfluss
auf uns, die wir ohn' ihn auch nicht den Odem haben.
Sein ist es, was wir sind; er gibt nur den Genuss,
doch nicht, dass uns allein
nur seine Schätze laben.
Sie sind der Probestein,
wodurch er macht bekannt,
dass er der Armut auch die Notdurft ausgespendet,
als er mit milder Hand,

BWV 39
굶주린 이에게 너의 양식을 나눠주고

- 1726년 라이프치히 작곡, 1726년 6월 23일 라이프치히 초연
- 리코더 2, 오보에 2, 바이올린 2, 비올라, 콘티누오
- 이사야 58:7-8 (1); 히브리서 13:16 (4); 다비트 데니케 (7); 무명 시인 (2, 3, 5, 6)

제1부

1. 합창

굶주린 이에게 너의 양식을 나눠주고
가련하게 떠도는 이를 집에 들여라!
헐벗은 사람을 보면 입히고,
네 혈육을 모르는 체하지 마라.
그러면 너의 빛이 새벽 동이 트듯 터져 나오고
너의 상처가 곧바로 아물리라.
너의 의로움이 네 앞에 서서 가고
주님의 영광이 네 뒤를 지켜주리라.

2. 레치타티보: 베이스

풍요의 하나님이 그의 넘치는 부를
우리에게 주신다. 그분이 없으면 우리는 산목숨이 아니다.
우리의 존재는 그분의 것. 그는 즐거움을 주시나
그의 재물만이
우리를 즐겁게 하는 것은 아니다.
그의 재물은 그가 가난한 이에게도
필요한 것을 주심을
알게 하는 시금석이다.
그가 부드러운 손으로 저들에게 필요한 것을

was jener nötig ist, uns reichlich zugewendet.
Wir sollen ihm für sein gelehntes Gut
die Zinsen nicht in seine Scheuren bringen;
Barmherzigkeit, die auf dem Nächsten ruht,
kann mehr als alle Gab ihm an das Herze dringen.

3. Aria: Alto F 3/8

Seinem Schöpfer noch auf Erden
nur im Schatten ähnlich werden,
ist im Vorschmack selig sein.
Sein Erbarmen nachzuahmen,
streuet hier des Segens Samen,
den wir dorten bringen ein.

II. Teil

4. Aria: Bass d ₵

Wohlzutun und mitzuteilen vergesset nicht;
denn solche Opfer gefallen Gott wohl.

5. Aria: Soprano B♭ 6/8

Höchster, was ich habe,
ist nur deine Gabe.
Wenn vor deinem Angesicht
ich schon mit dem meinen
dankbar wollt' erscheinen,
willt du doch kein Opfer nicht.

우리에게 넘치도록 주시기 때문이다.
그가 빌려주신 재물을 위해
우리는 그의 곳간에 이자를 가져가야 할 필요가 없다.
이웃에게 베푸는 자비가
그 어떤 공물보다 더 많이 그분의 마음을 기쁘게 할 것이다.

3. 아리아: 알토

지상에 있는 동안
조금이라도 창조주를 닮으려 함은
축복을 미리 맛보는 것이라.
그의 자비를 본받음은
지상에서 축복의 씨를 뿌리고
그곳에서 거두는 것이라.

제2부

4. 아리아: 베이스

좋은 일을 하고 서로 나눠주기를 잊지 말아라
하나님은 그런 공물을 기쁘게 받아주신다.

5. 아리아: 소프라노

높으신 하나님, 내가 가진 것은
주께서 주신 선물입니다.
당신의 얼굴을 뵈올 때에
내가 감사하는 마음으로
선물을 가지고 나타나도
당신은 제물을 바라시지 않습니다.

6. Recitativo: Alto

E♭-g C

Wie soll ich dir, o Herr, denn sattsamlich vergelten,
was du an Leib und Seel mir hast zugut getan?
Ja, was ich noch empfang, und solches gar
nicht selten,
weil ich mich jede Stund noch deiner rühmen kann?
Ich hab nichts als den Geist dir eigen zu ergeben,
dem Nächsten die Begierd, dass ich ihm
dienstbar werd,
der Armut, was du mir gegönnt in diesem Leben,
und, wenn es dir gefällt, den schwachen Leib der Erd.
Ich bringe, was ich kann, Herr, lass es dir behagen,
dass ich, was du versprichst, auch einst davon
mög' tragen.

7. Choral

B♭ C

Selig sind, die aus Erbarmen
sich annehmen fremder Not,
sind mitleidig mit den Armen,
bitten treulich für sie Gott.
Die behülflich sind mit Rat,
auch, womöglich, mit der Tat,
werden wieder Hülf empfangen
und Barmherzigkeit erlangen.

6. 레치타티보: 알토

오 주여, 당신이 내 육신과 영혼에 베푸신 일에 대해
어떻게 하면 만족스럽게 보답할 수 있을까요?
내가 여전히, 그것도 자주 받고 있는 것에 대해
　　어떻게 보답해야 할까요?
나는 매시간 당신을 찬양합니다.
당신에게 드릴 것은 오직 나의 영혼뿐
이웃에게 드릴 것은 봉사하겠다는
　　나의 마음
가난한 이에게 드릴 것은 당신이 이번 생에서 내게 베푸신 것
그리고 주님이 기뻐하신다면 연약한 육신을 이 땅에
　　　　　　　　　　　　　　　드리겠습니다.
주여, 내가 할 수 있는 것을 가져가 오니 기뻐하시고
당신이 약속하신 것을 언젠가는
　　내가 받게 하소서.

7. 코랄

자비심으로 타인의 고난을
돌보는 사람은 복되도다.
그는 가난한 이들을 동정하고
하나님께 진심으로 그들을 위해 기도한다.
말로써 도움을 주고
필요할 때 행동으로 돕는 사람은
그 자신도 도움을 받고
동정을 얻으리라.

삼위일체주일 후 제2주일

서신서 요한1서 3:13-18
복음서 누가복음 14:16-24

BWV 76

Die Himmel erzählen die Ehre Gottes

I. Teil

1. Coro C 3/4

Die Himmel erzählen die Ehre Gottes,
und die Feste verkündiget seiner Hände Werk.
Es ist keine Sprache noch Rede,
da man nicht ihre Stimme höre.

2. Recitativo: Tenor a-e **C**

So lässt sich Gott nicht unbezeuget!
Natur und Gnade redt alle Menschen an:
Dies alles hat ja Gott getan,
dass sich die Himmel regen
und Geist und Körper sich bewegen.
Gott selbst hat sich zu euch geneiget
und ruft durch Boten ohne Zahl:
Auf, kommt zu meinem Liebesmahl!

3. Aria: Soprano G **C**

Hört, ihr Völker, Gottes Stimme,
eilt zu seinem Gnadenthron!
    Aller Dinge Grund und Ende

BWV 76
하늘은 하나님의 영광을 이야기하고

- 1723년 라이프치히 작곡, 1723년 6월 6일 라이프치히 초연
- 트럼펫, 오보에 2, 오보에 다모레, 바이올린 2, 비올라, 비올라 다 감바, 콘티누오
- 시편 19:1, 3 (1); 마르틴 루터 (7, 14); 무명 시인 (2-6, 8-13)

제1부

1. 합창

하늘은 하나님의 영광을 이야기하고
창공은 그분 손의 솜씨를 알리네.
말도 없고 이야기도 없으며
그들 목소리조차 들리지 않네.

2. 레치타티보: 테너

하나님은 어디서나 자신을 드러내시네!
자연과 은총이 모든 사람에게 말을 거네.
하나님이 이 모든 것을 하시어
하늘이 흔들리고
마음과 몸이 움직인다고.
하나님이 너희를 굽어보며
수많은 전령을 통해 외치시네.
일어나라, 내가 사랑하는 잔치에 오라!

3. 아리아: 소프라노

백성들아, 하나님의 목소리를 들어라.
그의 은총의 보좌로 달려가라!
　　만물의 시작과 끝은

ist sein eingeborner Sohn:
Dass sich alles zu ihm wende.

4. Recitativo: Bass e-C **C**

Wer aber hört,
da sich der größte Haufen
zu andern Göttern kehrt?
Der ältste Götze eigner Lust
beherrscht der Menschen Brust.
Die Weisen brüten Torheit aus,
und Belial sitzt wohl in Gottes Haus,
weil auch die Christen selbst von Christo laufen.

5. Aria: Bass C **C**

Fahr hin, abgöttische Zunft!
Sollt sich die Welt gleich verkehren,
will ich doch Christum verehren,
er ist das Licht der Vernunft.

6. Recitativo: Alto e-e **C**

Du hast uns, Herr, von allen Straßen
zu dir geruft,
als wir im Finsternis der Heiden saßen,
und, wie das Licht die Luft
belebet und erquickt,
uns auch erleuchtet und belebet,
ja mit dir selbst gespeiset und getränket
und deinen Geist geschenket,
der stets in unserm Geiste schwebet.

그의 외아들이시니
모든 것이 그분께로 향하리라.

4. 레치타티보: 베이스

커다란 무리가
다른 신들을 찾아가니
누가 귀를 기울일까요?
그들이 욕망하는 아주 오래된 우상이
인간의 가슴을 지배합니다.
현자들은 어리석음을 도모하고
악마는 하나님의 집에 앉아 있습니다.
그리스도인들조차 그리스도에게서 달아나기 때문입니다.

5. 아리아: 베이스

물러가라, 우상을 숭배하는 무리여!
세상이 곧 뒤집힌다 해도
나는 그리스도를 경배하리라
그는 이성의 빛이로다.

6. 레치타티보: 알토

주님은 길을 가는 우리를 모두
당신께 부르셨습니다.
우리가 이방인들의 어둠에 앉아 있을 때였습니다.
빛이 대기에 생기를 불어넣고 활기를 주듯이
당신은 우리를 환히 비추어 살아나게 하고
당신과 함께 먹고 마시게 하고
당신의 마음을 선물하시어
늘 우리 마음속에 머무르게 하셨습니다.
그러므로 이 기도가 당신에게

Drum sei dir dies Gebet demütigst zugeschickt:

7. Choral e C

Es woll uns Gott genädig sein
und seinen Segen geben;
sein Antlitz uns mit hellem Schein
erleucht zum ew'gen Leben,
dass wir erkennen seine Werk
und was ihm lieb auf Erden
und Jesus Christus' Heil und Stärk
bekannt den Heiden werden
und sie zu Gott bekehren!

II. Teil

8. Sinfonia e C

9. Recitativo: Bass b-a C

Gott segne noch die treue Schar,
damit sie seine Ehre
durch Glauben, Liebe, Heiligkeit
erweise und vermehre.
Sie ist der Himmel auf der Erden
und muss durch steten Streit
mit Hass und mit Gefahr
in dieser Welt gereinigt werden.

10. Aria: Tenor a 3/4

Hasse nur, hasse mich recht,

가장 겸손하게 전해지기를 원합니다.

7. 코랄

하나님이 우리에게 은총을 베풀고
축복해주시기를 바랍니다.
그의 얼굴이 우리를 밝은 빛으로 비추어
영생을 얻게 하소서.
우리가 그분이 하신 일을 깨닫게 하시고
지상에서 무엇이 그를 기쁘게 하는지 알게 하소서.
예수 그리스도의 치유하시는 능력이
이교도들에게 알려져
그들이 하나님께 돌아오게 하소서!

제2부

8. 신포니아

9. 레치타티보: 베이스

신실한 신자들에게 축복이 있기를.
그들이 믿음과 사랑과 거룩함으로
주님의 영광을
드러내고 드높이기를.
신자들은 지상의 천국이니
증오와 위험에 맞서
끝없이 싸우면서
이 세상에서 정화되어야 합니다.

10. 아리아: 테너

미워하라, 나를 힘껏 미워하라

feindlich's Geschlecht!

Christum gläubig zu umfassen,
will ich alle Freude lassen.

11. Recitativo: Alto F-C **C**

Ich fühle schon im Geist,
wie Christus mir
der Liebe Süßigkeit erweist
und mich mit Manna speist,
damit sich unter uns allhier
die brüderliche Treue
stets stärke und verneue.

12. Aria: Alto e 9/8

Liebt, ihr Christen, in der Tat!
Jesus stirbet für die Brüder,
und sie sterben für sich wieder,
weil er sich verbunden hat.

13. Recitativo: Tenor C-e **C**

So soll die Christenheit
die Liebe Gottes preisen
und sie an sich erweisen:
Bis in die Ewigkeit
die Himmel frommer Seelen
Gott und sein Lob erzählen.

14. Choral e **C**

Es danke, Gott, und lobe dich

원수의 종족이여!

믿음으로 그리스도를 끌어안기 위해

나는 모든 기쁨을 내려놓으리.

11. 레치타티보: 알토

나는 이미 마음으로 느낍니다
그리스도가 나에게 사랑의
달콤함을 어떻게 보여주고
나에게 만나를 어떻게 먹이시는지를.
그것은 이 땅에 사는 우리가
형제와 같은 헌신으로
늘 강해지고 새로워지게 하기 위함입니다.

12. 아리아: 알토

그리스도인이여, 너희는 행위로써 사랑하라!

예수는 형제들을 위해 죽었고

그들은 또 서로를 위해 죽으니

이는 주님이 그들과 하나가 되었기 때문이라.

13. 레치타티보: 테너

그러므로 모든 그리스도인들은
하나님의 사랑을 찬양하고
그것을 스스로 증명해야 합니다.
영원토록
하늘에 있는 경건한 영혼들이
하나님과 그의 영광을 이야기할 때까지.

14. 코랄

하나님, 백성이 선행으로

das Volk in guten Taten;
das Land bringt Frucht und bessert sich,
dein Wort ist wohlgeraten.
Uns segne Vater und der Sohn,
uns segne Gott, der Heil'ge Geist,
dem alle Welt die Ehre tu,
für ihm sich fürchte allermeist
und sprech von Herzen: Amen.

BWV 2

Ach Gott, vom Himmel sieh darein

---

1. Coro (Choral) d ¢

Ach Gott, vom Himmel sieh darein
und lass dich's doch erbarmen!
Wie wenig sind der Heil'gen dein,
verlassen sind wir Armen;
dein Wort man nicht lässt haben wahr,
der Glaub ist auch verloschen gar
bei allen Menschenkindern.

2. Recitativo: Tenor c-d C

Sie lehren eitel falsche List,

당신께 감사하고 찬양하게 하소서.
땅은 열매를 맺으며 더욱 나아지고 있고
당신의 말씀은 번성합니다.
아버지와 아들이 우리를 축복하시고
하나님과 성령이 우리를 축복하소서.
온 세상이 그에게 영광을 돌립니다.
만물이 그를 두려워하니
우리가 진심으로 말하게 하소서. 아멘.

BWV 2

아 하나님, 천국에서 굽어보시고

- 1724년 라이프치히 작곡, 1724년 6월 18일 라이프치히 초연
- 트롬본 4, 오보에 2, 바이올린 2, 비올라, 콘티누오
- 마르틴 루터: 시편 12장 (1, 6); 무명 시인 (2-5)

---

1. 합창 (코랄)

아 하나님, 천국에서 굽어보시고
우리에게 자비를 베푸소서!
당신 곁에 거룩한 이들이 얼마나 적습니까
우리 가련한 이들은 버림받았습니다.
사람들이 당신의 말씀을 인정하지 않습니다
믿음이 모든 이들 가운데에서
사라졌습니다.

2. 레치타티보: 테너

그들은 헛되고 거짓된 속임수를 가르칩니다

was wider Gott und seine Wahrheit ist;
und was der eigen Witz erdenket
– O Jammer! der die Kirche schmerzlich kränket –,
das muss anstatt der Bibel stehn.
Der eine wählet dies, der andre das,
die törichte Vernunft ist ihr Kompass;
sie gleichen denen Totengräbern
die, ob sie zwar von außen schön,
nur Stank und Moder in sich fassen
und lauter Unflat sehen lassen.

3. Aria: Alto B♭ 3/4

Tilg, o Gott, die Lehren,
so dein Wort verkehren!
Wehre doch der Ketzerei
und allen Rottengeistern;
denn sie sprechen ohne Scheu:
Trotz dem, der uns will meistern!

4. Recitativo: Bass E♭-g **C**

Die Armen sind verstört,
ihr seufzend Ach, ihr ängstlich Klagen
bei soviel Kreuz und Not,
wodurch die Feinde fromme Seelen plagen,
dringt in das Gnadenohr des Allerhöchsten ein.
Darum spricht Gott: Ich muss ihr Helfer sein!
Ich hab ihr Flehn erhört,
der Hilfe Morgenrot,
der reinen Wahrheit heller Sonnenschein

하나님과 그의 진리를 거스르는 것들입니다.
저들의 말재주로 지어낸 것들이
– 아 슬프도다! 교회를 아프게 괴롭히다니 –
성경의 자리를 차지할 것입니다.
한 사람은 이것을 선택하고, 다른 사람은 저것을 택합니다.
어리석은 이성이 저들의 나침반입니다.
그들은 죽은 이들의 무덤과 같습니다
겉으로는 그럴싸해 보이지만
안에는 악취와 곰팡이만 있어서
오직 더러움만 보여주는 무덤입니다.

3. 아리아: 알토

오 하나님, 당신 말씀을 왜곡하는
가르침을 없애버리소서!
　　이단을 제거하시고
　　패거리 짓는 모든 이들을 막으소서.
　　그들은 우리를 다스릴 분과 맞서는 말을
　　거리낌 없이 하기 때문입니다!

4. 레치타티보: 베이스

가련한 이들이 두려워합니다.
수많은 고통과 고난 속에서 나오는
그들의 한숨과 불안의 탄식 소리
적들은 이를 통해 경건한 영혼을 괴롭힙니다.
그 한숨과 탄식이 높으신 주님의 자비의 귀에 들어갑니다.
그때 하나님이 말씀하십니다. 내가 저들을 도우리라!
내가 저들의 간청을 들었노라
도움의 아침놀과
순수한 진리의 밝은 아침 햇살이

soll sie mit neuer Kraft,
die Trost und Leben schafft,
erquicken und erfreun.
Ich will mich ihrer Not erbarmen,
mein heilsam Wort soll sein die Kraft der Armen.

5. Aria: Tenor g **C**

Durchs Feuer wird das Silber rein,
durchs Kreuz das Wort bewährt erfunden.
    Drum soll ein Christ zu allen Stunden
    im Kreuz und Not geduldig sein.

6. Choral d **C**

Das wollst du, Gott, bewahren rein
für diesem arg'n Geschlechte;
und lass uns dir befohlen sein,
dass sich's in uns nicht flechte.
Der gottlos Hauf sich umher findt,
wo solche lose Leute sind
in deinem Volk erhaben.

위로와 생명을 주는
새로운 힘으로 저들을
소생시키고 기쁘게 하리라.
나는 저들의 고난을 불쌍히 여기리라
내 치유의 말이 가난한 이들의 힘이 되리라.

5. 아리아: 테너

은은 불을 통해 정화되고
말씀은 십자가를 통해 진실임이 증명되었네.
　　그러니 그리스도인은 어떤 순간에도
　　십자가와 고난을 인내하여야 하네.

6. 코랄

하나님, 이 사악한 종족으로부터
말씀을 깨끗하게 지켜주소서.
우리가 당신에게 순종하게 하시어
말씀이 우리 안에서 얼룩지지 않게 하소서.
사악한 무리는 어디에나 있습니다
그런 방종한 사람들이
당신의 백성 사이에서 높이 올라가는 곳이라면.

삼위일체주일 후 제3주일

서신서 베드로전서 5:6-11
복음서 누가복음 15:1-10

BWV 21

Ich hatte viel Bekümmernis

I. Teil

1. Sinfonia c/d **C**

2. Coro c/d **C**

Ich hatte viel Bekümmernis in meinem Herzen;
aber deine Tröstungen erquicken meine Seele.

3. Aria: Soprano c/d 12/8

Seufzer, Tränen, Kummer, Not,
ängstlich's Sehnen, Furcht und Tod
nagen mein beklemmtes Herz,
ich empfinde Jammer, Schmerz.

4. Recitativo: Soprano c-f/d-g **C**

Wie hast du dich, mein Gott,
in meiner Not,
in meiner Furcht und Zagen
denn ganz von mir gewandt?
Ach! Kennst du nicht dein Kind?

BWV 21

내 마음에 근심이 많으나

- 1713년 바이마르 작곡, 1차 개정 1714년 바이마르,
  2차 개정 1720년 쾨텐, 3차 개정 1731년 라이프치히,
  1714년 7월 17일 바이마르 초연, 1717-22년 쾨텐에서 두 번째 연주,
  1723년 6월 13일 라이프치히에서 세 번째 연주
- 트롬본 3, 드럼, 오보에, 첼로, 바이올린 2, 바순, 콘티누오
- 잘로몬 프랑크 (3-5, 7, 8, 10: 추정); 시편 94:19 (2); 시편 42:5 (6);
  시편 116:7 (9); 게오르크 노이마르크 (9); 요한계시록 5:12-13 (11)

제1부

1. 신포니아

2. 합창

내 마음에 근심이 많으나
당신의 위로로 내 영혼이 기뻐합니다.

3. 아리아: 소프라노

한숨, 눈물, 걱정, 고통
근심 어린 갈망, 두려움과 죽음이
내 답답한 가슴을 괴롭히네.
나는 절망과 고통을 느끼네.

4. 레치타티보: 소프라노

하나님, 당신은 어떻게
고통과 두려움에 빠져
머뭇거리는 나에게
완전히 등을 돌리셨습니까?
아! 당신의 자녀를 잊으셨습니까?

Ach! Hörst du nicht das Klagen
von denen, die dir sind
mit Bund und Treu verwandt?
Du warest meine Lust
und bist mir grausam worden;
ich suche dich an allen Orten,
ich ruf und schrei dir nach –
allein mein Weh und Ach!
scheint itzt, als sei es dir ganz unbewusst.

5. Aria: Tenor f/g **C**

Bäche von gesalznen Zähren,
Fluten rauschen stets einher.
Sturm und Wellen mich versehren,
und dies trübsalsvolle Meer
will mir Geist und Leben schwächen,
Mast und Anker wollen brechen,
hier versink ich in den Grund,
dort seh in der Hölle Schlund.

6. Coro f-c/g-d 3/4, **C**

Was betrübst du dich, meine Seele, und bist so unruhig in mir? Harre auf Gott; denn ich werde ihm noch danken, dass er meines Angesichtes Hilfe und mein Gott ist.

아! 언약과 신심으로 당신과
맺어진 이들의 탄식 소리가
들리지 않습니까?
당신은 나의 기쁨이었으나
이제는 잔인한 분이십니다.
나는 가는 곳마다 당신을 찾습니다.
당신을 소리쳐 부릅니다.
그러나 나의 슬픔과 비탄
당신에게는 전혀 들리지 않나 봅니다.

5. 아리아: 테너
쓰라린 눈물의 강이
바다가 되어 끝없이 넘쳐흐르네.
    폭풍과 파도가 나를 할퀴고
    슬픔이 가득한 바다는
    내 영혼과 생명을 허약하게 만들고
    돛대와 닻을 부수려 하네.
    나는 여기에서 바닥으로 가라앉네,
    저기 지옥에 있는 심연이 보이네.

6. 합창
내 영혼아, 어찌하여 낙심하며,
어찌하여 그리 불안해하는가? 하나님께 바라라.
그는 나의 구원자이며 나의 하나님이시니
내가 감사를 드리리라.

II. Teil

7. Recitativo: Soprano, Bass E♭-B♭/F-C **C**

(Seele, Jesus)

Ach Jesu, meine Ruh,
mein Licht, wo bleibest du?
O Seele sieh! Ich bin bei dir.
Bei mir?
Hier ist ja lauter Nacht.
Ich bin dein treuer Freund,
der auch im Dunkeln wacht,
wo lauter Schalken seind.
Brich doch mit deinem Glanz und Licht des Trostes ein.
Die Stunde kömmet schon,
da deines Kampfes Kron
dir wird ein süßes Labsal sein.

8. Aria (Duetto): Soprano, Bass E♭/F **C**, 3/8, **C**

(Seele, Jesus)

Komm, mein Jesu, und erquicke
Ja, ich komme und erquicke
und erfreu mit deinem Blicke
dich mit meinem Gnadenblicke,
diese Seele die soll sterben
deine Seele die soll leben
und nicht leben
und nicht sterben
und in ihrer Unglückshöhle
hier aus dieser Wundenhöhle

7. 레치타티보: 소프라노, 베이스

(영혼, 예수)

아 예수여, 나의 안식처
나의 빛이여, 어디에 계십니까?
    오 영혼이여 보라! 내가 네 곁에 있다.
내 곁에 계십니까?
이곳은 어두운 밤입니다.
    나는 너의 신실한 친구,
    악한들만 있는
    어둠 속에서도 나는 너를 지키고 있다.
그러면 당신의 광채와 위로의 빛으로 비춰주소서.
    벌써 시간이 되었다.
    네 승리의 왕관이
    달콤한 위로가 될 시간이.

8. 아리아 (이중창): 소프라노, 베이스

(영혼, 예수)

오소서, 나의 예수님, 되살리소서
  내가 가서 되살리리라
당신의 눈길로 기쁘게 하소서
  내 자비의 눈길로 너를 되살리리라.
    죽어야 할 이 영혼을
      살아야 할 네 영혼을
    살지 못할 이 영혼을
      죽지 않을 네 영혼을
    그 불행의 동굴에서
      여기 상처뿐인 이 동굴에서

ganz verderben.
Sollst du erben
Ich muss stets in Kummer schweben,
Heil durch diesen Saft der Reben.
ja, ach ja, ich bin verloren!
Nein, ach nein, du bist erkoren!
Nein, ach nein, du hassest mich!
Ja, ach ja, ich liebe dich!
Ach, Jesu, durchsüße mir Seele und Herze!
Entweichet, ihr Sorgen, verschwinde,
du Schmerze!
Komm, mein Jesus, und erquicke
Ja, ich komme und erquicke
mich mit deinem Gnadenblicke!
dich mit meinem Gnadenblicke.

9. Coro con Choral g/a 3/4

Sei nun wieder zufrieden, meine Seele,
denn der Herr tut dir Guts.

Was helfen uns die schweren Sorgen,
was hilft uns unser Weh und Ach?
Was hilft es, dass wir alle Morgen
beseufzen unser Ungemach?
Wir machen unser Kreuz und Leid
nur größer durch die Traurigkeit.

Denk nicht in deiner Drangsalshitze,
dass du von Gott verlassen seist

완전히 멸망할 것입니다
너는 대를 이어갈 것이다.
나는 늘 근심 속에 살아야 합니다.
이 포도주로 구원받으라.
아, 나는 버림받았습니다!
아니다, 너는 선택되었다!
아닙니다, 당신은 나를 미워하십니다!
아, 나는 너를 사랑한다!
아, 예수님, 내 영혼과 가슴을 달콤하게 하소서!
물러가라, 걱정이여, 사라져라
너 고통이여!
오소서, 나의 예수님, 나를 되살리소서
내가 가서 되살리리라.
당신의 자비의 눈길로 나를 되살리소서!
내 자비의 눈길로 너를 되살리리라.

9. 합창과 코랄

이제 다시 평온으로 돌아가라, 내 영혼아,
주님이 너를 너그럽게 대하셨도다.

이 무거운 근심이 무슨 소용이 있으며
우리의 아픔과 슬픔이 무슨 도움이 될까?
아침마다 우리의 고통을 한탄하는 것이
무슨 소용이 있을까?
슬퍼하면 우리의 고난과 고통을
더 크게 키울 뿐이다.

시련의 고통에 빠져 있더라도
하나님이 너를 버렸다고 생각하지 말고

und dass Gott, der im Schoße sitze,
der sich mit stetem Glücke speist.
Die folgend Zeit verändert viel
und setzet jeglichem sein Ziel.

10. Aria: Tenor F/G 3/8

Erfreue dich, Seele, erfreue dich, Herze,
entweiche nun, Kummer, verschwinde, du Schmerze!
Verwandle dich, Weinen, in lauteren Wein,
es wird nun mein Ächzen ein Jauchzen mir sein!
Es brennet und flammet die reineste Kerze
der Liebe, des Trostes in Seele und Brust,
weil Jesus mich tröstet mit himmlischer Lust.

11. Coro C/D **C**

Das Lamm, das erwürget ist, ist würdig zu nehmen
Kraft und Reichtum und Weisheit und Stärke und Ehre
und Preis und Lob.
Lob und Ehre und Preis und Gewalt sei unserm Gott
von Ewigkeit zu Ewigkeit. Amen, alleluja!

늘 행복을 누리는 이가
하나님의 품에 안겨 있다고 생각하지 마라.
다가오는 시간은 많은 것을 바꿀 것이고
모든 것에 그 끝을 정해놓을 것이다.

10. 아리아: 테너

기뻐하라, 내 영혼이여, 기뻐하라, 내 마음이여
이제 물러가라, 근심이여, 사라져라, 너 고통이여!
바뀌어라 너 울음아, 순수한 포도주로
이제 내 비탄은 환희로 바뀌리라!
가장 순수한 사랑과 위로의 촛불이
내 영혼과 가슴에서 훨훨 타오르리라.
예수께서 하늘의 기쁨으로 나를 위로하시니.

11. 합창

죽임을 당한 어린양은 권능과 부귀와 지혜와
강함과 영예와 영광과 찬양을 받으실
자격이 있습니다.
찬양과 영예와 영광과 권능이 우리 하나님께
영원히 있으리라. 아멘, 알렐루야!

BWV 135
Ach Herr, mich armen Sünder

1. Coro (Choral) e 3/4

Ach Herr, mich armen Sünder
straf nicht in deinem Zorn,
dein ernsten Grimm doch linder,
sonst ist's mit mir verlorn.
Ach Herr, wollst mir vergeben
mein Sünd und gnädig sein,
dass ich mag ewig leben,
entfliehn der Höllenpein.

2. Recitativo: Tenor d-C **C**

Ach heile mich, du Arzt der Seelen,
ich bin sehr krank und schwach;
man möchte die Gebeine zählen,
so jämmerlich hat mich mein Ungemach,
mein Kreuz und Leiden zugericht;
das Angesicht
ist ganz von Tränen aufgeschwollen,
die, schnellen Fluten gleich,
von Wangen abwärts rollen.
Der Seele ist vor Schrecken angst und bange;
ach, du Herr, wie so lange?

BWV 135
아 주여, 가련한 이 죄인을

- 1724년 라이프치히 작곡, 1724년 6월 25일 라이프치히 초연
- 오보에 2, 바이올린 2, 비올라, 트롬본과 코넷을 포함한 콘티누오
- 치리아쿠스 슈네가스 (1, 6); 무명 시인 (2-5)

1. 합창 (코랄)

아 주여, 가련한 이 죄인을
당신의 진노로 벌하지 마소서
주님의 깊은 분노를 누그러뜨리소서,
그렇지 않으면 내가 절망에 빠지나이다.
아 주여, 나의 죄를 용서하시고
자비를 베푸시어
내가 지옥의 고통에서 벗어나
영원히 살게 하소서.

2. 레치타티보: 테너

아 나를 고쳐주소서, 영혼의 치유자여,
내가 병이 들어 쇠약합니다.
나의 뼈를 셀 수 있을 만큼
비참하게도 불행이 나에게
고난과 고통을 안겼습니다.
내 얼굴은
온통 눈물로 부어올랐습니다.
눈물이 급류처럼
뺨에서 흘러내립니다.
영혼은 공포로 겁에 질리니
아, 주여 얼마나 더 기다려야 하나요?

3. Aria: Tenor C 3/4

Tröste mir, Jesu, mein Gemüte,
sonst versink ich in den Tod,
hilf mir, hilf mir durch deine Güte
aus der großen Seelennot!
Denn im Tod ist alles stille,
da gedenkt man deiner nicht.
Liebster Jesu, ist's dein Wille,
so erfreu mein Angesicht!

4. Recitativo: Alto g-a **C**

Ich bin von Seufzen müde,
mein Geist hat weder Kraft noch Macht,
weil ich die ganze Nacht
oft ohne Seelenruh und Friede
in großem Schweiß und Tränen liege.
Ich gräme mich fast tot und bin von Trauern alt,
denn meine Angst ist mannigfalt.

5. Aria: Bass a ¢

Weicht, all ihr Übeltäter,
mein Jesus tröstet mich!
    Er lässt nach Tränen und nach Weinen
    die Freudensonne wieder scheinen;
    das Trübsalswetter ändert sich,
    die Feinde müssen plötzlich fallen
    und ihre Pfeile rückwärts prallen.

3. 아리아: 테너

내 마음을 위로하소서, 예수님
그러지 않으면 내가 죽음 속으로 가라앉습니다.
당신의 선하심으로 나를 도와
큰 영혼의 고통에서 건져주소서!
죽음 속에서는 모든 것이 침묵하고
당신을 생각하지 못합니다.
사랑하는 예수님, 당신의 뜻이 그러하다면
나의 얼굴을 기쁨으로 채우소서!

4. 레치타티보: 알토

나는 탄식에 지쳤습니다.
내 영혼에는 기운도 힘도 없습니다.
밤새도록
마음의 평온과 평화를 빼앗기고
땀과 눈물에 젖어 누워 있었습니다.
죽을 듯이 괴롭고 슬픔으로 늙어갑니다.
나의 두려움은 여러 겹이기 때문입니다.

5. 아리아: 베이스

물러가라, 너희 악인들아,
예수님이 나를 위로하시리라!
　　눈물을 흘리고 울고 나면
　　그분이 기쁨의 태양을 다시 비추어주시리라.
　　우울한 날씨가 바뀌니
　　적들이 갑자기 쓰러지고
　　그들의 화살은 저희에게 되돌아가리라.

6. Choral e **C**

Ehr sei ins Himmels Throne
mit hohem Ruhm und Preis
dem Vater und dem Sohne
und auch zu gleicher Weis
dem Heil'gen Geist mit Ehren
in alle Ewigkeit,
der woll uns all'n bescheren
die ew'ge Seligkeit.

6. 코랄

하늘의 보좌에 영광이 있기를
큰 찬미와 찬양으로
아버지와 아들과
또한 같은 마음으로
성령에게 영광이 있기를
영원토록
우리 모두에게도
영원한 축복이 있기를.

삼위일체주일 후 제4주일

서신서 로마서 8:18-23
복음서 누가복음 6:36-42

BWV 185
Barmherziges Herze der ewigen Liebe

1. Aria (Duetto): Soprano, Tenor f♯/a (g) 6/4

Barmherziges Herze der ewigen Liebe,
errege, bewege mein Herze durch dich;
damit ich Erbarmen und Gütigkeit übe,
o Flamme der Liebe, zerschmelze du mich!

2. Recitativo: Alto A-E/C-G (B♭-F) **C**

Ihr Herzen, die ihr euch
in Stein und Fels verkehret,
zerfließt und werdet weich,
erwägt, was euch der Heiland lehret,
übt, übt Barmherzigkeit
und sucht noch auf der Erden
dem Vater gleich zu werden!
Ach! Greifet nicht durch das verbotne Richten
dem Allerhöchsten ins Gericht,
sonst wird sein Eifer euch zernichten.
Vergebt, so wird euch auch vergeben;
gebt, gebt in diesem Leben;
macht euch ein Kapital,
das dort einmal
Gott wiederzahlt mit reichen Interessen;

BWV 185
영원한 사랑의 자비로운 마음이여

- 1715년 바이마르 작곡, 1715년 7월 14일 바이마르 초연
- 오보에, 바순, 바이올린 2, 비올라, 콘티누오
- 잘로몬 프랑크 (1-5); 요한 아그리콜라 (6)

1. 아리아 (이중창): 소프라노, 테너

영원한 사랑의 자비로운 마음이여
내가 자비와 선을 행할 수 있도록
너를 통해 내 마음을 일으키고 움직여라.
오 사랑의 불꽃이여, 내 마음을 녹여다오!

2. 레치타티보: 알토

너희 마음이여,
돌과 바위로 변했으나
이제는 녹아 부드러워져라.
구세주가 가르치신 것을 생각하고
자비를 베풀어라.
이 땅에 머무는 동안
아버지처럼 되기를 힘써라!
아! 금지된 판단으로
가장 높으신 분의 심판에 개입하지 마라
만일 그리하면 그분의 진노가 너희를 멸망케 하리라.
용서하라, 그러면 너희도 용서받을 것이다.
주어라, 이 세상에 사는 동안 주어라
후하게 베풀어라
언젠가 천국에서
하나님이 넘치게 되갚아주시리라.

denn wie ihr messt,
wird man euch wieder messen.

3. Aria: Alto A/C (B♭) 𝄵

Sei bemüht in dieser Zeit,
Seele, reichlich auszustreuen,
soll die Ernte dich erfreuen
in der reichen Ewigkeit,
wo, wer Gutes ausgesäet,
fröhlich nach den Garben gehet.

4. Recitativo: Bass D-b/F-d (E♭-c) 𝄵

Die Eigenliebe schmeichelt sich!
Bestrebe dich,
erst deinen Balken auszuziehen,
denn magst du dich um Splitter auch bemühen,
die in des Nächsten Augen sein.
Ist gleich dein Nächster nicht vollkommen rein,
so wisse, dass auch du kein Engel,
verbess're deine Mängel!
Wie kann ein Blinder mit dem andern
doch recht und richtig wandern?
Wie, fallen sie zu ihrem Leide
nicht in die Gruben alle beide?

5. Aria: Bass b/d (c) 𝄵

Das ist der Christen Kunst:
Nur Gott und sich erkennen,
von wahrer Liebe brennen,

너희가 헤아리는 그 헤아림으로
너희도 헤아림을 받을 것이다.

3. 아리아: 알토

영혼아, 이 땅에 사는 동안
열심히 씨앗을 뿌리는 일에 힘써라
그리하면 수확 때 네가
풍요로운 영원 속에서 기쁨을 얻으리라
좋은 씨를 뿌리는 자는
기쁘게 단을 모으러 가리라.

4. 레치타티보: 베이스

자기애는 스스로를 속입니다!
먼저 당신 눈 속의 들보를
꺼내려고 애쓰십시오.
그런 후에 이웃의 눈에 있는 티끌도
걱정하십시오.
당신의 이웃이 완벽히 깨끗하지 않아도
당신 또한 천사가 아님을 깨닫고
당신의 부족함을 고치십시오!
눈먼 사람이 어떻게 눈먼 사람과 함께
제대로 길을 걸을 수 있습니까?
고통스럽게도
둘 다 구덩이에 빠지지 않을까요?

5. 아리아: 베이스

이는 그리스도인의 인생 기술입니다.
오직 하나님과 자신을 알고
참된 사랑으로 불타오르고

nicht unzulässig richten,
noch fremdes Tun vernichten,
des Nächsten nicht vergessen,
mit reichem Maße messen:
Das macht bei Gott und Menschen Gunst,
das ist der Christen Kunst.

6. Choral f♯/a (g) **C**

Ich ruf zu dir, Herr Jesu Christ,
ich bitt, erhör mein Klagen,
verleih mir Gnad zu dieser Frist,
lass mich doch nicht verzagen;
den rechten Weg, o Herr, ich mein,
den wollest du mir geben,
dir zu leben,
mein'm Nächsten nütz zu sein,
dein Wort zu halten eben.

BWV 24

Ein ungefärbt Gemüte

---

1. Aria: Alto F 3/4

Ein ungefärbt Gemüte

마음대로 비판하지 않고
타인이 한 일을 파괴하지 않고
이웃을 잊지 말고
넘치도록 후하게 베푸는 것.
이것이 하나님과 사람들에게 호의를 안기는
그리스도인의 인생 기술입니다.

6. 코랄

주 예수 그리스도여, 당신을 소리쳐 부르며
기도하오니, 내 간청을 들으소서.
이 땅에 사는 동안 은총을 베푸시어
내가 절망하지 않게 하소서.
오 주여, 내게 주시려는 올바를 길을
보여주실 것을 믿사오며
내가 당신을 위해 살게 하시고
이웃을 도우며
당신의 말씀을 지키게 하소서.

BWV 24
꾸밈없는 마음

- 1723년 라이프치히 작곡, 1723년 6월 20일 라이프치히 초연
- 클라리노, 오보에 2, 오보에 다모레 2, 바이올린 2, 비올라, 콘티누오
- 에르트만 노이마이스터 (1, 2, 4, 5); 마태복음 7:12 (3); 요한 헤르만 (6)

---

1. 아리아: 알토

꾸밈없는 마음

von deutscher Treu und Güte
macht uns vor Gott und Menschen schön.
Der Christen Tun und Handel,
ihr ganzer Lebenswandel
soll auf dergleichen Fuße stehn.

2. Recitativo: Tenor B♭-B♭ **C**

Die Redlichkeit
ist eine von den Gottesgaben.
Dass sie bei unsrer Zeit
so wenig Menschen haben,
das macht, sie bitten Gott nicht drum.
Denn von Natur geht unsers Herzens Dichten
mit lauter Bösem um;
soll's seinen Weg auf etwas Gutes richten,
so muss es Gott durch seinen Geist regieren
und auf der Bahn der Tugend führen.
Verlangst du Gott zum Freunde,
so mache dir den Nächsten nicht zum Feinde
durch Falschheit, Trug und List!
Ein Christ
soll sich der Taubenart bestreben
und ohne Falsch und Tücke leben.
Mach aus dir selbst ein solches Bild,
wie du den Nächsten haben willt!

3. Coro g 3/4

Alles nun, das ihr wollet, dass euch die Leute tun
sollen, das tut ihr ihnen.

독일의 신실함과 선함이
우리를 하나님과 사람들 앞에서 아름답게 만드네.
그리스도인의 행위와 태도
그 모든 삶의 방식이
이러한 토대 위에 있어야 하네.

2. 레치타티보: 테너

정직은
하나님이 주신 선물의 하나입니다.
우리 시대에
그 선물을 받은 이가 적은 것은
하나님께 그것을 구하지 않았기 때문입니다.
우리 마음은 본디부터
악한 것과 어울리려 합니다.
우리 마음이 선한 것을 향해 걸으려면
하나님의 영의 지배를 받으며
덕목의 길로 인도되어야 합니다.
하나님을 친구로 원한다면
거짓과 속임수와 꾀로
이웃을 적으로 만들지 마십시오!
그리스도인은
비둘기 같은 성정을 바라면서
거짓과 술책이 없이 살아야 합니다.
당신이 원하는 이웃의 모습대로
당신 자신을 그렇게 만드십시오!

3. 합창

무엇이든 남에게 대접을 받고자 하는 대로
너희도 남을 대접하라.

4. Recitativo: Bass F-C **C**

Die Heuchelei
ist eine Brut, die Belial gehecket.
Wer sich in ihre Larve stecket,
der trägt des Teufels Liberei.
Wie? Lassen sich denn Christen
dergleichen auch gelüsten?
Gott sei's geklagt! Die Redlichkeit ist teuer.
Manch teuflisch Ungeheuer
sieht wie ein Engel aus.
Man kehrt den Wolf hinein,
den Schafspelz kehrt man raus.
Wie könnt es ärger sein?
Verleumden, Schmähn und Richten,
Verdammen und Vernichten
ist überall gemein.
So geht es dort, so geht es hier.
Der liebe Gott behüte mich dafür!

5. Aria: Tenor a **C**

Treu und Wahrheit sei der Grund
aller deiner Sinnen,
wie von außen Wort und Mund
sei das Herz von innen.
Gütig sein und tugendreich
macht uns Gott und Engeln gleich.

6. Choral F **C**

O Gott, du frommer Gott,

4. 레치타티보: 베이스

위선은
악마가 만들어낸 것입니다.
그 가면 속에 숨는 자는
악마의 옷을 입는 것입니다.
정말인가요? 그리스도인들도
그런 것을 탐하나요?
아 불행히도! 정직은 드물고 귀합니다.
끔찍한 괴물들이
가끔 천사처럼 보입니다.
그들은 늑대 가죽을 뒤집어
양가죽을 꺼냅니다.
이보다 더 나쁜 것이 있을까요?
비방과 모욕과 비난,
저주와 파괴가
사방에 만연합니다.
저기도 그렇고 여기도 그렇습니다.
사랑의 하나님, 나를 여기에서 보호하소서!

5. 아리아: 테너

신의와 진실이
네 모든 생각의 토대가 되게 하라
입 밖으로 나오는 말이
네 마음속 생각이듯이.
온화하고 덕이 많은 이는
하나님과 천사와 비슷해진다.

6. 코랄

오 하나님, 거룩한 하나님

du Brunnquell aller Gaben,
ohn' den nichts ist, was ist,
von dem wir alles haben,
gesunden Leib gib mir,
und dass in solchem Leib
ein unverletzte Seel
und rein Gewissen bleib.

BWV 177

Ich ruf zu dir, Herr Jesu Christ

---

1. Coro g 3/8

Ich ruf zu dir, Herr Jesu Christ,
ich bitt, erhör mein Klagen,
verleih mir Gnad zu dieser Frist,
lass mich doch nicht verzagen;
den rechten Glauben, Herr, ich mein,
den wollest du mir geben,
dir zu leben,
mein'm Nächsten nütz zu sein,
dein Wort zu halten eben.

당신은 모든 축복의 원천입니다.
당신이 없으면 우리가 가지고 있는 것은
어느 것도 존재하지 않습니다.
나에게 건강한 육신을 주시고
그런 육신 속에
흠 없는 영혼과
깨끗한 양심이 머물게 하소서.

BWV 177
주 예수 그리스도여, 당신을 소리쳐 부르며

- 1732년 라이프치히 작곡, 1732년 7월 6일 라이프치히 초연
- 오보에 2, 바순, 바이올린 2, 비올라, 콘티누오
- 요한 아그리콜라

---

1. 합창

주 예수 그리스도여, 당신을 소리쳐 부르며
기도하오니, 내 호소를 들으소서.
이 땅에 사는 동안 은총을 베푸시어
내가 절망하지 않게 하소서.
오 주여, 내게 주시려는 바른 믿음을
보여주실 것을 믿사오며
내가 당신을 위해 살게 하시고
이웃을 도우며
당신의 말씀을 따르게 하소서

2. Aria: Alto c **C**

Ich bitt noch mehr, o Herre Gott,
du kannst es mir wohl geben:
Dass ich werd nimmermehr zu Spott,
die Hoffnung gib darneben,
voraus, wenn ich muss hier davon,
dass ich dir mög vertrauen
und nicht bauen
auf alles mein Tun,
sonst wird mich's ewig reuen.

3. Aria: Soprano E♭ 6/8

Verleih, dass ich aus Herzensgrund
mein' Feinden mög vergeben,
verzeih mir auch zu dieser Stund,
gib mir ein neues Leben;
dein Wort mein Speis lass allweg sein,
damit mein Seel zu nähren,
mich zu wehren,
wenn Unglück geht daher,
das mich bald möcht abkehren.

4. Aria: Tenor B♭ **C**

Lass mich kein Lust noch Furcht von dir
in dieser Welt abwenden.
Beständigsein ans End gib mir,
du hast's allein in Händen;
und wem du's gibst, der hat's umsonst:
Es kann niemand ererben

2. 아리아: 알토

오 주 하나님, 또 기도하오니
이 또한 들어주소서.
내가 다시는 멸시당하지 않게
희망을 주소서.
내가 이곳을 떠나야 할 때
당신을 믿게 하시고
내 모든 행위에만
의지하지 않게 하소서
그렇지 않으면 내가 영원히 후회할 것입니다.

3. 아리아: 소프라노

내가 마음 깊은 곳에서
적들을 용서할 수 있게 하소서.
이 시간에도 나를 용서하시어
새 삶을 주소서.
당신의 말씀이 언제나
내 영혼의 양식이 되게 하시어
나를 곧 쓸어버리려는
불행이 닥칠 때
나를 지키게 하소서.

4. 아리아: 테너

어떤 기쁨에도 어떤 두려움에도
내가 세상에서 당신을 외면하지 않게 하소서.
마지막까지 한결같게 하소서.
당신만이 그러하실 수 있습니다.
당신이 그 선물을 주실 때는 대가 없이 주십니다.
아무도 선행을 통해 당신의 은총을

noch erwerben

durch Werke deine Gnad,

die uns errett' vom Sterben.

5. Choral g **C**

Ich lieg im Streit und widerstreb,
hilf, o Herr Christ, dem Schwachen!
An deiner Gnad allein ich kleb,
du kannst mich stärker machen.
Kömmt nun Anfechtung, Herr, so wehr,
dass sie mich nicht umstoßen.
Du kannst maßen,
dass mir's nicht bring Gefahr;
ich weiß, du wirst's nicht lassen.

물려받을 수도
획득할 수도 없습니다.
우리를 죽음에서 구하는 그 은총을.

5. 코랄

나는 다툼과 갈등 속에 살고 있습니다.
오 주 그리스도여, 이 약한 사람을 도우소서!
내가 당신의 자비에만 매달립니다.
당신은 나를 강하게 하실 수 있습니다.
주여, 시련이 오면 막아주시어
내가 쓰러지지 않게 하소서.
당신은 헤아릴 수 있으니
내게 위험이 닥치지 않게 하소서.
당신이 그걸 허락지 않으실 것임을 내가 압니다.

삼위일체주일 후 제5주일

서신서 베드로전서 3:8-15

복음서 누가복음 5:1-11

BWV 93

Wer nur den lieben Gott lässt walten

1. Coro (Choral) c 12/8

Wer nur den lieben Gott lässt walten
und hoffet auf ihn allezeit,
den wird er wunderlich erhalten
in allem Kreuz und Traurigkeit.
Wer Gott, dem Allerhöchsten, traut,
der hat auf keinen Sand gebaut.

2. Choral e Recitativo: Bass g **C**

Was helfen uns die schweren Sorgen?
Sie drücken nur das Herz
mit Zentnerpein, mit tausend Angst und Schmerz.
Was hilft uns unser Weh und Ach?
Es bringt nur bittres Ungemach.
Was hilft es, dass wir alle Morgen
mit Seufzen von dem Schlaf aufstehn
und mit betränten Angesicht des Nachts
zu Bette gehn?
Wir machen unser Kreuz und Leid
durch bange Traurigkeit nur größer.
Drum tut ein Christ viel besser,
er trägt sein Kreuz mit christlicher Gelassenheit.

BWV 93
오직 사랑하는 하나님의 섭리를 따르며

- 1724년 라이프치히 작곡, 1724년 7월 9일 라이프치히 초연
- 오보에 2, 바이올린 2, 비올라, 콘티누오
- 게오르크 노이마르크 (1, 4, 7); 무명 시인 (2, 3, 5, 6)

1. 합창 (코랄)

오직 사랑하는 하나님의 섭리를 따르며
언제나 그를 믿는 이는
모든 고난과 슬픔 속에서도
주님께서 놀랍도록 보호하시리라.
지극히 높으신 하나님을 믿는 이는
모래 위에 집을 짓지 않으리라.

2. 코랄 & 레치타티보: 베이스

괴로워하며 근심한들 무슨 도움이 될까?
큰 고통과 두려움과 고난으로
가슴만 더 짓누를 뿐이네.
한숨짓고 탄식한들 무슨 도움이 될까?
쓰라린 비통함만 안길 뿐이네.
아침마다 한숨 쉬며 잠자리에서 일어난들
무슨 소용이 있을까?
밤이면 눈물에 젖은 얼굴로
잠자리에 든들 무슨 소용이 있을까?
두려워하고 슬퍼하면
고난과 고통만 더 커질 뿐
그러므로 그리스도인은
의연하게 십자가를 짊어짐이 좋으리라.

3. Aria: Tenor E♭ 3/8

Man halte nur ein wenig stille,
wenn sich die Kreuzesstunde naht,
denn unsres Gottes Gnadenwille
verlässt uns nie mit Rat und Tat.
Gott, der die Auserwählten kennt,
Gott, der sich uns ein Vater nennt,
wird endlich allen Kummer wenden
und seinen Kindern Hilfe senden.

4. Aria (Duetto): Soprano, Alto c **C**

Er kennt die rechten Freudesstunden,
er weiß wohl, wenn es nützlich sei;
wenn er uns nur hat treu erfunden
und merket keine Heuchelei,
so kömmt Gott, eh wir uns versehn,
und lässet uns viel Guts geschehn.

5. Choral e Recitativo: Tenor es-g **C**

Denk nicht in deiner Drangsalshitze,
wenn Blitz und Donner kracht
und die ein schwüles Wetter bange macht,
dass du von Gott verlassen seist.
Gott bleibt auch in der größten Not,
ja gar bis in den Tod
mit seiner Gnade bei den Seinen.
Du darfst nicht meinen,
dass dieser Gott im Schoße sitze,
der täglich wie der reiche Mann

3. 아리아: 테너

십자가의 시간이 가까워오면
잠시 침묵하라.
자비로운 우리 하나님이
말과 행동으로 우리를 결코 버리시지 않으리니.
자신이 택한 이들을 아시는 하나님
자신을 우리의 아버지라고 부르는 하나님
그분이 마침내 모든 슬픔을 없애고
당신의 자녀들을 도우시리라.

4. 아리아 (이중창): 소프라노, 알토

그는 진정한 기쁨의 때를 알고 계시네
그는 필요한 때가 언제인지 알고 계시네.
주님이 우리의 신실함을 알고
위선을 행하지 않음을 아시면
우리가 모르는 새에 하나님이 오셔서
많은 상을 내려주시리라.

5. 코랄 & 레치타티보: 테너

천둥과 번개가 치고
숨 막히는 날씨로 마음이 불안해질 때
절망에 사로잡혀
하나님이 너를 버렸다고 생각하지 마라.
하나님은 큰 고난 속에서도
죽음에 이르러서도
당신의 자녀들 곁에서 자비를 베푸신다.
이런 하나님의 품에
날마다 부자처럼
쾌락과 기쁨 속에서 사는 이가

in Lust und Freuden leben kann.
Der sich mit stetem Glücke speist,
bei lauter guten Tagen,
muss oft zuletzt,
nachdem er sich an eitler Lust ergötzt,
'Der Tod in Töpfen' sagen.
Die Folgezeit verändert viel!
Hat Petrus gleich die ganze Nacht
mit leerer Arbeit zugebracht
und nichts gefangen:
Auf Jesu Wort kann er noch einen Zug erlangen.
Drum traue nur in Armut, Kreuz und Pein
auf deines Jesu Güte
mit gläubigem Gemüte.
Nach Regen gibt er Sonnenschein
und setzet jeglichem sein Ziel.

6. Aria: Soprano g **C**

Ich will auf den Herren schaun
und stets meinem Gott vertraun.
Er ist der rechte Wundermann.
Der die Reichen arm und bloß
und die Armen reich und groß
nach seinem Willen machen kann.

7. Choral c **C**

Sing, bet und geh auf Gottes Wegen,
verricht das Deine nur getreu
und trau des Himmels reichem Segen,

안겨 있다고 생각하지 마라.
항상 행복을 누리며
좋은 시절만 보낸 이는
헛된 쾌락을 즐긴 후
결국에는 이렇게 말하리라.
'솥 안에 죽음이 있도다.'
다가오는 시간은 많은 것을 바꾸리라!
베드로가 밤새도록
애쓰며 일했으나
한 마리도 잡지 못하였다.
그러나 예수님의 말씀에 그는 한가득 잡았다.
그러므로 가난과 시련과 고통 속에서도
신실한 마음으로
네 예수님의 선하심을 믿어라.
비가 온 후 그는 햇빛을 내려주시고
누구에게나 그의 운명을 정해주신다.

6. 아리아: 소프라노

나는 주를 바라보며
언제나 나의 하나님을 믿으리라
그는 진정 기적을 행하시는 분.
부자들을 가난하고 헐벗게 하시고
가난한 이를 부유하고 크게 하시어
당신 뜻대로 만드실 수 있는 분.

7. 코랄

노래하라, 기도하라, 그리고 하나님의 길을 걸어라
네가 할 일을 충실하게 다하고
하늘이 내리는 풍성한 축복을 믿어라

so wird er bei dir werden neu;
denn welcher seine Zuversicht
auf Gott setzt, den verlässt er nicht.

BWV 88

Siehe, ich will viel Fischer aussenden

I. Teil

1. Aria: Bass D-G 6/8, ₵

Siehe, ich will viel Fischer aussenden, spricht der Herr, die sollen sie fischen. Und darnach will ich viel Jäger aussenden, die sollen sie fahen auf allen Bergen und allen Hügeln und in allen Steinritzen.

2. Recitativo: Tenor b-e C

Wie leichtlich könnte doch der Höchste
uns entbehren
und seine Gnade von uns kehren,
wenn der verkehrte Sinn sich böslich von ihm trennt
und mit verstocktem Mut
in sein Verderben rennt.
Was aber tut

그러면 주님이 네 곁에서 새롭게 변하시리라.
하나님을 굳건히 신뢰하는 이를
주님은 버리지 않으시리니.

BWV 88
보라, 내가 많은 어부들을 보내어

- 1726년 라이프치히 작곡, 1726년 7월 21일 라이프치히 초연
- 코넷 2, 오보에 다모레 2, 알토 오보에, 바이올린 2, 비올라, 콘티누오
- 예레미야 16:16 (1); 누가복음 5:10 (4); 게오르크 노이마르크 (7); 무명 시인 (2, 3, 5, 6)

제1부

1. 아리아: 베이스
보라, 내가 많은 어부들을 보내어 그들을 낚게 하리라.
주께서 말씀하신다. 그런 다음 많은 사냥꾼들을 보내어
모든 산과 모든 언덕과 바위틈을 뒤져
그들을 잡아내리라.

2. 레치타티보: 테너
우리가 잘못된 생각으로 그분에게서 멀어져 악을 행하고
완강한 마음으로
멸망을 향해 치달을 때
지고하신 그분이 과연 쉽게
우리 없이 살고
우리로부터 은총을 거두실까요.
그분은 아버지 같은 마음으로

sein vatertreu Gemüte?
Tritt er mit seiner Güte
von uns, gleich so wie wir von ihm, zurück,
und überlässt er uns der Feinde List und Tück?

3. Aria: Tenor e 3/8

Nein, Gott ist allezeit geflissen,
uns auf gutem Weg zu wissen
unter seiner Gnade Schein.
Ja, wenn wir verirret sein
und die rechte Bahn verlassen,
will er uns gar suchen lassen.

II. Teil

4. Recitativo: Tenor ed Arioso: Bass G-D **C**, 3/4

(Tenor)
Jesus sprach zu Simon:
(Bass)
Fürchte dich nicht; den von nun an wirst du
Menschen fahen.

5. Aria (Duetto): Soprano, Alto A **C**

Beruft Gott selbst, so muss der Segen
auf allem unsern Tun
im Übermaße ruhn,
stünd uns gleich Furcht und Sorg entgegen.
Das Pfund, so er uns ausgetan,
will er mit Wucher wiederhaben;

무엇을 하실까요?
우리가 그러했던 것처럼
그도 선하신 마음을 거두고
적의 술책과 악의에 우리를 내던지실까요?

3. 아리아: 테너
아닙니다, 하나님은 언제나
은총의 빛을 통해
무엇이 옳은 길인지 알게 하십니다.
우리가 길을 잃고
올바른 길에서 벗어나면
그것을 찾아가게 하십니다.

제2부

4. 레치타티보: 테너 & 아리오소: 베이스
(테너)
예수님이 시몬에게 말씀하셨다.
(베이스)
두려워하지 마라. 이제부터 너는
사람을 낚을 것이다.

5. 아리아 (이중창): 소프라노, 알토
하나님이 친히 부르시면,
두려움과 걱정이 앞을 가로막아도
우리가 하는 일마다
축복이 넘치도록 내리리라.
우리에게 주신 재능을
그는 몇 배로 되돌려주시리라.

wenn wir es nur nicht selbst vergraben,
so hilft er gern, damit es fruchten kann.

6. Recitativo: Soprano f♯-b **C**

Was kann dich denn in deinem Wandel schrecken,
wenn dir, mein Herz, Gott selbst die Hände reicht?
Vor dessem bloßem Wink schon alles Unglück weicht
und der dich mächtiglich
kann schützen und bedecken.
Kommt Mühe, Überlast, Neid, Plag und Falschheit her
und trachtet, was du tust, zu stören und zu hindern,
lass kurzes Ungemach den Vorsatz nicht vermindern;
das Werk, so er bestimmt, wird keinem je zu schwer.
Geh allzeit freudig fort, du wird am Ende sehen,
dass, was dich eh gequält, dir sei zu Nutz geschehen!

7. Choral b **C**

Sing, bet und geh auf Gottes Wegen,
verricht das Deine nur getreu
und trau des Himmels reichem Segen,
so wird er bei dir werden neu;
denn welcher seine Zuversicht
auf Gott setzt, den verlässt er nicht.

우리가 스스로 재능을 숨기지만 않는다면
그것이 열매를 맺도록 기꺼이 도와주시리라.

6. 레치타티보: 소프라노

하나님이 친히 손을 내미시는데
너의 삶에 무슨 두려움이 있겠는가?
그분의 손짓 하나로도 모든 불행은 사라지고
주님은 너를 강력하게
보호하고 감싸주시네.
수고로움, 짐, 시기, 괴로움, 거짓이 다가와
너의 일을 방해하려 해도
짧은 역경이 네 계획을 망치지 못하게 하라.
그분이 정해주신 네 사명은 결코 어렵지 않으리라.
언제나 기쁘게 나아가면 마침내
너를 괴롭혔던 것들이 네게 유익했음을 깨달으리라!

7. 코랄

노래하라, 기도하라, 그리고 하나님의 길을 걸어라
네가 할 일을 충실하게 다하고
하늘이 내리는 풍성한 축복을 믿어라
그러면 주님이 네 곁에서 새롭게 변하시리라.
하나님을 굳건히 신뢰하는 이를
주님은 버리지 않으시리니.

동정녀 마리아의 엘리사벳 방문 축일

서신서 이사야 11:1-5
복음서 누가복음 1:39-56

BWV 147

Herz und Mund und Tat und Leben

I Teil

1. Coro C 6/4

Herz und Mund und Tat und Leben
muss von Christo Zeugnis geben
ohne Furcht und Heuchelei,
dass er Gott und Heiland sei.

2. Recitativo: Tenor F-a **C**

Gebenedeiter Mund!
Maria macht ihr Innerstes der Seelen
durch Dank und Rühmen kund;
sie fänget bei sich an,
des Heilands Wunder zu erzählen,
was er an ihr als seiner Magd getan.
O menschliches Geschlecht,
des Satans und der Sünden Knecht,
du bist befreit
durch Christi tröstendes Erscheinen
von dieser Last und Dienstbarkeit!
Jedoch dein Mund und dein verstockt Gemüte
verschweigt, verleugnet solche Güte;

BWV 147
마음과 입과 행동과 삶으로

- 1723년 라이프치히 작곡, 1723년 7월 2일 라이프치히 초연
- 트럼펫, 오보에 2, 오보에 다모레, 오보에 다 카차 2, 바이올린 2, 비올라, 콘티누오
- 잘로몬 프랑크 (1, 3, 5, 7, 9); 마르틴 얀 (6, 10); 무명 시인 (2, 4, 8)

제1부

1. 합창

마음과 입과 행동과 삶으로
그리스도를 증언해야 합니다
두려움과 가식 없이,
그분이 하나님이고 구세주이심을.

2. 레치타티보: 테너

축복받은 입이여!
마리아가 감사와 찬양으로
영혼의 가장 내밀한 곳을 드러내네.
자신의 이야기를 시작하니
구세주의 기적과 그가 주님의
여종에게 행하신 일을 들려주네.
오 인간이여,
사탄과 죄악의 종이여,
그리스도가 나타나 위로하시니
너는 그 짐과 노예 상태에서
해방되었다!
그러나 너의 입과 완고한 성정은
그분의 선하심을 침묵하고 부인하네.

doch wisse, dass dich nach der Schrift
ein allzuscharfes Urteil trifft!

3. Aria: Alto a 3/4

Schäme dich, o Seele, nicht,
deinen Heiland zu bekennen,
soll er dich die seine nennen
vor des Vaters Angesicht!
Doch wer ihn auf dieser Erden
zu verleugnen sich nicht scheut,
soll von ihm verleugnet werden,
wenn er kommt zur Herrlichkeit.

4. Recitativo: Bass d-a **C**

Verstockung kann Gewaltige verblenden,
bis sie des Höchsten Arm vom Stuhle stößt;
doch dieser Arm erhebt,
obschon vor ihm der Erde Kreis erbebt,
hingegen die Elenden,
so er erlöst.
O hochbeglückte Christen,
auf, machet euch bereit,
itzt ist die angenehme Zeit,
itzt ist der Tag des Heils: Der Heiland heißt
euch Leib und Geist
mit Glaubensgaben rüsten,
auf, ruft zu ihm in brünstigem Verlangen,
um ihn im Glauben zu empfangen!

하지만 성경 말씀에 따라 너에게
준엄한 심판이 내려질 것임을 알라!

3. 아리아: 알토

오 영혼아, 부끄러워하지 말고
너의 구세주를 고백하여라,
그분이 아버지의 얼굴 앞에서
너를 당신의 자녀라고 말하시리라!
그러나 이 땅에서 그를
거리낌 없이 부인하는 사람은
그가 영광으로 나타나실 때
그분에게 부인당하리라.

4. 레치타티보: 베이스

완고함이 권세가들을 눈멀게 하지만
마침내 그들을 주님의 팔이 권좌에서 쓸어내네.
그가 팔을 들면
그분 앞에서 땅이 흔들려도
그는 비참한 이들을
구원하시네.
오 행복한 그리스도인이여
일어나 준비하라
지금이 좋은 때이고
지금이 구원의 날이로다. 구세주가
너희의 육신과 영혼을
믿음의 선물로 무장하라 명하시네.
일어나라, 간절한 소망으로 외치며
그를 믿음으로 받아들여라!

5. Aria: Soprano d **C**

Bereite dir, Jesu, noch itzo die Bahn,
mein Heiland, erwähle
die gläubende Seele
und siehe mit Augen der Gnade mich an!

6. Choral G 3/4 9/8

Wohl mir, dass ich Jesum habe,
o wie feste halt ich ihn,
dass er mir mein Herze labe,
wenn ich krank und traurig bin.
Jesum hab ich, der mich liebet
und sich mir zu eigen gibet;
ach drum lass ich Jesum nicht,
wenn mir gleich mein Herze bricht.

II Teil

7. Aria: Tenor F 3/4

Hilf, Jesu, hilf, dass ich auch dich bekenne
in Wohl und Weh, in Freud und Leid,
dass ich dich meinen Heiland nenne
im Glauben und Gelassenheit,
dass stets mein Herz von deiner Liebe brenne.

8. Recitativo: Alto C-C **C**

Der höchsten Allmacht Wunderhand
wirkt im Verborgenen der Erden.
Johannes muss mit Geist erfüllet werden,

5. 아리아: 소프라노

예수님, 이제 길을 마련해주소서
나의 구세주여, 믿음 깊은 영혼을
선택하시고
은총의 눈으로 나를 바라보소서!

6. 코랄

나에게 예수님이 계시니, 행복하여라,
오 내가 그를 단단히 붙들고 있으니
아프고 슬플 때면
그가 내 마음에 활력을 주시네.
나에게 예수님이 계시니, 그가 나를 사랑하고
나에게 당신을 내어주시네.
그러므로 내 마음이 찢어진다 해도
나는 예수님을 놓지 않으리.

제2부

7. 아리아: 테너

예수님, 내가 당신을 고백하도록 도와주소서,
좋을 때나 나쁠 때나, 기쁠 때나 슬플 때나
당신을 내 구세주로 부르게 하소서.
믿음 속에서 침착하게
내 마음이 늘 주님 사랑으로 타오르게 하소서.

8. 레치타티보: 알토

높고 전능하신 분의 놀라운 손길이
이 땅의 보이지 않는 곳에서 작용하네.
요한이 성령으로 충만하니

ihn zieht der Liebe Band
bereits in seiner Mutter Leibe,
dass er den Heiland kennt,
ob er ihn gleich noch nicht
mit seinem Munde nennt,
er wird bewegt, er hüpft und springet,
indem Elisabeth das Wunderwerk ausspricht,
indem Mariä Mund der Lippen Opfer bringet.
Wenn ihr, o Gläubige, des Fleisches
Schwachheit merkt
wenn euer Herz in Liebe brennet
und doch der Mund den Heiland nicht bekennet,
Gott ist es, der euch kräftig stärkt,
er will in euch des Geistes Kraft erregen,
ja Dank und Preis auf eure Zunge legen.

9. Aria: Bass C **C**

Ich will von Jesu Wundern singen
und ihm der Lippen Opfer bringen.
Er wird nach seiner Liebe Bund
das schwache Fleisch, den ird'schen Mund
durch heil'ges Feuer kräftig zwingen.

10. Choral G 3/4 9/8

Jesus bleibet meine Freude,
meines Herzens Trost und Saft,
Jesus wehret allem Leide,
er ist meines Lebens Kraft,
meiner Augen Lust und Sonne,

사랑의 끈이 벌써 어머니의 태중에서
그를 끌어당기네.
입으로는 아직 그를
부르지 못해도
그는 구세주를 알고 있네.
엘리사벳이 놀라운 일을 말하자
요한이 감동하여 뛰놀고
마리아는 입으로 예물을 드리네.
믿는 자들아, 너희가 육신의
나약함을 알지만,
너희 마음이 사랑으로 불타오르지만,
입으로 구세주를 고백하지 못할 때
하나님은 너희를 강하게 만드시는 분이니
그가 너희 안에 성령의 능력을 일으키고
혀로 감사와 찬양을 하게 하시리라.

9. 아리아: 베이스

나는 예수님의 기적을 노래하며
입술로 그분께 예물을 드리리라.
그는 사랑의 언약에 따라
나약한 육신과 세속의 입을
거룩한 불길로 강하게 단련하시리라.

10. 코랄

예수는 언제나 나의 기쁨,
내 마음의 위안과 활력이시네.
예수는 모든 고난을 막아주시니
내 삶의 힘이 되고
내 눈의 기쁨이고 태양이며

meiner Seele Schatz und Wonne;
darum lass ich Jesum nicht
aus dem Herzen und Gesicht.

BWV 10

Meine Seel erhebt den Herren

---

1. Coro (Choral) g C

Meine Seel erhebt den Herren, und mein Geist freuet sich Gottes, meines Heilandes; denn er hat seine elende Magd angesehen. Siehe, von nun an werden mich selig preisen alle Kindeskind.

2. Aria: Soprano B♭ C

Herr, der du stark und mächtig bist,
Gott, dessen Name heilig ist,
wie wunderbar sind deine Werke!
  Du siehest mich Elenden an,
  du hast an mir so viel getan,
  dass ich nicht alles zähl und merke.

3. Recitativo: Tenor g-d C

Des Höchsten Güt und Treu

내 영혼의 보배이고 환희이시네.
그러므로 나는 예수를
마음과 얼굴에서 놓지 않으리.

BWV 10

내 영혼이 주님을 찬송하고

- ✦ 1724년 라이프치히 작곡, 1724년 7월 2일 라이프치히 초연
- ♪ 트럼펫, 오보에 2, 바이올린 2, 비올라, 콘티누오
- T 누가복음 1:46-48 (1); 누가복음 1:54 (5); 무명 시인 (2-4, 6, 7)

---

1. 합창 (코랄)

내 영혼이 주님을 찬송하고
내 마음이 나의 구원자 하나님 안에서 기뻐 뛰니
그분께서 당신 종의 비천함을 굽어보셨기 때문입니다.
이제부터 모든 세대가 나를 행복하다 할 것입니다.

2. 아리아: 소프라노

강한 권능의 주님
이름이 거룩하신 하나님
당신이 하신 일이 얼마나 놀라운지요!
　　당신은 불쌍한 나를 보시고
　　많은 것을 베풀어주셨습니다.
　　셀 수도 없고 기억할 수도 없이 많은 것을.

3. 레치타티보: 테너

가장 높은 분의 선하심과 신실함은

wird alle Morgen neu
und währet immer für und für
bei denen, die allhier
auf seine Hilfe schaun
und ihm in wahrer Furcht vertraun.
Hingegen übt er auch Gewalt
mit seinem Arm
an denen, welche weder kalt
noch warm
im Glauben und im Lieben sein;
die nacket, bloß und blind,
die voller Stolz und Hoffart sind,
will seine Hand wie Spreu zerstreun.

4. Aria: Bass F **C**

Gewaltige stößt Gott vom Stuhl
hinunter in den Schwefelpfuhl;
die Niedern pflegt Gott zu erhöhen,
dass sie wie Stern am Himmel stehen.
Die Reichen lässt Gott bloß und leer,
die Hungrigen füllt er mit Gaben,
dass sie auf seinem Gnadenmeer
stets Reichtum und die Fülle haben.

5. Duetto: Alto, Tenor d 6/8

Er denket der Barmherzigkeit
und hilft seinem Diener Israel auf.

지상에서 그의 도움을 바라보고
진정 두려워하며
그를 믿는 이들에게는
매일 아침 새롭고
언제나 영원히 계속되리라.
하지만 그분은
믿음과 사랑이
차갑지도 따뜻하지도 않은 이들을
당신의 팔로
벌하시리라.
벌거벗고 눈멀고
오만과 교만이 가득한 자들은
그의 손에 겨처럼 흩어지리라.

4. 아리아: 베이스
하나님이 보좌에서 권세가들을
유황불 구덩이로 떨어뜨리시네.
그리고 낮은 자들을 들어 올려
하늘의 별처럼 빛나게 하시네.
주님은 부자를 빈손으로 헐벗게 하시고
주린 자는 선물로 채우시어
그들이 주님의 은혜의 바다에서
항상 넘치는 부를 누리게 하시네.

5. 이중창: 알토, 테너
당신 자비를 기억하시어
당신 종 이스라엘을 거두어주셨도다.

6. Recitativo: Tenor B♭-g C

Was Gott den Vätern alter Zeiten
geredet und verheißen hat,
erfüllt er auch im Werk und in der Tat.
Was Gott dem Abraham,
als er zu ihm in seine Hütten kam,
versprochen und geschworen,
ist, da die Zeit erfüllet war, geschehen.
Sein Same musste sich so sehr
wie Sand am Meer
und Stern am Firmament ausbreiten,
der Heiland ward geboren,
das ew'ge Wort ließ sich im Fleische sehen,
das menschliche Geschlecht von Tod
und allem Bösen
und von des Satans Sklaverei
aus lauter Liebe zu erlösen;
drum bleibt's darbei,
dass Gottes Wort voll Gnad und Wahrheit sei.

7. Choral g C

Lob und Preis sei Gott dem Vater und dem Sohn
und dem Heiligen Geiste,
wie es war im Anfang, jetzt und immerdar
und von Ewigkeit zu Ewigkeit. Amen.

6. 레치타티보: 테너

하나님은 오래전 우리 조상에게
말하고 약속하신 것을
일과 행위로 이루어주십니다.
아브라함이 그를 만나러
장막으로 왔을 때
하나님이 약속하고 맹세하신 것이
때가 되면서 이루어졌습니다.
아브라함의 자손이
바닷가의 모래알처럼
창공의 별처럼 퍼져나갈 것입니다.
구세주가 태어나
영원의 말씀이 육신이 되었습니다.
그리고 인류를 죽음과
모든 죄악과
사탄의 종살이에서
오직 사랑으로 구원하셨습니다.
그러므로 하나님의 말씀은 언제까지나
은총과 진리로 가득합니다.

7. 코랄

하나님 아버지와 아들과 성령을
찬양하고 찬미하라.
처음과 같이, 이제와, 항상 영원히
아멘.

삼위일체주일 후 제6주일

서신서 로마서 6:3-11
복음서 마태복음 5:20-26

BWV 170

Vergnügte Ruh, beliebte Seelenlust

1. Aria: Alto D 12/8

Vergnügte Ruh, beliebte Seelenlust,
dich kann man nicht bei Höllensünden,
wohl aber Himmelseintracht finden;
du stärkst allein die schwache Brust.
Drum sollen lauter Tugendgaben
in meinem Herzen Wohnung haben.

2. Recitativo: Alto b-f♯ C

Die Welt, das Sündenhaus,
bricht nur in Höllenlieder aus
und sucht durch Hass und Neid
des Satans Bild an sich zu tragen.
Ihr Mund ist voller Ottergift,
der oft die Unschuld tödlich trifft,
und will allein von Racha! sagen.
Gerechter Gott, wie weit
ist doch der Mensch von dir entfernet;
du liebst, jedoch sein Mund
macht Fluch und Feindschaft kund
und will den Nächsten nur mit Füßen treten.

BWV 170
만족스러운 안식이여,
사랑스러운 영혼의 기쁨이여

- 1726년 라이프치히 작곡, 1726년 7월 28일 라이프치히 초연
- 오보에 다모레, 바이올린 2, 비올라, 콘티누오, 오르간 오블리가토
- 게오르크 크리스티안 렘스

1. 아리아: 알토

만족스러운 안식이여, 사랑스러운 영혼의 기쁨이여
　　너를 볼 수 있는 곳은 죄악이 숨 쉬는 지옥이 아니라
　　조화가 가득한 천국이리라.
　　너만이 나약한 가슴을 굳게 하리니
　　오직 미덕의 선물만이
　　내 마음에 깃들어야 하리라.

2. 레치타티보: 알토

세상, 그곳은 죄악이 사는 집
거기에서 나오는 것은 지옥의 노래뿐.
미움과 질투로
사탄의 모습을 가지려고 애를 쓰고
그 입은 독사의 독으로 가득하네.
가끔 무고한 이를 죽이며
저 혼자 복수를 외치네.
의로운 하나님, 인간은 참으로
당신과 멀리 떨어져 있습니다.
당신은 사랑하시지만, 인간의 입술은
저주와 적의를 내보이고
이웃을 발로 짓밟으려 합니다.

Ach! diese Schuld ist schwerlich zu verbeten.

3. Aria: Alto f♯ **C**

Wie jammern mich doch die verkehrten Herzen,
die dir, mein Gott, so sehr zuwider sein;
ich zittre recht und fühle tausend Schmerzen,
wenn sie sich nur an Rach und Hass erfreun.
Gerechter Gott, was magst du doch gedenken,
wenn sie allein mit rechten Satansränken
dein scharfes Strafgebot so frech verlacht.
Ach! ohne Zweifel hast du so gedacht:
Wie jammern mich doch die verkehrten Herzen!

4. Recitativo: Alto D-D **C**

Wer sollte sich demnach
wohl hier zu leben wünschen,
wenn man nur Hass und Ungemach
vor seine Liebe sieht?
Doch, weil ich auch den Feind
wie meinen besten Freund
nach Gottes Vorschrift lieben soll,
so flieht
mein Herze Zorn und Groll
und wünscht allein bei Gott zu leben,
der selbst die Liebe heißt.
Ach, eintrachtvoller Geist,
wenn wird er dir doch nur sein Himmelszion geben?

아! 이 죄는 기도로 속죄받기 힘듭니다.

3. 아리아: 알토

나의 하나님, 주의 뜻을 거슬렀던
내 어리석은 마음 때문에 탄식합니다.
그들이 복수와 증오만을 생각하고 기뻐할 때
나는 떨며 한없는 고통을 느낍니다.
의로운 하나님, 저들이 끔찍한 사탄의 계략으로
당신의 준엄한 처벌을 뻔뻔하게 비웃을 때
주님은 어떤 생각을 하셨을까요.
아! 의심할 나위 없이 이렇게 생각하셨겠지요.
어리석은 마음 때문에 탄식하노라!

4. 레치타티보: 알토

그러므로 누가
이곳에서 살기를 원할까
그분의 사랑보다는
증오와 불행만이 보이는 곳에서?
그러나 하나님의 계명대로
나는 원수도 친한 친구처럼
사랑해야 하므로
내 마음은 분노와 원한에서
도망쳐
오직 하나님과 살기를 원하네.
자신을 사랑이라고 일컫는 분과.
아, 조화로운 마음이여
주님은 너에게 언제 천국의 시온을 주실까?

5. Aria: Alto D C

Mir ekelt mehr zu leben,
drum nimm mich, Jesu, hin!
Mir graut vor allen Sünden,
lass mich dies Wohnhaus finden,
woselbst ich ruhig bin.

BWV 9

Es ist das Heil uns kommen her

---

1. Coro (Choral) E 3/4

Es ist das Heil uns kommen her
von Gnad und lauter Güte.
Die Werk, die helfen nimmermehr,
sie mögen nicht behüten.
Der Glaub sieht Jesum Christum an,
der hat g'nug für uns all getan,
er ist der Mittler worden.

2. Recitativo: Bass c♯-b C

Gott gab uns ein Gesetz, doch waren wir zu schwach,
dass wir es hätten halten können.
Wir gingen nur den Sünden nach,

5. 아리아: 알토

오래 사는 것이 싫으니
예수님, 저를 데려가소서!
　　모든 죄악이 두렵습니다,
　　내가 편히 쉴 수 있는
　　집을 찾게 하소서.

BWV 9

구원이 우리에게 찾아왔네

- 1731-35년 라이프치히 작곡 및 초연
- 가로 플루트, 오보에 다모레, 바이올린 2, 비올라, 콘티누오
- 파울 스페라투스 (1, 7); 무명 시인 (2-6)

---

1. 합창 (코랄)

구원이 우리에게 찾아왔네
주님의 자비로움과 선하심으로.
선행은 이제 소용이 없네
더는 우리를 지키지 못하네.
믿음은 예수 그리스도를 바라보네.
우리를 위해 모든 것을 하신 분
그분이 우리의 중재자가 되셨네.

2. 레치타티보: 베이스

하나님이 율법을 주셨으나, 우리는 너무 나약하여
그것을 지키지 못했습니다.
우리가 죄악만을 좇아 살았으니

kein Mensch war fromm zu nennen;
der Geist blieb an dem Fleische kleben
und wagte nicht zu widerstreben.
Wir sollten in Gesetze gehn
und dort als wie in einem Spiegel sehn,
wie unsere Natur unartig sei;
und dennoch blieben wir dabei.
Aus eigner Kraft war niemand fähig,
der Sünden Unart zu verlassen,
er möcht auch alle Kraft zusammenfassen.

3. Aria: Tenor e 12/16

Wir waren schon zu tief gesunken,
der Abgrund schluckt uns völlig ein,
die Tiefe drohte schon den Tod,
und dennoch konnt in solcher Not
uns keine Hand behilflich sein.

4. Recitativo: Bass b-A **C**

Doch musste das Gesetz erfüllet werden;
deswegen kam das Heil der Erden,
des Höchsten Sohn, der hat es selbst erfüllt
und seines Vaters Zorn gestillt.
Durch sein unschuldig Sterben
ließ er uns Hilf erwerben.
Wer nun demselben traut,
wer auf sein Leiden baut,
der gehet nicht verloren.
Der Himmel ist für den erkoren,

그 누구도 경건하다 할 수 없습니다.
우리의 영은 육신을 놓으려 하지 않았고
거기에 맞설 생각도 하지 않았습니다.
우리는 율법에 따라 살면서
그것을 거울삼아
우리의 본성이 얼마나 악한지 보아야 했으나
그렇게 하지 못했습니다.
온 힘을 끌어모아도
혼자서는 그 누구도
사악한 죄를 버리지 못했습니다.

3. 아리아: 테너

우리가 너무 깊은 곳에 빠졌으니
심연이 우리를 완전히 삼키려 합니다.
　　구덩이가 벌써 죽음으로 위협하지만
　　그런 곤경 속에서
　　그 어떤 손길도 소용이 없었습니다.

4. 레치타티보: 베이스

그러나 율법은 완성되어야 합니다.
그러므로 이 땅에 구원이 찾아와
하나님의 아들이 친히 율법을 완성하시고
아버지의 분노를 잠재우셨습니다.
그는 죄 없이 돌아가심으로써
우리를 구하셨습니다.
이제 그분을 믿고
그의 고난 위에 믿음을 세우는 자는
멸망하지 않을 것입니다.
천국은 참된 믿음을 가지고

der wahren Glauben mit sich bringt
und fest um Jesu Arme schlingt.

5. Aria (Duetto): Soprano, Alto A 2/4

Herr, du siehst statt guter Werke
auf des Herzens Glaubensstärke,
nur den Glauben nimmst du an.
    Nur der Glaube macht gerecht,
    alles andre scheint zu schlecht,
    als dass es uns helfen kann.

6. Recitativo: Bass f♯-E **C**

Wenn wir die Sünd aus dem Gesetz erkennen,
so schlägt es das Gewissen nieder;
doch ist das unser Trost zu nennen,
dass wir im Evangelio
gleich wieder froh
und freudig werden:
Dies stärket unsern Glauben wieder.
Drauf hoffen wir der Zeit,
die Gottes Gütigkeit
uns zugesaget hat,
doch aber auch aus weisem Rat
die Stunde uns verschwiegen.
Jedoch, wir lassen uns begnügen,
er weiß es, wenn es nötig ist,
und brauchet keine List
an uns; wir dürfen auf ihn bauen
und ihm allein vertrauen.

굳건히 예수의 팔에 매달리는
사람에게 예비되어 있습니다.

5. 아리아 (이중창): 소프라노, 알토

주님, 당신은 우리의 선행이 아니라
마음속 믿음의 크기를 보시며
오직 믿음만을 받아주십니다.
　　믿음만이 의롭게 할 뿐
　　그 외 다른 것은 너무 나약해
　　우리에게 도움이 되지 않습니다.

6. 레치타티보: 베이스

율법을 통해 우리 죄를 깨달으면
우리의 양심은 타격을 받습니다.
그러나 복음을 통해 우리가
다시 곧 기쁨과
즐거움을 얻으면
그것을 위안이라 부를 수 있으니
이는 우리의 믿음을 굳게 합니다.
우리는 하나님의 선하심이
약속하셨으나
지혜로우시게도
정확한 시간은 침묵하신
그때를 소망합니다.
하지만 우리는 만족합니다.
그는 필요한 때를 아시니
속임수를 쓸 이유가 없습니다.
우리는 그를 믿고
오직 그분만을 따를 것입니다.

7. Choral E **C**

Ob sich's anließ, als wollt er nicht,
lass dich es nicht erschrecken;
denn wo er ist am besten mit,
da will er's nicht entdecken.
Sein Wort lass dir gewisser sein,
und ob dein Herz spräch lauter Nein,
so lass doch dir nicht grauen.

7. 코랄

그분이 원하지 않는 것처럼 보여도
절대로 놀라지 마라.
그분은 자주 함께 계시는 곳에
자신을 드러내려 하지 않으시니.
그의 말씀을 더 확고히 받아들여라
네 마음이 '아니오'라고 말해도
그것 때문에 두려워하지 마라.

삼위일체주일 후 제7주일

서신서 로마서 6:19-23
복음서 마가복음 8:1-9

BWV 186
Ärgre dich, o Seele, nicht

I Teil

1. Coro g **C**

Ärgre dich, o Seele, nicht,
dass das allerhöchste Licht,
Gottes Glanz und Ebenbild,
sich in Knechtsgestalt verhüllt,
ärgre dich, o Seele, nicht!

2. Recitativo: Bass c-g **C**

Die Knechtsgestalt, die Not, der Mangel
trifft Christi Glieder nicht allein,
es will ihr Haupt selbst arm und elend sein.
Und ist nicht Reichtum, ist nicht Überfluss
des Satans Angel,
so man mit Sorgfalt meiden muss?
Wird dir im Gegenteil
die Last zu viel zu tragen,
wenn Armut dich beschwert,
wenn Hunger dich verzehrt,
und willst sogleich verzagen,

BWV 186
영혼이여, 성내지 마라

- 1723년 라이프치히 작곡(전해지지 않는 1716년 바이마르에서 작곡한 곡[BWV 186a]에서 연원함), 1723년 7월 11일 라이프치히 초연
- 오보에 2, 알토 오보에, 바이올린 2, 비올라, 콘티누오
- 잘로몬 프랑크 (1, 3, 5, 8, 10); 파울 스페라투스 (6); 무명 시인 (2, 4, 7, 9, 11)

제1부

1. 합창

영혼이여, 성내지 마라
가장 높은 곳에 있는 빛
하나님의 광휘와 모상이
종의 모습 속에 숨어 있다고.
영혼이여, 성내지 마라!

2. 레치타티보: 베이스

종의 모습과 시련과 부족함은
그리스도의 지체에만 닥치지 않습니다.
그것은 그리스도의 머리까지 가난하고 쇠약하게 만듭니다.
부유함과 넘치는 풍족함은
사탄의 미끼이니
우리가 주의를 기울여 피해야 하지 않을까요?
반대로 당신이
짊어질 짐이 너무 많아 감당하기 힘들다면,
가난이 당신을 괴롭히고
배고픔이 당신을 집어삼키고
그리하여 당신이 곧 절망한다면

so denkst du nicht an Jesum, an dein Heil.
Hast du wie jenes Volk nicht bald zu essen,
so seufzest du: Ach Herr, wie lange willst du
mein vergessen?

3. Aria: Bass B♭ 3/4

Bist du, der mir helfen soll,
eilst du nicht, mir beizustehen?
Mein Gemüt ist zweifelsvoll,
du verwirfst vielleicht mein Flehen;
doch, o Seele, zweifle nicht,
lass Vernunft dich nicht bestricken.
Deinen Helfer, Jakobs Licht,
kannst du in der Schrift erblicken.

4. Recitativo: Tenor g-B♭ **C**

Ach, dass ein Christ so sehr
vor seinen Körper sorgt!
Was ist er mehr?
Ein Bau von Erden,
der wieder muss zur Erde werden,
ein Kleid, so nur geborgt.
Er könnte ja das beste Teil erwählen,
so seine Hoffnung nie betrügt:
Das Heil der Seelen,
so in Jesu liegt.
O selig! wer ihn in der Schrift erblickt,
wie er durch seine Lehren
auf alle, die ihn hören,

당신은 예수님과 구원을 생각하지 않는 것입니다.
그 백성들처럼 곧 먹을 것이 없을 때
당신은 이렇게 탄식합니다: 아, 주님, 나를 얼마나
오래도록 잊으시렵니까?

3. 아리아: 베이스

나를 도와야 할 당신은
서둘러 달려와 도와야 하지 않을까요?
내 마음은 의심으로 가득합니다.
당신은 아마 내 간청을 저버리겠지요.
그러나, 영혼아, 의심하지 마라.
이성에 미혹되지 마라.
너를 도울 야곱의 빛을
성경에서 볼 수 있으리니.

4. 레치타티보: 테너

아, 그리스도인은
제 몸을 돌봐야 합니다!
그는 과연 무엇입니까?
흙으로 빚은 육신
다시 흙으로 돌아가야 합니다
단지 빌려 입은 옷입니다.
그가 최고의 것을 택할 수 있다면
그의 희망은 배신당하지 않을 것입니다.
영혼의 구원은
예수님에게 있습니다.
오 행복하여라! 성경에서 그를 보는 이여,
그 말씀을 듣는 모든 이에게
그는 가르침을 통해

ein geistlich Manna schickt!
Drum, wenn der Kummer gleich
das Herze nagt und frisst,
so schmeckt und sehet doch,
wie freundlich Jesus ist.

5. Aria: Tenor d **C**

Mein Heiland lässt sich merken
in seinen Gnadenwerken.
Da er sich kräftig weist,
den schwachen Geist zu lehren,
den matten Leib zu nähren,
dies sättigt Leib und Geist.

6. Choral F **C**

Ob sich's anließ, als wollt er nicht,
lass dich es nicht erschrecken;
denn wo er ist am besten mit,
da will er's nicht entdecken.
Sein Wort lass dir gewisser sein,
und ob dein Herz spräch lauter Nein,
so lass dir doch nicht grauen!

II Teil

7. Recitativo: Bass E♭-B♭ **C**

Es ist die Welt die große Wüstenei;
der Himmel wird zu Erz, die Erde wird zu Eisen,
wenn Christen durch den Glauben weisen,

영적인 만나를 보내십니다!
그러므로 근심이 곧
마음을 갉아먹고 물어뜯어도
예수님이 얼마나 친절한지
맛보고 눈으로 보십시오.

5. 아리아: 테너

나의 구세주는 자비로운 일에서
자신을 드러내시네.
나약한 영혼을 가르치고
지친 육신을 먹이는 일에서
자신을 강력하게 드러내 보이시므로
그것이 육신과 영혼을 배부르게 하네.

6. 코랄

그분이 원하지 않는 것처럼 보여도
절대로 놀라지 마라.
그분은 자주 함께 계시는 곳에
자신을 드러내려 하지 않으시니.
그의 말씀을 더 확고히 받아들여라
네 마음이 '아니오'라고 말해도
그것 때문에 두려워하지 마라!

제2부

7. 레치타티보: 베이스

세상은 커다란 황무지
그리스도의 말씀이 가장 큰 보화임을
그리스도인들이 믿음을 통해 보여준다면

dass Christi Wort ihr größter Reichtum sei;
der Nahrungssegen scheint
von ihnen fast zu fliehen,
ein steter Mangel wird beweint,
damit sie nur der Welt sich desto mehr entziehen;
da findet erst des Heilands Wort,
der höchste Schatz,
in ihren Herzen Platz:
Ja, jammert ihn des Volkes dort,
so muss auch hier sein Herze brechen
und über sie den Segen sprechen.

8. Aria: Soprano g **C**

Die Armen will der Herr umarmen
mit Gnaden hier und dort;
er schenket ihnen aus Erbarmen
den höchsten Schatz, das Lebenswort.

9. Recitativo: Alto c-E♭ **C**

Nun mag die Welt mit ihrer Lust vergehen;
bricht gleich der Mangel ein,
doch kann die Seele freudig sein.
Wird durch dies Jammertal der Gang
zu schwer, zu lang,
in Jesu Wort liegt Heil und Segen.
Es ist ihres Fußes Leuchte
und ein Licht auf ihren Wegen.
Wer gläubig durch die Wüste reist,
wird durch dies Wort getränkt, gespeist;

하늘은 금속이 되고, 땅은 철이 되리라.
양식의 축복이
저들에게서 멀어져가는 듯이 보이고
한없는 부족함으로 저들이 울며
이 세상에서 더욱더 멀어져갈 때
그때가 되어서야 구세주의 말씀
그 고귀한 보물이
저들의 마음에 자리를 잡으리라.
주님이 저기에 있는 민족을 불쌍히 여기신다면
이곳에서 그의 마음이 찢어져
저들에게 축복의 말씀을 내리리라.

8. 아리아: 소프라노

주님은 가난한 이들을 안아주시려 하네
가는 곳마다 자비로운 마음으로.
그는 그들에게 동정의 마음으로
최고의 보물인 생명의 말씀을 선물하시네.

9. 레치타티보: 알토

즐거움이 있던 세상이 사라지고
곧 부족함이 들이닥쳐도
영혼은 기뻐할 것이라.
이 눈물의 골짜기를 걷는 것이
너무 힘들고 너무 길어도
예수님의 말씀 안에 구원과 축복이 있네.
걷는 발 아래에서 빛이 나고
걷는 길 위에서 빛이 비추네.
믿음을 가지고 사막을 여행하는 자는
그 말씀을 물처럼 마시고 음식처럼 먹으리라.

der Heiland öffnet selbst, nach diesem Worte,
ihm einst des Paradieses Pforte,
und nach vollbrachtem Lauf
setzt er den Gläubigen die Krone auf.

10. Aria (Duetto): Soprano, Alto c 3/8

Lass, Seele, kein Leiden
von Jesu dich scheiden,
sei, Seele, getreu!
Dir bleibet die Krone
aus Gnaden zu Lohne,
wenn du von Banden des Leibes nun frei.

11. Choral F **C**

Die Hoffnung wart' der rechten Zeit,
was Gottes Wort zusaget.
Wenn das geschehen soll zur Freud,
setzt Gott kein g'wisse Tage.
Er weiß wohl, wenn's am besten ist,
und braucht an uns kein arge List,
des solln wir ihm vertrauen.

그 말씀에 따라 언젠가는 구세주가
친히 낙원의 문을 열어주시고,
여행자가 여행을 마친 뒤에는
믿음 깊은 자에게 왕관을 씌워주시리라.

10. 아리아 (이중창): 소프라노, 알토

영혼아, 괴롭다고 예수님을
떠나지 마라.
영혼아, 신실하라!
육신의 속박에서 해방되면
너는 자비의 선물로
왕관을 받으리라.

11. 코랄

희망이 때를 기다리고 있으니
이는 하나님이 말씀으로 약속하신 대로입니다.
그 일이 언제 일어나 우리를 기쁘게 할지
하나님은 날을 정해놓지 않았습니다.
그러나 언제가 가장 좋을지 주님은 알고 계시며
우리에게 나쁜 꾀를 쓰지 않으십니다.
우리는 그분을 믿어야 합니다.

BWV 107
Was willst du dich betrüben

1. Coro(Choral) b **C**

Was willst du dich betrüben,
o meine liebe Seel?
Ergib dich, den zu lieben,
der heißt Immanuel!
Vertraue ihm allein,
er wird gut alles machen
und fördern deine Sachen,
wie dir's wird selig sein!

2. Recitativo: Bass f♯-f♯ **C**

Denn Gott verlässet keinen,
der sich auf ihn verlässt,
er bleibt getreu den Seinen,
die ihm vertrauen fest.
Lässt sich's an wunderlich,
so lass dir doch nicht grauen!
Mit Freuden wirst du schauen,
wie Gott wird retten dich.

3. Aria: Bass A **C**

Auf ihn magst du es wagen

BWV 107
너는 무엇 때문에 슬퍼하느냐

- 1724년 라이프치히 작곡, 1724년 7월 23일 라이프치히 초연
- 코르노 다 카차, 가로 플루트 2, 오보에 다모레 2, 바이올린 2, 비올라, 콘티누오
- 요한 헤르만

1. 합창(코랄)

너는 무엇 때문에 슬퍼하느냐
오 나의 사랑하는 영혼아?
몸 바쳐 그분을 사랑하여라
그분의 이름은 임마누엘!
오직 그분만을 믿어라
그는 모든 것을 좋게 만드시고
네가 행복하도록
너의 일을 도우시리라!

2. 레치타티보: 베이스

하나님은 그를 의지하는 자를
아무도 버리지 않으시네.
그를 굳건히 믿는 백성에게
신의를 지키시네.
이상한 일이 일어나도
두려워하지 마라!
하나님이 너를 어떻게 구하는지
네가 기쁨으로 바라보리라.

3. 아리아: 베이스

그분을 믿으면 너는

mit unerschrocknem Mut,
du wirst mit ihm erjagen,
was dir ist nütz und gut.
Was Gott beschlossen hat,
das kann niemand hindern
aus allen Menschenkindern;
es geht nach seinem Rat.

4. Aria: Tenor e 3/4

Wenn auch gleich aus der Höllen
der Satan wollte sich
dir selbst entgegenstellen
und toben wider dich,
so muss er doch mit Spott
von seinen Ränken lassen,
damit er dich will fassen;
denn dein Werk fördert Gott.

5. Aria: Soprano b 12/8

Er richt's zu seinen Ehren
und deiner Seligkeit;
soll's sein, kein Mensch kann's wehren,
und wär's ihm doch so leid.
Will's denn Gott haben nicht,
so kann's niemand forttreiben,
es muss zurücke bleiben,
was Gott will, das geschicht.

두려움 없이 할 수 있으리.
그분과 함께라면 네게
유익하고 좋은 것을 얻으리.
하나님이 결심한 것을
막을 사람
그 어디에도 없으리.
모든 것이 그의 생각대로 되리라.

4. 아리아: 테너

지옥에서 곧
사탄이 나와
직접 너와 맞서고
너를 해하려 날뛰어도
그는 조롱을 당하며
너를 붙잡으려던
계략을 포기해야 하리라.
하나님이 네가 하는 일을 도우시기 때문이라.

5. 아리아: 소프라노

그분은 자신의 영광과
너의 행복을 위해 준비하시네.
그러면 어느 누구도, 아무리 달갑지 않아도
그것을 막을 사람이 없네.
그러나 하나님이 원하지 않는 것은
어느 누구도 밀고 나가지 못하네.
완성하지 말고 남겨두어야 하네.
하나님이 원하시는 것만이 이루어지므로.

6. Aria: Tenor D C

Drum ich mich ihm ergebe,
ihm sei es heimgestellt;
nach nichts ich sonst mehr strebe,
denn nur, was ihm gefällt.
Drauf wart ich und bin still,
sein Will, der ist der beste,
das glaub ich steif und feste,
Gott mach es, wie er will!

7. Choral b 6/8

Herr, gib, dass ich dein Ehre
ja all mein Leben lang
von Herzengrund vermehre,
dir sage Lob und Dank!
O Vater, Sohn und Geist,
der du aus lauter Gnaden
abwendest Not und Schaden,
sei immerdar gepreist!

6. 아리아: 테너

그리하여 나는 헌신하고
모든 것을 그분께 맡깁니다.
나는 그가 기뻐하는 것 외에는
아무것도 바라지 않습니다.
나는 조용히 기다립니다.
그분의 뜻이 최선임을
굳게 믿고 또 믿습니다.
하나님, 원하시는 대로 하소서!

7. 코랄

주여, 당신의 영광을
내 평생 사는 동안
마음 깊숙한 곳에서 드높이게 하소서
당신께 찬양과 감사를 드립니다!
오 아버지, 아들 그리고 성령이시여
오직 자비로
시련과 고난을 물리치신 분
영원히 찬미합니다!

BWV 187

Es wartet alles auf dich

I Teil

1. Coro g **C**

Es wartet alles auf dich, dass du ihnen Speise gebest
zu seiner Zeit. Wenn du ihnen gibest, so sammlen sie,
wenn du deine Hand auftust, so werden sie mit Güte
gesättiget.

2. Recitativo: Bass B♭-g **C**

Was Kreaturen hält
das große Rund der Welt!
Schau doch die Berge an, da sie bei tausend gehen;
was zeuget nicht die Flut?
Es wimmeln Ström und Seen.
Der Vögel großes Heer
zieht durch die Luft zu Feld.
Wer nähret solche Zahl,
und wer vermag ihr wohl die Notdurft abzugeben?
Kann irgendein Monarch nach solcher Ehre streben?
Zahlt aller Erden Gold
ihr wohl ein einig Mal?

BWV 187

모든 이가 당신을 기다립니다

- 1726년 라이프치히 작곡, 1726년 8월 4일 라이프치히 초연
- 오보에 2, 바이올린 2, 비올라, 콘티누오
- 시편 104:27-28 (1); 마태복음 6:31-32 (4); 한스 포겔 (7);
무명 시인 (2, 3, 5, 6)

제1부

1. 합창

모든 이가 당신을 기다립니다. 제때에 먹을 것을 주시기를
기다립니다. 그러면 저들은 그것을 모을 것이요,
당신이 손을 벌리시면 저들은 평안히
배부를 것입니다.

2. 레치타티보: 베이스

크고 둥근 세상이
얼마나 많은 피조물을 품고 있는가!
수천 개에 이르는 산들을 보라
큰 물결이 무엇인들 만들지 못할까?
강물과 바다가 차고 넘친다.
새는 거대한 떼를 지어
창공을 가르며 들판으로 날아간다.
누가 저 많은 새를 먹이고
누가 저들에게 필요한 것을 채워줄까?
어느 군주가 그런 영예를 바랄 수 있을까?
지상의 모든 황금이
한 끼라도 그들을 먹일 수 있을까?

3. Aria: Alto B♭ 3/8

Du Herr, du krönst allein das Jahr mit deinem Gut.

Es träufet Fett und Segen
auf deines Fußes Wegen,
und deine Gnade ist's, die allen Gutes tut.

II Teil

4. Aria: Bass g C

Darum sollt ihr nicht sorgen noch sagen: Was werden wir essen, was werden wir trinken, womit werden wir uns kleiden? Nach solchem allen trachten die Heiden. Denn euer himmlischer Vater weiß, dass ihr dies alles bedürfet.

5. Aria: Soprano E♭ C, 3/8, C

Gott versorget alles Leben,
was hienieden Odem hegt.
Sollt er mir allein nicht geben,
was er allen zugesagt?
Weicht, ihr Sorgen, seine Treue
ist auch meiner eingedenk
und wird ob mir täglich neue
durch manch Vaterliebs Geschenk.

6. Recitativo: Soprano c-B♭ C

Halt ich nur fest an ihm mit kindlichem Vertrauen
und nehm mit Dankbarkeit, was er mir zugedacht,
so werd ich mich nie ohne Hülfe schauen,

3. 아리아: 알토

주님, 당신만이 자비로써 한 해를 장식하십니다.
풍요와 축복이 당신의
발걸음이 내딛는 길마다 뚝뚝 흐르고,
당신의 자비는 만인에게 선을 베푸십니다.

제2부

4. 아리아: 베이스

그러므로 무엇을 먹을까 무엇을 마실까,
또 무엇을 입을까 하고 걱정하지 마라.
이런 것들은 모두 이방인들이 찾는 것이다.
하늘에 계신 아버지는 이 모든 것이 너희에게
있어야 할 것을 알고 계신다.

5. 아리아: 소프라노

하나님은 이 땅에서 숨을 쉬며
살아 있는 모든 것을 돌보시네.
만물에게 허락하신 것을
오직 나에게만 아니 주시겠는가?
근심 걱정은 물러가라.
그분의 충실하심은 나를 잊지 않으시고
날마다 내게
아버지의 사랑으로 새 선물을 주시리라.

6. 레치타티보: 소프라노

아이 같은 믿음으로 그분을 꼭 붙들고
내게 허락하신 것을 감사하게 받으면
그가 내게 무엇을 예비해 놓으셨든

und wie er auch vor mich die Rechnung hab gemacht.
Das Grämen nützet nicht, die Mühe ist verloren,
die das verzagte Herz um seine Notdurft nimmt;
der ewig reiche Gott hat sich die Sorge auserkoren,
so weiß ich, dass er mir auch meinen Teil bestimmt.

7. Choral g 3

Gott hat die Erde zugericht',
lässt's an Nahrung mangeln nicht;
Berg und Tal, die macht er nass,
dass dem Vieh auch wächst sein Gras;
aus der Erden Wein und Brot
schaffet Gott und gibt's uns satt,
dass der Mensch sein Leben hat.

Wir danken sehr und bitten ihn,
dass er uns geb des Geistes Sinn,
dass wir solches recht verstehn,
stets in sein' Geboten gehn,
seinen Namen machen groß
in Christo ohne Unterlass:
So sing'n wir recht das Gratias.

나는 곤궁하지 않으리라.
한탄은 쓸모가 없고, 애써도 소용이 없네.
낙담한 마음이 필요로 하는 것을 더 앗아갈 뿐.
한없이 풍족한 하나님이 몸소 이 걱정을 짊어지셨으니
그가 나의 몫을 정해놓으셨음을 나는 아네.

7. 코랄

하나님이 이 땅의 것을 마련하셨으니
먹을 것이 부족하지 않게 하십니다.
산과 골짜기를 적시어
가축이 먹을 풀을 자라게 하십니다.
땅에서 포도와 빵을
만드시고 우리를 배불리 먹이시어
사람이 살아가게 하십니다.

우리가 감사를 드리며 간청하오니
당신 영의 의미를 주시고
우리가 그것을 옳게 이해하게 하시고
늘 당신의 계명에 따라 살게 하시고
그리스도 안에서 쉬지 않고
그의 이름을 드높이게 하소서.
우리가 감사의 노래를 부르리이다.

삼위일체주일 후 제8주일

서신서 로마서 8:12-17
복음서 마태복음 7:15-23

BWV 136

Erforsche mich, Gott, und erfahre mein Herz

1. Coro A 12/8

Erforsche mich, Gott, und erfahre mein Herz;
prüfe mich und erfahre, wie ich's meine!

2. Recitativo: Tenor b-c# **C**

Ach, dass der Fluch, so dort die Erde schlägt,
auch derer Menschen Herz getroffen!
Wer kann auf gute Früchte hoffen,
da dieser Fluch bis in die Seele dringet,
so dass sie Sündendornen bringet
und Lasterdisteln trägt.
Doch wollen sich oftmals die Kinder der Höllen
in Engel des Lichtes verstellen;
man soll bei dem verderbten Wesen
von diesen Dornen Trauben lesen.
Ein Wolf will sich mit reiner Wolle decken,
doch bricht ein Tag herein,
der wird, ihr Heuchler, euch ein Schrecken,
ja unerträglich sein.

BWV 136

나를 살펴보시고
내 마음을 알아주소서, 하나님

- 1723년 라이프치히 작곡, 1723년 7월 18일 라이프치히 초연
- 코넷, 오보에, 오보에 다모레, 바이올린 2, 비올라, 콘티누오
- 시편 139:23 (1); 요한 헤르만 (6); 무명 시인 (2-5)

1. 합창

나를 살펴보시고 내 마음을 알아주소서, 하나님
나를 꿰뚫어 보시어 내 생각을 알아주소서!

2. 레치타티보: 테너

아, 저기 땅을 내려치는 저주가
그곳 사람들의 마음까지 강타했도다!
누가 좋은 열매를 바랄 수 있으랴.
저주가 영혼까지 뚫고 들어와
죄의 가시를 낳게 하고
악의 엉겅퀴가 달리게 하는데.
그러나 지옥의 자녀들은 가끔
빛의 천사들로 위장하려 하니
그 타락한 존재들의 가시에서
포도를 수확할 수도 있으리라.
늑대는 순수한 양털을 뒤집어쓰려 하지만
날이 밝으면
위선자들아, 너희는 두려움에 질려
견딜 수 없게 되리라.

3. Aria: Alto f♯ 𝄴, 12/8, 𝄴

Es kömmt ein Tag,
so das Verborgne richtet,
vor dem die Heuchelei erzittern mag.
    Denn seines Eifers Grimm vernichtet,
    was Heuchelei und List erdichtet.

4. Recitativo: Bass b-b 𝄴

Die Himmel selber sind nicht rein,
wie soll es nun ein Mensch vor diesem Richter sein?
Doch wer durch Jesu Blut gereinigt,
im Glauben sich mit ihm vereinigt,
weiß, dass er ihm kein hartes Urteil spricht.
Kränkt ihn die Sünde noch,
der Mangel seiner Werke,
er hat in Christo doch
Gerechtigkeit und Stärke.

5. Aria (Duetto): Tenor, Bass b 12/8

Uns treffen zwar der Sünden Flecken,
so Adams Fall auf uns gebracht.
Allein, wer sich zu Jesu Wunden,
dem großen Strom voll Blut gefunden,
wird dadurch wieder rein gemacht.

6. Choral b 𝄴

Dein Blut, der edle Saft,
hat solche Stärk und Kraft,
dass auch ein Tröpflein kleine

3. 아리아: 알토

언젠가 그날이 오면
숨어 있던 이가 심판하리라.
그 앞에서 위선은 벌벌 떨리라.
　　그의 맹렬한 분노가
　　위선과 계략이 만든 것을 파괴하기 때문이라.

4. 레치타티보: 베이스

하늘마저 깨끗하지 않은데
인간이 어찌 이 판관 앞에서 깨끗할 수 있을까?
그러나 예수의 피로 깨끗해진 사람은
믿음으로 그와 하나가 되고
주님이 가혹하게 판결하지 않으심을 알고 있네.
죄를 지어 아직 괴롭고
선행이 부족하여 괴로워도
그는 그리스도 안에
정의와 강인함을 가지고 있네.

5. 아리아 (이중창): 테너, 베이스

아담의 타락이 남긴
죄악의 오점에 우리가 물들어도
예수님의 상처에서
커다란 피의 흐름을 발견한 이는
그로써 다시 깨끗해지리라.

6. 코랄

당신의 피, 고귀한 보혈에는
강렬함과 힘이 있습니다.
비록 작은 한 방울일망정

die ganze Welt kann reine,
ja, gar aus Teufels Rachen
frei, los und ledig machen.

BWV 178

Wo Gott der Herr nicht bei uns hält

---

1. Coro (Choral) a **C**

Wo Gott der Herr nicht bei uns hält,
wenn unsre Feinde toben,
und er unser Sach nicht zufällt
im Himmel hoch dort oben,
wo er Israel Schutz nicht ist
und selber bricht der Feinde List,
so ist's mit uns verloren.

2. Choral e Recitativo: Alto C-e **C**

Was Menschenkraft und -witz anfäht,
soll uns billig nicht schrecken;
    denn Gott der Höchste steht uns bei
    und machet uns von ihren Stricken frei.
Er sitzet an der höchsten Stätt,
er wird ihrn Rat aufdecken.

온 세상을 정화하고
악마의 목구멍에서
해방시키는 힘입니다.

BWV 178
주 하나님이 우리 편이 아니라면

- 1724년 라이프치히 작곡, 1724년 7월 30일 라이프치히 초연
- 오보에 2, 오보에 다모레 2, 비올라, 콘티누오
- 유스투스 요나스 시편 124장 참조 (1, 4, 7); 무명 시인 (2, 3, 5, 6)

1. 합창 (코랄)
주 하나님이 우리 편이 아니라면
적들이 날뛸 때에
저 높은 곳 하늘에서
우리의 일을 돕지 않으시면
이스라엘의 방패가 되어주지 않으시면
적의 계략을 꺾지 않으시면
우리는 모두 멸망하리라.

2. 코랄 & 레치타티보: 알토
인간의 힘과 지략이 할 수 있는 것에
놀라서는 안 됩니다.
　　가장 높으신 하나님이 우리와 함께 계시고
　　저들의 계략에서 풀어주시기 때문입니다.
주님은 가장 높은 자리에 앉아
저들의 계획을 밝혀내십니다.

Die Gott im Glauben fest umfassen,
will er niemals versäumen noch verlassen;
er stürzet der Verkehrten Rat
und hindert ihre böse Tat.
Wenn sie's aufs klügste greifen an,
auf Schlangenlist und falsche Ränke sinnen,
der Bosheit Endzweck zu gewinnen,
so geht doch Gott ein ander Bahn:
Er führt die Seinigen mit starker Hand,
durchs Kreuzesmeer, in das gelobte Land,
da wird er alles Unglück wenden.
Es steht in seinen Händen.

3. Aria: Bass G 9/8

Gleichwie die wilden Meereswellen
mit Ungestüm ein Schiff zerschellen,
so raset auch der Feinde Wut
und raubt das beste Seelengut.
Sie wollen Satans Reich erweitern,
und Christi Schifflein soll zerscheitern.

4. Choral: Tenor b **C**

Sie stellen uns wie Ketzern nach,
nach unserm Blut sie trachten;
noch rühmen sie sich Christen auch,
die Gott allein groß achten.
Ach Gott, der teure Name dein
muss ihrer Schalkheit Deckel sein,
du wirst einmal aufwachen.

굳은 믿음으로 하나님을 품고 있는 이들을
주님은 결코 소홀히 하지도 버리지도 않으십니다.
타락한 자들의 계획을 무너뜨리고
그들의 사악한 행위를 막아내십니다.
저들이 가장 교활하게 공격하고
뱀의 간계와 거짓 음모를 꾸며
사악한 목적을 이루려 할 때도
하나님은 다른 길로 걸어가십니다.
강한 손으로 자신의 백성을 이끌고
시련의 바다를 건너 약속의 땅으로 가시어
모든 불행을 떨쳐버리십니다.
이는 그분의 뜻입니다.

3. 아리아: 베이스

바다의 거친 파도가
사납게 배를 부수듯이
적의 분노 또한 미친 듯이
귀한 영혼의 보배를 훔치네.
저들은 사탄의 왕국을 넓혀
그리스도의 배를 침몰시키려 하네.

4. 코랄: 테너

저들은 우리를 이단자처럼 추적하고
우리의 피를 노립니다.
또한 스스로 하나님만을 경배하는
그리스도라 뽐냅니다.
아 하나님, 당신의 귀한 이름이
저들의 간악함을 막는 방패가 되어야 합니다.
주님은 언젠가 깨어나시겠지요.

5. Choral e Recitativo: Bass, Tenor, Alto b **C**

Auf sperren sie den Rachen weit,

(Bass)

nach Löwenart mit brüllendem Getöne;

sie fletschen ihre Mörderzähne

und wollen uns verschlingen.

(Tenor)

Jedoch,

Lob und Dank sei Gott allezeit;

(Tenor)

der Held aus Juda schützt uns noch,

es wird ihn' nicht gelingen.

(Alto)

Sie werden wie die Spreu vergehn,

wenn seine Gläubigen wie grüne Bäume stehn.

Er wird ihrn Strick zerreißen gar

und stürzen ihre falsche Lahr.

(Bass)

Gott wird die törichten Propheten

mit Feuer seines Zornes töten

und ihre Ketzerei verstören.

Sie werden's Gott nicht wehren.

6. Aria: Tenor e **C**

Schweig, schweig nur, taumelnde Vernunft!

Sprich nicht: Die Frommen sind verlorn,

das Kreuz hat sie nur neu geborn.

Denn denen, die auf Jesum hoffen,

steht stets die Tür der Gnaden offen;

5. 코랄 & 레치타티보: 베이스, 테너, 알토

저들은 목구멍을 활짝 벌리고

(베이스)

사자처럼 큰 소리로 울부짖으며

살인자의 이빨을 드러냅니다.

우리를 잡아먹으려 하네.

(테너)

그러나

하나님께 영원히 찬양과 감사를 드리자.

(테너)

유다의 영웅이 아직 우리를 지켜줍니다.

저들은 성공하지 못하리라.

(알토)

저들은 쭉정이처럼 사라지지만

주님을 믿는 이들은 푸르른 나무처럼 서 있을 것입니다.

그분은 저들의 올가미를 끊어버리고

거짓된 가르침을 무너뜨리리라.

(베이스)

하나님이 어리석은 예언자들을

분노의 불길로 사망케 하고

저들의 이단을 파괴하시리라.

저들은 하나님을 막지 못하리라.

6. 아리아: 테너

침묵하라, 침묵하라, 비틀거리는 이성이여!

믿음 깊은 이들이 멸망했다고 말하지 마라.

십자가는 그들을 새로 태어나게 했을 뿐이다.

예수님을 기다리는 이들에게는

언제나 은총의 문이 활짝 열려 있다.

und wenn sie Kreuz und Trübsal drückt,
so werden sie mit Trost erquickt.

7. Choral a **C**

Die Feind sind all in deiner Hand,
darzu all ihr Gedanken;
ihr Anschläg sind dir, Herr, bekannt,
hilf nur, dass wir nicht wanken.
Vernunft wider den Glauben ficht,
aufs Künftge will sie trauen nicht,
da du wirst selber trösten.

Den Himmel und auch die Erden
hast du, Herr Gott, gegründet;
dein Licht lass uns helle werden,
das Herz uns werd entzündet
in rechter Lieb des Glaubens dein,
bis an das End beständig sein.
Die Welt lass immer murren.

시련과 슬픔이 짓눌러도
그들은 위안을 받아 소생하리라.

7. 코랄

적들이 모두 당신 손안에 있습니다.
저들의 생각마저 당신은 읽으십니다.
주여, 저들의 공격을 아시오니
우리가 흔들리지 않게 도와주소서.
이성이 신앙과 싸우고
미래를 믿으려 하지 않으니
주님이 친히 위로를 주소서.

하늘과 땅은
주 하나님 당신이 만드셨습니다.
당신의 빛으로 우리를 밝게 비추시면
우리의 마음은 불타오를 것입니다
당신을 믿으며 사랑하는 마음으로
끝까지 변함없을 것입니다.
제아무리 세상이 투덜거리더라도.

BWV 45

Es ist dir gesagt, Mensch, was gut ist

I Teil

1. Coro E ₵

Es ist dir gesagt, Mensch, was gut ist und was der Herr von dir fordert, nämlich: Gottes Wort halten und Liebe üben und demütig sein vor deinem Gott.

2. Recitativo: Tenor H-g♯ C

Der Höchste lässt mich seinen Willen wissen
und was ihm wohlgefällt;
er hat sein Wort zur Richtschnur dargestellt,
wornach mein Fuß soll sein geflissen
allzeit einherzugehn
mit Furcht, mit Demut und mit Liebe
als Proben des Gehorsams, den ich übe,
um als ein treuer Knecht dereinsten zu bestehn.

3. Aria: Tenor c♯ 3/8

Weiß ich Gottes Rechte,
was ist's, das mir helfen kann,
wenn er mir als seinem Knechte
fordert scharfe Rechnung an.

BWV 45
사람아, 무엇이 선한 것인지 주께서 말씀하셨다

- 1726년 라이프치히 작곡, 1726년 8월 11월 라이프치히 초연
- 가로 플루트 2, 오보에 2, 바이올린 2, 비올라, 콘티누오
- 미가서 6:8 (1); 마태복음 7:22-23 (4); 요한 헤르만 (7); 무명 시인 (2, 3, 5, 6)

제1부

1. 합창

사람아, 무엇이 선한 것인지 주께서 말씀하셨다.
그가 네게 바라는 것은 하나님의 말씀을 지키고
사랑을 실천하고 하나님 앞에서 겸손한 것이다.

2. 레치타티보: 테너

가장 높으신 분이 내게 당신의 뜻을 알려주시고
무엇이 그를 기쁘게 하는지 말해주시네.
그가 당신 말씀을 모범으로 보이셨으니
내 발은 언제나 부지런히 그를
따라가야 하네.
두려움, 겸손, 사랑으로
내가 실천하는 순종의 시험으로
언젠가는 충실한 종으로 남기 위함이네.

3. 아리아: 테너

내가 하나님의 정의를 알고
무엇이 내게 도움이 되는지 안다면,
그분이 당신의 종인 나에게
철저한 계산을 요구한다면

Seele, denke dich zu retten,
auf Gehorsam folget Lohn;
Qual und Hohn
drohet deinem Übertreten!

II Teil

4. Arioso: Bass A C

Es werden viele zu mir sagen an jenem Tage: Herr, Herr, haben wir nicht in deinem Namen geweissaget, haben wir nicht in deinem Namen Teufel ausgetrieben? Haben wir nicht in deinem Namen viel Taten getan? Denn werde ich ihnen bekennen: Ich habe euch noch nie erkannt, weichet alle von mir, ihr Übeltäter!

5. Aria: Alto f♯ C

Wer Gott bekennt
aus wahrem Herzensgrund,
den will er auch bekennen.
    Denn der muss ewig brennen,
    der einzig mit dem Mund
    ihn Herren nennt.

6. Recitativo: Alto E-E C

So wird denn Herz und Mund selbst von mir
Richter sein,
und Gott will mir den Lohn nach meinem Sinn erteilen:
Trifft nun mein Wandel nicht nach seinen Worten ein,
wer will hernach der Seelen Schaden heilen?

영혼이여, 너를 어떻게 구해야 할지 생각하라
순종하면 보상이 따르나
그것을 위반하면
고통과 조롱이 닥치리라!

제2부

4. 아리오소: 베이스
그날에 많은 사람이 내게 말하리라: 주님, 주님
우리가 당신의 이름으로 예언을 하고
당신의 이름으로 마귀를 쫓아내지 않았습니까?
우리가 당신의 이름으로 많은 기적을 행하지 않았습니까?
그때 내가 그들에게 말하리라: 나는 너희를 알지 못한다.
모두 나에게서 물러가라. 너희 악한 일을 일삼는 자들아!

5. 아리아: 알토
진정으로 마음 깊숙한 곳에서
하나님을 인정하는 사람을
주님도 역시 인정하리라.
　　오직 입으로만
　　그를 주님이라 부르는 사람은
　　영원히 불에 타리라.

6. 레치타티보: 알토
그리하여 내 마음과 입술이 직접
판관이 될 것이다.
하나님은 내가 생각한 대로 상을 내려주실 것이다.
내 행위가 그의 말씀대로 실행되지 못하면
누가 영혼의 상처를 치유해줄까?

Was mach ich mir denn selber Hindernis?
Des Herren Wille muss geschehen,
doch ist sein Beistand auch gewiss,
dass er sein Werk durch mich mög wohl
vollendet sehen.

7. Choral E **C**

Gib, dass ich tu mit Fleiß,
was mir zu tun gebühret,
worzu mich dein Befehl
in meinem Stande führet!
Gib, dass ichs tue bald,
zu der Zeit, da ich soll;
und wenn ich's tu, so gib,
dass es gerate wohl!

왜 나는 나 스스로를 방해할까?
주님의 뜻은 반드시 이루어지고
그의 도움도 확실하니
주님은 나를 통해 당신의 일이
이루어짐을 볼 것이다.

7. 코랄

당연히 주어진 일을
내가 열심히 하게 하소서.
지금 내가 처한 곳에서
당신의 명령대로 하게 하소서!
마땅히 해야 하는 시간에
내가 지체 없이 행하게 하시고
내가 행하는 그 일이
번성하게 하소서!

삼위일체주일 후 제9주일

서신서 고린도전서 10:6-13

복음서 누가복음 16:1-9

BWV 105

Herr, gehe nicht ins Gericht mit deinem Knecht

1. Coro g C, ¢

Herr, gehe nicht ins Gericht mit deinem Knecht.
Denn vor dir wird kein Lebendiger gerecht.

2. Recitativo: Alto c-B♭ C

Mein Gott, verwirf mich nicht,
indem ich mich in Demut vor dir beuge,
von deinem Angesicht.
Ich weiß, wie groß dein Zorn
und mein Verbrechen ist,
dass du zugleich ein schneller Zeuge
und ein gerechter Richter bist.
Ich lege dir ein frei Bekenntnis dar
und stürze mich nicht in Gefahr,
die Fehler meiner Seelen
zu leugnen, zu verhehlen!

3. Aria: Soprano E♭ 3/4

Wie zittern und wanken
der Sünder Gedanken,
indem sie sich untereinander verklagen
und wiederum sich zu entschuldigen wagen.

BWV 105

주님, 당신의 종을 심판하지 마소서

- 1723년 라이프치히 작곡, 1723년 7월 25일 라이프치히 초연
- 호른, 오보에 2, 바이올린 2, 비올라, 콘티누오
- 시편 143:2 (1); 요한 리스트 (6); 무명 시인 (2-5)

1. 합창

주님, 당신의 종을 심판하지 마소서
주님 앞에서는 의로운 사람이 없나이다.

2. 레치타티보: 알토

나의 하나님, 내가 당신 앞에서
겸손히 몸을 굽힐 때에
당신의 면전에서 물리치지 마소서.
나는 주님의 분노와 나의 죄가
얼마나 큰지 압니다.
당신이 속히 증인이 되실 것과
의로운 재판관이 되실 것임을 압니다.
당신께 내 죄를 솔직하게 고백합니다.
그러므로 나는 내 영혼의 허물을
부인하고 감추어
나를 위험에 빠뜨리지 않습니다!

3. 아리아: 소프라노

죄인들이 서로 고발하다가
다시 서로 변호를 할 때
그들의 생각은
얼마나 떨리고 흔들리는가.

So wird ein geängstigt Gewissen
durch eigene Folter zerrissen.

4. Recitativo: Bass B♭-E♭ **C**

Wohl aber dem, der seinen Bürgen weiß,
der alle Schuld ersetzet,
so wird die Handschrift ausgetan,
wenn Jesus sie mit Blute netzet.
Er heftet sie ans Kreuze selber an,
er wird von deinen Gütern, Leib und Leben,
wenn deine Sterbestunde schlägt,
dem Vater selbst die Rechnung übergeben.
So mag man deinen Leib, den man zum Grabe trägt,
mit Sand und Staub beschütten,
dein Heiland öffnet dir die ew'gen Hütten.

5. Aria: Tenor B♭ **C**

Kann ich nur Jesum mir zum Freunde machen,
so gilt der Mammon nichts bei mir.
    Ich finde kein Vergnügen hier
    bei dieser eitlen Welt und ird'schen Sachen.

6. Choral g **C**/12/8

Nun, ich weiß, du wirst mir stillen
mein Gewissen, das mich plagt.
Es wird deine Treu erfüllen,
was du selber hast gesagt:
Dass auf dieser weiten Erden
keiner soll verloren werden,

불안에 사로잡힌 양심도
제 자신을 고문하며 갈기갈기 찢어지네.

4. 레치타티보: 베이스
모든 빚을 갚아주는
보증인이 있는 사람은 행복하여라.
예수님이 피로써 적시면
비난의 판결문은 지워지네.
그는 친히 그것을 십자가에 못 박으시고
네가 죽을 시간이 다가오면
너의 재물과 육신과 삶을
아버지께 직접 넘겨 청산하게 하시네.
무덤으로 옮길 너의 육신을
모래와 먼지로 덮으리니
너의 구세주가 네게 영원한 오두막을 열어주시네.

5. 아리아: 테너
예수님을 내 친구로 만들기만 하면
재물의 신은 내게 아무 힘도 쓰지 못하리.
　　여기 이 허황된 세상과 이 땅의 일에서
　　나는 아무 낙도 찾지 못하네.

6. 코랄
이제 나는 아네, 나를 괴롭히던 양심이
나를 진정시킬 것임을.
당신이 직접 말씀하신 대로
당신의 신실함이 이루어지리라.
이 넓은 세상에서
믿음이 충만하다면

sondern ewig leben soll,
wenn er nur ist Glaubens voll.

BWV 94

Was frag ich nach der Welt

---

1. Coro D **C**

Was frag ich nach der Welt
und allen ihren Schätzen,
wenn ich mich nur an dir,
mein Jesu, kann ergötzen!
Dich hab ich einzig mir
zur Wollust fürgestellt,
du, du bist meine Ruh:
Was frag ich nach der Welt!

2. Aria: Bass b **C**

Die Welt ist wie ein Rauch und Schatten,
der bald verschwindet und vergeht,
weil sie nur kurze Zeit besteht.
Wenn aber alles fällt und bricht,
bleibt Jesus meine Zuversicht,
an dem sich meine Seele hält.

아무도 멸망하지 않고
영생하리라던 그 말씀.

BWV 94
내가 세상에서 무엇을 바랄까

- 1724년 라이프치히 작곡, 1724년 8월 6일 라이프치히 초연
- 가로 플루트, 오보에 2, 바이올린 2, 비올라, 콘티누오
- 발타자르 킨더만 (1, 3, 5, 8); 무명 시인 (2,4,6,7)

---

1. 합창
내가 세상에서 무엇을 바랄까
세상 모든 보화가 무슨 소용일까
오직 나의 예수님, 당신만으로
기뻐할 수 있는데!
나는 오직 당신만을
기쁨으로 삼았으니
그대는 나의 안식이라.
내가 세상에서 무엇을 바랄까!

2. 아리아: 베이스
세상은 연기와 그림자와 같은 것
짧은 순간만 존재하고
곧 사라져 없어지는 것.
그러나 모든 것이 스러지고 꺾여도
예수님은 내 영혼이 의지하는
나의 확신이네.

Darum: Was frag ich nach der Welt!

3. Choral e Recitativo: Tenor G 3/8/C

Die Welt sucht Ehr und Ruhm
bei hocherhabnen Leuten.
Ein Stolzer baut die prächtigsten Paläste,
er sucht das höchste Ehrenamt,
er kleidet sich aufs Beste
in Purpur, Gold, in Silber, Seid und Samt.
Sein Name soll für allen
in jedem Teil der Welt erschallen.
Sein Hochmutsturm
soll durch die Luft bis an die Wolken dringen,
er trachtet nur nach hohen Dingen
und denkt nicht einmal dran,
wie bald doch diese gleiten.
Oft bläset eine schale Luft
den stolzen Leib auf einmal in die Gruft,
und da verschwindet alle Pracht,
womit der arme Erdenwurm
hier in der Welt so großen Staat gemacht.
Ach! solcher eitler Tand
wird weit von mir aus meiner Brust verbannt.
Dies aber, was mein Herz
vor anderm rühmlich hält,
was Christen wahren Ruhm und rechte Ehre gibet
und was mein Geist,
der sich der Eitelkeit entreißt,
anstatt der Pracht und Hoffart liebet,

그러므로 내가 세상에서 무엇을 바랄까!

3. 코랄 & 레치타티보: 테너

고귀한 사람들의 세상에서는
영광과 명성을 추구합니다.
자부심이 많은 이는 화려한 궁전을 짓고
최고의 명예직을 찾고
보라색, 황금색, 은색의 비단과 벨벳으로
가장 좋은 옷을 입습니다.
그의 이름은 세상 구석구석
모든 사람에게 울려 퍼져야 합니다.
그의 교만의 탑은
공중을 뚫고 구름까지 올라가야 합니다.
그는 높은 것들만 탐하나
그런 것이 얼마나 쉽게 날아가는지
생각하지 못합니다.
이따금 맥없는 바람이 불어와
교만한 육신을 단번에 무덤으로 처박으면
가련한 지상의 생물들이
이 세상에서 그토록 뽐내었던
모든 화려함은 사라집니다.
아! 그 헛되고 하찮은 것이
내 가슴에서 멀리 떨어져 나갑니다.
그러나 내 마음을
무엇보다 영광되게 사로잡는 것
그리스도인에게 참된 영광과 진정한 영예를 주는 것
허영을 뿌리친
나의 정신이
화려함과 오만 대신에 사랑하는 것

ist Jesus nur allein,
und dieser soll's auch ewig sein.
Gesetzt, dass mich die Welt
darum vor töricht hält:
Was frag ich nach der Welt!

4. Aria: Alto e **C**

Betörte Welt, betörte Welt!
Auch dein Reichtum, Gut und Geld
ist Betrug und falscher Schein.
Du magst den eitlen Mammon zählen,
ich will dafür mir Jesum wählen;
Jesus, Jesus soll allein
meiner Seele Reichtum sein.
Betörte Welt, betörte Welt!

5. Choral e Recitativo: Bass D **C**

Die Welt bekümmert sich.
Was muss doch wohl der Kummer sein?
O Torheit! dieses macht ihr Pein:
Im Fall sie wird verachtet.
Welt, schäme dich!
Gott hat dich ja so sehr geliebet,
dass er sein eingebornes Kind
vor deine Sünd
zur größten Schmach um dein Ehre gibet,
und du willst nicht um Jesu willen leiden?
Die Traurigkeit der Welt ist niemals größer,
als wenn man ihr mit List

그것은 예수님뿐이니
오직 예수님만이 영원하실 것입니다.
세상이 그런 나를
바보라고 여겨도
내가 세상에서 무엇을 바랄까요!

4. 아리아: 알토

현혹된 세상이여, 현혹된 세상이여!
너의 보화와 재물과 돈도
속임수요 허상이로다.
너는 헛된 재물을 탐하지만
나는 그 대신 예수님을 택하리라.
예수님, 오직 예수님만이
내 영혼의 보배로다.
현혹된 세상이여, 현혹된 세상이여!

5. 코랄 & 레치타티보: 베이스

세상이 슬퍼한다.
무엇 때문에 슬퍼하는가?
오 어리석다! 이것이 고통의 이유로다.
세상은 무시를 당할까 두려워한다.
세상이여, 부끄러워하라!
하나님은 너를 매우 사랑하시어
네 죄를 씻고 너의 명예를 위해
그의 외아들을
큰 치욕에 내어주셨다.
그런데 너는 예수 때문에 고통을 당하고 싶지 않은가?
세상의 슬픔은 결코
술책을 써서

nach ihren Ehren trachtet.
Es ist ja besser,
ich trage Christi Schmach,
solang es ihm gefällt.
Es ist ja nur ein Leiden dieser Zeit,
ich weiß gewiss, dass mich die Ewigkeit
dafür mit Preis und Ehren krönet;
ob mich die Welt
verspottet und verhöhnet,
ob sie mich gleich verächtlich hält,
wenn mich mein Jesus ehrt:
Was frag ich nach der Welt!

6. Aria: Tenor A C/ 12/8

Die Welt kann ihre Lust und Freud,
das Blendwerk schnöder Eitelkeit,
nicht hoch genug erhöhen.
Sie wühlt, nur gelben Kot zu finden,
gleich einem Maulwurf in den Gründen
und lässt dafür den Himmel stehen.

7. Aria: Soprano f♯ C

Er halt es mit der blinden Welt,
wer nichts auf seine Seele hält,
mir ekelt vor der Erden.
Ich will nur meinen Jesum lieben
und mich in Buß und Glauben üben,
so kann ich reich und selig werden.

세상의 명예를 탐할 때보다 크지 않다.
더 나은 것은
주님 마음에 흡족하실 때까지
내가 그리스도의 치욕을 짊어지는 것.
그것은 다만 이 세상에 머물 때의 고통일 뿐이다.
이를 위해 영원이 찬미와 영예의 관을 내게
씌워줄 것임을 나는 확실히 아네.
세상이 나를
조롱하고 비웃어도
세상이 나를 곧 경멸해도
나의 예수님이 나를 높여준다면
내가 세상에서 무엇을 바랄까!

6. 아리아: 테너

세상은 쾌락과 즐거움,
그 천박한 허영의 속임수를
아무리 드높여도 만족하지 못하네.
　　노란 오물만 나오는 땅을
　　두더지처럼 파헤치는 동안
　　하늘을 놓치고 마네.

7. 아리아: 소프라노

그는 제 영혼을 돌보지 않는
눈먼 세상의 편입니다.
나는 이 땅이 싫습니다.
　　나는 예수만을 사랑하고
　　속죄와 믿음을 실천하리라
　　그러면 부유하고 행복할 수 있으리라.

8. Choral D **C**

Was frag ich nach der Welt!
Im Hui muss sie verschwinden,
ihr Ansehn kann durchaus
den blassen Tod nicht binden.
Die Güter müssen fort,
und alle Lust verfällt;
bleibt Jesus nur bei mir:
Was frag ich nach der Welt!
Was frag ich nach der Welt!
Mein Jesus ist mein Leben,
mein Schatz, mein Eigentum,
dem ich mich ganz ergeben,
mein ganzes Himmelreich
und was mir sonst gefällt.
Drum sag ich noch einmal:
Was frag ich nach der Welt!

BWV 168

Tue Rechnung! Donnerwort

---

1. Aria: Bass b **C**

Tue Rechnung! Donnerwort,

8. 코랄

내가 세상에서 무엇을 바랄까!
세상은 순식간에 사라질 텐데.
세상의 명망은 결코
창백한 죽음을 묶어두지 못하네.
세상의 보화는 사라지고
모든 쾌락도 쇠하리라.
오직 예수만이 내 곁에 남을 뿐.
내가 세상에서 무엇을 바랄까!
내가 세상에서 무엇을 바랄까!
예수는 나의 생명,
나의 보배, 나의 자산,
나를 온전히 바치는 분,
나의 온 하늘나라,
내가 흡족해하는 것.
그러므로 또 한 번 말하노니,
내가 세상에서 무엇을 바랄까!

BWV 168

청산하라! 우레와 같은 말씀

- 1725년 라이프치히 작곡, 1725년 7월 29일 라이프치히 초연
- 오보에 다모레 2, 바이올린 2, 비올라, 콘티누오
- 잘로몬 프랑크 (1-5); 바르톨로메우스 링발트 (6)

---

1. 아리아: 베이스

청산하라! 우레와 같은 말씀

das die Felsen selbst zerspaltet,
Wort, wovon mein Blut erkaltet!
Tue Rechnung! Seele, fort!
Ach, du musst Gott wiedergeben
seine Güter, Leib und Leben.
Tue Rechnung! Donnerwort!

2. Recitativo: Tenor f♯-c♯ **C**

Es ist nur fremdes Gut,
was ich in diesem Leben habe;
Geist, Leben, Mut und Blut
und Amt und Stand ist meines Gottes Gabe,
es ist mir zum Verwalten
und treulich damit hauszuhalten
von hohen Händen anvertraut.
Ach! aber ach! mir graut,
wenn ich in mein Gewissen gehe
und meine Rechnungen so voll Defekte sehe!
Ich habe Tag und Nacht
die Güter, die mir Gott verliehen,
kaltsinnig durchgebracht!
Wie kann ich dir, gerechter Gott, entfliehen?
Ich rufe flehentlich:
Ihr Berge fallt! Ihr Hügel decket mich
vor Gottes Zorngerichte
und vor dem Blitz von seinem Angesichte!

3. Aria: Tenor f♯ 3/8

Kapital und Interessen,

바위까지 쪼개고
내 피를 얼어붙게 하는 말씀!
청산하라! 영혼이여, 어서!
아, 너는 하나님께 돌려드려야 한다
그의 재물과 육신과 생명을.
청산하라! 우레와 같은 말씀!

2. 레치타티보: 테너

내가 이번 생애에서 가진 것은
남의 것에 지나지 않습니다.
영혼, 생명, 용기, 피
그리고 직책과 지위는 내 하나님이 주신 것입니다.
성실하게 맡아서
관리하라고
고귀한 손이 내게 맡기셨습니다.
아! 그러나 아! 두렵습니다.
내 양심을 살핀즉
청산한 것에 잘못이 넘치는 것을 보니!
나는 밤낮으로
하나님이 빌려주신 재물을
태연히 낭비했습니다!
의로운 하나님, 어떻게 하면 당신을 피할 수 있을까요?
내가 간절히 부르짖으니
산이여 무너져라! 언덕이여
하나님의 진노의 심판과
그 얼굴의 번쩍이는 빛에서 나를 지켜다오!

3. 아리아: 테너

자본과 이자

meine Schulden groß und klein
müssen einst verrechnet sein.
Alles, was ich schuldig blieben,
ist in Gottes Buch geschrieben
als mit Stahl und Demantstein.

4. Recitativo: Bass b-G **C**

Jedoch, erschrocknes Herz, leb und verzage nicht!
Tritt freudig vor Gericht!
Und überführt dich dein Gewissen,
du werdest hier verstummen müssen,
so schau den Bürgen an,
der alle Schulden abgetan!
Es ist bezahlt und völlig abgeführt,
was du, o Mensch, in Rechnung schuldig blieben;
des Lammes Blut, o großes Lieben!hat deine Schuld durchstrichen
und dich mit Gott verglichen.
Es ist bezahlt, du bist quittiert!
Indessen,
weil du weißt,
dass du Haushalter seist,
so sei bemüht und unvergessen,
den Mammon klüglich anzuwenden,
den Armen wohlzutun,
so wirst du, wenn sich Zeit und Leben enden,
in Himmelshütten sicher ruhn.

많고 적은 나의 빚은
언젠가는 청산해야 하리.
내가 빚진 모든 것은
하나님의 책에
강철과 다이아몬드처럼 적혀 있네.

4. 레치타티보: 베이스

그러나, 두려워하는 마음이여, 살면서 절망하지 마라!
기쁘게 재판정으로 나아가라!
양심이 너를 죄인으로 확정하면
그곳에서 입을 다물고
보증인을 바라보라
그가 모든 빚을 없앴도다!
네가 아직 청산하지 못한 빚이
모두 없어지고 완전히 깨끗해졌다.
어린양의 피, 오 커다란 사랑!
그것이 너의 빚을 탕감하고
너를 하나님과 화해시켰다.
모든 빚이 청산되고 깨끗이 끝났다!
한편으로
너는 알고 있다
네가 관리인이라는 것을.
그러므로 잊지 말고 노력하여라.
재물의 신을 슬기롭게 이용하고
가난한 이들에게 베풀어라.
그리하면 네 시간과 삶이 끝났을 때
너는 천국의 거처에서 편안하게 쉬리라.

5. Aria (Duetto): Soprano, Alto e 6/8

Herz, zerreiß des Mammons Kette,
Hände, streuet Gutes aus!
Machet sanft mein Sterbebette,
bauet mir ein festes Haus,
das im Himmel ewig bleibet,
wenn der Erde Gut zerstäubet.

6. Choral b **C**

Stärk mich mit deinem Freudengeist,
heil mich mit deinen Wunden,
wasch mich mit deinem Todesschweiß
in meiner letzten Stunden;
und nimm mich einst, wenn dir's gefällt,
in wahrem Glauben von der Welt
zu deinen Auserwählten.

5. 아리아 (이중창): 소프라노, 알토

마음이여, 재물의 신의 사슬을 끊어라
손이여, 보화를 흩뿌려라!
내 병상을 부드럽게 하고
내게 견고한 집을 지어다오.
지상의 보화가 흩어질 때
천국에서 영원히 무너지지 않을 집을.

6. 코랄

당신의 기쁨의 영으로 나를 강하게 하시고
당신의 상처로 나를 치유하시고
당신의 죽음의 땀으로 나를 씻어주소서,
나의 마지막 시간이 다가올 때에.
당신이 흡족하실 때에 나를 받아주시고
내가 참된 믿음으로 이 세상을 떠나
당신이 선택한 이들에게 가게 하소서.

삼위일체주일 후 제10주일

서신서 고린도전서 12:1-11
복음서 누가복음 19:41-48

BWV 46

Schauet doch und sehet, ob irgendein Schmerz sei

1. Coro d 3/4

Schauet doch und sehet, ob irgendein Schmerz sei wie mein Schmerz, der mich troffen hat. Denn der Herr hat mich voll Jammers gemacht am Tage seines grimmigen Zorns.

2. Recitativo: Tenor g-g **C**

So klage du, zerstörte Gottesstadt,
du armer Stein- und Aschenhaufen!
Lass ganze Bäche Tränen laufen,
weil dich betroffen hat
ein unersetzlicher Verlust
der allerhöchsten Huld,
so du entbehren musst
durch deine Schuld.
Du wurdest wie Gomorra zugerichtet,
wiewohl nicht gar vernichtet.
O besser! wärest du in Grund verstört,
als dass man Christi Feind jetzt in dir lästern hört.
Du achtest Jesu Tränen nicht,
so achte nun des Eifers Wasserwogen,
die du selbst über dich gezogen,

BWV 46
살펴보고 또 보라, 어떤 고통이

- 1723년 라이프치히 작곡, 1723년 8월 1일 라이프치히 초연
- 트럼펫, 가로 플루트 2, 오보에 다 카차 2, 현악기, 콘티누오
- 예레미야애가 1:12 (1); 요한 마테우스 마이파르트 (6); 무명 시인 (2-5)

1. 합창

살펴보고 또 보라, 어떤 고통이
나에게 닥친 고통과 같은지를.
주님이 크게 진노하신 날에
나를 비탄에 빠지게 하시었다.

2. 레치타티보: 테너

탄식하라, 너 파괴된 하나님의 도시여
가련한 돌무더기와 잿더미여!
눈물의 시냇물을 모두 흐르게 하라.
최고의 은총을
만회할 수 없게 잃어버리고
그 손실이 너를 강타했으니.
이제 너는 네 죄로 인해
은총을 누리지 못하리라.
너는 완전히 파괴되지는 않았으나
고모라처럼 망가졌다.
아 차라리 완전히 파괴되는 편이
그리스도의 적이 네 안에서 비방하는 소리를 듣는 것보다 나았으리!
너는 예수님의 눈물에 아랑곳하지 않았으나
이제는 네 스스로 자초한

da Gott, nach viel Geduld,
den Stab zum Urteil bricht.

3. Aria: Bass B♭ 3/4

Dein Wetter zog sich auf von weiten,
doch dessen Strahl bricht endlich ein
    und muss dir unerträglich sein,
    da überhäufte Sünden
    der Rache Blitz entzünden
    und dir den Untergang bereiten.

4. Recitativo: Alto F-c **C**

Doch bildet euch, o Sünder, ja nicht ein,
es sei Jerusalem allein
vor andern Sünden voll gewesen!
Man kann bereits von euch dies Urteil lesen:
Weil ihr euch nicht bessert
und täglich die Sünden vergrößert,
so müsset ihr alle so schrecklich umkommen.

5. Aria: Alto g **C**

Doch Jesus will auch bei der Strafe
der Frommen Schild und Beistand sein,
er sammlet sie als seine Schafe,
als seine Küchlein liebreich ein;
wenn Wetter der Rache die Sünder belohnen,
hilft er, dass Fromme sicher wohnen.

분노의 파도에 주의하라.
하나님은 많이 인내하신 후에
심판의 막대기를 부러뜨리시리니.

3. 아리아: 베이스

너를 덮칠 폭풍우가 멀리서 다가오고
마침내 번갯불이 터지니
너는 견딜 수 없으리라.
쌓이고 쌓인 죄악이
징계에 불을 붙이고
너의 몰락을 준비하리라.

4. 레치타티보: 알토

오 죄인이여, 다른 곳보다
오직 예루살렘만이
죄악으로 가득 찼었다고 생각지 마라!
이미 너희도 그런 심판을 받을 수 있다.
너희의 행실이 나아지지 않고
날마다 죄를 키워가니
너희 모두 처참하게 죽으리라.

5. 아리아: 알토

그러나 예수님은 신실한 이들이
벌을 받을 때도 방패와 도움이 되려 하시네.
그들을 당신의 양과
병아리처럼 사랑 가득한 마음으로 모으시네.
징계의 폭풍우가 죄인들을 벌할 때
예수님은 신실한 이들을 도와 안전히 살게 하시네.

6. Choral g C

O großer Gott von Treu,
weil vor dir niemand gilt
als dein Sohn Jesus Christ,
der deinen Zorn gestillt,
so sieh doch an die Wunden sein,
sein Marter, Angst und schwere Pein;
um seinetwillen schone,
uns nicht nach Sünden lohne.

BWV 101

Nimm von uns, Herr, du treuer Gott

---

1. Coro (Choral) d ¢

Nimm von uns, Herr, du treuer Gott,
die schwere Straf und große Not,
die wir mit Sünden ohne Zahl
verdienet haben allzumal.
Behüt für Krieg und teurer Zeit,
für Seuchen, Feur und großem Leid.

2. Aria: Tenor g 3/4

Handle nicht nach deinen Rechten

6. 코랄

오 크고 신실한 하나님
당신의 진노를 잠재운
아들 예수 그리스도 외에는
누구도 당신 앞에서 귀하지 않으니
그의 상처와
고통과 두려움과 무거운 고뇌를 보시고
그를 위해 우리의 죄를
벌하지 마소서.

BWV 101
주여, 신실한 하나님이여

- 1724년 라이프치히 작곡, 1724년 8월 13일 라이프치히 초연
- 가로 플루트, 오보에 2, 알토 오보에, 바이올린 2, 비올라, 콘티누오
- 마르틴 몰러 (1, 3, 5, 7); 무명 시인 (2, 4, 6)

---

1. 합창 (코랄)

주여, 신실한 하나님이여,
수없이 많은 죄를 지어
우리가 받아야 마땅하오니
부디 무거운 벌과 큰 시련을 거두어주소서.
우리를 전쟁과 기근과
전염병과 화재와 큰 고난에서 지켜주소서.

2. 아리아: 테너

당신의 법에 따라 우리 사악한

mit uns bösen Sündenknechten,
lass das Schwert der Feinde ruhn!
Höchster, höre unser Flehen,
dass wir nicht durch sündlich Tun
wie Jerusalem vergehen!

3. Choral e Recitativo: Soprano d 3/4/**C**

Ach! Herr Gott, durch die Treue dein
wird unser Land in Fried und Ruhe sein.
Wenn uns ein Unglückswetter droht,
so rufen wir,
barmherzger Gott, zu dir
in solcher Not:
Mit Trost und Rettung uns erschein!
Du kannst dem feindlichen Zerstören
durch deine Macht und Hilfe wehren.
Beweis an uns deine große Gnad
und straf uns nicht auf frischer Tat,
wenn unsre Füße wanken wollten
und wir aus Schwachheit straucheln sollten.
Wohn uns mit deiner Güte bei
und gib, dass wir
nur nach dem Guten streben,
damit allhier
und auch in jenem Leben
dein Zorn und Grimm fern von uns sei.

4. Aria: Bass a ¢

Warum willst du so zornig sein?

죄악의 종들을 단죄하지 마시고
적들이 검을 내려놓게 하소서!
높으신 분, 우리의 애원을 들으소서,
우리가 죄악의 행위로
예루살렘처럼 멸망하지 않게 하소서!

3. 코랄 & 레치타티보: 소프라노

아! 주 하나님, 당신의 신실함으로
우리의 땅이 평화롭고 조용하게 살 것입니다.
불행의 폭풍우가 위협하는
시련이 닥치면
자비하신 하나님,
우리는 당신을 부르겠나이다.
그때 나타나시어 위로와 구원을 주소서!
당신은 적의 파과를
당신의 권능과 구원으로 막으실 수 있습니다.
우리에게 당신의 큰 자비를 보여주시고
우리의 발이 주저하고
나약함으로 비틀거려도
벌하지 마소서.
당신의 선하심으로
우리와 함께 머무시고
우리가 선한 것만을 바라게 하시고
이 땅에서나
내세에서나
당신의 분노가 우리에게서 멀어지게 하소서.

4. 아리아: 베이스

어찌하여 그토록 진노하십니까?

Es schlagen deines Eifers Flammen
schon über unserm Haupt zusammen.
Ach, stelle doch die Strafen ein
und trag aus väterlicher Huld
mit unserm schwachen Fleisch Geduld!

5. Choral e Recitativo: Tenor d **C**

Die Sünd hat uns verderbet sehr.
So müssen auch die Frömmsten sagen
und mit betränten Augen klagen:
Der Teufel plagt uns noch viel mehr.
Ja, dieser böse Geist,
der schon von Anbeginn ein Mörder heißt,
sucht uns um unser Heil zu bringen
und als ein Löwe zu verschlingen.
Die Welt, auch unser Fleisch und Blut
uns allezeit verführen tut.
Wir treffen hier auf dieser schmalen Bahn
sehr viele Hindernis im Guten an.
Solch Elend kennst du, Herr, allein:
Hilf, Helfer, hilf uns Schwachen,
du kannst uns stärker machen!
Ach, lass uns dir befohlen sein.

6. Aria (Duetto): Soprano, Alto d 12/8

Gedenk an Jesu bittern Tod!
Nimm, Vater, deines Sohnes Schmerzen
und seiner Wunden Pein zu Herzen,
die sind ja für die ganze Welt

당신의 분노의 불길이
우리의 머리를 덮치고 있습니다.
아, 징벌을 멈추어주시고
아버지의 자비로
우리의 나약한 육신을 보호하소서!

5. 코랄 & 레치타티보: 테너

죄가 우리를 타락케 하였습니다.
가장 믿음이 깊은 이들조차
눈물 젖은 눈으로 탄식하며 말합니다:
악마가 우리를 더욱더 괴롭히는구나,
처음부터 살인자라 불렸던
사악한 영혼은
우리에게서 구원을 빼앗고
사자처럼 우리를 삼키려 하는구나.
세상과 우리의 몸과 피가
우리를 끝없이 유혹합니다.
이 좁은 길 위에서 우리는
선함을 가로막는 장애물을 너무 많이 만납니다.
주님, 당신만이 그 비참함을 아십니다.
구원자여, 우리 나약한 이들을 도우소서
당신은 우리를 강하게 만드실 수 있습니다!
아, 우리를 당신께 맡기게 하소서.

6. 아리아 (이중창): 소프라노, 알토

예수님의 쓰라린 죽음을 기억하소서!
아버지, 당신 아드님의 고통과
그 상처의 아픔을 마음에 받아주소서
온 세상을 위해

die Zahlung und das Lösegeld;
erzeig auch mir zu aller Zeit,
barmherzger Gott, Barmherzigkeit!
Ich seufze stets in meiner Not:
Gedenk an Jesu bittern Tod!

7. Choral d **C**

Leit uns mit deiner rechten Hand
und segne unser Stadt und Land;
gib uns allzeit dein heilges Wort,
behüt fürs Teufels List und Mord;
verleih ein selges Stündelein,
auf dass wir ewig bei dir sein.

BWV 102

Herr, deine Augen sehen nach dem Glauben!

I Teil

1. Coro g **C**

Herr, deine Augen sehen nach dem Glauben! Du
schlägest sie, aber sie fühlen's nicht; du plagest sie,

내놓으신 몸값입니다.
자비로운 하나님
나에게도 언제나 자비를 보여주소서!
내가 늘 고난 속에서 탄식합니다.
예수님의 쓰라린 죽음을 기억하소서!

7. 코랄
우리를 당신의 오른손으로 이끄시고
우리의 도시와 나라를 축복하소서.
언제나 당신의 거룩한 말씀을 들려주시고
악마의 간계와 살인으로부터 지켜주소서.
축복의 시간을 주시어
우리가 영원히 당신 곁에 있게 하소서.

BWV 102

주여, 당신의 눈이 찾는 것은 믿음입니다!

- 1726년 라이프치히 작곡, 1726년 8월 25일 라이프치히 초연
- 가로 플루트, 오보에 2, 바이올린 2, 비올라, 콘티누오
- 예레미야 5:3 (1); 로마서 2:4-5 (4); 요한 헤르만 (7); 무명 시인 (2, 3, 5, 6)

제1부

1. 합창
주여, 당신의 눈이 찾는 것은 믿음입니다!
당신은 그들을 치셨으나 그들은 아파하지 않고,

aber sie bessern sich nicht. Sie haben ein härter Angesicht denn ein Fels und wollen sich nicht bekehren.

2. Recitativo: Bass B♭-B♭ **C**

Wo ist das Ebenbild, das Gott uns eingepräget,
wenn der verkehrte Will sich ihm zuwiderleget?
Wo ist die Kraft von seinem Wort,
wenn alle Besserung weicht aus dem Herzen fort?
Der Höchste suchet uns durch Sanftmut
zwar zu zähmen,
ob der verirrte Geist sich wollte noch bequemen;
doch, fährt er fort in dem verstockten Sinn,
so gibt er ihn in's Herzens Dünkel hin.

3. Aria: Alto f **C**

Weh der Seele, die den Schaden
nicht mehr kennt
    und, die Straf auf sich zu laden,
    störrig rennt,
    ja von ihres Gottes Gnaden
    selbst sich trennt.

4. Arioso: Bass E♭ 3/8

Verachtest du den Reichtum seiner Gnade, Geduld und Langmütigkeit? Weißest du nicht, dass dich Gottes Güte zur Buße locket? Du aber nach deinem verstockten und unbußfertigen Herzen häufest dir selbst den Zorn auf den Tag des Zorns und der

그들을 거의 멸하셨으나 행실을 고치려 하지 않습니다.
그들은 얼굴을 바위보다 더 단단히 하고
돌아올 생각을 하지 않습니다.

2. 레치타티보: 베이스

어리석은 결심으로 그분에게 맞선다면
하나님이 우리에게 새긴 형상은 어디에 있을까요?
마음속에서 모든 개선의 의지가 물러간다면
그분 말씀의 능력은 어디에 있을까요?
가장 높으신 하나님은 온유함으로
길 잃은 영혼이 순종하도록
우리를 길들이려 하시지만
완고한 마음으로 고집을 버리지 않으면
하나님은 우리를 마음속 어두운 곳에 버리십니다.

3. 아리아: 알토

안타깝구나, 해악을 더 이상
깨닫지 못하는 영혼이여
　　벌을 받으면서도
　　고집스럽게 달려가며
　　하나님의 자비로부터
　　스스로 멀어지는 영혼이여.

4. 아리오소: 베이스

너는 하나님의 큰 자비와 관용과
인내를 업신여기느냐? 하나님의 호의가 너를 회개로
이끌려 한다는 것을 모르느냐? 너는 회개할 줄
모르는 완고한 마음으로, 하나님의 의로운 재판이
이루어지는 진노와 계시의 날에 너에게

Offenbarung des gerechten Gerichts Gottes.

II Teil

5. Aria: Tenor g 3/4

Erschrecke doch,
du allzu sichre Seele!
Denk, was dich würdig zähle
der Sünden Joch.
Die Gotteslangmut geht auf einem Fuß von Blei,
damit der Zorn hernach dir desto schwerer sei.

6. Recitativo: Alto c-G **C**

Beim Warten ist Gefahr;
willst du die Zeit verlieren?
Der Gott, der ehmals gnädig war,
kann leichtlich dich vor seinen Richtstuhl führen.
Wo bleibt sodann die Buß? Es ist ein Augenblick,
der Zeit und Ewigkeit, der Leib und Seele scheidet;
verblendter Sinn, ach kehre doch zurück,
dass dich dieselbe Stund nicht finde unbereitet!

7. Choral c **C**

Heut lebst du, heut bekehre dich,
eh morgen kommt, kann's ändern sich;
wer heut ist frisch, gesund und rot,
ist morgen krank, ja wohl gar tot.
So du nun stirbest ohne Buß,
dein Leib und Seel dort brennen muss.

쏟아질 진노를 쌓고 있다.

제2부

5. 아리아: 테너

그러나 두려워하라
너무 자신만만한 영혼이여!
생각하라, 네가 달게 받아야 할
죄의 멍에가 무엇인지를.
하나님의 인내가 납덩이 같은 발로 걸으니
분노가 너를 더 무겁게 치기 위함이라.

6. 레치타티보: 알토

기다림에는 위험이 숨어 있다.
너는 시간을 낭비하려느냐?
한때 자비로우셨던 하나님은
너를 그의 심판의 자리로 쉽게 이끄신다.
그렇다면 회개는 언제 하려는가? 시간과 영원을
나누고 육신과 영혼을 나누어야 할 때이다.
아, 눈먼 마음이여, 부디 돌아오라,
네가 준비되지 않은 채 그 시간을 맞지 않도록!

7. 코랄

오늘 살면서 회개하십시오,
내일이 오기 전에 상황이 달라질 수 있습니다.
오늘 활발하고, 건강하고, 기운찬 사람도
내일이면 병이 들어 죽을 수 있습니다.
당신이 회개하지 않고 죽으면
육신과 영혼은 불에 타야 합니다.

Hilf, o Herr Jesu, hilf du mir,
dass ich noch heute komm zu dir
und Buße tu den Augenblick,
eh mich der schnelle Tod hinrück,
auf dass ich heut und jederzeit
zu meiner Heimfahrt sei bereit.

도우소서, 오 주 예수님, 나를 도우소서
내가 오늘 당신께 가게 하소서
재빠른 죽음이 불시에 닥치기 전에
그 순간 회개하게 하소서
그리하여 내가 오늘뿐 아니라 언제라도
나의 귀향을 준비하게 하소서.

삼위일체주일 후 제11주일

서신서 고린도전서 15:1-10
복음서 누가복음 18:9-14

BWV 199

Mein Herze schwimmt im Blut

1. Recitativo: Soprano c-c/d-d **C**

Mein Herze schwimmt im Blut,
weil mich der Sünden Brut
in Gottes heil'gen Augen
zum Ungeheuer macht.
Und mein Gewissen fühlet Pein,
weil mir die Sünden nichts
als Höllenhenker sein.
Verhasste Lasternacht!
Du, du allein
hast mich in solche Not gebracht;
und du, du böser Adamssamen,
raubst meiner Seele alle Ruh
und schließest ihr den Himmel zu!
Ach! unerhörter Schmerz!
Mein ausgedorrtes Herz
will ferner mehr kein Trost befeuchten,
und ich muss mich vor dem verstecken,
vor dem die Engel selbst ihr Angesicht verdecken.

2. Aria e Recitativo: Soprano c-/d **C**

Stumme Seufzer, stille Klagen,

BWV 199
내 마음은 피바다에서 헤엄치네

- 1714년 바이마르 작곡, 1714년 8월 12일 바이마르 초연
- 오보에, 바이올린 2, 비올라, 콘티누오
- 게오르크 크리스티안 렘스 (1-5); 요한 헤르만 (6)

1. 레치타티보: 소프라노

내 마음은 피바다에서 헤엄치네,
죄악의 자식들이 나를
하나님의 거룩한 눈으로 보시기에
괴물로 만들었기 때문이라.
나의 양심이 고통을 느끼네,
죄악은 다름 아닌
지옥의 형리이기 때문이라.
혐오스러운 악덕의 밤!
오직 너만이
나를 그 시련으로 몰아넣었도다.
그리고 너, 사악한 아담의 씨는
내 영혼의 모든 평화를 앗아가고
천국의 문을 닫는구나!
아! 처음 느끼는 고통이여!
시들어가는 내 마음은
장차 어떤 위로로도 적시지 못하네.
나는 그분 앞에서 몸을 숨겨야 하네
천사조차 얼굴을 가리는 그분 앞에서.

2. 아리아와 레치타티보: 소프라노

말 없는 한숨, 조용한 탄식이여

ihr mögt meine Schmerzen sagen,
weil der Mund geschlossen ist.
    Und ihr nassen Tränenquellen
    könnt ein sichres Zeugnis stellen,
    wie mein sündlich Herz gebüßt.

Mein Herz ist itzt ein Tränenbrunn,
die Augen heiße Quellen.
Ach Gott! wer wird dich doch zufriedenstellen?

3. Recitativo: Soprano B♭-B♭/C-C **C**

Doch Gott muss mir genädig sein,
weil ich das Haupt mit Asche,
das Angesicht mit Tränen wasche,
mein Herz in Reu und Leid zerschlage
und voller Wehmut sage:
Gott sei mir Sünder gnädig!
Ach ja! sein Herze bricht,
und meine Seele spricht:

4. Aria: Soprano E♭/F 3/4

Tief gebückt und voller Reue
lieg ich, liebster Gott, vor dir.
    Ich bekenne meine Schuld,
    aber habe doch Geduld,
    habe doch Geduld mit mir!

5. Recitativo: Soprano c-g/d-a **C**

Auf diese Schmerzensreu

내 입이 닫혔으니
너희가 나의 고통을 말해다오.
　　축축한 눈물의 샘이여
　　죄 많은 내 마음이 어떻게 뉘우치는지
　　너희가 확실한 증거가 되어다오.

내 마음은 지금 눈물의 샘,
두 눈은 뜨거운 샘.
아 하나님! 누가 과연 당신을 만족시킬까요?

3. 레치타티보: 소프라노
그러나 하나님은 내게 분명 자비를 베푸시리라.
나는 머리에 재를 바르고
얼굴은 눈물로 범벅이 되고
내 마음은 후회와 고통으로 부서져
슬픔에 가득 차 말하리라.
하나님, 이 죄인에게 자비를 베푸소서!
아! 그의 마음이 찢어지고
내 영혼이 말하네.

4. 아리아: 소프라노
몸을 깊숙이 숙이고 후회에 가득 차
내가 사랑하는 하나님, 당신 앞에 엎드려 있습니다.
　　나의 죄를 고백하오니
　　내게 인내심을 베푸소서
　　부디 내게 인내심을 베푸소서!

5. 레치타티보: 소프라노
이 고통스러운 회개가 끝나자

fällt mir alsdenn dies Trostwort bei:

6. Choral: Soprano F/G 𝄵

Ich, dein betrübtes Kind,
werf alle meine Sünd,
so viel ihr in mir stecken
und mich so heftig schrecken,
in deine tiefen Wunden,
da ich stets Heil gefunden.

7. Recitativo: Soprano E♭-B♭/F-C 𝄵

Ich lege mich in diese Wunden
als in den rechten Felsenstein;
die sollen meine Ruhstatt sein.
In diese will ich mich im Glauben schwingen
und drauf vergnügt und fröhlich singen:

8. Aria: Soprano B♭/C 12/8

Wie freudig ist mein Herz,
da Gott versöhnet ist
    und mir auf Reu und Leid
    nicht mehr die Seligkeit
    noch auch sein Herz verschließt.

이런 위로의 말씀이 떠오릅니다.

6. 코랄: 소프라노

나는 당신의 슬퍼하는 자녀,
내 안에 있는 수많은 죄악
나에게 큰 두려움을 주었던 죄악
나는 언제나 구원을 찾았기에
그 죄악을 당신의
깊은 상처 속에 던지네.

7. 레치타티보: 소프라노

굳건한 바위라도 되듯이
나는 이 상처에 몸을 눕히네.
여기가 내 안식처가 되어야 하리.
나는 믿음을 가지고 이곳에 뛰어올라
즐겁고 기쁘게 노래하리라.

8. 아리아: 소프라노

내 마음이 얼마나 기쁜지요,
하나님이 나와 화해하시고
    내 회개와 고통을 보시어
    축복도 그의 마음도
    내게 닫지 않으셨으니.

BWV 179

Siehe zu, dass deine Gottesfurcht nicht Heuchelei sei

1. Coro C ¢

Siehe zu, dass deine Gottesfurcht nicht Heuchelei sei, und diene Gott nicht mit falschem Herzen!

2. Recitativo: Tenor e-b C

Das heut'ge Christentum
ist leider schlecht bestellt:
Die meisten Christen in der Welt
sind laulichte Laodicäer
und aufgeblasne Pharisäer,
die sich von außen fromm bezeigen
und wie ein Schilf den Kopf zur Erde beugen,
im Herzen aber steckt ein stolzer Eigenruhm;
sie gehen zwar in Gottes Haus
und tun daselbst die äußerlichen Pflichten,
macht aber dies wohl einen Christen aus?
Nein, Heuchler können's auch verrichten.

BWV 179
하나님을 경외하는 네 마음이 거짓이 되지 않도록 조심하라

- 1723년 라이프치히 작곡, 1723년 8월 8일 라이프치히 초연
- 오보에 다 카차 2, 바이올린 2, 비올라, 콘티누오
- 집회서✶ 1:28 (1); 크리스토프 티체 (6); 무명 시인 (2-5)

1. 합창

하나님을 경외하는 네 마음이 거짓이 되지 않도록 조심하라,
두 마음으로 하나님을 섬기지 마라!

2. 레치타티보: 테너

오늘날 그리스도교는
안타깝게도 상황이 좋지 못합니다.
이 세상 대부분의 그리스도인들은
라오디게아 사람처럼 미지근하고
바리새 사람처럼 허세를 부립니다.
겉으로는 경건함을 내보이고
갈대처럼 머리를 땅으로 조아리지만
마음속에는 교만한 자만심이 숨어 있습니다.
그들은 하나님의 집에 가서
겉으로는 의무를 다합니다.
그러나 이것이 과연 그리스도인의 참모습일까요?
아닙니다, 그런 것은 위선자도 할 수 있습니다.

✶ 히브리 성서의 그리스어 번역본인 70인역 성서의 일부. 율법학자로 추정되는 예수 벤 시라크가 히브리어로 썼으며, 저자가 알려진 유일한 외경이다.

3. Aria: Tenor e **C**

Falscher Heuchler Ebenbild
können Sodomsäpfel heißen,
die mit Unflat angefüllt
und von außen herrlich gleißen.
Heuchler, die von außen schön,
können nicht vor Gott bestehn.

4. Recitativo: Bass G-C **C**

Wer so von innen wie von außen ist,
der heißt ein wahrer Christ.
So war der Zöllner in dem Tempel,
der schlug in Demut an die Brust,
Er legte sich nicht selbst ein heilig Wesen bei;
und diesen stelle dir,o Mensch,
zum rühmlichen Exempel
in deiner Buße für;
bist du kein Räuber, Ehebrecher,
kein ungerechter Ehrenschwächer,
ach, bilde dir doch ja nicht ein,
du seist deswegen engelrein!
Bekenne Gott in Demut deine Sünden,
so kannst du Gnad und Hilfe finden!

5. Aria: Soprano a 3/4

Liebster Gott, erbarme dich,
lass mir Trost und Gnad erscheinen!
    Meine Sünden kränken mich
    als ein Eiter in Gebeinen,

3. 아리아: 테너

거짓 위선과 닮은 것을
소돔의 사과라 부르네.
더러움으로 가득하지만
겉은 휘황하게 빛나네.
위선자는 겉은 아름다우나
하나님 앞에는 설 수 없다네.

4. 레치타티보: 베이스

안과 밖이 같은 사람을
참 그리스도인이라 부릅니다.
성전에 있던 세리는
겸손하게 제 가슴을 쳤습니다.
그는 자신이 경건한 존재라고 생각지 않았습니다.
오 인간들이여, 이 사람을 그대의
훌륭한 본보기로 삼아
참회하십시오.
그대가 도둑질도 간음도 하지 않고
불의한 중상모략도 하지 않았다 해도
천사처럼 깨끗하다고
생각하지 마십시오!
하나님께 겸손하게 그대의 죄를 고백하면
그분의 자비와 도움을 얻을 것입니다!

5. 아리아: 소프라노

사랑의 하나님, 자비를 베푸소서
나에게 위로와 은총을 보여주소서!
　　나의 죄가 육신의 고름처럼
　　나를 상하게 하니

hilf mir, Jesu, Gottes Lamm,
ch versink im tiefen Schlamm!

6. Choral a **C**

Ich armer Mensch, ich armer Sünder
steh hier vor Gottes Angesicht.
Ach Gott, ach Gott, verfahr gelinder
und geh nicht mit mir ins Gericht!
Erbarme dich, erbarme dich,
Gott, mein Erbarmer, über mich!

BWV 113

Herr Jesu Christ, du höchstes Gut

---

1. Coro (Choral) b 3/4

Herr Jesu Christ, du höchstes Gut,
du Brunnquell aller Gnaden,
sieh doch, wie ich in meinem Mut
mit Schmerzen bin beladen
und in mir hab der Pfeile viel,
die im Gewissen ohne Ziel
mich armen Sünder drücken.

예수님, 하나님의 어린양, 나를 도우소서,
내가 깊은 수렁에 빠지나이다!

6. 코랄

나는 불쌍한 인간이요, 나는 가련한 죄인이네
나 여기 하나님 얼굴 앞에 서 있네.
아 하나님, 아 하나님, 나를 온화하게 대하시고
심판대로 데려가지 마소서!
자비를 베푸소서, 자비를 베푸소서
자비로운 하나님, 나를 불쌍히 여기소서!

BWV 113
주 예수 그리스도, 지극히 선하신 분

- 1724년 라이프치히 작곡, 1724년 8월 20일 라이프치히 초연
- 가로 플루트, 오보에 2, 오보에 다모레 2, 바이올린 2, 비올라, 콘티누오
- 바르톨로메우스 링발트 (1, 2, 4, 8); 무명 시인 (3, 5-7)

---

1. 합창 (코랄)

주 예수 그리스도, 지극히 선하신 분
당신은 모든 자비의 샘이시니
부디 보시고 헤아려주소서
내가 마음에 어떤 고통을 짊어지고 있는지를,
얼마나 많은 화살이
나의 양심 안에서
불쌍한 이 죄인을 한없이 억누르는지를.

2. Choral: Alto f♯ C

Erbarm dich mein in solcher Last,
nimm sie aus meinem Herzen,
dieweil du sie gebüßet hast
am Holz mit Todesschmerzen,
auf dass ich nicht für großem Weh
in meinen Sünden untergeh
noch ewiglich verzage.

3. Aria: Bass A 12/8

Fürwahr, wenn mir das kömmet ein,
dass ich nicht recht vor Gott gewandelt
und täglich wider ihn misshandelt,
so quält mich Zittern, Furcht und Pein.
Ich weiß, dass mir das Herze bräche,
wenn mir dein Wort nicht Trost verspräche.

4. Choral e Recitativo: Bass e C

Jedoch dein heilsam Wort, das macht
mit seinem süßen Singen,
dass meine Brust,
der vormals lauter Angst bewusst,
sich wieder kräftig kann erquicken.
Das jammervolle Herz
empfindet nun nach tränenreichem Schmerz
den hellen Schein von Jesu Gnadenblicken;
sein Wort hat mir so vielen Trost gebracht,
dass mir das Herze wieder lacht,
als wenn's beginnt zu springen.

2. 코랄: 알토

그런 시련을 당하는 내게 자비를 베푸시어
내 마음에서 고통을 없애소서
당신은 이미 십자가에서
죽음의 고통으로 속죄하시어
내가 큰 슬픔을 겪지 않고
내 죄로 인해 멸망하지 않고
영원히 고통당하지 않게 하셨습니다.

3. 아리아: 베이스

진실로 말하거니와, 만일 내가
하나님 앞에서 의롭게 행하지 않고
날마다 그를 거슬러 잘못을 저지르게 된다면
두려움과 공포와 고통이 나를 괴롭히리라.
그분의 말씀이 내게 위로를 약속하지 않으면
내 마음이 찢어질 것임을 나는 아노라.

4. 코랄 & 레치타티보: 베이스

그러나 당신의 치유의 말씀은
그 달콤한 노래로
전에는 오직 두려움밖에 몰랐던
나의 가슴을
다시 힘차게 뛰게 합니다.
비참했던 마음은
눈물 가득한 고통이 지난 후 이제는
예수의 은총의 눈빛이 보내는 밝은 빛을 느낍니다.
그의 말씀이 많은 위로를 주시어
내 마음은 마치 뛰어오르는 것처럼
다시 웃기 시작합니다.

Wie wohl ist meiner Seelen!
Das zagende Gewissen kann mich nicht länger quälen,
dieweil Gotts alle Gnad verheißt,
hiernächst die Gläubigen und Frommen
mit Himmelsmanna speist,
wenn wir nur mit zerknirschtem Geist
zu unserm Jesu kommen.

5. Aria: Tenor D C

Jesus nimmt die Sünder an:
Süßes Wort voll Trost und Leben!
    Er schenkt die wahre Seelenruh
    und rufet jedem tröstlich zu:
    Dein Sünd ist dir vergeben.

6. Recitativo: Tenor G-e C

Der Heiland nimmt die Sünder an:
Wie lieblich klingt das Wort in meinen Ohren!
Es ruft: Kommt her zu mir,
die ihr mühselig und beladen,
kommt her zum Brunnquell aller Gnaden,
ich hab euch mir zu Freunden auserkoren!
Auf dieses Wort will ich zu dir
wie der bußfert'ge Zöllner treten
und mit demüt'gem Geist 'Gott, sei mir gnädig!' beten.
Ach, tröste meinen blöden Mut
und mache mich durch dein vergossnes Blut
von allen Sünden rein,
so werd ich auch wie David und Manasse,

내 영혼이 얼마나 행복한지요!
주저하는 양심은 더는 나를 괴롭히지 못합니다.
하나님이 모든 은총을 약속하시었기 때문입니다.
우리가 뉘우치는 마음으로
우리 예수께 간다면
그는 믿음 깊은 이와 경건한 이들을
천국의 만나로 먹이실 것입니다.

5. 아리아: 테너
예수는 죄인들을 받아주시네
위로와 생명이 가득한 달콤한 말씀!
　　그는 참된 영혼의 안식을 주시고
　　누구에게나 이런 위로의 말씀을 주시네:
　　너는 죄를 용서받았노라.

6. 레치타티보: 테너
구세주가 죄인을 받아주십니다.
내 귀에 들리는 그의 말씀이 얼마나 사랑스러운지요!
주님이 부르십니다. 내게로 오라,
너희 수고하고 짐 진 자들아,
모든 은총의 샘으로 오라,
내가 너희를 친구로 택하였노라!
이 말씀에 나는 당신께
회개하려는 세리처럼 나아가
겸허한 마음으로 청하렵니다. '하나님, 제게 자비를 베푸소서!'
아, 나의 어리석은 마음을 위로하시고
당신이 흘린 피로 나를
모든 죄에서 깨끗이 하소서.
그러면 나도 다윗과 므낫세처럼

wenn ich dabei
dich stets in Lieb und Treu
mit meinem Glaubensarm umfasse,
hinfort ein Kind des Himmels sein.

7. Aria (Duetto): Soprano, Alto e 3/4

Ach Herr, mein Gott, vergib mir's doch,
womit ich deinen Zorn erreget,
zerbrich das schwere Sündenjoch,
das mir der Satan auferleget,
dass sich mein Herz zufriedengebe
und dir zum Preis und Ruhm hinfort
nach deinem Wort
in kindlichem Gehorsam lebe.

8. Choral b **C**

Stärk mich mit deinem Freudengeist,
heil mich mit deinen Wunden,
wasch mich mit deinem Todesschweiß
in meiner letzten Stunden;
und nimm mich einst, wenn dir's gefällt,
in wahrem Glauben von der Welt
zu deinen Auserwählten!

주님을 언제나 사랑과 충심으로
나의 믿음의 팔로 안을 때
이제부터 천국의
자녀가 되겠나이다.

7. 아리아 (이중창): 소프라노, 알토

아 주여, 나의 하나님, 나를 용서하소서
내가 당신을 진노케 하였나이다.
사탄이 나에게 씌운
무거운 죄의 멍에를 부숴주시어
내 마음이 흡족하게 하시고
이제 당신 말씀에 따라
당신의 찬양과 영광을 위해
아이처럼 순종하며 살게 하소서.

8. 코랄

당신의 기쁨의 영으로 나를 강하게 하시고
당신의 상처로 나를 치유하시고
당신의 죽음의 땀으로 나를 씻어주소서,
나의 마지막 시간이 다가올 때에.
당신이 흡족하실 때에 나를 받아주시고
내가 참된 믿음으로 이 세상을 떠나
당신이 선택한 이들에게 가게 하소서!

삼위일체주일 후 제12주일

서신서 고린도후서 3:4-11
복음서 마가복음 7:31-37

BWV 69a

Lobe den Herrn, meine Seele

1. Coro D 3/4

Lobe den Herrn, meine Seele, und vergiss nicht,
was er dir Gutes getan hat!

2. Recitativo: Soprano b-e C

Ach, dass ich tausend Zungen hätte!
Ach, wäre doch mein Mund
von eitlen Worten leer!
Ach, dass ich gar nichts red'te,
als was zu Gottes Lob gerichtet wär!
So machte ich des Höchsten Güte kund;
denn er hat lebenslang so viel an mir getan,
dass ich in Ewigkeit ihm nicht verdanken kann.

3. Aria: Tenor C 9/8

Meine Seele,
auf, erzähle,
was dir Gott erwiesen hat!
    Rühmet seine Wundertat,
    lasst ein gottgefällig Singen
    durch die frohen Lippen dringen!

BWV 69a
내 영혼아, 주를 찬양하여라

- 1723년 라이프치히 작곡, 1723년 8월 15일 라이프치히 초연
- 트럼펫 3, 팀파니, 리코더, 오보에 3, 오보에 다모레, 바이올린 2, 비올라, 콘티누오
- 시편 103:2 (1); 자무엘 로디가스트 (6); 무명 시인 (2-5)

1. 합창

내 영혼아, 주를 찬양하여라,
또한 그가 베푸신 은덕을 잊지 마라!

2. 레치타티보: 소프라노

아, 내가 천 개의 언어를 할 줄 안다면!
아, 나의 입에서
허황된 말이 나오지 않았으면!
아, 내가 하나님 찬양을 위한 말 외에는
한마디도 하지 않았으면!
그러면 나는 높으신 주님의 선하심을 알리리라.
그는 평생 내게 많은 것을 베푸시어
내가 영원히 감사를 드리지 않을 수 없네.

3. 아리아: 테너

내 영혼아,
일어나 말하여라
하나님이 너에게 보여주신 것을!
　　그의 놀라운 일을 찬양하고
　　하나님 마음에 드는 노래가
　　네 즐거운 입술에서 나오게 하라!

4. Recitativo: Alto e-G **C**

Gedenk ich nur zurück,
was du, mein Gott, von zarter Jugend an
bis diesen Augenblick
an mir getan,
so kann ich deine Wunder, Herr,
so wenig als die Sterne zählen.
Vor deine Huld, die du an meiner Seelen
noch alle Stunden tust,
indem du nie von deiner Liebe ruhst,
vermag ich nicht vollkommnen Dank zu weih'n.
Mein Mund ist schwach, die Zunge stumm
zu deinem Preis und Ruhm.
Ach! sei mir nah
und sprich dein kräftig Hephata,
so wird mein Mund voll Dankens sein.

5. Aria: Bass b 3/4

Mein Erlöser und Erhalter,
nimm mich stets in Hut und Wacht!
Steh mir bei in Kreuz und Leiden,
alsdenn singt mein Mund mit Freuden:
Gott hat alles wohlgemacht!

6. Choral G **C**

Was Gott tut, das ist wohlgetan,

4. 레치타티보: 알토

하나님이 내가 아주 젊었을 때부터
이 순간까지
내게 베풀어주신 것을
지금 생각해보면
주님, 당신의 놀라운 일들은
별만큼이나 많아 내가 셀 수가 없나이다.
주님이 사랑을 멈추지 않으시며
아직도 매시간
내 영혼에 베푸시는 은혜 앞에서
나는 절대로 완벽하게 감사를 바칠 길이 없습니다.
내 입은 허약하고 내 혀는 말을 하지 못하기에
당신을 찬양하고 찬미하지 못하나이다.
아! 내 곁으로 가까이 오시어
힘차게 에바다*라고 말해주소서.
그러면 내 입이 감사로 가득할 것입니다.

5. 아리아: 베이스

나의 구원자이며 보호자시여
나를 언제나 보호하고 지켜주소서!
시련과 고난 속에서 나를 도와주소서,
그러면 내 입이 기쁨으로 노래하리이다.
하나님이 모든 것을 좋게 하시었도다!

6. 코랄

하나님이 하시는 일은 선하시니

* Effata: 아람어로 '열려라'라는 뜻이며, 마가복음 7:31-37에서 예수가 듣지 못하고 말 못하는 사람을 치유할 때 외친 말씀.

darbei will ich verbleiben.
Es mag mich auf die raue Bahn
Not, Tod und Elend treiben:
So wird Gott mich
ganz väterlich
in seinen Armen halten.
Drum lass ich ihn nur walten.

BWV 137

Lobe den Herren, den mächtigen König der Ehren

---

1. Versus I: Coro C 3/4

Lobe den Herren, den mächtigen König der Ehren,
meine geliebete Seele, das ist mein Begehren.
Kommet zuhauf,
Psalter und Harfen, wacht auf!
Lasset die Musicam hören.

2. Versus II: Alto G 9/8 3/4

Lobe den Herren, der alles so herrlich regieret,
der dich auf Adelers Fittichen sicher geführet,
der dich erhält,

내가 굳게 믿으리라.
험한 길에 던져지고
고난과 죽음과 불행이 덮쳐도
하나님은 나를
아버지처럼
팔에 안아주시리.
그러므로 나는 그의 섭리를 따르리라.

BWV 137

강한 영광의 왕이신 주님을 찬양하여라

- 1725년 라이프치히 작곡, 1725년 8월 19일 라이프치히 초연
- 트럼펫 3, 팀파니, 오보에 3, 바이올린 2, 비올라, 콘티누오
- 요아힘 네안더

---

1. 제1곡: 합창

강한 영광의 왕이신 주님을 찬양하여라
내 사랑하는 영혼아, 그것이 내 소원이다.
모두 모여라,
현과 하프여, 깨어나라!
음악을 들려다오.

2. 제2곡: 알토

모든 것을 훌륭히 다스리는 주를 찬양하여라
그는 너를 독수리의 날개로 안전하게 인도하시고
네가 바라는 대로

wie es dir selber gefällt;
hast du nicht dieses verspüret?

3. Versus III: Soprano, Bass e 3/4

Lobe den Herren, der künstlich und fein dich bereitet,
der dir Gesundheit verliehen, dich freundlich geleitet;
in wie viel Not
hat nicht der gnädige Gott
über dir Flügel gebreitet!

4. Versus IV: Tenor a 3/4

Lobe den Herren, der deinen Stand sichtbar gesegnet,
der aus dem Himmel mit Strömen der Liebe geregnet;
denke dran,
was der Allmächtige kann,
der dir mit Liebe begegnet.

5. Versus V: Choral C 3/4

Lobe den Herren, was in mir ist, lobe den Namen!
Alles, was Odem hat, lobe mit Abrahams Samen!
Er ist dein Licht,
Seele, vergiss es ja nicht;
lobende, schließe mit Amen!

너를 지켜주신다.
너는 이를 느끼지 못하였느냐?

3. 제3곡: 소프라노, 베이스

너를 정교하고 섬세하게 꾸며주시는 주님을 찬양하여라
너에게 건강을 주시고, 너를 친절하게 이끄시는 분.
많은 시련이 닥쳤을 때
자비로운 하나님이
당신의 날개를 네게 펼쳐주시지 않았느냐!

4. 제4곡: 테너

네가 처한 상황을 축복하신 주님을 찬양하여라
하늘에서 사랑의 강물을 비처럼 내려주신 분
생각하라,
너를 사랑으로 만나주시는
전능하신 주님이 무엇을 할 수 있는지를.

5. 제5곡: 코랄

내 안에 계신 주님을 찬양하여라, 그의 이름을 찬양하여라!
숨을 쉬는 모든 피조물은 아브라함의 후손과 함께 찬양하여라!
그분은 너의 빛이니
영혼아, 잊지 말아라.
너의 찬양을 아멘으로 끝맺음 하라!

BWV 35

Geist und Seele wird verwirret

I Teil

1. Sinfonia d C

2. Aria: Alto a 6/8

Geist und Seele wird verwirret,
wenn sie dich, mein Gott, betracht'.
    Denn die Wunder, so sie kennet
    und das Volk mit Jauchzen nennet,
    hat sie taub und stumm gemacht.

3. Recitativo: Alto F-g C

Ich wundre mich;
denn alles, was man sieht,
muss uns Verwund'rung geben.
Betracht ich dich,
du teurer Gottessohn,
so flieht
Vernunft und auch Verstand davon.
Du machst es eben,
dass sonst ein Wunderwerk vor dir was Schlechtes ist.
Du bist

BWV 35
마음과 영혼이 어찌할 바를 모르네

✪ 1726년 라이프치히 작곡, 1726년 9월 8일 라이프치히 초연
♪ 오보에 2, 알토 오보에, 바이올린 2, 비올라, 콘티누오, 오르간 오블리가토
Ⓣ 게오르크 크리스티안 렘스

제1부

1. 신포니아

2. 아리아: 알토
마음과 영혼이 어찌할 바를 모르네.
나의 하나님 당신을 뵈올 때마다.
내가 아는 놀라운 기적
백성이 환호하며 말하는 그 기적이
내 마음과 영혼의 눈과 귀를 멀게 하였으니.

3. 레치타티보: 알토
놀랍습니다.
눈에 보이는 모든 것이
우리에게 경탄을 자아냅니다.
하나님의 귀한 아드님이신
당신을 볼 때면
이성과 지성마저
달아납니다.
주님께서는
주님 앞에 나타난 다른 기적들을 하찮아 보이게 하셨으나
이제 당신은

dem Namen, Tun und Amte nach erst wunderreich,
dir ist kein Wunderding auf dieser Erde gleich.
Den Tauben gibst du das Gehör,
den Stummen ihre Sprache wieder,
ja, was noch mehr,
du öffnest auf ein Wort die blinden Augenlider.
Dies, dies sind Wunderwerke,
und ihre Stärke
ist auch der Engel Chor nicht mächtig, auszusprechen.

4. Aria: Alto F **C**

Gott hat alles wohlgemacht.
Seine Liebe, seine Treu
wird uns alle Tage neu.
Wenn uns Angst und Kummer drücket,
hat er reichen Trost geschicket,
weil er täglich für uns wacht.
Gott hat alles wohlgemacht.

II Teil

5. Sinfonia d 3/8

6. Recitativo: Alto B♭-a **C**

Ach, starker Gott, lass mich
doch dieses stets bedenken,
so kann ich dich
vergnügt in meine Seele senken.
Lass mir dein süßes Hephata

이름과 행위와 직분에 맞게 기적이 넘치시는 분이며
세상 어떤 기적도 당신의 것과 같지 않습니다.
당신은 듣지 못하는 이에게 청력을 주시고
말 못하는 이에게 언어를 다시 주십니다.
어디 그뿐입니까.
당신은 보이지 않던 눈을 말 한마디로 열어주십니다.
이것이, 이것이 바로 기적입니다.
그 기적의 힘은
천사의 합창으로도 충분히 표현할 수 없습니다.

4. 아리아: 알토

하나님이 모든 것을 좋게 하시었네.
그의 사랑, 그의 호의가
우리에게 하루하루 새로워지네.
두려움과 슬픔이 우리를 짓누르면
그는 넘치는 위로를 보내주셨네.
이는 그가 날마다 우리를 지켜주시기 때문이네.
하나님이 모든 것을 좋게 하시었네.

제2부

5. 신포니아

6. 레치타티보: 알토

아, 강한 하나님, 내가
늘 이를 기억하게 하시어
당신을 즐겁게
내 영혼에 담아두게 하소서.
당신의 달콤한 말 에바다로

das ganz verstockte Herz erweichen;
ach! lege nur den Gnadenfinger in die Ohren,
sonst bin ich gleich verloren.
Rühr auch das Zungenband
mit deiner starken Hand,
damit ich diese Wunderzeichen
in heil'ger Andacht preise
und mich als Kind und Erb erweise.

7. Aria: Alto C 3/8

Ich wünsche nur bei Gott zu leben,
ach! wäre doch die Zeit schon da,
ein fröhliches Halleluja
mit allen Engeln anzuheben.
Mein liebster Jesu, löse doch
das jammerreiche Schmerzensjoch
und lass mich bald in deinen Händen
mein martervolles Leben enden.

나의 완고한 마음이 풀어지게 하소서.
아! 은총의 손가락을 내 귀에 넣으소서
그러지 않으면 내가 멸망하리이다.
묶여 있는 혀의 끈을
당신이 강한 손으로 만져주소서
그리하여 내가 이 기적의 징표를
거룩한 예배에서 찬양하고
내가 당신의 자녀이자 계승자임을 보이게 하소서.

7. 아리아: 알토

나는 오로지 하나님 곁에서 살기 원하나이다
아! 지금 기쁘게 할렐루야를
모든 천사들과 함께 부르는
시간이라면 얼마나 좋을까요.
나의 사랑하는 예수님, 부디
슬픔 가득한 고통의 멍에를 풀어주시고
내가 곧 당신의 손에서
고통스러운 삶을 마치게 하소서.

삼위일체주일 후 제13주일

서신서 갈라디아서 3:15-22
복음서 누가복음 10:23-37

BWV 77

Du sollt Gott, deinen Herren, lieben

1. Coro C **𝄴**

Du sollt Gott, deinen Herren, lieben von ganzem Herzen, von ganzer Seele, von allen Kräften und von ganzem Gemüte und deinen Nächsten als dich selbst.

2. Recitativo: Bass C-C **𝄴**

So muss es sein!
Gott will das Herz vor sich alleine haben.
Man muss den Herrn von ganzer Seelen
zu seiner Lust erwählen
und sich nicht mehr erfreun,
als wenn er das Gemüte
durch seinen Geist entzünd't,
weil wir nur seiner Huld und Güte
alsdann erst recht versichert sind.

3. Aria: Soprano a **𝄴**

Mein Gott, ich liebe dich von Herzen,
mein ganzes Leben hangt dir an.
Lass mich doch dein Gebot erkennen
und in Liebe so entbrennen,
dass ich dich ewig lieben kann.

BWV 77
너의 주님이신 하나님을 사랑하여라

- 1723년 라이프치히 작곡, 1723년 8월 22일 라이프치히 초연
- 트럼펫, 오보에 2, 현악기, 콘티누오
- 누가복음 10:27 (1); 다비트 데니케 (6); 무명 시인 (2-5)

1. 합창

너의 주님이신 하나님을 사랑하여라, 네 마음을 다하고
네 영혼을 다하고 네 힘을 다하고 네 생각을
다하여 사랑하여라. 또한 네 이웃을 네 몸 같이 사랑하여라.

2. 레치타티보: 베이스

그래야 합니다!
하나님은 우리 마음을 혼자 가지기 원하십니다.
우리는 온 영혼을 다해 우리의 기쁨이신
주님을 선택해야 합니다.
그리고 그분의 영으로
우리 마음을 불태울 때가 아니면
기뻐해서는 안 됩니다.
그때서야 비로소 그의 은총과 호의를
올바로 확신할 수 있기 때문입니다.

3. 아리아: 소프라노

나의 하나님, 내가 마음 깊이 당신을 사랑합니다
나의 모든 삶이 당신에게 달려 있습니다.
내가 당신의 계명을 깨닫게 하시고
사랑의 불꽃이 타올라
영원히 당신을 사랑하게 하소서.

4. Recitativo: Tenor e-G **C**

Gib mir dabei, mein Gott! ein Samariterherz,
dass ich zugleich den Nächsten liebe
und mich bei seinem Schmerz
auch über ihn betrübe,
damit ich nicht bei ihm vorübergeh
und ihn in seiner Not nicht lasse.
Gib, dass ich Eigenliebe hasse,
so wirst du mir dereinst das Freudenleben
nach meinem Wunsch, jedoch aus Gnaden geben.

5. Aria: Alto d 3/4

Ach, es bleibt in meiner Liebe
lauter Unvollkommenheit!
  Hab ich oftmals gleich den Willen,
  was Gott saget, zu erfüllen,
  fehlt mir's doch an Möglichkeit.

6. Choral g-D **C**

Ach Herr, ich wollte ja dein Recht
und deinen heil'gen Willen,
wie mir gebührt, als deinem Knecht,
ohn' Mangel gern erfüllen;
so fühl ich doch, was mir gebricht,
und wie ich das Geringste nicht
vermag aus eignen Kräften.
Drum gib du mir von deinem Thron,
Gott Vater, Gnad and Stärke;
verleih, o Jesu, Gottes Sohn,

4. 레치타티보: 테너

하나님! 나에게 사마리아인의 마음을 주시어
내가 이웃을 사랑하고
그가 고통을 당할 때
그를 슬퍼하게 하소서.
그리하여 그를 지나치지 않고
고난에 처한 그를 버려두지 않게 하소서.
내가 자기애를 미워하게 하소서
그러면 당신은 언젠가는 나의 바람대로
그러나 당신의 자비로써 내게 기쁜 삶을 주시리니.

5. 아리아: 알토

아, 나의 사랑은
온통 불완전할 뿐이네!
　　나는 가끔 하나님이 말씀하신 것을
　　실행하려 하지만
　　내게 그럴 능력이 없네.

6. 코랄

아 주님, 당신의 의로움과
당신의 거룩한 뜻을
나는 당신의 종으로서 마땅히
부족함 없이 이루고자 했습니다.
그러나 나에게 무엇이 부족한지를 알고
나의 힘으로는 조금도
할 수 없음을 느낍니다.
그러므로 하나님 아버지,
주님의 보좌에서 내게 자비와 힘을 주소서.
오 하나님의 아들 예수님,

dass ich tu rechte Werke;
o heil'ger Geist, hilf, dass ich dich
von ganzem Herzen, und als mich,
ohn' Falsch den Nächsten liebe!

BWV 33

Allein zu dir, Herr Jesu Christ

---

1. Coro (Choral) a 3/4

Allein zu dir, Herr Jesu Christ,
mein Hoffnung steht auf Erden;
ich weiß, dass du mein Tröster bist,
kein Trost mag mir sonst werden.
Von Anbeginn ist nichts erkorn,
auf Erden war kein Mensch geborn,
der mir aus Nöten helfen kann.
Ich ruf dich an,
zu dem ich mein Vertrauen hab.

2. Recitativo: Bass e-G **C**

Mein Gott und Richter,
willst du mich aus dem Gesetze fragen,
so kann ich nicht,

내가 의로운 일을 행하게 하소서.
오 성령이여, 내가 당신을
온 마음으로 사랑하고 내 이웃도
거짓 없이 내 몸처럼 사랑하게 하소서!

BWV 33

오직 주 예수 그리스도 당신만이

- 1724년 라이프치히 작곡, 1724년 9월 3일 라이프치히 초연
- 오보에 2, 바이올린 2, 비올라, 콘티누오
- 콘라트 후베르트 (1, 6); 무명 시인 (2-5)

---

1. 합창 (코랄)

오직 주 예수 그리스도 당신만이
이 세상에서 나의 기쁨이라.
당신이 나의 위로자임을 내가 아네,
내게는 다른 위로가 없으리.
처음부터 정해진 것은 없네,
내가 힘들 때 도와줄 수 있는 이는
이 세상에 태어나지 않았네.
내가 믿는 당신을
내가 부르나이다.

2. 레치타티보: 베이스

나의 하나님이며 심판자이시여
율법에 따라 당신이 내게 질문하셔도
나는 대답할 수 없습니다.

weil mein Gewissen widerspricht,
auf tausend eines sagen.
An Seelenkräften arm und an der Liebe bloß,
und meine Sünd ist schwer und übergroß;
doch weil sie mich von Herzen reuen,
wirst du, mein Gott und Hort,
durch ein Vergebungswort
mich wiederum erfreuen.

3. Aria: Alto C 𝄴

Wie furchtsam wankten meine Schritte,
doch Jesus hört auf meine Bitte
und zeigt mich seinem Vater an.
Mich drückten Sündenlasten nieder,
doch hilft mir Jesu Trostwort wieder,
dass er für mich genug getan.

4. Recitativo: Tenor a-a 𝄴

Mein Gott, verwirf mich nicht,
wiewohl ich dein Gebot noch täglich übertrete,
von deinem Angesicht!
Das Kleinste ist mir schon zu halten viel zu schwer;
doch, wenn ich um nichts mehr
als Jesu Beistand bete,
so wird mich kein Gewissensstreit
der Zuversicht berauben;
gib mir nur aus Barmherzigkeit
den wahren Christenglauben!
So stellt er sich mit guten Früchten ein

내 양심은 천 가지 물음에
한 가지도 대답하지 못합니다.
내 영혼의 힘은 미약하고 사랑은 아무것도 없으며
내 죄는 무겁고 큽니다.
그러나 마음 깊숙이 내가 뉘우치니
나의 하나님이며 피난처이시여,
당신은 용서의 말씀으로
나를 다시 기쁘게 하실 것입니다.

3. 아리아: 알토

내 발걸음이 두려워 휘청거렸으나
예수님이 나의 간청을 들으시고
아버지께 나의 증인이 되어주시네.
　　죄악의 무게가 나를 짓눌렀으나
　　예수님의 위로의 말씀이 다시 나를 도와
　　나를 위해 충분히 베푸시었네.

4. 레치타티보: 테너

하나님, 나를 저버리지 마소서
내가 당신의 계명을 날마다 범해도
당신의 면전에서 내치지 마소서!
아주 작은 것도 지키기가 너무 힘들지만
내가 예수님의 도움 외에
다른 것은 바라지 않는다면
내가 양심의 가책으로 확신을
잃지는 않을 것입니다.
내게 오직 자비로써
참된 그리스도인의 믿음을 주소서!
그러면 좋은 열매를 맺으며 믿음이 생기고

und wird durch Liebe tätig sein.

5. Aria (Duetto): Tenor, Bass e 3/4

Gott, der du die Liebe heißt,
ach, entzünde meinen Geist,
lass zu dir vor allen Dingen
meine Liebe kräftig dringen!
Gib, dass ich aus reinem Triebe
als mich selbst den Nächsten liebe;
stören Feinde meine Ruh,
sende du mir Hülfe zu!

6. Choral a **C**

Ehr sei Gott in dem höchsten Thron,
dem Vater aller Güte,
und Jesu Christ, sein'm liebsten Sohn,
der uns allzeit behüte,
und Gott dem Heiligen Geiste,
der uns sein Hülf allzeit leiste,
damit wir ihm gefällig sein,
hier in dieser Zeit
und folgends in der Ewigkeit.

사랑을 통해 실천할 것입니다.

5. 아리아 (이중창): 테너, 베이스

하나님, 사랑이라고 불리는 분
아, 내 영혼을 불태우소서
그 무엇보다 당신을 향해
나의 사랑이 힘차게 돌진하게 하소서!
내가 순수한 마음으로
이웃을 내 몸처럼 사랑하게 하시고
적들이 나의 평안을 방해할 때에
나에게 도움을 보내소서!

6. 코랄

높은 보좌에 계신 하나님께 영광 있기를
모든 선하심의 아버지와
그가 사랑하는 아들이며
우리를 언제나 보호하시는 예수 그리스도와
우리를 언제나 도우시는
성령 하나님께 영광 있기를.
우리가 그분 마음에 흡족하기를,
이곳에서 사는 동안과
앞으로 영원토록.

BWV 164

Ihr, die ihr euch von Christo nennet

1. Aria: Tenor g 9/8

Ihr, die ihr euch von Christo nennet,
wo bleibet die Barmherzigkeit,
daran man Christi Glieder kennet?
Sie ist von euch, ach, allzu weit.
Die Herzen sollten liebreich sein,
so sind sie härter als ein Stein.

2. Recitativo: Bass c-a **C**

Wir hören zwar, was selbst die Liebe spricht:
Die mit Barmherzigkeit den Nächsten hier umfangen,
die sollen vor Gericht
Barmherzigkeit erlangen.
Jedoch, wir achten solches nicht!
Wir hören noch des Nächsten Seufzer an!
Er klopft an unser Herz; doch wird's nicht aufgetan!
Wir sehen zwar sein Händeringen,
sein Auge, das von Tränen fleußt;
doch lässt das Herz sich nicht zur Liebe zwingen.
Der Priester und Levit,
der hier zur Seite tritt,
sind ja ein Bild liebloser Christen;

BWV 164
너희는 그리스도로부터 이름을 받았노라

- 1725년 라이프치히 작곡, 1725년 8월 26일 라이프치히 초연
- 가로 플루트 2, 오보에 2, 바이올린 2, 비올라, 콘티누오
- 잘로몬 프랑크 (1-5); 엘리자베트 크로이치거 (6)

1. 아리아: 테너

너희는 그리스도로부터 이름을 받았노라
그리스도의 지체임을 알 수 있는
자비는 어디에 있는가?
자비는 먼 곳에, 너희와 너무 먼 곳에 있다.
너희 마음은 온화해야 하나
돌보다 단단하도다.

2. 레치타티보: 베이스

우리는 사랑이 직접 해주는 말을 들어서 알고 있습니다.
자비심으로 이웃을 끌어안는 이는
심판대에서
은총을 받을 것이라고 말입니다.
그러나 우리는 그런 것에 관심이 없습니다!
이웃의 한숨 소리가 들립니다!
그는 우리의 마음을 두드리지만 우리는 열지 않습니다!
이웃이 두 손을 비비는 모습이 보이고
그의 눈에서는 눈물이 흐르지만
우리의 마음은 사랑을 하려 하지 않습니다.
여기에서 한쪽으로 비켜서는
제사장과 레위인은
사랑 없는 그리스도인의 표본입니다.

sie tun, als wenn sie nichts von fremdem
Elend wüssten,
sie gießen weder Öl noch Wein
ins Nächsten Wunden ein.

3. Aria: Alto d C

Nur durch Lieb und durch Erbarmen
werden wir Gott selber gleich.
Samaritergleiche Herzen
lassen fremden Schmerz sich schmerzen
und sind an Erbarmung reich.

4. Recitativo: Tenor E♭-g C

Ach, schmelze doch durch deinen Liebesstrahl
des kalten Herzens Stahl,
dass ich die wahre Christenliebe,
mein Heiland, täglich übe,
dass meines Nächsten Wehe,
er sei auch, wer er ist,
Freund oder Feind, Heid oder Christ,
mir als mein eignes Leid zu Herzen allzeit gehe!
Mein Herz sei liebreich, sanft und mild,
so wird in mir verklärt dein Ebenbild.

5. Aria (Duetto): Soprano, Bass g ¢

Händen, die sich nicht verschließen,
wird der Himmel aufgetan.
Augen, die mitleidend fließen,
sieht der Heiland gnädig an.

그들은 낯선 이의 불행을
모르는 척합니다.
이웃의 상처에
기름도 포도주도 붓지 않습니다.

3. 아리아: 알토

사랑과 자비가 있어야만
우리는 하나님과 같아집니다.
사마리아인과 같은 마음은
남의 아픔을 나의 아픔으로 느끼고
연민이 넘쳐흐릅니다.

4. 레치타티보: 테너

아, 당신의 사랑의 빛으로 녹여주소서,
강철처럼 차가운 내 마음을.
그리하여 내가 참 그리스도인의 사랑을
구세주여, 날마다 실천하게 하시고
내 이웃이 누구이든,
친구이든 적이든, 이방인이든 그리스도인이든
그의 아픔이 내 아픔처럼
늘 가슴에 사무치게 하소서!
내 마음이 사랑으로 가득하고 온화하고 부드러우면
내 안에서 당신의 모습이 밝게 빛날 것입니다.

5. 아리아 (이중창): 소프라노, 베이스

움켜쥐지 않은 손에서
천국이 열립니다.
동정의 눈물을 흘리는 눈을
구세주는 자비롭게 바라봅니다.

Herzen, die nach Liebe streben,
will Gott selbst sein Herze geben.

6. Choral B♭ **C**

Ertöt uns durch dein' Güte,
erweck uns durch dein' Gnad!
Den alten Menschen kränke,
dass der neu' leben mag
wohl hier auf dieser Erden,
den Sinn und all Begehrden
und G'danken hab'n zu dir.

사랑을 갈구하는 마음에
하나님은 자신의 마음을 주십니다.

6. 코랄

당신의 선하심으로 우리를 거듭나게 하소서
당신의 자비로 우리를 깨우소서!
낡은 사람을 꾸짖으시어
새 사람으로 살게 하소서
이 땅에 사는 동안
마음과 모든 욕망과
생각이 당신을 향하게 하소서.

삼위일체주일 후 제14주일

서신서 갈라디아서 5:16-24
복음서 누가복음 17:11-19

BWV 25

Es ist nichts Gesundes an meinem Leibe

1. Coro e **C**

Es ist nichts Gesundes an meinem Leibe vor deinem Dräuen und ist kein Friede in meinen Gebeinen vor meiner Sünde.

2. Recitativo: Tenor d-d **C**

Die ganze Welt ist nur ein Hospital,
wo Menschen von unzählbar großer Zahl
und auch die Kinder in der Wiegen
an Krankheit hart darniederliegen.
Den einen quälet in der Brust
ein hitzges Fieber böser Lust;
der andre lieget krank
an eigner Ehre hässlichem Gestank;
den dritten zehrt die Geldsucht ab
und stürzt ihn vor der Zeit ins Grab.
Der erste Fall hat jedermann beflecket
und mit dem Sündenaussatz angestecket.
Ach! dieses Gift durchwühlt auch meine Glieder.
Wo find ich Armer Arzenei?
Wer stehet mir in meinem Elend bei?
Wer ist mein Arzt, wer hilft mir wieder?

BWV 25

당신의 노여움으로 내 살은 성한 데가 없고

- 1723년 라이프치히 작곡, 1723년 8월 29일 라이프치히 초연
- 코넷, 트롬본 3, 리코더 3, 오보에 2, 바이올린 2, 비올라, 콘티누오
- 시편 38:3 (1); 요한 헤르만 (6); 무명 시인 (2-5)

1. 합창

당신의 노여움으로 내 살은 성한 데가 없고
나의 죄로 내 뼈는 온전한 데가
없습니다.

2. 레치타티보: 테너

온 세상이 병원에 지나지 않습니다,
셀 수 없이 많은 사람들과
요람에 있는 아기들까지
병으로 고통스럽게 누워 있습니다.
한 명은 가슴에 품은 사악한 욕망의
뜨거운 열기로 괴로워합니다.
또 한 명은 제 명예심이 내뿜는
악취에 병들어 있습니다.
세 번째 사람은 돈 욕심에 여위어가다가
때가 되기도 전에 무덤으로 떨어집니다.
첫 번째 타락은 우리 모두를 더럽히고
죄 많은 나병을 전염시켰습니다.
아! 이 독이 내 팔다리까지 헤집습니다.
불쌍한 나를 치유할 약은 어디에 있습니까?
비참한 나를 도와줄 사람은 누구입니까?
누가 나의 치유자이며, 누가 나를 다시 도울 수 있습니까?

3. Aria: Bass d C

Ach, wo hol ich Armer Rat?
Meinen Aussatz, meine Beulen
kann kein Kraut noch Pflaster heilen
als die Salb aus Gilead.
Du, mein Arzt, Herr Jesu, nur
weißt die beste Seelenkur.

4. Recitativo: Soprano a-C C

O Jesu, lieber Meister,
zu dir flieh ich;
ach, stärke die geschwächten Lebensgeister!
Erbarme dich,
du Arzt und Helfer aller Kranken,
verstoß mich nicht
von deinem Angesicht!
Mein Heiland, mache mich von Sündenaussatz rein,
so will ich dir
mein ganzes Herz dafür
zum steten Opfer weihn
und lebenslang vor deine Hülfe danken.

5. Aria: Soprano C 3/8

Öffne meinen schlechten Liedern,
Jesu, dein Genadenohr!
Wenn ich dort im höhern Chor
werde mit den Engeln singen,
soll mein Danklied besser klingen.

3. 아리아: 베이스

아, 가련한 나는 어디에서 도움을 받을까?
나의 나병과 나의 종기는
약초로도 연고로도 낫지 않고
오직 길르앗의 유향만이 고칠 수 있네.
나의 치유자 주 예수님만이
내 영혼의 최고 치유법을 알고 계시네.

4. 레치타티보: 소프라노

오 예수님, 사랑하는 스승이여
내가 당신께 피난처를 구합니다.
아, 나약해진 내 삶의 정신을 강하게 하소서!
나를 불쌍히 여기소서
모든 질병의 치유자이며 구원자이시여
당신의 면전에서
나를 내치지 마소서!
나의 구세주여, 죄 많은 나병에서 나를 깨끗이 낫게 하소서
그러면 당신에게
나의 온 마음을
늘 희생 제물로 바치고
평생 당신의 도움에 감사하겠나이다.

5. 아리아: 소프라노

나의 보잘것없는 노래에
예수님, 당신의 자비로운 귀를 열어주소서!
내가 하늘의 고귀한 합창단에서
천사들과 함께 노래할 때에
내 감사의 노래가 더 멋지게 울리게 하소서.

6. Choral C **C**

Ich will alle meine Tage
rühmen deine starke Hand,
dass du meine Plag und Klage
hast so herzlich abgewandt.
Nicht nur in der Sterblichkeit
soll dein Ruhm sein ausgebreit':
Ich will's auch hernach erweisen
und dort ewiglich dich preisen.

BWV 78

Jesu, der du meine Seele

---

1. Coro (Choral) g 3/4

Jesu, der du meine Seele
hast durch deinen bittern Tod
aus des Teufels finstern Höhle
und der schweren Seelennot
kräftiglich herausgerissen
und mich solches lassen wissen
durch dein angenehmes Wort,
sei doch itzt, o Gott, mein Hort!

6. 코랄

내가 살아가는 동안 언제나
당신의 강한 손을 찬양하리라.
그리하여 당신이 나의 고통과 탄식을
자비롭게 없애주시도록 노래하리라.
당신의 영광은 내가 살아 있는 이곳에서만
퍼져나가지 않으리라.
나는 죽은 후 천국에서도 그 영광을 증명하고
그곳에서 당신을 영원히 찬양하리라.

BWV 78
예수는 내 영혼을

- ✦ 1724년 라이프치히 작곡, 1724년 9월 10일 라이프치히 초연
- ♪ 가로 플루트, 오보에 2, 바이올린 2, 첼로, 비올라, 콘티누오
- T 요한 리스트 (1, 7); 무명 시인 (2-6)

---

1. 합창 (코랄)

예수는 내 영혼을
당신의 쓰디쓴 죽음을 통해
악마의 어두운 동굴과
무거운 영혼의 고뇌에서
힘차게 구해내시고
당신의 즐거운 말씀을 통해
그 사실을 알려주셨네.
하나님, 아 지금, 나의 피난처가 되어주소서!

2. Aria (Duetto): Soprano, Alto B♭ 𝄴

Wir eilen mit schwachen, doch emsigen Schritten,
o Jesu, o Meister, zu helfen zu dir.
    Du suchest die Kranken und Irrenden treulich.
    Ach höre, wie wir
    die Stimmen erheben, um Hülfe zu bitten!
    Es sei uns dein gnädiges Antlitz erfreulich!

3. Recitativo: Tenor d-c 𝄴

Ach! ich bin ein Kind der Sünden,
ach! ich irre weit und breit.
Der Sünden Aussatz, so an mir zu finden,
verlässt mich nicht in dieser Sterblichkeit.
Mein Wille trachtet nur nach Bösem.
Der Geist zwar spricht: Ach! wer wird mich erlösen?
Aber Fleisch und Blut zu zwingen
und das Gute zu vollbringen,
ist über alle meine Kraft.
Will ich den Schaden nicht verhehlen,
so kann ich nicht, wie oft ich fehle, zählen.
Drum nehm ich nun der Sünden Schmerz und Pein
und meiner Sorgen Bürde,
so mir sonst unerträglich würde,
und liefre sie dir, Jesu, seufzend ein.
Rechne nicht die Missetat,
die dich, Herr, erzürnet hat!

4. Aria: Tenor g 6/8

Dein Blut, so meine Schuld durchstreicht,
macht mir das Herze wieder leicht

2. 아리아 (이중창): 소프라노, 알토

우리는 허약하지만 분주한 발걸음으로
오 예수님, 오 스승님, 당신에게 걸어가네.
당신은 병들고 길 잃은 자들을 도우려 열심히 찾으시네.
아 들어주소서, 우리가
목소리를 드높여 도움을 구하는 소리를!
당신의 자비로운 얼굴이 우리에게 기쁨이 되게 하소서!

3. 레치타티보: 테너

아! 나는 죄의 자녀입니다
아! 나는 머나먼 곳을 헤맵니다.
내게 있는 죄 많은 나병이
이번 생애에서 떠나지 않습니다.
나의 의지가 악을 갈망합니다.
내 영혼이 말합니다: 아! 누가 나를 구원할까?
그러나 살과 피로 하여금
선을 행하도록 하는 것은
나의 능력을 벗어나는 일입니다.
나의 잘못을 숨기지 않으려 해도
내가 얼마나 실수를 했는지는 셀 수가 없습니다.
이제 나는 다른 식으로는 견딜 수가 없는
죄악의 고통과 슬픔과
내 근심의 짐을 받아들여
그것을 탄식과 함께 예수님 당신께 보냅니다.
주님 당신을 분노케 한
나의 악행을 세지 마소서!

4. 아리아: 테너

당신의 피는 나의 죄를 지우시고
내 마음을 다시 가볍게 하시고

und spricht mich frei.
Ruft mich der Höllen Heer zum Streite,
so stehet Jesus mir zur Seite,
dass ich beherzt und sieghaft sei.

5. Recitativo: Bass E♭-f **C**

Die Wunden, Nägel, Kron und Grab,
die Schläge, so man dort dem Heiland gab,
sind ihm nunmehro Siegeszeichen
und können mir verneute Kräfte reichen.
Wenn ein erschreckliches Gericht
den Fluch vor die Verdammten spricht,
so kehrst du ihn in Segen.
Mich kann kein Schmerz und keine Pein bewegen,
weil sie mein Heiland kennt;
und da dein Herz vor mich in Liebe brennt,
so lege ich hinwieder
das meine vor dir nieder.
Dies mein Herz, mit Leid vermenget,
so dein teures Blut besprenget,
so am Kreuz vergossen ist,
geb ich dir, Herr Jesu Christ.

6. Aria: Bass c **C**

Nun du wirst mein Gewissen stillen,
so wider mich um Rache schreit,
ja, deine Treue wird's erfüllen,
weil mir dein Wort die Hoffnung beut.
Wenn Christen an dich glauben,
wird sie kein Feind in Ewigkeit

나의 죄 없음을 말하시네.
지옥의 군대가 나를 싸움에 불러내도
예수께서 내 곁에 서 계시니
나는 용기를 얻어 자신이 넘치네.

5. 레치타티보: 베이스

상처, 못, 가시관, 무덤
그곳에서 구세주에게 가한 타격은
이제 승리의 징표이니
나에게 새로운 힘을 줄 수 있습니다.
끔찍한 심판이
저주받은 자에게 저주를 내릴 때
당신은 그것을 축복으로 바꾸십니다.
고통도 슬픔도 나를 어찌하지 못하니
나의 구세주가 그것들을 아시기 때문입니다.
당신 마음이 나에 대한 사랑으로 불타오르므로
나는 결국 당신 앞에
몸을 누입니다.
슬픔이 깃든 이 나의 마음,
십자가에서 흘리신
당신의 보혈이 묻은 이 마음을
주 예수 그리스도여, 당신께 드립니다.

6. 아리아: 베이스

이제 당신은 내 뜻과 달리
복수를 부르짖는 나의 양심을 진정시키리라.
당신의 말씀이 내게 희망을 주시니
당신의 신실함이 그것을 이루리라.
그리스도인들이 당신을 믿으면
어떤 적도 영원히 그들을

aus deinen Händen rauben.

7. Choral g **C**

Herr, ich glaube, hilf mir Schwachem,
lass mich ja verzagen nicht;
du, du kannst mich stärker machen,
wenn mich Sünd und Tod anficht.
Deiner Güte will ich trauen,
bis ich fröhlich werde schauen
dich, Herr Jesu, nach dem Streit
in der süßen Ewigkeit.

BWV 17

Wer Dank opfert, der preiset mich

I. Teil

1. Coro A 3/4

Wer Dank opfert, der preiset mich, und das ist der Weg, dass ich ihm zeige das Heil Gottes.

2. Recitativo: Alto f#-c# **C**

Es muss die ganze Welt ein stummer Zeuge werden
von Gottes hoher Majestät,

당신 손에서 빼앗지 못하리라.

7. 코랄

주여, 내가 믿사오니, 나약한 나를 도우시어
내가 절망하지 않게 하소서.
죄와 죽음이 나를 괴롭힐 때
당신은 나를 강하게 만드실 수 있습니다.
주 예수님, 싸움이 끝난 후
내가 기쁘게 당신을
달콤한 영원 속에서 볼 때까지
당신의 선하심을 내가 믿습니다.

BWV 17

감사의 예물을 바치는 자, 나를 찬양하는 자이니

- 1726년 라이프치히 작곡, 1726년 9월 22일 라이프치히 초연
- 오보에 2, 바이올린 2, 비올라, 콘티누오
- 시편 50:23 (1); 누가복음 17:15-16 (4); 요한 그라만 (7); 무명 시인 (2, 3, 5, 6)

제1부

1. 합창

감사의 예물을 바치는 자, 나를 찬양하는 자이니,
올바른 길을 걷는 자에게 하나님의 구원을 보여주리라.

2. 레치타티보: 알토

온 세상이 하나님의 고귀한 위엄을
보여주는 말 없는 증인이 되어야 합니다.

Luft, Wasser, Firmament und Erden,
wenn ihre Ordnung als in Schnuren geht;
ihn preiset die Natur mit ungezählten Gaben,
die er ihr in den Schoß gelegt,
und was den Odem hegt,
will noch mehr Anteil an ihm haben,
wenn es zu seinem Ruhm so Zung als Fittich regt.

3. Aria: Soprano E **C**

Herr, deine Güte reicht, so weit der Himmel ist,
und deine Wahrheit langt, so weit die Wolken gehen.
Wüsst ich gleich sonsten nicht,
wie herrlich groß du bist,
so könnt ich es gar leicht aus deinen Werken sehen.
Wie sollt man dich mit Dank davor
nicht stetig preisen?
Da du uns willst den Weg des Heils hingegen weisen.

II. Teil

4. Recitativo: Tenor c#-f# **C**

Einer aber unter ihnen, da er sahe, dass er gesund worden war, kehrete um und preisete Gott mit lauter Stimme und fiel auf sein Angesicht zu seinen Füßen und dankete ihm, und das war ein Samariter.

5. Aria: Tenor D **C**

Welch Übermaß der Güte
schenkst du mir!

공기, 물, 창공, 흙이
줄에 꿰인 듯 순서대로 보여줍니다.
자연은 하나님이 안겨주신
수많은 선물로 주님을 찬양합니다.
하나님 찬양에 혀와 날개가 움직일 때
숨을 쉬는 피조물은
더욱더 하나님 찬양에 함께하려 합니다.

3. 아리아: 소프라노
주여, 당신의 선하심은 하늘 끝까지 이르고
당신의 진리는 구름 흐르는 곳까지 닿습니다.
당신이 얼마나 위대한지
내가 달리 알지 못했어도
당신이 하신 일을 보고 쉽게 알았을 테지요.
그러니 어찌 내가 감사의 마음으로 당신을
변함없이 찬양하지 않겠습니까?
우리에게 구원의 길을 보여주려 하는 분이시기에.

제2부

4. 레치타티보: 테너
그들 중 한 사람은 자기 병이 나은 것을 보고
큰 소리로 하나님을 찬양하면서 예수께 돌아와
그 발 앞에 엎드려 감사를 드렸다.
그는 사마리아 사람이었다.

5. 아리아: 테너
넘치는 호의를
당신은 내게 베푸시네!

Doch was gibt mein Gemüte
dir dafür?
Herr, ich weiß sonst nichts zu bringen,
als dir Dank und Lob zu singen.

6. Recitativo: Bass b-c♯ C

Sieh meinen Willen an, ich kenne, was ich bin:
Leib, Leben und Verstand, Gesundheit, Kraft und Sinn,
der du mich lässt mit frohem Mund genießen,
sind Ströme deiner Gnad, die du auf mich lässt fließen.
Lieb, Fried, Gerechtigkeit und Freud in deinem Geist
sind Schätz, dadurch du mir schon hier
ein Vorbild weist,
was Gutes du gedenkst mir dorten zuzuteilen
und mich an Leib und Seel vollkommentlich zu heilen.

7. Choral A 3/4

Wie sich ein Vat'r erbarmet
üb'r seine junge Kindlein klein:
So tut der Herr uns Armen,
so wir ihn kindlich fürchten rein.
Er kennt das arme Gemächte,
er weiß, wir sind nur Staub.
Gleichwie das Gras vom Rechen,
ein Blum und fallendes Laub,
der Wind nur drüber wehet,
so ist es nimmer da:
Also der Mensch vergehet,
sein End, das ist ihm nah.

그러면 내 마음은 당신께
무엇으로 보답할까요?
주여, 내가 드릴 것은 없습니다,
감사와 찬양의 노래를 드리는 것밖에.

6. 레치타티보: 베이스

나의 의지를 보소서, 내가 누구인지 나는 압니다.
몸, 삶, 이성, 건강, 힘, 정신
이는 당신이 허락하시어 내가 기쁘게 누리도록 하신 것이요
당신이 내게 흘려보내신 자비의 강물입니다.
성령을 통해서 누리는 사랑, 평화, 정의, 기쁨은
주님이 천국에서 내게 어떤 호의를 베풀려 하시고
나의 몸과 영혼을 어떻게 완벽히 구원하시려는지
이미 지상에서 본보기로
보여주시는 보물입니다.

7. 코랄

아버지가 어린 자식에게
자비를 베풀듯이
주님은 우리가 아이처럼 그를 경외하면
가련한 우리를 불쌍히 여기시네.
그는 알고 계시네, 우리가 가련한 피조물임을,
우리가 먼지에 지나지 않음을,
우리가 갈퀴의 풀과 같고
꽃과 낙엽 같고
바람이 불어오면
더는 거기에 있지 않을 것임을.
이렇게 인간은 사라지고
그의 끝도 가까워지리라.

삼위일체주일 후 제15주일

서신서 갈라디아서 5:25-6:10

복음서 마태복음 6:24-34

BWV 138

Warum betrübst du dich, mein Herz?

1. Coro (Choral) e Recitativo: Alto, Tenor b **C**

Warum betrübst du dich, mein Herz?
Bekümmerst dich und trägest Schmerz
nur um das zeitliche Gut?
Ach, ich bin arm,
mich drücken schwere Sorgen.
Vom Abend bis zum Morgen
währt meine liebe Not.
Dass Gott erbarm!
Wer wird mich noch erlösen
vom Leibe dieser bösen
und argen Welt?
Wie elend ist's um mich bestellt!
Ach! Wär ich doch nur tot!
Vertrau du deinem Herren Gott,
der alle Ding erschaffen hat.

2. Recitativo: Bass e-e **C**

Ich bin veracht',
der Herr hat mich zum Leiden
am Tage seines Zorns gemacht;
der Vorrat, hauszuhalten,

BWV 138
어찌하여 슬퍼하느냐, 내 마음아?

- 1723년 라이프치히 작곡, 1723년 9월 5일 라이프치히 초연
- 오보에 다모레 2, 바이올린 2, 비올라, 콘티누오
- 무명 시인

1. 합창(코랄) & 레치타티보: 알토, 테너

어찌하여 슬퍼하느냐, 내 마음아?
너의 근심과 고통은
오직 이 세상의 재물 때문이냐?
아, 나는 가난합니다
걱정이 나를 무겁게 짓누릅니다.
아침부터 저녁까지
나의 고난이 계속됩니다.
하나님, 나를 불쌍히 여기소서!
누가 나를 구해줄까요
이 사악하고 비열한 세상의
몸뚱이로부터?
내가 얼마나 비참한 지경에 이르렀는지요!
아! 차라리 죽을 수만 있다면!
모든 것을 창조하신
너의 주 하나님을 믿어라.

2. 레치타티보: 베이스

나는 멸시당했습니다
주께서 진노의 날에 나를
고통스럽게 하셨습니다.
살아가는 데 필요한 물품이

ist ziemlich klein;
man schenkt mir vor den Wein der Freuden
den bittern Kelch der Tränen ein.
Wie kann ich nun mein Amt mit Ruh verwalten,
wenn Seufzer meine Speise und Tränen
    das Getränke sein?

3. Choral e Recitativo: Soprano, Alto b **C**

    Er kann und will dich lassen nicht,
    er weiß gar wohl, was dir gebricht,
    Himmel und Erd ist sein!
(Soprano)
Ach, wie?
Gott sorget freilich vor das Vieh,
er gibt den Vögeln seine Speise,
er sättiget die jungen Raben,
nur ich, ich weiß nicht, auf was Weise
ich armes Kind
mein bisschen Brot soll haben;
wo ist jemand, der sich zu meiner Rettung findt?
    Dein Vater und dein Herre Gott,
    der dir beisteht in aller Not.
(Alto)
Ich bin verlassen,
es scheint,
als wollte mich auch Gott bei meiner Armut hassen,
da er's doch immer gut mit mir gemeint.
Ach, Sorgen,
werdet ihr denn alle Morgen

아주 적습니다.
나는 기쁨의 포도주 대신
쓰라린 눈물의 잔을 받습니다.
내가 어떻게 편안히 내 의무를 다할 수 있을까요,
한숨이 내가 먹을 양식이고
　　눈물이 내가 마실 음료인데?

3. 코랄 & 레치타티보: 소프라노, 알토

　　그분은 너를 버릴 수도 없고 버릴 의지도 없습니다.
　　그분은 네게 무엇이 부족한지 잘 아십니다.
　　하늘과 땅이 그분 것입니다!
(소프라노)
아, 어떻게 그럴까요?
하나님은 짐승을 돌보시고
새들에게 먹이를 주시고
어린 까마귀를 배불리 먹이십니다.
오직 나만, 나만이 어찌할 바를 모릅니다.
나, 가련한 아이는
빵이 조금이라도 필요합니다.
나를 구해줄 사람을 어디에서 찾을 수 있을까요?
　　너의 아버지와 너의 주 하나님은
　　어떤 고난이 닥쳐도 너를 도우시리라.
(알토)
나는 버림받았습니다
하나님마저 나의 가난을
미워하시는 것 같습니다.
그분은 언제나 내게 호의를 베푸셨습니다.
아, 근심이여
너희는 모두 아침마다

und alle Tage wieder neu?
So klag ich immerfort;
Ach! Armut, hartes Wort,
wer steht mir denn in meinem Kummer bei?
    Dein Vater und dein Herre Gott,
    der steht dir bei in aller Not.

4. Recitativo: Tenor G-D C

Ach, süßer Trost! Wenn Gott mich nicht verlassen
und nicht versäumen will,
so kann ich in der Still
und in Geduld mich fassen.
Die Welt mag immerhin mich hassen,
so werf ich meine Sorgen
mit Freuden auf den Herrn,
und hilft er heute nicht, so hilft er mir doch morgen.
Nun leg ich herzlich gern
die Sorgen unters Kissen
und mag nichts mehr als dies zu meinem Troste
    wissen:

5. Aria: Bass D 3/4

Auf Gott steht meine Zuversicht,
mein Glaube lässt ihn walten.
    Nun kann mich keine Sorge nagen,
    nun kann mich auch kein' Armut plagen.
    Auch mitten in dem größten Leide
    bleibt er mein Vater, meine Freude,
    er will mich wunderlich erhalten.

그리고 날마다 새로워지는가?
그렇다면 나는 영원히 탄식하리라.
아! 가난이여, 가혹한 말씀이여
내가 근심에 빠졌을 때 누가 나를 돕겠는가?
　　너의 아버지와 너의 주 하나님은
　　어떤 고난이 닥쳐도 너를 도우시리라.

4. 레치타티보: 테너

아, 달콤한 위안이여! 하나님이 나를 버리지 않고
소홀히 하지 않으신다면
나는 조용히 인내하며
마음을 가다듬을 수 있네.
세상이 아무리 나를 미워해도
내가 나의 근심을
기쁘게 주님께 맡기면
주님은 오늘이 아니어도 내일 나를 도우시리라.
이제 나는 간절하게
걱정거리를 베개 밑에 넣네.
이것 외에 내게 위로가 되는 것을 나는
　　알지 못하네.

5. 아리아: 베이스

하나님을 나는 확실하게 믿네
내 믿음으로 그분이 다스리시네.
　　이제 어떤 걱정도 나를 물어뜯지 못하네
　　어떤 가난도 나를 괴롭히지 못하네.
　　크나큰 괴로움 속에서도
　　그는 나의 아버지요 나의 친구라
　　그는 나를 놀랍도록 보호하시리라.

6. Recitativo: Alto b-b **C**

Ei nun!
So will ich auch recht sanfte ruhn.
Euch, Sorgen, sei der Scheidebrief gegeben!
Nun kann ich wie im Himmel leben.

7. Choral b 6/8

Weil du mein Gott und Vater bist,
dein Kind wirst du verlassen nicht,
du väterliches Herz!
Ich bin ein armer Erdenkloß,
auf Erden weiß ich keinen Trost.

BWV 99

Was Gott tut, das ist wohlgetan II

---

1. Coro (Choral) G **C**

Was Gott tut, das ist wohlgetan,
es bleibt gerecht sein Wille;
wie er fängt meine Sachen an,
will ich ihm halten stille.
Er ist mein Gott,
der in der Not

6. 레치타티보: 알토

자 이제!
나는 정말로 평화롭게 쉬리라.
너희 근심들이여, 작별의 편지를 받아라!
이제 나는 천국에서처럼 살 수 있으리라.

7. 코랄

당신은 나의 하나님이고 아버지이시니
당신의 자녀를 버리지 않으시리라,
아버지의 마음으로!
나는 지상의 가련한 인간,
이 땅에서 나는 위로를 알지 못하네.

BWV 99

하나님이 하시는 일은 선하시고 II

- 1724년 라이프치히 작곡, 1724년 9월 17일 라이프치히 초연
- 코넷, 가로 플루트, 오보에 다모레, 바이올린 2, 비올라, 콘티누오
- 자무엘 로디가스트 (1, 6); 무명 시인 (2-5)

---

1. 합창 (코랄)

하나님이 하시는 일은 선하시고
그의 뜻은 항상 의롭도다.
그가 나의 일을 어떻게 주관하시든
나는 그를 조용히 따르리라.
그는 나의 하나님
고난 속에서

mich wohl weiß zu erhalten;
drum lass ich ihn nur walten.

2. Recitativo: Bass b-b **C**

Sein Wort der Wahrheit stehet fest
und wird mich nicht betrügen,
weil es die Gläubigen nicht fallen noch
verderben lässt.
Ja, weil es mich den Weg zum Leben führet,
so fasst mein Herze sich und lässet sich begnügen
an Gottes Vatertreu und Huld
und hat Geduld,
wenn mich ein Unfall rühret.
Gott kann mit seinen Allmachtshänden
mein Unglück wenden.

3. Aria: Tenor e 3/8

Erschüttre dich nur nicht, verzagte Seele,
wenn dir der Kreuzeskelch so bitter schmeckt!
Gott ist dein weiser Arzt und Wundermann,
so dir kein tödlich Gift einschenken kann,
obgleich die Süßigkeit verborgen steckt.

4. Recitativo: Alto b-D **C**

Nun, der von Ewigkeit geschlossne Bund
bleibt meines Glaubens Grund.
Er spricht mit Zuversicht
im Tod und Leben:
Gott ist mein Licht,

나를 든든히 지켜주는 분
그러므로 나는 그의 섭리를 따르리라.

2. 레치타티보: 베이스

그의 진리의 말씀은 확실하여
나를 속이지 않네,
믿는 자들을 타락시키거나
　　멸망시키지 않기 때문이네.
그의 말씀이 나를 생명의 길로 이끄니
내 마음은 가라앉고 하나님 아버지의
신실함과 은혜에 만족하며
불행이 나를 덮쳐도
인내하네.
하나님은 전능하신 손으로
나의 불행을 없애실 수 있네.

3. 아리아: 테너

흔들리지 마라, 절망한 영혼아
십자가의 잔이 너무 쓰더라도!
　　하나님은 너의 지혜로운 치유자이며 기적을 행하는 분이니
　　비록 달콤함이 숨어 있더라도
　　너에게 죽음의 독을 내밀지 않으시리라.

4. 레치타티보: 알토

이제 영원으로부터 맺은 언약이
내 믿음의 토대입니다.
그 언약은 자신 있게
죽음과 삶 속에서 말합니다.
하나님은 나의 빛이니

ihm will ich mich ergeben.
Und haben alle Tage
gleich ihre eigne Plage,
doch auf das überstandne Leid,
wenn man genug geweinet,
kommt endlich die Errettungszeit,
da Gottes treuer Sinn erscheinet.

5. Aria (Duetto): Soprano, Alto b **C**

Wenn des Kreuzes Bitterkeiten
mit des Fleisches Schwachheit streiten,
ist es dennoch wohlgetan.
Wer das Kreuz durch falschen Wahn
sich vor unerträglich schätzet,
wird auch künftig nicht ergötzet.

6. Choral G **C**

Was Gott tut, das ist wohlgetan,
dabei will ich verbleiben.
Es mag mich auf die raue Bahn
Not, Tod und Elend treiben,
so wird Gott mich
ganz väterlich
in seinen Armen halten;
drum lass ich ihn nur walten.

내가 그분께 헌신할 것입니다.
또한 날마다
그날의 고통이 있겠으나
실컷 울면서
고통을 이겨내면
마침내 구원의 시간이 오리니
하나님의 신실한 마음이 나타나기 때문입니다.

5. 아리아 (이중창): 소프라노, 알토

십자가의 가혹함이
연약한 살과 싸워도
그것은 옳은 일입니다.
잘못된 망상으로 십자가를
견딜 수 없다고 여기는 사람은
앞으로도 기쁨을 느끼지 못합니다.

6. 코랄

하나님이 하시는 일은 선하시니
내가 굳게 믿으리라.
험한 길에 던져지고
고난과 죽음과 불행이 덮쳐도
하나님은 나를
아버지처럼
팔에 안아주시리.
그러므로 나는 그의 섭리를 따르리라.

BWV 51
Jauchzet Gott in allen Landen!

1. Aria: Soprano C 𝄴

Jauchzet Gott in allen Landen!
Was der Himmel und die Welt
an Geschöpfen in sich hält,
müssen dessen Ruhm erhöhen,
und wir wollen unserm Gott
gleichfalls itzt ein Opfer bringen,
dass er uns in Kreuz und Not
allezeit hat beigestanden.

2. Recitativo: Soprano a-a 𝄴

Wir beten zu dem Tempel an,
da Gottes Ehre wohnet,
da dessen Treu,
so täglich neu,
mit lauter Segen lohnet.
Wir preisen, was er an uns hat getan.
Muss gleich der schwache Mund
von seinen Wundern lallen,
so kann ein schlechtes Lob
ihm dennoch wohlgefallen.

BWV 51

모든 땅에서 하나님께 환호하라!

- 1730년 라이프치히 작곡, 1730년 9월 17일 라이프치히 초연(추정)
- 트럼펫, 바이올린 2, 비올라, 콘티누오
- 요한 그라만 (4); 무명 시인 (1-3)

1. 아리아: 소프라노

모든 땅에서 하나님께 환호하라!
하늘과 땅에 사는
모든 피조물은
주님의 영광을 드높여야 하리라.
우리도 이제 하나님께
제물을 바치려 하니
그분은 우리가 고난과 시련에 처할 때
언제나 옆에서 도와주셨도다.

2. 레치타티보: 소프라노

우리는 성전에서 경배합니다.
하나님의 영광이 거하시는 곳
그분의 신실함이
날마다 새롭게
오직 축복으로 보상해주시는 곳.
우리는 그가 우리에게 하신 일을 찬양합니다.
나약한 우리의 입술이
그가 행한 기적을 분명하게 말하지 못하지만
어설픈 찬미라도
그분은 기뻐하실 것입니다.

3. Aria: Soprano a 12/8

Höchster, mache deine Güte
ferner alle Morgen neu.
    So soll vor die Vatertreu
    auch ein dankbares Gemüte
    durch ein frommes Leben weisen,
    dass wir deine Kinder heißen.

4. Choral: Soprano C 3/4

Sei Lob und Preis mit Ehren
Gott Vater, Sohn, Heiligem Geist!
Der woll' in uns vermehren,
was er uns aus Gnaden verheißt,
dass wir ihm fest vertrauen,
gänzlich uns lass'n auf ihn,
von Herzen auf ihn bauen,
dass uns'r Herz, Mut und Sinn
ihm festiglich anhangen;
drauf singen wir zur Stund:
Amen, wir werden's erlangen,
glaub'n wir aus Herzensgrund.

5. Aria: Soprano C 2/4

Alleluja!

3. 아리아: 소프라노

높으신 분, 당신의 선하심을
아침마다 새롭게 하소서.
　　그러면 아버지의 신실함에
　　감사하는 마음도
　　경건한 삶을 통해 보여드릴 것입니다,
　　우리가 당신의 자녀라고 불린다는 것을.

4. 코랄: 소프라노

찬미와 찬양과 영광이
하나님 아버지와 아들과 성령께!
주님은 은혜로 약속하신 것을
우리 안에서 늘려주려 하시네.
그리하여 우리가 그를 굳게 믿고
온전히 그를 의지하고
마음으로 그의 말씀 위에 집을 지어
우리 마음과 용기와 생각이
그분에게 매달리도록 하시네.
우리는 지금 이를 노래하리라.
아멘, 마음 깊은 곳에서 믿으면
우리는 이룩하리라.

5. 아리아: 소프라노

알렐루야!

성 미카엘과 모든 천사들의 축일*

서신서 요한계시록 12:7-12
복음서 마태복음 18:1-11

* 9월 29일. 493년 교황 젤라시오 1세가 400년경 로마 북쪽의 살라리아 가도에 지어진 미카엘 교회의 봉헌일인 이날을 성 미카엘의 날로 정했다.

BWV 50

Nun ist das Heil und die Kraft

1. Coro D 3/4

Nun ist das Heil und die Kraft und das Reich und die Macht unsers Gottes seines Christus worden, weil der verworfen ist, der sie verklagete Tag und Nacht vor Gott.

BWV 130

Herr Gott, dich loben alle wir

1. Coro (Choral) C **C**

Herr Gott, dich loben alle wir
und sollen billig danken dir
für dein Geschöpf der Engel schon,
die um dich schweb'n um deinen Thron.

BWV 50

이제 구원과 권능과 나라가 나타났고

- 1723년경 라이프치히 작곡, 초연 일시 미상
- 트럼펫 3, 팀파니, 오보에 3, 바이올린 2, 비올라, 콘티누오
- 요한계시록 12:10

1. 합창

이제 구원과 권능과 나라가 나타났고
하나님의 권세는 그리스도의 권세가 되었으니
이는 밤낮으로 하나님 앞에서 우리 형제들을
무고하던 자들이 쫓겨났기 때문이라.

BWV 130

주 하나님, 우리 모두가 당신을 찬양합니다

- 1724년 라이프치히 작곡, 1724년 9월 29일 라이프치히 초연
- 트럼펫 3, 팀파니, 가로 플루트, 오보에 3, 바이올린 2, 비올라, 콘티누오
- 파울 에버 (1, 6); 무명 시인 (2-5)

1. 합창 (코랄)

주 하나님, 우리 모두가 당신을 찬양합니다
당신과 당신의 보좌 주위를 맴도는
천사들을 만드셨음에 우리는
마땅히 당신께 감사를 드려야 합니다.

2. Recitativo: Alto F-G **C**

Ihr heller Glanz und hohe Weisheit zeigt,
wie Gott sich zu uns Menschen neigt,
der solche Helden, solche Waffen
vor uns geschaffen.
Sie ruhen ihm zu Ehren nicht;
ihr ganzer Fleiß ist nur dahin gericht',
dass sie, Herr Christe, um dich sein
und um dein armes Häufelein:
Wie nötig ist doch diese Wacht
bei Satans Grimm und Macht!

3. Aria: Bass C ¢

Der alte Drache brennt vor Neid
und dichtet stets auf neues Leid,
dass er das kleine Häuflein trennet.
    Er tilgte gern, was Gottes ist,
    bald braucht er List,
    weil er nicht Rast noch Ruhe kennet.

4. Recitativo (Duetto): Soprano, Tenor e-G **C**

Wohl aber uns, dass Tag und Nacht
die Schar der Engel wacht,
des Satans Anschlag zu zerstören!
Ein Daniel, so unter Löwen sitzt,
erfährt, wie ihn die Hand des Engels schützt.
Wenn dort die Glut
in Babels Ofen keinen Schaden tut,
so lassen Gläubige ein Danklied hören,

2. 레치타티보: 알토

천사의 밝은 광채와 드높은 지혜는
우리를 위해
영웅과 무기를 만드신
하나님이 우리를 굽어보심을 보여줍니다.
천사들은 쉬지 않고 주님을 찬양합니다.
그 모든 열성은 오직
그들이 주 그리스도 당신과
당신의 불쌍한 백성 주위에 있기 위함입니다.
사탄의 분노와 힘을 생각할 때
천사들의 보호는 더없이 필요합니다!

3. 아리아: 베이스

늙은 용이 시기심에 불타
끊임없이 새로운 고통을 만들어내고
작은 무리를 이간하네.
　　용은 하나님의 것을 없애기 좋아하니
　　곧 계략이 필요하리라
　　평화도 안식도 모르는 용이므로.

4. 레치타티보 (이중창): 소프라노, 테너

천사의 무리가
사탄의 공격을 무너뜨리려고
밤낮으로 지켜주는 우리는 행복하여라!
다니엘이 사자들 가운데 앉아
천사의 손이 그를 보호하는 모습을 보고 있네.
그곳에서 바벨의 용광로의 열기가
해를 입히지 않을 때
신자들은 감사의 노래를 들려주고

so stellt sich in Gefahr
noch itzt der Engel Hülfe dar.

5. Aria: Tenor G ¢

Lass, o Fürst der Cherubinen,
dieser Helden hohe Schar
immerdar
deine Gläubigen bedienen,
dass sie auf Elias Wagen
sie zu dir gen Himmel tragen.

6. Choral C 3/4

Darum wir billig loben dich
und danken dir, Gott, ewiglich,
wie auch der lieben Engel Schar
dich preiset heut und immerdar.

Und bitten dich, wollst allezeit
dieselben heißen sein bereit,
zu schützen deine kleine Herd,
so hält dein göttlich's Wort in Wert.

위험에 처했을 때
천사가 도우러 나타나리라.

5. 아리아: 테너

오 그룹의 군주여
이 고귀한 영웅들의 무리가
언제까지나
당신을 믿는 이들을 시중들게 하고
　　엘리야의 전차에 탄 그들을
　　하늘에 계신 당신께 데려가게 하소서.

6. 코랄

그러므로 우리는 마땅히 당신을 찬양하고
하나님 당신께 영원히 감사드립니다.
사랑스런 천사의 무리가
당신을 오늘도 그리고 영원히 찬양하듯이.

당신께 간청하오니, 언제나
천사들에게 준비하고 있으라 명하시어
당신의 작은 무리를 보호하게 하소서.
그러면 당신의 거룩한 말씀이 온전히 지켜지나이다.

BWV 19

Es erhub sich ein Streit

1. Coro C 6/8

Es erhub sich ein Streit.
Die rasende Schlange, der höllische Drache
stürmt wider den Himmel mit wütender Rache.
Aber Michael bezwingt,
und die Schar, die ihn umringt,
stürzt des Satans Grausamkeit.

2. Recitativo: Bass e-e **C**

Gottlob! der Drache liegt.
Der unerschaffne Michael
und seiner Engel Heer
hat ihn besiegt.
Dort liegt er in der Finsternis
mit Ketten angebunden,
und seine Stätte wird nicht mehr
im Himmelreich gefunden.
Wir stehen sicher und gewiss,
und wenn uns gleich sein Brüllen schrecket,
so wird doch unser Leib und Seel
mit Engeln zugedecket.

BWV 19
큰 싸움이 일어났도다

- 1726년 라이프치히 작곡, 1726년 9월 29일 라이프치히 초연
- 트럼펫 3, 팀파니, 오보에 2, 오보에 다모레 2, 바이올린 2, 비올라, 콘티누오
- 피칸더 (1-6); 무명 시인 (7)

1. 합창

큰 싸움이 일어났도다.
성난 뱀이, 지옥의 용이
타오르는 복수심으로 하늘에 맞서 날뛰네.
그러나 미카엘이 승리하자
그를 둘러쌌던 무리가
사탄의 잔인함을 무너뜨리네.

2. 레치타티보: 베이스

하나님을 찬양하여라! 용이 쓰러진다.
창조되지 않은 미카엘과
그의 천사 무리가
용을 이겼도다.
저기 어두운 곳에 용이
사슬에 묶여 누워 있으니
그가 있을 곳은 더 이상
하늘나라가 아니리라.
우리는 확실히 믿네,
곧 용이 포효해 우리가 놀라더라도
우리의 육신과 영혼은
천사들이 지켜줄 것임을.

3. Aria: Soprano G ¢

Gott schickt uns Mahanaim zu;
wir stehen oder gehen,
so können wir in sich're Ruh
vor unsern Feinden stehen.
Es lagert sich, so nah als fern,
um uns der Engel unsers Herrn
mit Feuer, Ross und Wagen.

4. Recitativo: Tenor e-b C

Was ist der schnöde Mensch, das Erdenkind?
Ein Wurm, ein armer Sünder.
Schaut, wie ihn selbst der Herr so lieb gewinnt,
dass er ihn nicht zu niedrig schätzet
und ihm die Himmelskinder,
der Seraphinen Heer,
zu seiner Wacht und Gegenwehr,
zu seinem Schutze setzet.

5. Aria con Choral: Tenor e 6/8

Bleibt, ihr Engel, bleibt bei mir!
    Führet mich auf beiden Seiten,
    dass mein Fuß nicht möge gleiten!
    Aber lernt mich auch allhier
    euer großes Heilig singen
    und dem Höchsten Dank zu bringen!

3. 아리아: 소프라노

하나님이 우리를 마하나임*으로 보내시네.
멈춰 있을 때도 걸을 때도
우리는 적들로부터 안전하게
편히 쉴 수 있네.
먼 곳이건 가까운 곳이건
우리 주님의 천사가
불과 말과 전차로 진을 치고 있네.

4. 레치타티보: 테너

이 땅의 자녀, 비열한 인간은 무엇입니까?
벌레이며 가련한 죄인입니다.
보십시오, 주님이 그를 어떻게 몸소 사랑하시는지를.
그분은 사람을 낮추어 보지 않으시며
그에게 하늘의 자녀들인
스랍의 무리를 보내어
그를 지키고 방어하고
그를 보호하십니다.

5. 아리아 & 코랄: 테너

머물러라, 너희 천사들이여, 내 곁에 머물러라!
　　나를 양쪽에서 이끌어
　　내 발이 미끄러지지 않게 하라!
　　그러나 여기에서도 내게 가르쳐다오
　　그대들의 위대한 거룩한 노래를 부를 수 있게
　　그리하여 가장 높으신 분에게 감사를 드릴 수 있게!

* Mahanaim: 창세기 32:2에 언급된 곳. 야곱이 가나안 남쪽으로 돌아갈 때 천사들을 만났는데, 그곳을 일컬어 '하나님의 진지'라 하면서 마하나임이라고 불렀다.

6. Recitativo: Soprano C-F **C**

Lass uns das Angesicht
der frommen Engel lieben
und sie mit unsern Sünden nicht
vertreiben oder auch betrüben.
So sein sie, wenn der Herr gebeut,
der Welt Valet zu sagen,
zu unsrer Seligkeit
auch unser Himmelswagen.

7. Choral C 3/4

Lass dein' Engel mit mir fahren
auf Elias Wagen rot
und mein' Seele wohl bewahren,
wie Laz'rum nach seinem Tod.
Lass sie ruhn in deinem Schoß,
erfüll sie mit Freud und Trost,
bis der Leib kommt aus der Erde
und mit ihr vereinigt werde.

6. 레치타티보: 소프라노

우리가 경건한 천사들의
얼굴을 사랑하게 하시고
우리의 죄로 그들을
몰아내지도, 슬프게 하지도 않게 하소서.
세상과 작별하라고
주님이 명하실 때
그들이 우리의 행복을 위해
하늘로 가는 전차가 되게 하소서.

7. 코랄

당신의 천사들이 나와 함께
엘리야의 불의 전차를 타고 가게 하시고
나사로가 죽었을 때처럼
내 영혼을 지켜주소서.
당신의 품에서 내 영혼이 쉬게 하시고
기쁨과 위안으로 채워주소서
지상에서 육신이 나와
영혼과 합일을 이룰 때까지.

BWV 149

Man singet mit Freuden vom Sieg

1. Coro D 3/8

Man singet mit Freuden vom Sieg in den Hütten der Gerechten: Die Rechte des Herrn behält den Sieg, die Rechte des Herrn ist erhöhet, die Rechte des Herrn behält den Sieg!

2. Aria: Bass b 𝄴

Kraft und Stärke sei gesungen
Gott, dem Lamme, das bezwungen
und den Satanas verjagt,
der uns Tag und Nacht verklagt.
Ehr und Sieg ist auf die Frommen
durch des Lammes Blut gekommen.

3. Recitativo: Alto e-D 𝄴

Ich fürchte mich
vor tausend Feinden nicht,
denn Gottes Engel lagern sich
um meine Seiten her;
wenn alles fällt, wenn alles bricht,
so bin ich doch in Ruhe.
Wie wär es möglich zu verzagen?

BWV 149

기쁘게 승리를 노래하네

- 1728년 라이프치히 작곡, 1728년 9월 29일 또는 1729년 라이프치히 초연
- 트럼펫 3, 팀파니, 오보에 3, 바순, 바이올린 2, 비올라, 콘티누오
- 시편 118:15-16 (1); 마르틴 샬링 (7); 피칸더 (2-6)

1. 합창

기쁘게 승리를 노래하네, 의인의 장막에서.
주님의 오른손이 승리를 거머쥐고
주님의 오른손이 높이 들리시고
주님의 오른손이 승리를 거머쥐네!

2. 아리아: 베이스

힘과 강인함을 노래하라
밤낮으로 우리를 고발한
사탄을 몰아내고 승리하신
하나님과 어린양에게.
영광과 승리가 경건한 이들에게
어린양의 피를 통해 주어졌네.

3. 레치타티보: 알토

나는 수많은 적도
두렵지 않네.
하나님의 천사들이
내 주변에 진을 치고 있다네.
모두가 쓰러지고, 모든 것이 무너져도
나는 평안하네.
그러니 어찌 절망할 수 있으랴?

Gott schickt mir ferner Ross und Wagen
und ganze Herden Engel zu.

4. Aria: Soprano A 3/8

Gottes Engel weichen nie,
sie sind bei mir allerenden.
  Wenn ich schlafe, wachen sie,
  wenn ich gehe,
  wenn ich stehe,
  tragen sie mich auf den Händen.

5. Recitativo: Tenor C-G **C**

Ich danke dir,
mein lieber Gott, dafür;
dabei verleihe mir,
dass ich mein sündlich Tun bereue,
dass sich mein Engel drüber freue,
damit er mich an meinem Sterbetage
in deinen Schoß zum Himmel trage.

6. Aria (Duetto): Alto, Tenor G **C**

Seid wachsam, ihr heiligen Wächter,
die Nacht ist schier dahin.
  Ich sehne mich und ruhe nicht,
  bis ich vor dem Angesicht
  meines lieben Vaters bin.

7. Choral C **C**

Ach Herr, lass dein lieb Engelein

하나님은 내게 말과 전차와
온 천사의 무리를 보내시네.

4. 아리아: 소프라노

하나님의 천사는 결코 물러나지 않네
그들은 내 주변에 있다네.
　　내가 잠잘 때에도 그들은 지켜주고
　　내가 떠날 때에도
　　내가 멈출 때에도
　　그들은 나를 손으로 옮겨주네.

5. 레치타티보: 테너

사랑하는 하나님,
당신께 감사합니다.
또한 바라옵기는
내가 죄를 뉘우치게 하시어
나의 천사가 이를 기뻐하여
내가 죽을 때에 그가 나를
하늘에 계신 당신 품으로 데려가게 하소서.

6. 아리아 (이중창): 알토, 테너

깨어 있으라, 너희 거룩한 파수꾼들이여
밤이 거의 지나갔다.
　　내가 쉬지 않고 염원하는 것은
　　내 사랑하는 아버지의 얼굴 앞에
　　서는 것이다.

7. 코랄

아 주님, 당신이 사랑하는 천사가

am letzten End die Seele mein
in Abrahams Schoß tragen,
den Leib in sei'm Schlafkämmerlein
gar sanft ohn ein'ge Qual und Pein
ruhn bis am jüngsten Tage!
Alsdenn vom Tod erwecke mich,
dass meine Augen sehen dich
in aller Freud, o Gottes Sohn,
mein Heiland und Genadenthron!
Herr Jesu Christ, erhöre mich, erhöre mich,
ich will dich preisen ewiglich!

내 생이 끝날 적에 나의 영혼을
아브라함의 품에 데려가게 하시어
내 육신이 그가 자는 방에서
편안하고 고통과 아픔 없이
최후의 날까지 안식하게 하소서!
그리고 죽음에서 나를 일으켜
내 눈이 당신을 기쁘게
보게 하소서, 오 하나님의 아들이며
나의 구세주이며 자비의 보좌시여!
주 예수 그리스도여, 내 말을 들으소서, 내 말을 들으소서
내가 당신을 영원히 찬양하리이다!

삼위일체주일 후 제16주일

서신서 에베소서 3:13-21
복음서 누가복음 7:11-17

BWV 161

Komm, du süße Todesstunde

1. Aria: Alto C/ES **C**

Komm, du süße Todesstunde,
da mein Geist
Honig speist
aus des Löwen Munde;
mache meinen Abschied süße,
säume nicht,
letztes Licht,
dass ich meinen Heiland küsse.

2. Recitativo: Tenor a-C/c-E♭ **C**

Welt, deine Lust ist Last,
dein Zucker ist mir als ein Gift verhasst,
dein Freudenlicht
ist mein Komete,
und wo man deine Rosen bricht,
sind Dornen ohne Zahl
zu meiner Seele Qual.
Der blasse Tod ist meine Morgenröte,
mit solcher geht mir auf die Sonne
der Herrlichkeit und Himmelswonne.
Drum seufz ich recht von Herzensgrunde

BWV 161
오라, 달콤한 죽음의 시간이여

- 1716년 바이마르 작곡, 1716년 9월 27일 바이마르 초연
- 리코더 2, 바이올린 2, 비올라, 콘티누오
- 잘로몬 프랑크 (1-5); 크리스토프 크놀 (6)

1. 아리아: 알토

오라, 달콤한 죽음의 시간이여
내 영혼이
사자의 입에서 나오는
꿀을 먹을 때에.
나의 이별을 달콤하게 하라
지체하지 마라
마지막 빛이여
나의 구세주에게 입맞춤을 할 때에.

2. 레치타티보: 테너

세상아, 너의 쾌락은 짐이고
너의 달콤함은 내게 독처럼 혐오스럽다.
너의 기쁨의 빛은
내겐 악마의 별,
너의 장미를 꺾은 곳에서
수많은 가시가
내 영혼의 고통이 되는구나.
창백한 죽음은 나의 아침놀,
그와 더불어 나에겐
찬란한 태양과 하늘의 환희가 떠오른다.
그리하여 나는 마음 깊은 곳에서 한숨지으며

nur nach der letzten Todesstunde.
Ich habe Lust, bei Christo bald zu weiden,
ich habe Lust, von dieser Welt zu scheiden.

3. Aria: Tenor a/c 3/4

Mein Verlangen
ist, den Heiland zu umfangen
und bei Christo bald zu sein.
Ob ich sterblich' Asch und Erde
durch den Tod zermalmet werde,
wird der Seele reiner Schein
dennoch gleich den Engeln prangen.

4. Recitativo: Alto C-C/E♭-E♭ 𝄴

Der Schluss ist schon gemacht,
Welt, gute Nacht!
Und kann ich nur den Trost erwerben,
in Jesu Armen bald zu sterben:
Er ist mein sanfter Schlaf.
Das kühle Grab wird mich mit Rosen decken,
bis Jesus mich wird auferwecken,
bis er sein Schaf
führt auf die süße Lebensweide,
dass mich der Tod von ihm nicht scheide.
So brich herein, du froher Todestag,
so schlage doch, du letzter Stundenschlag!

5. Coro C/E♭ 3/8

Wenn es meines Gottes Wille,

내 마지막 죽음의 순간을 기다린다.
곧 그리스도 곁에서 거닐고 싶구나,
이 세상을 떠나고 싶구나.

3. 아리아: 테너

나의 바람은
구세주를 받아들이고
머잖아 그리스도 곁에 있는 것이네.
　　내가 죽어 이 땅의 재와 흙으로
　　으스러져도
　　내 영혼의 순수한 빛은
　　곧 천사들처럼 찬란히 빛나리라.

4. 레치타티보: 알토

끝은 이미 정해졌네
세상이여, 잘 있어라!
내가 얻을 수 있는 유일한 위로는
곧 예수님의 품에서 죽는다는 것이네.
그분은 나의 부드러운 잠.
서늘한 무덤이 나를 장미로 덮으리라
예수님이 나를 다시 깨울 때까지,
그분이 당신의 양을
달콤한 생명의 초지로 이끌 때까지.
그러면 죽음은 나를 그분과 갈라놓지 못하리.
그러니 다가오라, 너 기쁜 죽음의 날이여
울려라, 너 마지막 시간의 종이여!

5. 합창

내 하나님의 뜻이라면

wünsch ich, dass des Leibes Last
heute noch die Erde fülle,
und der Geist, des Leibes Gast,
mit Unsterblichkeit sich kleide
in der süßn Himmelsfreude.
Jesu, komm und nimm mich fort!
Dieses sei mein letztes Wort.

6. Choral e/g **C**

Der Leib zwar in der Erden
von Würmern wird verzehrt,
doch auferweckt soll werden,
durch Christum schön verklärt,
wird leuchten als die Sonne
und leben ohne Not
in himml'scher Freud und Wonne.
Was schadt mir denn der Tod?

BWV 95

Christus, der ist mein Leben

---

1. Coro (Choral) e Recitativo: Tenor G, G-g, g 3/4/**C**, ¢

Christus, der ist mein Leben,

내 육신의 무게를
오늘이라도 이 땅이 짊어지기를 원하네,
육신의 손님인 영혼은
달콤한 하늘의 기쁨을 안고
불멸의 옷으로 갈아입기를 원하네.
예수님, 오시어 나를 데려가소서!
이것이 나의 마지막 말이라네.

6. 코랄

육신은 이 땅에서
벌레에게 먹히더라도
다시 깨어나
그리스도를 통해 변화하고
태양처럼 빛나면서
하늘의 기쁨과 환희 속에서
시련 없이 살리라.
그렇다면 죽음이 나에게 무엇이 나쁠까?

BWV 95

그리스도는 나의 생명

- 1723년 라이프치히 작곡, 1723년 9월 12일 초연
- 코넷, 오보에 다모레 2, 바이올린 2, 비올라, 콘티누오
- 마르틴 루터 (1); 발레리우스 헤르베르거 (3); 니콜라우스 헤르만 (7); 무명 시인 (1, 2, 4-6)

---

1. 합창(코랄) & 레치타티보: 테너

그리스도는 나의 생명,

sterben ist mein Gewinn;
dem tu ich mich ergeben,
mit Freud fahr ich dahin.
Mit Freuden,
ja, mit Herzenslust
will ich von hinnen scheiden.
Und hieß es heute noch: Du musst!
So bin ich willig und bereit.
Den armen Leib, die abgezehrten Glieder,
das Kleid der Sterblichkeit
der Erde wieder
in ihren Schoß zu bringen.
Mein Sterbelied ist schon gemacht;
Ach, dürft ich's heute singen!
Mit Fried und Freud ich fahr dahin,
nach Gottes Willen,
getrost ist mir mein Herz und Sinn,
sanft und stille.
Wie Gott mir verheißen hat:
Der Tod ist mein Schlaf worden.

2. Recitativo: Soprano d-b **C**

Nun, falsche Welt!
Nun habe ich weiter nichts mit dir zu tun;
mein Haus ist schon bestellt,
ich kann weit sanfter ruhn,
als da ich sonst bei dir,
an deines Babels Flüssen,
das Wollustsalz verschlucken müssen,

죽는 것은 나에게 유익하네.
그분께 나를 헌신하고
기쁘게 그곳으로 달려가리라.
기쁜 마음으로,
마음속 즐거움으로
나는 이곳을 떠나리라.
떠나라! 오늘 이 부름을 받는다면
나는 기꺼이 준비를 끝내리라.
가련한 육신, 여윈 팔다리
필멸의 옷을
흙의 품에 다시
돌려주리라.
내 죽음의 노래는 이미 만들어졌네.
아, 그 노래를 오늘 부를 수만 있다면!
평안하고 기쁘게 나는
하나님의 뜻대로 떠나리라.
내 마음과 정신은 위로를 받아
온화하고 조용하네.
하나님이 내게 약속하신 대로
죽음은 나의 잠이 되었네.

2. 레치타티보: 소프라노

참으로, 거짓된 세상!
나는 이제 너와 더는 인연이 없네.
나의 집은 이미 준비되었다
네 곁에 머물면서
너의 바벨의 냇가에서
정욕의 소금을 삼키고
너의 쾌락의 정원에서

wenn ich an deinem Lustrevier
nur Sodomsäpfel konnte brechen.
Nein, nein! nun kann ich mit gelassner'm
    Mute sprechen:

3. Choral: Soprano D 3/4

Valet will ich dir geben,
du arge, falsche Welt,
dein sündlich böses Leben
durchaus mir nicht gefällt.
Im Himmel ist gut wohnen,
hinauf steht mein Begier.
Da wird Gott ewig lohnen
dem, der ihm dient allhier.

4. Recitativo: Tenor b-A **C**

Ach, könnte mir doch bald so wohl geschehn,
dass ich den Tod,
das Ende aller Not,
in meinen Gliedern könnte sehn;
ich wollte ihn zu meinem Leibgedinge wählen
und alle Stunden nach ihm zählen.

5. Aria: Tenor D 3/4

Ach, schlage doch bald, sel'ge Stunde,
den allerletzten Glockenschlag!
    Komm, komm, ich reiche dir die Hände,
    komm, mache meiner Not ein Ende,
    du längst erseufzter Sterbenstag!

소돔의 사과만 따야 했을 때보다
훨씬 더 평안하게 쉴 수 있으리.
아니, 아니! 이제 나는 차분한
마음으로 말할 수 있네.

3. 코랄: 소프라노

나는 너와 작별하려 하네
너, 사악하고 거짓된 세상아,
죄로 물든 사악한 너의 삶은
내 맘에 흡족하지 않네.
천국에는 멋진 삶이 있으니
내 갈망이 그곳에 있네.
하나님은 이곳에서 그를 섬긴 이들에게
그곳에서 영원히 보상하시리라.

4. 레치타티보: 테너

아, 곧 내게 이런 일이 일어나기를 바라네.
내가 죽음을,
모든 고난의 끝을,
내 몸 안에서 볼 수 있다면 얼마나 좋을까.
나는 죽음을 나의 재산으로 선택하고
매시간 그것을 세어보리라.

5. 아리아: 테너

아, 곧 울려라 축복의 시간이여,
최후의 종소리를!
오라, 오라, 내가 네게 손을 내밀리라
와서 내 고난을 끝내어다오
너 오래전부터 한숨 쉬며 그려온 죽음의 날이여!

6. Recitativo: Bass b-G **C**

Denn ich weiß dies
und glaub es ganz gewiss,
dass ich aus meinem Grabe
ganz einen sichern Zugang zu dem Vater habe.
Mein Tod ist nur ein Schlaf,
dadurch der Leib, der hier von Sorgen abgenommen,
zur Ruhe kommen.
Sucht nun ein Hirte sein verlornes Schaf,
wie sollte Jesus mich nicht wieder finden,
da er mein Haupt und ich sein Gliedmaß bin!
So kann ich nun mit frohen Sinnen
mein selig Auferstehn auf meinen Heiland gründen.

7. Choral G **C**

Weil du vom Tod erstanden bist,
werd ich im Grab nicht bleiben;
dein letztes Wort mein Auffahrt ist,
Tod'sfurcht kannst du vertreiben.
Denn wo du bist, da komm ich hin,
dass ich stets bei dir leb und bin;
drum fahr ich hin mit Freuden.

6. 레치타티보: 베이스

내가 알고
분명히 믿는 것은
나의 무덤에서
아버지께 가는 확실한 길이 있다는 것이네.
내 죽음은 다만 잠에 지나지 않으니
그로써 이 땅의 근심을 벗어던진 육신이
안식에 들리라.
이제 목자가 잃어버렸던 양을 찾을진대
예수님은 나의 머리이시고, 나는 그의 팔다리이니
그가 나를 다시 찾지 못할 까닭이 있겠는가!
이제 나는 기쁜 마음으로
구세주 위에 나의 복된 부활을 이룰 수 있으리라.

7. 코랄

당신이 죽음에서 일어나셨으니
나는 무덤에 머물러 있지 않으리라.
당신의 마지막 말씀은 나의 출발이네
죽음의 두려움을 당신은 몰아낼 수 있네.
당신이 계신 곳에 내가 가서
언제나 당신 곁에서 살리라.
그러므로 내가 기쁘게 이곳을 떠나겠네.

BWV 8
Liebster Gott, wenn werd ich sterben?

1. Coro(Choral) E/D 12/8

Liebster Gott, wenn werd ich sterben?
Meine Zeit läuft immer hin,
und des alten Adams Erben,
unter denen ich auch bin,
haben dies zum Vaterteil,
dass sie eine kleine Weil
arm und elend sein auf Erden
und denn selber Erde werden.

2. Aria: Tenor c♯/b 3/4

Was willst du dich, mein Geist, entsetzen,
wenn meine letzte Stunde schlägt?
Mein Leib neigt täglich sich zur Erden,
und da muss seine Ruhstatt werden,
wohin man so viel tausend trägt.

3. Recitativo: Alto g♯-A/f♯-G **C**

Zwar fühlt mein schwaches Herz
Furcht, Sorge, Schmerz:
Wo wird mein Leib die Ruhe finden?
Wer wird die Seele doch

BWV 8
사랑하는 하나님, 내가 언제 세상을 떠날까요?

- 1724년 라이프치히 작곡, 1724년 9월 24일 라이프치히 초연
- 피콜로 플루트, 오보에 다모레 2, 현악기, 콘티누오
- 카스파르 노이만 (1, 6); 무명 시인 (2-5)

1. 합창(코랄)

사랑하는 하나님, 내가 언제 세상을 떠날까요?
내 시간이 자꾸 흘러갑니다.
옛날 아담의 자손들
나 또한 그중 한 명이니
그의 자손들이 상속한 것은
아주 짧은 시간
가난하고 불행하게 이 땅에서 살다가
스스로 흙이 되는 것입니다.

2. 아리아: 테너

내 영혼아, 내 마지막 시간이 울릴 때
너는 무엇을 두려워하느냐?
내 육신은 날마다 땅을 향해 굽어지니
수많은 사람들이 돌아간
그곳이 내 육신의 안식처가 되어야 하리라.

3. 레치타티보: 알토

내 약한 마음이 느끼고 있네
두려움과 근심과 고통을.
내 육신은 어디에서 쉴 곳을 찾을까?
누가 내 영혼에 씌워진

vom aufgelegten Sündenjoch
befreien und entbinden?
Das Meine wird zerstreut,
und wohin werden meine Lieben
in ihrer Traurigkeit
zertrennt vertrieben?

4. Aria: Bass A/G 12/8

Doch weichet, ihr tollen, vergeblichen Sorgen!
Mich rufet mein Jesus: wer sollte nicht gehn?
Nichts, was mir gefällt,
besitzet die Welt.
Erscheine mir, seliger, fröhlicher Morgen,
verkläret und herrlich vor Jesu zu stehn.

5. Recitativo: Soprano f♯-g♯/e-f♯ **C**

Behalte nur, o Welt, das Meine!
Du nimmst ja selbst mein Fleisch und mein Gebeine,
so nimm auch meine Armut hin;
genug, dass mir aus Gottes Überfluss
das höchste Gut noch werden muss,
genug, dass ich dort reich und selig bin.
Was aber ist von mir zu erben
als meines Gottes Vatertreu?
Die wird ja alle Morgen neu
und kann nicht sterben.

6. Choral E/D **C**

Herrscher über Tod und Leben,

죄의 굴레를
풀어주고 벗겨줄까?
내가 가진 것들이 모두 흩어지는데
내가 사랑하는 이들은
슬픔 속에서
어디로 흩어지고 쫓겨날까?

4. 아리아: 베이스

사라져라, 너희 어리석고 헛된 근심아!
예수님이 나를 부르시는데 누가 가지 않겠는가?
　　아무것도 내 마음에 드는 것
　　이 세상에 없어라.
　　나에게 나타나다오, 복되고 즐거운 아침이여
　　변모한 찬란한 모습으로 예수님 앞에 서 있어라.

5. 레치타티보: 소프라노

세상이여, 내 것을 가져가라!
내 육신과 내 뼈를 가져가듯
나의 가난도 가져가라.
하나님의 넘치는 곳간에서
최고의 보화가 내 것이 되니, 그것으로 되었도다
그곳에서 내가 풍요롭고 행복하리니, 그것으로 되었도다.
하나님의 자애로운 사랑 외에
내가 또 무엇을 상속해야 하느냐?
매일 아침 그 사랑이 새로워지니
결코 사라지지 않으리라.

6. 코랄

죽음과 삶을 다스리는 주님

mach einmal mein Ende gut,
lehre mich den Geist aufgeben
mit recht wohlgefasstem Mut.
Hilf, dass ich ein ehrlich Grab
neben frommen Christen hab
und auch endlich in der Erde
nimmermehr zuschanden werde!

BWV 27

Wer weiß, wie nahe mir mein Ende?

---

1. Coro(Choral) e Recitativo: Soprano, Alto, Tenor c 3/4

Wer weiß, wie nahe mir mein Ende?
(Soprano)
Das weiß der liebe Gott allein,
ob meine Wallfahrt auf der Erden
kurz oder länger möge sein.
Hin geht die Zeit, her kommt der Tod,
(Alto)
Und endlich kommt es doch so weit,
dass sie zusammentreffen werden.
Ach, wie geschwinde und behende

장차 나의 마지막을 좋게 하소서
내 영혼을 의연한 용기로
주께 맡길 수 있게 가르치소서.
경건한 그리스도인들과 나란히
무덤에 묻히게 하시고
마침내 흙 속에 누워
더는 좌절하지 않게 하소서!

BWV 27
누가 알까요, 나의 종말이 얼마나 가까웠는지?

- 1726년 라이프치히 작곡, 1726년 10월 6일 라이프치히 초연
- 코넷, 오보에 2, 오보에 다 카차, 바이올린 2, 비올라, 오르간 오블리가토, 콘티누오
- 에밀리에 율리아네 폰 슈바르츠부르크-루돌슈타트 (1); 요한 게오르크 알비누스 (6); 무명 시인 (2-5)

---

1. 합창(코랄) & 레치타티보: 소프라노, 알토, 테너

누가 알까요, 나의 종말이 얼마나 가까웠는지?
(소프라노)
그것은 사랑의 하나님만이 아시네,
나의 세상 순례가
짧게 끝날지 길게 계속될지는.
시간이 흐르면, 죽음이 찾아오네.
(알토)
마침내 때가 되어
그들은 서로 만나리라.
아, 얼마나 빠르고 날쌔게

kann kommen meine Todesnot!

(Tenor)
Wer weiß, ob heute nicht
mein Mund die letzten Worte spricht.
Drum bet ich alle Zeit:
Mein Gott, ich bitt durch Christi Blut,
mach's nur mit meinem Ende gut!

2. Recitativo: Tenor g-c C

Mein Leben hat kein ander Ziel,
als dass ich möge selig sterben
und meines Glaubens Anteil erben;
drum leb ich allezeit
zum Grabe fertig und bereit,
und was das Werk der Hände tut,
ist gleichsam, ob ich sicher wüsste,
dass ich noch heute sterben müsste:
Denn Ende gut, macht alles gut!

3. Aria: Alto E♭ C

Willkommen! will ich sagen,
wenn der Tod ans Bette tritt.
Fröhlich will ich folgen, wenn er ruft,
in die Gruft,
alle meine Plagen
nehm ich mit.

4. Recitativo: Soprano c-c C

Ach, wer doch schon im Himmel wär!

내 죽음의 고난이 닥쳐오는지!

(테너)

누가 알까요, 오늘이라도
나의 입이 마지막 말을 하게 될지.
그러므로 나는 늘 기도하네.
나의 하나님, 그리스도의 보혈을 통해 간청하오니
나의 끝을 축복하소서!

2. 레치타티보: 테너

내 삶에 다른 목표는 없네,
오직 행복하게 죽고
내 믿음의 몫을 물려받는 것뿐이네.
그러므로 나는 언제나
무덤에 갈 준비를 끝낸 사람으로 살고 있네
내 손이 하는 일들은
마치 내가 오늘이라도 죽을 것을
확실히 아는 것 같네.
끝이 좋으면 모든 것이 좋으므로!

3. 아리아: 알토

환영합니다! 나는 이렇게 말하리라
죽음이 내 침상으로 다가올 때에.
그가 부르면 나는 기쁘게
무덤으로 따라가리라
내 모든 고통도
가져가리라.

4. 레치타티보: 소프라노

아, 지금 천국에 있기만 하다면!

Ich habe Lust zu scheiden
und mit dem Lamm,
das aller Frommen Bräutigam,
mich in der Seligkeit zu weiden.
Flügel her!
Ach, wer doch schon im Himmel wär!

5. Aria: Bass g 3/4

Gute Nacht, du Weltgetümmel!
Itzt mach ich mit dir Beschluss;
ich steh schon mit einem Fuß
bei dem lieben Gott im Himmel.

6. Choral B♭ **C**, 3/4

Welt, ade! Ich bin dein müde,
Ich will nach dem Himmel zu,
da wird sein der rechte Friede
und die ew'ge, stolze Ruh.
Welt, bei dir ist Krieg und Streit,
nichts denn lauter Eitelkeit,
in dem Himmel allezeit
Friede, Freud und Seligkeit.

나는 떠나고 싶습니다
모든 신앙인의 신랑인
어린양과 함께
행복을 만끽하고 싶습니다.
날개를 주십시오!
아, 지금 천국에 있기만 하다면!

5. 아리아: 베이스

잘 있어라, 세상의 혼란이여!
　　이제 나는 너를 떠나리라.
　　나는 벌써 한 발을 하늘에 계신
　　사랑의 하나님 옆에 두고 서 있네.

6. 코랄

세상이여, 안녕! 나는 너에게 지쳤네
나는 천국으로 가려 하네
그곳엔 진정한 평화와
영원하고 자랑스러운 안식이 있다네.
세상이여, 지상에는 전쟁과 싸움이 있고
오로지 허영밖에는 아무것도 없네.
천국에는 언제나
평화와 기쁨과 행복이 있다네.

삼위일체주일 후 제17주일

서신서 에베소서 4:1-6
복음서 누가복음 14:1-11

BWV 148

Bringet dem Herrn Ehre seines Namens

1. Coro D ¢

Bringet dem Herrn Ehre seines Namens, betet an den Herrn im heil'gen Schmuck.

2. Aria: Tenor b 6/8

Ich eile, die Lehren
des Lebens zu hören,
und suche mit Freuden das heilige Haus.
  Wie rufen so schöne
  das frohe Getöne
  zum Lobe des Höchsten die Seligen aus!

3. Recitativo: Alto G-G C

So wie der Hirsch nach frischem Wasser schreit,
so schrei ich, Gott, zu dir.
Denn alle meine Ruh
ist niemand außer du.
Wie heilig und wie teuer
ist, Höchster, deine Sabbatsfeier!
Da preis ich deine Macht
in der Gemeine der Gerechten.
Oh! wenn die Kinder dieser Nacht

BWV 148
주님께 그 이름의 영광을 돌려드려라

- 1723년 라이프치히 작곡(추정),
  1723년 9월 19일 라이프치히 초연(추정)
- 트럼펫, 오보에 3, 바이올린 2, 비올라, 콘티누오
- 시편 29:2 (1); 피칸더 참조 (2-5: 추정); 무명 시인 (6)

1. 합창
주님께 그 이름의 영광을 돌려드려라,
거룩한 빛 두르신 주님께 경배하라.

2. 아리아: 테너
내가 서둘러
인생의 가르침을 듣고자
기쁘게 거룩한 집을 찾아갑니다.
　　행복한 이들이 얼마나 아름답게
　　기쁜 소리로
　　주님 찬양을 외치는지요!

3. 레치타티보: 알토
사슴이 깨끗한 물을 갈구하며 소리치듯이
하나님, 나도 당신을 부르짖나이다.
나의 모든 안식은
당신 말고는 그 어디에도 없습니다.
높으신 주님, 당신의 안식일이
얼마나 거룩하고 소중한지요!
내가 당신의 권능을
의인들의 회중에서 찬양합니다.
오! 이 밤의 자녀들이

die Lieblichkeit bedächten,
denn Gott wohnt selbst in mir.

4. Aria: Alto G **C**

Mund und Herze steht dir offen,
Höchster, senke dich hinein!
Ich in dich, und du in mich;
Glaube, Liebe, Dulden, Hoffen
soll mein Ruhebette sein.

5. Recitativo: Tenor e-f♯ **C**

Bleib auch, mein Gott, in mir
und gib mir deinen Geist,
der mich nach deinem Wort regiere,
dass ich so einen Wandel führe,
der dir gefällig heißt,
damit ich nach der Zeit
in deiner Herrlichkeit,
mein lieber Gott, mit dir
den großen Sabbat möge halten.

6. Choral f♯ **C**

Auf meinen lieben Gott
trau ich in Angst und Not;
er kann mich allzeit retten
aus Trübsal, Angst und Nöten;
mein Unglück kann er wenden,
steht all's in seinen Händen.

그 사랑스러움을 생각하면 좋겠습니다
하나님이 친히 내 안에 계시기 때문입니다.

4. 아리아: 알토

나의 입과 마음이 당신에게 열려 있습니다.
　　높으신 주님, 그 안으로 내려오소서!
　　나는 당신에게, 당신은 나에게 내려오소서.
　　믿음, 사랑, 인내, 소망이
　　나의 안식의 침상이 되어야 합니다.

5. 레치타티보: 테너

하나님, 내 안에 머무르시어
당신의 영을 내게 주소서.
당신의 말씀에 따라 나를 다스리는 영을.
그리하여 내가 당신이 흡족해하는
삶을 살아가게 하시어
때가 차면 내가
당신의 영광 안에서
사랑하는 주님, 당신과 함께
위대한 안식일을 지키게 하소서.

6. 코랄

사랑하는 하나님을
나는 두려움과 시련 속에서 믿네.
그는 나를 언제나
슬픔과 두려움과 시련에서 구하시네.
나의 불행을 그가 막아주시니
모든 것이 그의 손안에 있다네.

BWV 114

Ach, lieben Christen, seid getrost

1. Coro (Choral) g 6/4

Ach, lieben Christen, seid getrost,
wie tut ihr so verzagen!
Weil uns der Herr heimsuchen tut,
lasst uns von Herzen sagen:
Die Straf wir wohl verdienet han,
solch's muss bekennen jedermann,
niemand darf sich ausschließen.

2. Aria: Tenor d 3/4, 12/8, 3/4

Wo wird in diesem Jammertale
für meinen Geist die Zuflucht sein?
    Allein zu Jesu Vaterhänden
    will ich mich in der Schwachheit wenden;
    sonst weiß ich weder aus noch ein.

3. Recitativo: Bass g-d **C**

O Sünder, trage mit Geduld,
was du durch deine Schuld
dir selber zugezogen!
Das Unrecht säufst du ja
wie Wasser in dich ein,

BWV 114
아, 사랑하는 그리스도인이여, 안심하여라

- ✪ 1724년 라이프치히 작곡, 1724년 10월 1일 라이프치히 초연
- ♪ 오보에 2, 플루트, 바이올린 2, 비올라, 콘티누오
- Ⓣ 요하네스 기가스 (1, 4, 7); 무명 시인 (2, 3, 5, 6)

1. 합창 (코랄)

아, 사랑하는 그리스도인이여, 안심하여라
어찌 그토록 절망에 빠져 있는가!
주님이 우리를 징벌하시니
진심에서 우러나는 말을 하자.
우리는 벌을 받아 마땅하니
이는 누구나 인정해야 하리라
그 누구도 예외일 수가 없도다.

2. 아리아: 테너

이 슬픔의 골짜기에서
내 영혼의 피난처는 어디일까요?
　　오직 예수님의 자애로운 손에
　　나약한 나 자신을 맡기리라.
　　그러지 않으면 무엇을 해야 할지 나는 알지 못하네.

3. 레치타티보: 베이스

오 죄인이여, 너의 죄를 통해
네 스스로 자초한 것을
인내로써 견뎌라!
너는 불의를
물처럼 마시고 있으니

und diese Sündenwassersucht
ist zum Verderben da
und wird dir tödlich sein.
Der Hochmut aß vordem von der verbotnen Frucht,
Gott gleich zu werden;
wie oft erhebst du dich mit schwülstigen Gebärden,
dass du erniedrigt werden musst.
Wohlan, bereite deine Brust,
dass sie den Tod und Grab nicht scheut,
so kömmst du durch ein selig Sterben
aus diesem sündlichen Verderben
zur Unschuld und zur Herrlichkeit.

4. Choral: Soprano g **C**

Kein Frucht das Weizenkörnlein bringt,
es fall denn in die Erden;
so muss auch unser irdscher Leib
zu Staub und Aschen werden,
eh er kömmt zu der Herrlichkeit,
die du, Herr Christ, uns hast bereit'
durch deinen Gang zum Vater.

5. Aria: Alto B♭ **C**

Du machst, o Tod, mir nun nicht ferner bange,
wenn ich durch dich die Freiheit nur erlange,
es muss ja so einmal gestorben sein.
    Mit Simeon will ich in Friede fahren,
    mein Heiland will mich in der Gruft bewahren
    und ruft mich einst zu sich, verklärt und rein.

이 죄악의 목마름은
멸망으로 가는 길이요
너를 죽게 하리라.
교만은 오래 전에 금단의 열매를 먹고
하나님과 같아지려 하였다.
잘난 체하며 스스로를 자주 높이면
낮아질 수밖에 없도다.
자 이제 네 마음을 준비하여
죽음과 무덤을 피하지 마라.
그러면 너는 복된 죽음을 통해
이 죄 많은 타락에서 벗어나
순수하고 영광된 곳으로 가리라.

4. 코랄: 소프라노
밀알이 땅에 떨어져야
비로소 열매를 맺듯이
우리의 지상의 육신도
먼지와 재로 변한 뒤에야
주 그리스도가 아버지께 가면서
우리에게 예비하신
영광에 이르리라.

5. 아리아: 알토
죽음이여, 내가 너를 통해 자유를 얻을 수만 있다면
너는 내게 더는 두려움을 안겨주지 못하네.
인간은 언젠가는 죽어야만 하네.
　　시므온과 함께 나는 평안히 떠나가려 하네.
　　나의 구세주가 나를 무덤에서 지켜주시다가
　　언젠가는 변모하여 깨끗해진 나를 부르시리라.

6. Recitativo: Tenor g-g C

Indes bedenke deine Seele
und stelle sie dem Heiland dar;
gib deinen Leib und deine Glieder
Gott, der sie dir gegeben, wieder.
Er sorgt und wacht,
und so wird seiner Liebe Macht
im Tod und Leben offenbar.

7. Choral g C

Wir wachen oder schlafen ein,
so sind wir doch des Herren;
auf Christum wir getaufet sein,
der kann dem Satan wehren.
Durch Adam auf uns kömmt der Tod,
Christus hilft uns aus aller Not.
Drum loben wir den Herren.

BWV 47

Wer sich selbst erhöhet, der soll erniedriget werden

---

1. Coro g ¢

Wer sich selbst erhöhet, der soll erniedriget werden,

6. 레치타티보: 테너

이제 너의 영혼을 생각하고
그것을 구세주께 맡겨라,
너의 육신과 팔다리를 네게
주셨던 하나님께 다시 돌려드려라.
그는 너를 돌보고 지키시리니
그의 사랑의 힘은
죽음에서도 삶에서도 드러나리라.

7. 코랄

깨어 있을 때도 잠에 들었을 때도
우리는 주님의 것입니다.
그리스도 안에서 우리가 세례를 받았으니
그는 사탄을 막을 수 있습니다.
아담을 통해 죽음이 우리를 찾아옵니다.
그리스도가 우리를 모든 시련에서 구하시니
우리가 주님을 찬양합니다.

BWV 47
자기를 스스로 높이는 사람은 낮아지고

- 1726년 라이프치히 작곡, 1726년 10월 13일 라이프치히 초연
- 오보에 2, 바이올린 2, 비올라, 콘티누오
- 누가복음 14:11, 18:14 (1); 요한 프리드리히 헬비히 (2-4); 무명 시인 (5)

---

1. 합창

자기를 스스로 높이는 사람은 낮아지고

und wer sich selbst erniedriget, der soll erhöhet werden.

2. Aria: Soprano d 3/8

Wer ein wahrer Christ will heißen,
muss der Demut sich befleißen;
Demut stammt aus Jesu Reich.
Hoffart ist dem Teufel gleich;
Gott pflegt alle die zu hassen,
so den Stolz nicht fahren lassen.

3. Recitativo: Bass g-E♭ C

Der Mensch ist Kot, Stank, Asch und Erde;
ist's möglich, dass vom Übermut,
als einer Teufelsbrut,
er noch bezaubert werde?
Ach Jesus, Gottes Sohn,
der Schöpfer aller Dinge,
ward unsertwegen niedrig und geringe,
er duld'te Schmach und Hohn;
und du, du armer Wurm, suchst dich zu brüsten?
Gehört sich das für einen Christen?
Geh, schäme dich, du stolze Kreatur,
tu Buß und folge Christi Spur;
wirf dich vor Gott im Geiste gläubig nieder!
Zu seiner Zeit erhöht er dich auch wieder.

4. Aria: Bass E♭ C

Jesu, beuge doch mein Herze

자기를 스스로 낮추는 사람은
높아지리라.

2. 아리아: 소프라노

참 그리스도인으로 불리고 싶은 사람은
겸손에 힘써야 합니다.
겸손은 예수님의 나라에서 왔습니다.
　　오만함은 악마와 같습니다.
　　하나님은 오만을 버리지 못한
　　사람을 모두 미워하십니다.

3. 레치타티보: 베이스

인간은 오물이요 악취요 재요 흙입니다.
악마의 족속 같은 오만에
어떻게 우리는
아직도 현혹될까요?
아 예수님, 하나님의 아드님
만물의 창조주는
우리를 위하여 낮아지고 작아지셨고
치욕과 조롱을 견디셨습니다.
그런데 가련한 벌레 같은 그대는 자만하고 있나요?
그것이 그리스도인의 합당한 태도입니까?
부끄러워하십시오, 그대 오만한 피조물이여
가서 속죄하고 그리스도의 자취를 따르며
신실한 영으로 하나님 앞에 엎드리십시오!
그의 때가 오면 주님이 그대를 다시 높이실 것입니다.

4. 아리아: 베이스

예수님, 내 마음을

unter deine starke Hand,
dass ich nicht mein Heil verscherze
wie der erste Höllenbrand.
Lass mich deine Demut suchen
und den Hochmut ganz verfluchen;
gib mir einen niedern Sinn,
dass ich dir gefällig bin!

5. Choral g **C**

Der zeitlichen Ehrn will ich gern entbehrn,
du wollst mir nur das Ew'ge gewährn,
das du erworben hast
durch deinen herben, bittern Tod.
Das bitt ich dich, mein Herr und Gott.

당신의 강한 손 아래로 굽혀
내가 지옥의 첫 화염처럼
구원을 잃어버리지 않게 하소서.
내가 당신의 겸손함을 구하게 하시고
오만함을 완전히 저주하게 하소서.
나에게 겸손한 마음을 주시어
내가 당신 마음에 흡족하게 하소서!

5. 코랄

현세의 영광을 나는 기꺼이 버리겠습니다,
당신이 혹독하고 쓰라린 죽음을 통해
얻으신
그 영원을 나에게 허락하신다면.
나의 주 하나님, 그리 되기를 간청합니다.

삼위일체주일 후 제18주일

서신서 고린도전서 1:4-8
복음서 마태복음 22:34-46

BWV 96

Herr Christ, der einge Gottessohn

1. Coro (Choral) F 9/8

Herr Christ, der einge Gottessohn,
Vaters in Ewigkeit,
aus seinem Herzen entsprossen,
gleichwie geschrieben steht.
Er ist der Morgensterne,
sein' Glanz streckt er so ferne
vor andern Sternen klar.

2. Recitativo: Alto B♭-F **C**

O Wunderkraft der Liebe,
wenn Gott an sein Geschöpfe denket,
wenn sich die Herrlichkeit
im letzten Teil der Zeit
zur Erde senket;
O unbegreifliche, geheime Macht!
Es trägt ein auserwählter Leib
den großen Gottessohn,
den David schon
im Geist als seinen Herrn verehrte,
da dies gebenedeite Weib
in unverletzter Keuschheit bliebe.

BWV 96
하나님의 외아들 주 예수 그리스도

- 1724년 라이프치히 작곡, 1724년 10월 8일 라이프치히 초연
- 가로 플루트, 피콜로 플루트, 바이올린 피콜로, 오보에 2, 바이올린 2, 콘티누오
- 엘리자베트 크로이치거 (1, 6); 무명 시인 (2-5)

1. 합창 (코랄)

하나님의 외아들 주 예수 그리스도
영원하신 아버지의 아들,
성경에 쓰여진 대로
그의 마음에서 피어나셨네.
그는 샛별,
그의 빛은
다른 별들보다 더 멀리 뻗어나가네.

2. 레치타티보: 알토

오 놀라운 사랑의 힘이여
하나님이 그의 피조물을 생각할 때에
그의 영광이
마지막 남은 시간에
땅으로 기울어질 때에.
오 알 수 없는 신비한 권능이여!
선택된 육신이 위대한
하나님의 아들을 품고 있네.
다윗이 이미
마음속에서 그의 주님으로 경배한 분이니
이는 축복받은 여인이
흠 없이 순결했기 때문이네.

O reiche Segenskraft! so sich auf uns ergossen,
da er den Himmel auf-, die Hölle zugeschlossen.

3. Aria: Tenor C 𝄴

Ach, ziehe die Seele mit Seilen der Liebe,
O Jesu, ach, zeige dich kräftig in ihr!
　Erleuchte sie, dass sie dich gläubig erkenne,
　gib, dass sie mit heiligen Flammen entbrenne,
　ach, wirke ein gläubiges Dürsten nach dir!

4. Recitativo: Soprano F-F 𝄴

Ach, führe mich, o Gott, zum rechten Wege,
mich, der ich unerleuchtet bin,
der ich nach meines Fleisches Sinn
so oft zu irren pflege;
jedoch gehst du nur mir zur Seiten,
willst du mich nur mit deinen Augen leiten,
so gehet meine Bahn
gewiss zum Himmel an.

5. Aria: Bass d 3/4

Bald zur Rechten, bald zur Linken
lenkt sich mein verirrter Schritt.
Gehe doch, mein Heiland, mit,
lass mich in Gefahr nicht sinken,
lass mich ja dein weises Führen
bis zur Himmelspforte spüren!

오 풍요로운 축복의 힘! 우리에게 쏟아지네,
그분이 천국을 열고 지옥을 닫았기 때문이네.

3. 아리아: 테너

아, 내 영혼을 사랑의 끈으로 잡아당기소서,
오 예수님, 내 영혼 속에 당신을 확실하게 드러내소서!
　　내 영혼을 비추시어 당신을 믿음으로 알아보게 하소서
　　내 영혼이 거룩한 불꽃으로 타오르게 하소서.
　　아, 내 영혼이 믿음으로 당신을 갈구하게 하소서!

4. 레치타티보: 소프라노

아, 하나님, 나를 옳은 길로 인도하소서
나는 무지몽매하여
내 육신의 뜻을 좇아
자주 방황하였나이다.
그러나 당신이 내 곁에서 걸어가시기만 하면
당신이 눈으로 나를 이끄시기만 하면
내가 걷는 길은
분명히 천국으로 통할 것입니다.

5. 아리아: 베이스

한 번은 오른쪽으로, 한 번은 왼쪽으로
내 길 잃은 발걸음이 움직입니다.
그러나 구세주여, 나와 함께 가소서
내가 위험에 빠지지 않게 하시고
당신의 지혜로운 인도하심을
하늘 문에 닿을 때까지 느끼게 하소서!

6. Choral F $\mathbf{C}$

Ertöt uns durch dein Güte,
erweck uns durch dein Gnad;
den alten Menschen kränke,
dass er neu' leben mag
wohl hier auf dieser Erden,
den Sinn und all Begierden
und G'danken hab'n zu dir.

BWV 169

Gott soll allein mein Herze haben

---

1. Sinfonia D

2. Arioso: Alto D-f♯ 3/8 / $\mathbf{C}$

Gott soll allein mein Herze haben.
Zwar merk ich an der Welt,
die ihren Kot unschätzbar hält,
weil sie so freundlich mit mir tut,
sie wollte gern allein
das Liebste meiner Seele sein.
Doch nein; Gott soll allein mein Herze haben:
Ich find in ihm das höchste Gut.

6. 코랄

당신의 선하심으로 우리를 거듭나게 하소서
당신의 자비로 우리를 깨우소서.
낡은 사람을 꾸짖으시어
새사람으로 살게 하소서
이 땅에 있는 동안
마음과 모든 욕망과
생각이 당신을 향하게 하소서.

BWV 169
하나님만이 내 마음을 가져야 하네

- 1726년 라이프치히 작곡, 1726년 10월 20일 라이프치히 초연
- 오보에 2, 알토 오보에, 바이올린 2, 비올라, 콘티누오, 오르간 오블리가토
- 마르틴 루터 (7); 크리스토프 비르크만 (2-6)

---

1. 신포니아

2. 아리오소: 알토

하나님만이 내 마음을 가져야 하네
내가 보는 세상은
그 안의 오물을 귀하다고 여기지만
세상은 나를 다정하게 대하기에
저 혼자 기꺼이
내 영혼이 사랑하는 대상이 되려 하네.
그러나 내 마음은 하나님만이 가져야 하네.
나는 그분 안에서 최고의 선을 발견하네.

Wir sehen zwar
auf Erden hier und dar
ein Bächlein der Zufriedenheit,
das von des Höchsten Güte quillet;
Gott aber ist der Quell, mit Strömen angefüllet,
da schöpf ich, was mich allezeit
kann sattsam und wahrhaftig laben:
Gott soll allein mein Herze haben.

3. Aria: Alto D **C**

Gott soll allein mein Herze haben,
ich find in ihm das höchste Gut.
    Er liebt mich in der bösen Zeit
    und will mich in der Seligkeit
    mit Gütern seines Hauses laben.

4. Recitativo: Alto G-f♯ **C**

Was ist die Liebe Gottes?
Des Geistes Ruh,
der Sinnen Lustgenieß,
der Seele Paradies.
Sie schließt die Hölle zu,
den Himmel aber auf;
sie ist Elias Wagen,
da werden wir in Himmel nauf
in Abrahms Schoß getragen.

5. Aria: Alto b 12/8

Stirb in mir,

우리는
세상 여기저기에서
주님의 선하심에서 흘러나온
만족의 냇물을 보네.
그러나 하나님은 강물이 가득한 근원이시네
내가 그곳에서 물을 길으니, 나는 언제나
풍족하고 참된 기운을 되찾네.
하나님만이 내 마음을 가져야 하네.

3. 아리아: 알토

하나님만이 내 마음을 가져야 하네
나는 그분 안에서 최고의 선을 발견하네.
　　그는 힘든 시기에 나를 사랑하시고
　　축복 속에서 나에게
　　그분 집의 보화로 생기를 주시려 하네.

4. 레치타티보: 알토

하나님의 사랑은 무엇입니까?
영혼의 평안
마음의 기쁨
영혼의 낙원입니다.
그분의 사랑은 지옥을 닫고
천국을 열어놓습니다.
그분의 사랑은 엘리야의 전차이니
우리가 그것을 타고 천국으로 올라가
아브라함의 품에 안기리이다.

5. 아리아: 알토

내 안에서 죽어라

Welt und alle deine Liebe,
dass die Brust
sich auf Erden für und für
in der Liebe Gottes übe;
stirb in mir,
Hoffart, Reichtum, Augenlust,
ihr verworfnen Fleischestriebe!

6. Recitativo: Alto D-A **C**

Doch meint es auch dabei
mit eurem Nächsten treu!
Denn so steht in der Schrift geschrieben:
Du sollst Gott und den Nächsten lieben.

7. Choral A **C**

Du süße Liebe, schenk uns deine Gunst,
lass uns empfinden der Liebe Brunst,
dass wir uns von Herzen einander lieben
und in Friede auf einem Sinn bleiben.
Kyrie eleis.

세상과 너의 모든 사랑아,
그리하여 내 가슴이
이 땅에서 영원히
하나님의 사랑을 실천하게 하라.
내 안에서 죽어라
교만과 부와 눈이 탐하는 쾌락이여
너희 타락한 육신의 욕망이여!

6. 레치타티보: 알토
그런 가운데 너희 이웃을
신의로 대하라!
성경에 기록되어 있는 대로
너는 하나님과 네 이웃을 사랑하여야 한다.

7. 코랄
달콤한 사랑이여, 우리에게 은혜를 베풀어
우리가 가슴속 사랑을 느끼게 하고
서로 마음 깊이 사랑하게 하고
평화롭게 한마음으로 살게 하소서.
주님 자비를 베푸소서.

삼위일체주일 후 제19주일

서신서 에베소서 4:22-28
복음서 마태복음 9:1-8

BWV 48

Ich elender Mensch, wer wird mich erlösen

1. Coro g 3/4

Ich elender Mensch, wer wird mich erlösen vom
Leibe dieses Todes?

2. Recitativo: Alto E♭-B♭ C

O Schmerz, o Elend, so mich trifft,
indem der Sünden Gift
bei mir in Brust und Adern wütet:
Die Welt wird mir ein Siech- und Sterbehaus,
der Leib muss seine Plagen
bis zu dem Grabe mit sich tragen.
Allein die Seele fühlet den stärksten Gift,
damit sie angestecket;
drum, wenn der Schmerz den Leib des Todes trifft,
wenn ihr der Kreuzkelch bitter schmecket,
so treibt er ihr ein brünstig Seufzen aus.

3. Choral B♭ C

Soll's ja so sein,
dass Straf und Pein
auf Sünde folgen müssen,
so fahr hier fort

BWV 48
나는 비참한 인간이니, 누가 나를 구원하리요

- 1723년 라이프치히 작곡, 1723년 10월 3일 라이프치히 초연
- 트럼펫, 오보에 2, 바이올린 2, 비올라, 콘티누오
- 로마서 7:24 (1); 마르틴 루틸리우스 (3); 무명 시인 (2, 4-7)

1. 합창

나는 비참한 인간이니, 누가 나를 구원하리요
이 죽음의 몸에서?

2. 레치타티보: 알토

오 고통과 비참함이 나를 덮치고
죄악의 독이
내 가슴과 핏줄에서 날뛰네.
세상은 내게 병원이고 죽음의 집이니
육신은 고통을
무덤까지 짊어지고 가야 하네.
영혼은 감염되어
치명적인 독을 느끼네.
고통이 죽어가는 육신을 덮치고
영혼이 쓰디쓴 고난의 잔을 맛보면
육신은 영혼에게 탄식을 내뱉게 하네.

3. 코랄

죄를 지은 뒤에
징벌과 고통이
따른다면
지상에서 그리 되게 하시고

und schone dort

und lass mich hier wohl büßen.

4. Aria: Alto E♭ 3/8

Ach, lege das Sodom der sündlichen Glieder,

wofern es dein Wille, zerstöret darnieder!

Nur schone der Seele und mache sie rein,

um vor dir ein heiliges Zion zu sein.

5. Recitativo: Tenor B♭-B♭ **C**

Hier aber tut des Heilands Hand

auch unter denen Toten Wunder.

Scheint deine Seele gleich erstorben,

der Leib geschwächt und ganz verdorben,

doch wird uns Jesu Kraft bekannt:

Er weiß im geistlich Schwachen

den Leib gesund, die Seele stark zu machen.

6. Aria: Tenor g 3/4

Vergibt mir Jesus meine Sünden,

so wird mir Leib und Seel gesund.

Er kann die Toten lebend machen

und zeigt sich kräftig in den Schwachen,

er hält den längst geschlossenen Bund,

dass wir im Glauben Hilfe finden.

7. Choral g **C**

Herr Jesu Christ, einiger Trost,

zu dir will ich mich wenden;

하늘에서는 돌보아 주시어
내가 이곳에서 속죄하게 하소서.

4. 아리아: 알토

아, 그것이 주님의 뜻이라면, 죄 많은 사람들의
소돔을 무너뜨리고 파괴하소서!
다만 나의 영혼을 구하시고 깨끗하게 만드시어
당신 앞에서 거룩한 시온이 되게 하소서

5. 레치타티보: 테너

그러나 이곳에서 구세주의 손은
죽은 자들 가운데에서도 기적을 행하십니다.
당신의 영혼이 죽은 듯이 보여도,
몸이 약해지고 완전히 무너진 듯이 보여도,
우리는 예수님의 능력을 알고 있습니다.
그는 영적으로 약한 사람들의
몸을 건강하게, 영혼은 강하게 만들 줄 아십니다.

6. 아리아: 테너

예수님이 내 죄를 용서하시면
내 몸과 영혼은 건강해지리라.
그는 죽은 이를 살리실 수 있고
약한 자들 가운데에 나타나시며
오래전에 맺은 언약을 지키시어
우리가 믿음 속에서 도움을 받게 하시네.

7. 코랄

주 예수 그리스도님, 나의 유일한 위로자여
내가 당신께 돌아가겠나이다.

mein Herzleid ist dir wohl bewusst,
du kannst und wirst es enden.
In deinen Willen seis gestellt,
mach's, lieber Gott, wie dir's gefällt:
Dein bin und will ich bleiben.

BWV 5

Wo soll ich fliehen hin

---

1. Coro (Choral) g C

Wo soll ich fliehen hin,
weil ich beschweret bin
mit viel und großen Sünden?
Wo soll ich Rettung finden?
Wenn alle Welt herkäme,
mein Angst sie nicht wegnähme.

2. Recitativo: Bass d-g C

Der Sünden Wust hat mich nicht nur befleckt,
er hat vielmehr den ganzen Geist bedeckt,
Gott müsste mich als unrein von sich treiben;
doch weil ein Tropfen heil'ges Blut
so große Wunder tut,

주님은 내 마음의 고통을 잘 아시니
그것을 끝내실 수 있고 또한 끝내주실 것입니다.
당신의 뜻에 달렸으니
사랑의 하나님, 당신 흡족하신 대로 하소서.
나는 지금도 앞으로도 영원히 당신의 것입니다.

BWV 5
어디로 피해야 할까요

- 1724년 라이프치히 작곡, 1724년 10월 15일 라이프치히 초연
- 트롬바 다 티라르시, 오보에 2, 바이올린 2, 비올라, 콘티누오
- 요한 헤르만 (1, 7); 무명 시인 (2-6)

---

1. 합창 (코랄)

어디로 피해야 할까요
크고 많은 죄로
고통당하는 나는?
어디에서 구원을 찾을 수 있을까요?
온 세상 사람들이 다가와도
나의 두려움을 덜어주지 못합니다.

2. 레치타티보: 베이스

죄악의 오물이 나를 더럽히고
나의 정신까지 송두리째 가려버렸습니다.
하나님이 나를 정결치 못하다며 내쫓으셨을 터이나
거룩한 피 한 방울이
커다란 기적을 일으켜

kann ich noch unverstoßen bleiben.
Die Wunden sind ein offnes Meer,
dahin ich meine Sünden senke,
und wenn ich mich zu diesem Strome lenke,
so macht er mich von meinen Flecken leer.

3. Aria: Tenor E♭ 3/4

Ergieße dich reichlich, du göttliche Quelle,
ach, walle mit blutigen Strömen auf mich!
    Es fühlet mein Herze die tröstliche Stunde,
    nun sinken die drückenden Lasten zu Grunde,
    es wäschet die sündlichen Flecken von sich.

4. Recitativo: Alto c-c **C**

Mein treuer Heiland tröstet mich,
es sei verscharrt in seinem Grabe,
was ich gesündigt habe;
ist mein Verbrechen noch so groß,
er macht mich frei und los.
Wenn Gläubige die Zuflucht bei ihm finden,
muss Angst und Pein
nicht mehr gefährlich sein
und alsobald verschwinden;
ihr Seelenschatz, ihr höchstes Gut
ist Jesu unschätzbares Blut;
es ist ihr Schutz vor Teufel, Tod und Sünden,
in dem sie überwinden.

나는 쫓겨나지 않았습니다.
주님의 상처는 넓은 바다이니
그곳에 나의 죄를 빠뜨립니다.
내가 그 바다를 향해 나아가면
주님은 나의 오점을 깨끗이 지워주십니다.

3. 아리아: 테너

거룩한 샘이여, 흘러넘치도록 나를 적셔주소서
아, 그 핏물이 나에게 쏟아지게 하소서!
　　내 마음이 위로의 시간을 느끼니
　　무거운 짐이 바닥으로 가라앉고
　　죄의 흔적이 씻겨나갑니다.

4. 레치타티보: 알토

사랑하는 구세주가 나를 위로하시니
내가 지은 죄가
그의 무덤 속에 묻혔다고 말씀하시네.
나의 죄가 아무리 커도
그는 나를 자유롭게 풀어주시네.
신자들이 그분 곁에서 피난처를 찾으면
두려움과 고통도
더 이상 위험하지 않고
이내 사라지리라.
예수님의 귀중한 보혈은
그들의 영혼의 보배이고 최고의 자산이며
악마와 죽음과 죄악을 막아주는 방패이니
그들이 그를 통해 이기리라.

5. Aria: Bass B♭ C

Verstumme, Höllenheer,
du machst mich nicht verzagt!
    Ich darf dies Blut dir zeigen,
    so musst du plötzlich schweigen,
    es ist in Gott gewagt.

6. Recitativo: Soprano g-g C

Ich bin ja nur das kleinste Teil der Welt,
und da des Blutes edler Saft
unendlich große Kraft
bewährt erhält,
dass jeder Tropfen, so auch noch so klein,
die ganze Welt kann rein
von Sünden machen,
so lass dein Blut
ja nicht an mir verderben,
es komme mir zugut,
dass ich den Himmel kann ererben.

7. Choral g C

Führ auch mein Herz und Sinn
durch deinen Geist dahin,
dass ich mög alles meiden,
was mich und dich kann scheiden,
und ich an deinem Leibe
ein Gliedmaß ewig bleibe.

5. 아리아: 베이스

침묵하라, 지옥의 군대여
너는 나를 절망케 하지 못하리라!
내가 이 피를 너에게 보이면
너는 갑자기 침묵하고 말리라.
하나님을 믿고 용기를 내었도다.

6. 레치타티보: 소프라노

나는 세상에서 아주 하찮은 사람일 뿐입니다.
귀중한 보혈에는
무한히 큰 힘이
들어 있어
아무리 작을지라도 한 방울 한 방울 흘릴 때마다
온 세상이
죄악으로부터 깨끗해질 수 있습니다.
그러니 당신의 보혈이
나로 인해 힘을 잃지 않게 하소서
내가 천국을 상속할 수 있다면
좋겠습니다.

7. 코랄

내 마음과 생각까지
당신의 영으로 이끌어주시어
나와 당신을 갈라놓는
모든 것을 피하게 하시고
내가 영원히 당신 몸의
일부로 남아 있게 하소서.

BWV 56

Ich will den Kreuzstab gerne tragen

1. Aria: Bass

g 3/4

Ich will den Kreuzstab gerne tragen,
er kommt von Gottes lieber Hand,
der führet mich nach meinen Plagen
zu Gott, in das gelobte Land.
Da leg ich den Kummer auf einmal ins Grab,
da wischt mir die Tränen mein Heiland selbst ab.

2. Recitativo: Bass

B♭-B♭ C

Mein Wandel auf der Welt
ist einer Schifffahrt gleich:
Betrübnis, Kreuz und Not
sind Wellen, welche mich bedecken
und auf den Tod
mich täglich schrecken;
mein Anker aber, der mich hält,
ist die Barmherzigkeit,
womit mein Gott mich oft erfreut.
Der rufet so zu mir:
Ich bin bei dir,
ich will dich nicht verlassen noch versäumen!
Und wenn das wütenvolle Schäumen

BWV 56
나 기꺼이 십자가를 지겠노라

- 1726년 라이프치히 작곡, 1726년 10월 27일 라이프치히 초연
- 오보에 2, 알토 오보에, 바이올린 2, 비올라, 콘티누오
- 요한 프랑크 (5); 크리스토프 비르크만 (1-4)

1. 아리아: 베이스

나 기꺼이 십자가를 지겠노라
하나님의 사랑의 손에서 나온 십자가는
내가 시련을 견딘 뒤 나를
하나님이 계신 약속의 땅으로 이끌리라.
그때 나는 근심을 한꺼번에 무덤에 묻으리라.
그때 구세주가 나의 눈물을 친히 닦아주시리라.

2. 레치타티보: 베이스

나의 이 세상살이는
항해와 같네.
슬픔과 고난과 시련은
나를 덮치는 파도이며
나를 죽이겠다고
날마다 협박하네.
그러나 나를 지탱하는 닻은
하나님이 나를 기쁘게 하시는
자비로다.
그분이 내게 외치시는 말씀,
내가 너와 함께 있으니
너를 버리지도 소홀히 하지도 않겠노라!
거품이 이는 성난 파도가

sein Ende hat,
so tret ich aus dem Schiff in meine Stadt,
die ist das Himmelreich,
wohin ich mit den Frommen
aus vieler Trübsal werde kommen.

3. Aria: Bass B♭ **C**

Endlich, endlich wird mein Joch
wieder von mir weichen müssen.
Da krieg ich in dem Herren Kraft,
da hab ich Adlers Eigenschaft,
da fahr ich auf von dieser Erden
und laufe sonder matt zu werden.
O gescheh es heute noch!

4. Recitativo: Bass g-c **C**, 3/4

Ich stehe fertig und bereit,
das Erbe meiner Seligkeit
mit Sehnen und Verlangen
von Jesu Händen zu empfangen.
Wie wohl wird mir geschehn,
wenn ich den Port der Ruhe werde sehn.
Da leg ich den Kummer auf einmal ins Grab,
da wischt mir die Tränen mein Heiland selbst ab.

5. Choral c **C**

Komm, o Tod, du Schlafes Bruder,
komm und führe mich nur fort;
löse meines Schiffleins Ruder,

지나가면
나는 배에서 나와 나의 도시로 들어가리라.
그곳이 하늘나라이니
내가 경건한 이들과 함께
많은 슬픔을 벗어버리고 들어가리라.

3. 아리아: 베이스

마침내, 마침내 나의 멍에가
다시 내게서 떨어져 나가리라.
　　그때 나는 주님 안에서 힘을 얻고
　　그때 나는 독수리의 성정을 가지고
　　그때 나는 이 땅에서 솟아올라
　　지치지 않고 날아가리라.
　　부디 오늘 그렇게 되기를!

4. 레치타티보: 베이스

나는 여기에 서서
내 축복의 유산을
간절히 애타게
예수님의 손에서 받을 준비가 되어 있네.
내가 안식의 항구를 보게 된다면
얼마나 행복할 것인가.
그때가 되면 나는 근심을 모두 무덤에 파묻으리.
그때가 되면 구세주가 내 눈물을 친히 닦아주시리.

5. 코랄

오라, 죽음이여, 너 잠의 형제여
와서 부디 나를 데려가다오.
내 작은 배의 노를 풀어

bringe mich an sichern Port!
Es mag, wer da will, dich scheuen,
du kannst mich vielmehr erfreuen;
denn durch dich komm ich herein
zu dem schönsten Jesulein.

나를 안전한 항구로 데려가다오!
그러고 싶은 사람은 너를 피하려 하겠지만
너는 내게 오히려 기쁨을 줄 수 있네.
너를 통해 내가
가장 멋진 예수님에게 갈 수 있으므로.

종교개혁 축일*

서신서 데살로니가후서 2:3-8

복음서 요한계시록 14:6-8

* 10월 31일. 1517년 마르틴 루터가 가톨릭교회의 교리와 제도를 비판하는 '95개 논제'를 비텐베르크 대학 교회 정문에 붙인 날.

BWV 80

Ein feste Burg ist unser Gott

1. Coro (Choral) D 𝄵

Ein feste Burg ist unser Gott,
ein gute Wehr und Waffen;
er hilft uns frei aus aller Not,
die uns itzt hat betroffen.
Der alte böse Feind,
mit Ernst er's jetzt meint,
groß Macht und viel List
sein grausam Rüstung ist,
auf Erd ist nicht seinsgleichen.

2. Aria: Bass con Choral: Soprano D 𝄵

Alles, was von Gott geboren,
ist zum Siegen auserkoren.
    Mit unsrer Macht ist nichts getan,
    wir sind gar bald verloren.
    Es streit vor uns der rechte Mann,
    den Gott hat selbst erkoren.
Wer bei Christi Blutpanier
in der Taufe Treu geschworen,
siegt im Geiste für und für.
    Fragst du, wer er ist?

BWV 80
우리 하나님은 강한 성이요

- 1730년 라이프치히 작곡(추정), 1735-40년 라이프치히 초연(추정)
- 트럼펫 3, 팀파니, 오보에 2, 바이올린 2, 비올라, 첼로, 콘티누오
- 마르틴 루터 (1, 2, 5, 8); 잘로몬 프랑크 (3, 4, 6, 7)

1. 합창 (코랄)

우리 하나님은 강한 성이요
빼어난 방패이며 병기로다.
지금 닥친 모든 시련에서
우리를 구해내시도다.
옛날 사악한 적이
지금 심하게 우리를 괴롭히고
큰 권세와 숱한 계략은
저들의 잔인한 무기이니
지상에서 당할 자가 없도다.

2. 아리아: 베이스 & 코랄: 소프라노

하나님으로부터 태어난 모든 피조물은
승리하게 되어 있도다.
　　우리의 힘으로는 아무것도 할 수 없네.
　　우리는 곧 패배하였네.
　　의로운 분이 우리를 위해 싸우니
　　하나님이 친히 선택하신 분이네.
그리스도의 피로 물든 깃발 아래에서
세례를 받으며 충성을 맹세한 이는
정신에서 영원히 승리하도다.
　　그가 누구인지 당신은 묻고 있는가?

Er heißt Jesus Christ,
der Herre Zebaoth,
und ist kein andrer Gott,
das Feld muss er behalten.
Alles, was von Gott geboren,
ist zum Siegen auserkoren.

3. Recitativo: Bass b-f♯ C

Erwäge doch, Kind Gottes, die so große Liebe,
da Jesus sich
mit seinem Blute dir verschriebe,
wormit er dich
zum Kriege wider Satans Heer und wider Welt,
und Sünde
geworben hat!
Gib nicht in deiner Seele
dem Satan und den Lastern statt!
Lass nicht dein Herz,
den Himmel Gottes auf der Erden,
zur Wüste werden!
Bereue deine Schuld mit Schmerz,
dass Christi Geist mit dir sich fest verbinde!

4. Aria: Soprano b 12/8

Komm in mein Herzenshaus,
Herr Jesu, mein Verlangen!
Treib Welt und Satan aus
und lass dein Bild in mir erneuert prangen!
Weg, schnöder Sündengraus!

그의 이름은 예수 그리스도요
만군의 주님이니
다른 신은 없네
그가 승리하리라.
하나님으로부터 태어난 모든 피조물은
승리하게 되어 있도다.

3. 레치타티보: 베이스
생각하라, 하나님의 자녀여,
예수께서 그의 피로
너에게 몸 바치신 큰 사랑을.
그는 너를 불러
사탄의 군대와 세상과
죄악에 맞서
싸우게 하시었네!
네 영혼에
사탄과 악행이 들어가지 못하게 하라!
네 마음이
지상에 있는 하나님의 나라를
사막으로 만들지 않게 하라!
네 죄를 고통스럽게 뉘우쳐
그리스도의 영이 너와 굳게 하나가 되게 하라!

4. 아리아: 소프라노
내 마음의 집으로 들어오소서
주 예수 나의 소망이여!
세상과 사탄을 몰아내시고
당신의 모습이 내 안에서 새로 빛나게 하소서!
사라져라, 비천하고 무서운 죄악이여!

5. Choral D 6/8

Und wenn die Welt voll Teufel wär
und wollten uns verschlingen,
so fürchten wir uns nicht so sehr,
es soll uns doch gelingen.
Der Fürst dieser Welt,
wie sau'r er sich stellt,
tut er uns doch nicht,
das macht, er ist gericht',
ein Wörtlein kann ihn fällen.

6. Recitativo: Tenor b-D **C**

So stehe dann bei Christi blutgefärbter Fahne,
o Seele, fest
und glaube, dass dein Haupt dich nicht verlässt,
ja, dass sein Sieg
auch dir den Weg zu deiner Krone bahne!
Tritt freudig an den Krieg!
Wirst du nur Gottes Wort
so hören als bewahren,
so wird der Feind gezwungen auszufahren,
dein Heiland bleibt dein Hort!

7. Aria (Duetto): Alto, Tenor G 3/4

Wie selig sind doch die, die Gott im Munde tragen,
doch sel'ger ist das Herz, das ihn im Glauben trägt!
Es bleibet unbesiegt und kann die Feinde schlagen
und wird zuletzt gekrönt, wenn es den Tod erlegt.

5. 코랄

세상이 악마로 가득하여
우리를 집어삼키려 해도
두려워하지 않으리라.
우리가 승리하리라.
이 세상의 왕이
아무리 화를 내도
우리에게 아무 짓도 못하리라
그는 심판을 받았으니
한 말씀만 하시면 그는 쓰러지리라.

6. 레치타티보: 테너

오 영혼아, 그리스도의 피로 물든
깃발 옆에 굳건히 서라.
너의 머리이신 주님이 너를 버리지 않으심을 믿고
그분의 승리가
너의 면류관으로 가는 길을 낼 것임을 믿어라!
기쁘게 전쟁터로 나아가라!
하나님의 말씀만을
듣고 명심한다면
적은 쫓겨 물러가고
너의 구세주가 네 피난처가 되리라!

7. 아리아 (이중창): 알토, 테너

하나님의 말씀을 입으로 말하는 자는 복되도다,
그분을 믿음으로 품고 다니는 마음은 더욱 복되도다!
그 마음은 무적이요 불굴이니 적을 물리치고
죽음까지 이긴다면 마침내 왕관을 쓰게 되리라.

8. Choral D C

Das Wort sie sollen lassen stahn
und kein Dank dazu haben.
Er ist bei uns wohl auf dem Plan
mit seinem Geist und Gaben.
Nehmen sie uns den Leib,
Gut, Ehr, Kind und Weib,
lass fahren dahin,
sie haben's kein Gewinn;
das Reich muss uns doch bleiben.

BWV 79

Gott der Herr ist Sonn und Schild

---

1. Coro G ¢

Gott der Herr ist Sonn und Schild. Der Herr gibt Gnade und Ehre, er wird kein Gutes mangeln lassen den Frommen.

2. Aria: Alto D 6/8

Gott ist unser Sonn und Schild!
    Darum rühmet dessen Güte
    unser dankbares Gemüte,

8. 코랄

그들은 주님 말씀에 귀를 기울이지도,
감사하지도 않으리라.
주님은 전쟁터에서 우리에게
성령과 선물을 준비하고 계시네.
그들이 우리의 육신과
재물과 영광과 아이와 아내를 빼앗는다면
그리 하게 하라.
그렇게 한다고 승리하지는 못하리라.
주님 나라는 우리의 것이 되어야 하리라.

BWV 79

주 하나님은 태양이며 방패이시네

- 1725년 라이프치히 작곡, 1725년 10월 31일 라이프치히 초연
- 코넷 2, 팀파니, 가로 플루트 2, 오보에 2, 바이올린 2, 비올라, 콘티누오
- 시편 84:11 (1); 마르틴 링카르트 (3); 루트비히 헬름볼트 (6);
무명 시인 (2, 4, 5)

---

1. 합창

주 하나님은 태양이며 방패이시네. 주님은
은총과 영광을 내려주시고, 경건한 사람들에게
복을 내려주시네.

2. 아리아: 알토

하나님은 우리의 태양이며 방패이시네!
그러므로 그의 사랑을
우리가 감사의 마음으로 찬양하네.

die er für sein Häuflein hegt.
Denn er will uns ferner schützen,
ob die Feinde Pfeile schnitzen
und ein Lästerhund gleich bellt.

3. Choral G **C**

Nun danket alle Gott
mit Herzen, Mund und Händen,
der große Dinge tut
an uns und allen Enden,
der uns von Mutterleib
und Kindesbeinen an
unzählig viel zugut
und noch itzund getan.

4. Recitativo: Bass e-b **C**

Gottlob, wir wissen
den rechten Weg zur Seligkeit;
denn, Jesu, du hast ihn uns durch dein Wort gewiesen,
drum bleibt dein Name jederzeit gepriesen.
Weil aber viele noch
zu dieser Zeit
an fremdem Joch
aus Blindheit ziehen mussen,
ach! so erbarme dich
auch ihrer gnadiglich,
dass sie den rechten Weg erkennen
und dich bloß ihren Mittler nennen.

그 사랑으로 주님은 그의 작은 무리를 돌보시네.
적이 화살을 깎아 만들고
악독한 개가 짖어도
주님은 우리를 보호하시려 하네.

3. 코랄

이제 모두 하나님께 감사하라,
마음과 입술과 손으로.
우리가 어디에 있든지
그분은 우리를 위해 큰일을 하시네.
우리가 모태에 있을 때와
어렸을 적부터
수없이 많은 호의를 베푸셨고
앞으로도 베푸시리라.

4. 레치타티보: 베이스

하나님을 찬양합니다. 우리는
행복으로 가는 올바른 길을 압니다.
예수님이 말씀을 통해 가르쳐주셨기 때문입니다.
그러니 당신의 이름은 항상 찬양받을 것입니다.
그러나 아직 많은 이들이
지금까지도 맹목적으로
낯선 멍에를
짊어져야 합니다.
아! 저들을 불쌍히 여기시고
자비를 베푸시어
저들이 올바른 길을 깨닫고
주님을 중보자로 부르게 하소서.

5. Aria (Duetto): Soprano, Bass b C

Gott, ach Gott, verlass die Deinen
nimmermehr!
Lass dein Wort uns helle scheinen;
obgleich sehr
wider uns die Feinde toben,
so soll unser Mund dich loben.

6. Choral G 3/4

Erhalt uns in der Wahrheit,
gib ewigliche Freiheit,
zu preisen deinen Namen
durch Jesum Christum. Amen.

5. 아리아 (이중창): 소프라노, 베이스

하나님, 아 하나님, 당신의 백성을
절대로 버리지 마소서!
당신의 말씀으로 우리를 밝게 비추소서.
비록
적들이 우리를 향해 날뛰어도
우리의 입은 당신을 찬양하리이다.

6. 코랄

우리를 진리 안에서 지켜주소서
영원한 자유를 주시어
예수 그리스도를 통해
당신을 찬양하게 하소서. 아멘.

삼위일체주일 후 제20주일

서신서 에베소서 5:15-21
복음서 마태복음 22:1-14

BWV 162

Ach! ich sehe, itzt, da ich zur Hochzeit gehe

1. Aria: Bass a/b C

Ach! ich sehe,
itzt, da ich zur Hochzeit gehe,
Wohl und Wehe.
Seelengift und Lebensbrot,
Himmel, Hölle, Leben, Tod,
Himmelsglanz und Höllenflammen
sind beisammen.
Jesu, hilf, dass ich bestehe!

2. Recitativo: Tenor C-d/D-e C

O großes Hochzeitfest,
darzu der Himmelskönig
die Menschen rufen lässt!
Ist denn die arme Braut,
die menschliche Natur,
nicht viel zu schlecht und wenig,
dass sich mit ihr der Sohn des Höchsten traut?
O großes Hochzeitfest,
wie ist das Fleisch zu solcher Ehre kommen,
dass Gottes Sohn
es hat auf ewig angenommen?

BWV 162
아! 내가 알겠네, 이제 결혼식에 가리니

- 1715년 바이마르 작곡, 1716년 10월 25일 바이마르 초연
- 코르노 다 티라르시, 바이올린 2, 비올라, 콘티누오
- 잘로몬 프랑크 (1-5); 요한 로젠뮐러 (6)

1. 아리아: 베이스

아! 내가 알겠네,
이제 결혼식에 가리니
행복과 슬픔
영혼의 독과 생명의 양식
천국, 지옥, 삶, 죽음
천국의 광휘와 지옥의 화염이
함께 있구나.
예수님, 내가 이겨내도록 도와주소서!

2. 레치타티보: 테너

오 찬란한 혼인 잔치에
하늘의 왕이
사람들을 부릅니다!
가난한 신부는,
인간의 본성은,
하나님의 아들과 혼인하기에
너무 보잘것없고 빈약하지 않습니까?
오 찬란한 혼인 잔치,
우리의 몸을 하나님의 아들이
영원히 받아들이는 그 영광을
우리가 어찌 누릴 수 있을까요?

Der Himmel ist sein Thron,
die Erde dient zum Schemel seinen Füßen,
noch will er diese Welt
als Braut und Liebste küssen!
Das Hochzeitmahl ist angestellt,
das Mastvieh ist geschlachtet;
wie herrlich ist doch alles zubereitet!
Wie selig ist, den hier der Glaube leitet,
und wie verflucht ist doch, der dieses Mahl verachtet!

3. Aria: Soprano d/e 12/8

Jesu, Brunnquell aller Gnaden,
labe mich elenden Gast,
weil du mich berufen hast!
Ich bin matt, schwach und beladen,
ach! erquicke meine Seele,
ach! wie hungert mich nach dir!
Lebensbrot, das ich erwähle,
komm, vereine dich mit mir!

4. Recitativo: Alto a-C/b-D C

Mein Jesu, lass mich nicht
zur Hochzeit unbekleidet kommen,
dass mich nicht treffe dein Gericht;
mit Schrecken hab ich ja vernommen,
wie du den kühnen Hochzeitgast,
der ohne Kleid erschienen,
verworfen und verdammet hast!
Ich weiß auch mein Unwürdigkeit:

천국은 그분의 보좌이고
이 땅은 그분의 발판이나
그분은 이 세상을
신부이며 가장 사랑하는 사람으로 여겨 입 맞추려 하십니다!
혼인 잔치를 준비하고
살찐 짐승을 잡았으니
모든 것이 훌륭하게 준비되었습니다!
믿음에 인도되어 이곳에 온 사람은 행복하여라
이 잔치를 업신여기는 자는 저주를 받으리!

3. 아리아: 소프라노
예수님, 모든 자비의 샘이시여
이 가련한 손님을 부르셨으니
나를 배불리 먹이소서!
나는 지치고 약하고 짐을 졌습니다.
아! 내 영혼에 생기를 주소서
아! 내가 얼마나 당신에 주려 있는지요!
내가 택한 생명의 양식이여
오셔서 나와 함께 하나가 되소서!

4. 레치타티보: 알토
나의 예수님, 내가
결혼식에 어울리지 않는 옷을 입고 와
당신에게 심판 받지 않게 하소서.
내가 듣고 놀랐습니다,
예복 없이 나타난
뻔뻔한 결혼식 손님을
당신이 쫓아내고 저주하였다는 것을!
내게 자격이 없음을 내가 압니다.

Ach! schenke mir des Glaubens Hochzeitkleid;
lass dein Verdienst zu meinem Schmucke dienen!
Gib mir zum Hochzeitkleide
den Rock des Heils, der Unschuld weiße Seide!
Ach! lass dein Blut, den hohen Purpur, decken
den alten Adamsrock und seine Lasterflecken,
so werd ich schön und rein
und dir willkommen sein,
so werd ich würdiglich
das Mahl des Lammes schmecken.

5. Aria (Duetto): Alto, Tenor C/D 3/4

In meinem Gott bin ich erfreut!
Die Liebesmacht hat ihn bewogen,
dass er mir in der Gnadenzeit
aus lauter Huld hat angezogen
die Kleider der Gerechtigkeit.
Ich weiß, er wird nach diesem Leben
der Ehre weißes Kleid
mir auch im Himmel geben.

6. Choral a/b **C**

Ach, ich habe schon erblicket
diese große Herrlichkeit.
Itzund werd ich schön geschmücket
mit dem weißen Himmelskleid;
mit der güldnen Ehrenkrone
steh ich da für Gottes Throne,
schaue solche Freude an,
die kein Ende nehmen kann.

아! 나에게 믿음의 결혼 예복을 내려주소서.
당신의 공덕이 나의 장식이 되게 하소서!
나의 결혼 예복으로
구원의 옷과 순결의 흰 비단을 주소서!
아! 당신의 피와 고귀한 보랏빛 옷이 덮게 하소서,
그 옛날 아담의 옷과 그의 죄악의 오점을.
그러면 내가 아름답고 깨끗해져
당신에게 환영받고
어린양의 만찬에 참가할
자격이 있을 것입니다.

5. 아리아 (이중창): 알토, 테너
하나님 안에서 내가 기뻐합니다!
사랑의 힘이 그를 움직여
자비의 시간에
오직 은혜로써 나에게
정의의 옷을 입히셨습니다.
나는 압니다, 이 삶이 끝나면
그가 영광의 흰 옷을
천국에서 내게도 주실 것임을.

6. 코랄
아, 나는 벌써 보았네
이 위대한 영광을.
이제 나는 아름답게
천국의 흰 옷과
황금빛 영광의 왕관으로 단장하고
하나님의 보좌 앞에 서서
끝이 없는 기쁨을
바라보리라.

BWV 180

Schmücke dich, o liebe Seele

1. Coro (Choral) F 12/8

Schmücke dich, o liebe Seele,
lass die dunkle Sündenhöhle,
komm ans helle Licht gegangen,
fange herrlich an zu prangen;
denn der Herr voll Heil und Gnaden
lässt dich itzt zu Gaste laden,
der den Himmel kann verwalten,
will selbst Herberg in dir halten.

2. Aria: Tenor C **C**

Ermuntre dich: Dein Heiland klopft,
ach, öffne bald die Herzenspforte!
Ob du gleich in entzückter Lust
nur halb gebrochne Freudenworte
zu deinem Jesu sagen musst.

3. Recitativo e Choral: Soprano a-F **C**

Wie teuer sind des heil'gen Mahles Gaben!
Sie finden ihresgleichen nicht.
Was sonst die Welt
vor kostbar hält,

BWV 180
오 사랑하는 영혼아, 너를 가꾸어라

- 1724년 라이프치히 작곡, 1724년 10월 22일 라이프치히 초연
- 리코더 2, 가로 플루트 2, 오보에, 오보에 다 카차, 바이올린 2, 비올라, 비올론첼로 피콜로, 콘티누오
- 요한 프랑크 (1, 3, 7); 무명 시인 (2, 4-6)

1. 합창 (코랄)

오 사랑하는 영혼아, 너를 가꾸어라
어두운 죄악의 동굴을 떠나
밝은 빛으로 나와
찬란히 빛나기 시작하라.
구원과 자비로 가득한 주님이
지금 너를 손님으로 초대하지만
천국을 다스릴 수 있는 그분은
친히 네 안에 거처를 갖기를 원하시네.

2. 아리아: 테너

깨어 있으라. 너의 구세주가 문을 두드리신다
아, 곧 마음의 문을 열어라!
　　황홀한 마음에
　　어설픈 기쁨의 말만
　　너의 예수님께 하게 되더라도.

3. 레치타티보 & 코랄: 소프라노

성찬의 선물은 얼마나 귀중합니까!
그와 같은 것은 어디에도 없습니다.
세상이 귀하다고
여기는 것은

sind Tand und Eitelkeiten;
ein Gotteskind wünscht diesen Schatz zu haben
und spricht:
Ach, wie hungert mein Gemüte,
Menschenfreund, nach deiner Güte!
Ach, wie pfleg ich oft mit Tränen
mich nach dieser Kost zu sehnen!
Ach, wie pfleget mich zu dürsten
nach dem Trank des Lebensfürsten!
Wünsche stets, dass mein Gebeine
sich durch Gott mit Gott vereine.

4. Recitativo: Alto B♭-B♭ **C**

Mein Herz fühlt in sich Furcht und Freude;
es wird die Furcht erregt,
wenn es die Hoheit überlegt,
wenn es sich nicht in das Geheimnis findet
noch durch Vernunft dies hohe Werk ergründet.
Nur Gottes Geist kann durch sein Wort uns lehren,
wie sich allhier die Seelen nähren,
die sich im Glauben zugeschickt.
Die Freude aber wird gestärket,
wenn sie des Heilands Herz erblickt
und seiner Liebe Größe merket.

5. Aria: Soprano B♭ 3/4

Lebens Sonne, Licht der Sinnen,
Herr, der du mein Alles bist!
Du wirst meine Treue sehen

보잘것없고 허망한 것들입니다.
이 보물을 갖기 원하는
어느 하나님의 자녀가 말합니다.
아, 내 영이 얼마나
당신의 호의에 주려 있는지요!
아, 내가 얼마나 자주 눈물을 흘리며
이 음식을 그리워했는지요!
아, 내가 얼마나 생명의 왕이 주는
물에 목말라 했는지요!
나는 언제나 내 몸이 하나님을 통해
하나님과 하나가 되기를 원합니다.

4. 레치타티보: 알토
내 마음이 두려움과 기쁨을 느끼네.
높으신 분의 위엄을 생각하며
신비 속에서 갈 길을 찾지 못하고
이성으로도 그 고귀하신 일을 이해하지 못할 때
두려움이 솟아나네.
하나님의 성령만이 그 말씀을 통해 우리에게 가르치네,
믿음에 헌신한 이곳의 영혼들이
어떻게 살아가는지를.
그러나 구세주의 마음을 바라보고
그 사랑의 크기를 깨달을 때는
기쁨이 더욱 커지네.

5. 아리아: 소프라노
생명의 태양, 마음의 빛
주여, 나의 모든 것 되시는 주님!
　　당신은 내 신실함을 보시리라

und den Glauben nicht verschmähen,
der noch schwach und furchtsam ist.

6. Recitativo: Bass F-F **C**

Herr, lass an mir dein treues Lieben,
so dich vom Himmel abgetrieben,
ja nicht vergeblich sein!
Entzünde du in Liebe meinen Geist,
dass er sich nur nach dem, was himmlisch heißt,
im Glauben lenke
und deiner Liebe stets gedenke.

7. Choral F **C**

Jesu, wahres Brot des Lebens,
hilf, dass ich doch nicht vergebens
oder mir vielleicht zum Schaden
sei zu deinem Tisch geladen.
Lass mich durch dies Seelenessen
deine Liebe recht ermessen,
dass ich auch, wie jetzt auf Erden,
mög ein Gast im Himmel werden.

그리고 아직 나약하고 겁이 많은
내 믿음을 뿌리치지 않으시리라

6. 레치타티보: 베이스

주여, 당신의 참된 사랑이
하늘에서 당신을 쫓아낸 그 사랑이
내게서 헛되지 않게 하소서!
사랑으로 내 영에 불을 붙이시어
내가 천상의 것만 좇아
믿음 속에서 움직이게 하시고
당신의 사랑을 늘 기억하게 하소서.

7. 코랄

예수님, 참된 생명의 양식이여,
내가 당신의 식탁에 초대받을 때
헛되이 가거나
해를 입지 않게 하소서.
그 영혼의 식사를 통해 내가
당신의 사랑을 옳게 헤아리게 하시고
지금 이 땅에서 살 때처럼
천국에서도 당신의 손님이 되게 하소서.

BWV 49
Ich geh und suche mit Verlangen

(Dialogus)

1. Sinfonia E 3/8

2. Aria: Bass c# 3/8

Ich geh und suche mit Verlangen
dich, meine Taube, schönste Braut.
Sag an, wo bist du hingegangen,
dass dich mein Auge nicht mehr schaut?

3. Recitativo: Bass, Soprano A-A C / 3/8

(Jesus)
Mein Mahl ist zubereit'
und meine Hochzeittafel fertig,
nur meine Braut ist noch nicht gegenwärtig.
(Seele)
Mein Jesu redt von mir;
O Stimme, welche mich erfreut!
(Jesus)
Ich geh und suche mit Verlangen
dich, meine Taube, schönste Braut.
(Seele)

BWV 49

내가 가서 간절히 찾으리라

- 1726년 라이프치히 작곡, 1726년 11월 3일 라이프치히 초연
- 오보에 다모레, 바이올린 2, 비올라, 오르간 오블리가토, 콘티누오
- 필리프 니콜라이, 예레미야 31:3 및 요한계시록 3:20 참조 (6); 크리스토프 비르크만 (2-5)

(대화)

1. 신포니아

2. 아리아: 베이스

내가 가서 간절히 찾으리라
나의 비둘기, 아름다운 신부, 그대를.
　　말해주시오, 어디로 갔기에
　　더는 그대를 볼 수 없는지?

3. 레치타티보: 베이스, 소프라노

(예수)
나의 잔치가 준비되고
나의 혼인 식탁이 차려졌으나
나의 신부가 아직 오지 않았네.
(영혼)
나의 예수님이 나에 대해 말하시네.
오 그 목소리가 나를 기쁘게 하네!
(예수)
내가 가서 간절히 찾으리라
나의 비둘기, 아름다운 신부, 그대를.
(영혼)

Mein Bräutigam, ich falle dir zu Füßen.

(Jesus)

Komm, Schönste, komm und lass dich küssen,
du sollst mein fettes Mahl genießen.
Komm, liebe Braut, und eile nun,
die Hochzeitkleider anzutun.

(Seele)

Komm, Schönster, komm und lass dich küssen,
lass mich dein fettes Mahl genießen.
Mein Bräutigam! ich eile nun,
die Hochzeitkleider anzutun.

4. Aria: Soprano A **C**

Ich bin herrlich, ich bin schön,
meinen Heiland zu entzünden.
    Seines Heils Gerechtigkeit
    ist mein Schmuck und Ehrenkleid;
    und damit will ich bestehn,
    wenn ich werd in'n Himmel gehn.

5. Recitativo (Dialogo): Soprano, Bass f♯-E **C**

(Seele)

Mein Glaube hat mich selbst so angezogen.

(Jesus)

So bleibt mein Herze dir gewogen,
so will ich mich mit dir
in Ewigkeit vertrauen und verloben.

(Seele)

Wie wohl ist mir!

나의 신랑이여, 내가 당신 발밑에 엎드립니다.

(예수)

오라, 아름다운 이여, 와서 입을 맞추게 해다오
그대는 나의 풍족한 잔치를 즐겨야 하네.
오라, 사랑하는 신부여, 지금 서둘러
혼인 예복을 입으라.

(영혼)

오소서, 아름다운 분이여, 와서 입을 맞추게 하소서
내가 당신의 풍족한 잔치를 즐기게 하소서.
나의 신랑이여! 내가 지금 서둘러
혼인 예복을 입으리이다.

4. 아리아: 소프라노

나는 멋있고, 나는 아름다워
내 구세주의 마음을 불태울 수 있네.
그분의 구원의 의로움은
나의 장식이고 영광의 옷이네.
그것만 있으면 천국에 갔을 때
나는 이겨낼 수 있네.

5. 레치타티보 (대화): 소프라노, 베이스

(영혼)

나의 믿음이 내게 이런 옷을 입혔습니다.

(예수)

내 마음이 너를 흡족히 여기니
내가 너를
영원토록 믿고 너와 약혼하리라.

(영혼)

내가 얼마나 행복한지요!

Der Himmel ist mir aufgehoben:
Die Majestät ruft selbst und sendet ihre Knechte,
dass das gefallene Geschlechte
im Himmelssaal
bei dem Erlösungsmahl
zu Gaste möge sein,
hier komm ich, Jesu, lass mich ein!
(Jesus)
Sei bis in Tod getreu,
so leg ich dir die Lebenskrone bei.

6. Aria: Bass con Choral: Soprano E 2/4

(Jesus, Seele)
Dich hab ich je und je geliebet,
    Wie bin ich doch so herzlich froh,
    dass mein Schatz ist das A und O,
    der Anfang und das Ende.
und darum zieh ich dich zu mir.
    Er wird mich doch zu seinem Preis
    aufnehmen in das Paradeis;
    des klopf ich in die Hände.
Ich komme bald,
    Amen! Amen!
ich stehe vor der Tür:
    Komm, du schöne Freudenkrone, bleib nicht lange!
Mach auf, mein Aufenthalt!
    Deiner wart ich mit Verlangen.
Dich hab ich je und je geliebet,
und darum zieh ich dich zu mir.

천국이 나를 위해 예비되어 있습니다.
존엄하신 분이 친히 그의 종들을 보내시어
타락한 종족이
천국의 연회장
구원의 식탁에 앉을
손님이 되게 하시니
예수님, 내가 가오니 들여보내 주소서!
(예수)
죽을 때까지 신실하라,
그러면 내가 너에게 생명의 면류관을 씌우리라.

6. 아리아: 베이스 & 코랄: 소프라노

(예수, 영혼)
내가 너를 오래전부터 사랑했노라.
  나의 마음이 얼마나 기쁜지요,
  나의 보배는 알파요 오메가이며
  시작과 끝입니다.
그러므로 내가 너를 잡아끄노라.
  그는 자신을 찬미하라고
  나를 낙원에 받아주시리니
  내가 손뼉을 치나이다.
내가 곧 가리라
  아멘! 아멘!
내가 문 앞에 서 있다.
  오소서, 아름다운 기쁨의 면류관이여, 지체하지 마소서!
열어라, 내가 머물 곳이여!
  내가 당신을 간절히 기다립니다.
내가 너를 오래전부터 사랑했노라.
그러므로 내가 너를 잡아끄노라.

삼위일체주일 후 제21주일

서신서 에베소서 6:10-17
복음서 요한복음 4:46-54

BWV 109

Ich glaube, lieber Herr, hilf meinem Unglauben!

1. Coro d **C**

Ich glaube, lieber Herr, hilf meinem Unglauben!

2. Recitativo: Tenor B♭-e **C**

Des Herren Hand ist ja noch nicht verkürzt,
mir kann geholfen werden.
Ach nein, ich sinke schon zur Erden
vor Sorge, dass sie mich zu Boden stürzt.
Der Höchste will, sein Vaterherze bricht.
Ach nein! er hört die Sünder nicht.
Er wird, er muss dir bald zu helfen eilen,
um deine Not zu heilen.
Ach nein, es bleibet mir um Trost sehr bange;
ach Herr, wie lange?

3. Aria: Tenor e **C**

Wie zweifelhaftig ist mein Hoffen,
wie wanket mein geängstigt Herz!
Des Glaubens Docht glimmt kaum hervor,

BWV 109

내가 믿사오나, 사랑의 주님, 내 믿음이 부족하다면 도와주소서!

- 1723년 라이프치히 작곡, 1723년 10월 17일 라이프치히 초연
- 코르노 다 카차, 오보에 2, 바이올린 2, 비올라, 콘티누오
- 마가복음 9:24 (1); 라자루스 슈펭글러 (6); 무명 시인 (2-5)

1. 합창

내가 믿사오나, 사랑의 주님, 내 믿음이 부족하다면
도와주소서!

2. 레치타티보: 테너

주님의 손은 아직 짧아지지 않았으니
나를 도우실 수 있습니다.
아, 내가 바닥으로 넘어질까 근심하며
벌써 땅으로 주저앉습니다.
높으신 주님의 뜻이 그러하니, 그의 아버지 같은 마음이
찢어집니다.
아! 그는 죄인들의 말에 귀를 기울이지 않습니다.
그는 곧 당신을 도우러 서둘러 달려와
당신의 고통을 치유하실 것입니다.
아, 내가 위로를 못 받을까 두렵습니다.
아 주님, 언제까지 기다려야 할까요?

3. 아리아: 테너

내 희망이 얼마나 불확실하고
내 불안한 마음이 얼마나 동요하는지요!
믿음의 심지는 타들어가지 않고

es bricht dies fast zustoßne Rohr,
die Furcht macht stetig neuen Schmerz.

4. Recitativo: Alto C-d **C**

O fasse dich, du zweifelhafter Mut,
weil Jesus itzt noch Wunder tut!
Die Glaubensaugen werden schauen
das Heil des Herrn;
scheint die Erfüllung allzufern,
so kannst du doch auf die Verheißung bauen.

5. Aria: Alto F 3/4

Der Heiland kennet ja die Seinen,
wenn ihre Hoffnung hilflos liegt.
Wenn Fleisch und Geist in ihnen streiten,
so steht er ihnen selbst zur Seiten,
damit zuletzt der Glaube siegt.

6. Choral d-a **C**

Wer hofft in Gott und dem vertraut,
der wird nimmer zuschanden;
denn wer auf diesen Felsen baut,
ob ihm gleich geht zuhanden
viel Unfalls hie, hab ich doch nie
den Menschen sehen fallen,
der sich verlässt auf Gottes Trost;
er hilft sein' Gläubgen allen.

부러지다시피 한 갈대가 꺾입니다
두려움은 늘 새로운 고통을 만듭니다.

4. 레치타티보: 알토

오 가라앉혀라, 의심하는 마음이여
예수님이 지금 여전히 기적을 행하고 계시니!
믿음의 눈은 보리라
주님의 구원을.
그 실현이 아주 요원해 보여도
너는 약속의 토대 위에 설 수 있으리라.

5. 아리아: 알토

구세주는 자신의 백성을 아시네.
그들의 희망이 부질없을 때
그들 가운데 육과 영이 싸울 때
주님은 몸소 그들 곁에 서서
결국 믿음이 승리하게 하시네.

6. 코랄

하나님 안에서 소망과 믿음을 가진 이
결코 실패하지 않으리.
그 바위 위에 집을 짓는 이
곧 많은 불행이 닥쳐도
나는 하나님의 위로에
의지하는 이가 넘어지는 것을
아직 보지 못하였네.
주님은 자신을 믿는 이들을 모두 도우시네.

BWV 38
Aus tiefer Not schrei ich zu dir

1. Coro (Choral) e ¢

Aus tiefer Not schrei ich zu dir,
Herr Gott, erhör mein Rufen;
dein gnädig Ohr neig her zu mir
und meiner Bitt sie öffne!
Denn so du willt das sehen an,
was Sünd und Unrecht ist getan,
wer kann, Herr, vor dir bleiben?

2. Recitativo: Alto C-a **C**

In Jesu Gnade wird allein
der Trost vor uns und die Vergebung sein,
weil durch des Satans Trug und List
der Menschen ganzes Leben
vor Gott ein Sündengreuel ist.
Was könnte nun
die Geistesfreudigkeit zu unserm Beten geben,
wo Jesu Geist und Wort nicht neue Wunder tun?

3. Aria: Tenor a **C**

Ich höre mitten in den Leiden
ein Trostwort, so mein Jesus spricht.

BWV 38
고통의 심연에서 내가 당신께 부르짖으니

✪ 1724년 라이프치히 작곡, 1724년 10월 29일 라이프치히 초연
♪ 트롬본 4, 오보에 2, 바이올린 2, 비올라, 콘티누오
Ⓣ 마르틴 루터, 시편 130장 참조 (1,6); 무명 시인 (2-5)

1. 합창 (코랄)

고통의 심연에서 내가 당신께 부르짖으니
주 하나님, 나의 소리를 들으소서.
당신의 자비로운 귀를 내게 기울이시고
문을 열어 나의 기도를 들어주소서!
죄와 불의가 행한 것을
당신이 살피고자 하시면
주님, 감당할 자 누구일까요?

2. 레치타티보: 알토

오직 예수님의 은혜 안에서만
우리에게 위안과 용서가 있으리로다.
사탄의 속임수와 술책으로
사람의 한평생이
하나님 앞에서 끔찍한 죄악이 되었기 때문이다.
예수님의 영과 말씀이 새로운 기적을 행하지 않으면
이제 무엇이 우리 기도에
영적인 기쁨을 줄 수 있을까?

3. 아리아: 테너

나는 슬픔 속에서 듣네
나의 예수가 하신 위로의 말씀을.

Drum, o geängstigtes Gemüte,
vertraue deines Gottes Güte,
sein Wort besteht und fehlet nicht,
sein Trost wird niemals von dir scheiden!

4. Recitativo: Soprano d-d C

Ach!
Dass mein Glaube noch so schwach
und dass ich mein Vertrauen
auf feuchtem Grunde muss erbauen!
Wie ofte müssen neue Zeichen
mein Herz erweichen!
Wie? Kennst du deinen Helfer nicht,
der nur ein einzig Trostwort spricht,
und gleich erscheint,
eh deine Schwachheit es vermeint,
die Rettungsstunde.
Vertraue nur der Allmachtshand
und seiner Wahrheit Munde!

5. Aria (Terzetto): Soprano, Alto, Bass d ¢

Wenn meine Trübsal als mit Ketten
ein Unglück an dem andern hält,
so wird mich doch mein Heil erretten,
dass alles plötzlich von mir fällt.
Wie bald erscheint des Trostes Morgen
auf diese Nacht der Not und Sorgen!

그러니 오 두려워하는 마음이여
네 하나님의 호의를 믿어라
그의 말씀은 영원히 계속되고 틀리지 않으리라.
그의 위로는 결코 너에게서 떠나지 않으리라!

4. 레치타티보: 소프라노

아!
나의 신앙이 아직 미약하여
나의 믿음을
허약한 지반에 세워야 합니다!
새로운 징표들이 또 얼마나 나타나야
내 마음이 감동할까요!
정말입니까? 당신의 위로자를 모른다고요?
그는 오직 위로의 말씀을 주시며
곧 나타나실 것입니다.
당신의 나약함이
구원의 시간을 부인하기 전에.
전능하신 분의 손과
그의 진리의 입을 믿으십시오!

5. 아리아 (삼중창): 소프라노, 알토, 베이스

나의 슬픔이 사슬이 되어
불행에 또 다른 불행을 묶어도
나의 구세주가 나를 구하시어
모든 것이 갑자기 내게서 떨어져 나가리라.
위로의 아침이 곧 찾아와
시련과 근심의 이 밤을 몰아내리라!

6. Choral
e C

Ob bei uns ist der Sünden viel,
bei Gott ist viel mehr Gnade;
sein Hand zu helfen hat kein Ziel,
wie groß auch sei der Schade.
Er ist allein der gute Hirt,
der Israel erlösen wird
aus seinen Sünden allen.

BWV 98

Was Gott tut, das ist wohlgetan I

---

1. Coro (Choral)
B♭ 3/4

Was Gott tut, das ist wohlgetan,
es bleibt gerecht sein Wille;
wie er fängt meine Sachen an,
will ich ihm halten stille.
Er ist mein Gott,
der in der Not
mich wohl weiß zu erhalten;
drum lass ich ihn nur walten.

6. 코랄

우리가 지은 죄 커도
하나님의 자비는 더 크도다.
우리의 잘못이 많아도
우리를 돕는 그의 손길에는 끝이 없도다.
오직 그분만이 좋은 목자이며
이스라엘을 그 모든 죄에서
구해내시리로다.

BWV 98
하나님이 하시는 일은 선하시고 I

- 1726년 라이프치히 작곡, 1726년 11월 10일 라이프치히 초연
- 오보에 2, 알토 오보에, 바이올린 2, 비올라, 콘티누오
- 자무엘 로디가스트 (1); 크리스토프 비르크만 (2-5)

---

1. 합창 (코랄)

하나님이 하시는 일은 선하시고
그의 뜻은 항상 의롭도다.
그가 나의 일을 어떻게 주관하시든
나는 그를 조용히 따르리라.
그는 나의 하나님
고난 속에서
나를 든든히 지켜주는 분:
그러므로 나는 그의 섭리를 따르리라.

2. Recitativo: Tenor g-E♭ C

Ach Gott! wenn wirst du mich einmal
von meiner Leidensqual,
von meiner Angst befreien?
Wie lange soll ich Tag und Nacht
um Hilfe schreien?
Und ist kein Retter da!
Der Herr ist denen allen nah,
die seiner Macht
und seiner Huld vertrauen.
Drum will ich meine Zuversicht
auf Gott alleine bauen,
denn er verlässt die Seinen nicht.

3. Aria: Soprano c 3/8

Hört, ihr Augen, auf zu weinen!
Trag ich doch
mit Geduld mein schweres Joch.
Gott der Vater lebet noch,
von den Seinen
lässt er keinen.
Hört, ihr Augen, auf zu weinen!

4. Recitativo: Alto g-d C

Gott hat ein Herz, das des Erbarmens Überfluss;
und wenn der Mund vor seinen Ohren klagt
und ihm des Kreuzes Schmerz
im Glauben und Vertrauen sagt,
so bricht in ihm das Herz,

2. 레치타티보: 테너

아 하나님! 나를 언제
이 슬픔의 고통에서,
이 두려움에서 풀어주시렵니까?
내가 얼마나 더 밤낮으로
도와달라 외쳐야 합니까?
그러나 구원자가 없습니다!
주님은 그의 권능과
그의 자비를 믿는
모든 이들에게 가까이 계십니다.
그러므로 나는 오직
하나님만 믿으리이니
그가 자신의 백성을 버리지 않기 때문입니다.

3. 아리아: 소프라노

나의 눈이여, 눈물을 거두어라!
내가 무거운 멍에를
참고 견디며 쓰고 있다.
아버지 하나님은 여전히 살아 계시니
그의 백성들을
한 명도 버리시지 않으리라.
나의 눈이여, 눈물을 거두어라!

4. 레치타티보: 알토

하나님의 마음에는 자비가 넘치네.
우리의 입술이 그의 귀에 대고 탄식하고
믿음과 확신을 가지고
십자가의 고통을 말하면
그의 마음이 찢어져

dass er sich über uns erbarmen muss.
Er hält sein Wort;
er saget: Klopfet an,
so wird euch aufgetan!
Drum lasst uns alsofort,
wenn wir in höchsten Nöten schweben,
das Herz zu Gott allein erheben!

5. Aria: Bass B♭ ¢

Meinen Jesum lass ich nicht,
bis mich erst sein Angesicht
wird erhören oder segnen.
Er allein
soll mein Schutz in allem sein,
was mir Übels kann begegnen.

BWV 188

Ich habe meine Zuversicht

---

1. Sinfonia d [¢]

2. Aria: Tenor F 3/4

Ich habe meine Zuversicht

우리를 불쌍히 여기시리라.
그는 약속을 지키시는 분.
그가 말씀하였도다, 두드려라
그러면 열릴 것이다!
그러니 지금부터
지독한 시련 속에서 맴돌 때면
우리 마음을 오직 하나님께 드높이자!

5. 아리아: 베이스

나는 예수님을 버리지 않으리라
그분이 나의 기도를
듣고 나를 축복하실 때까지.
　　오직 그분만이
　　내가 만날 수 있는 모든
　　불행에서 나를 지키시리라.

BWV 188

나는 굳게 믿네

- 1728년 라이프치히 작곡, 1728년 10월 17일 라이프치히 초연(추정)
- 오보에 2, 알토 오보에, 바이올린 2, 비올라, 콘티누오, 오르간 오블리가토
- 피칸더 (2-5); 무명 시인 (6)

---

1. 신포니아

2. 아리아: 테너

나는 굳게 믿네

auf den getreuen Gott gericht',
da ruhet meine Hoffnung feste.
    Wenn alles bricht, wenn alles fällt,
    wenn niemand Treu und Glauben hält,
    so ist doch Gott der Allerbeste.

3. Recitativo: Bass C-C **C**, 6/8

Gott meint es gut mit jedermann,
auch in den allergrößten Nöten.
Verbirget er gleich seine Liebe,
so denkt sein Herz doch heimlich dran,
das kann er niemals nicht entziehn;
und wollte mich der Herr auch töten,
so hoff ich doch auf ihn.
Denn sein erzürntes Angesicht
ist anders nicht
als eine Wolke trübe,
sie hindert nur den Sonnenschein,
damit durch einen sanften Regen
der Himmelssegen
um so viel reicher möge sein.
Der Herr verwandelt sich in einen grausamen,
um desto tröstlicher zu scheinen;
er will, er kann's nicht böse meinen.
Drum lass ich ihn nicht, er segne mich denn.

4. Aria: Alto e **C**

Unerforschlich ist die Weise,
wie der Herr die Seinen führt.

신실한 하나님을.
그분께 나의 확실한 희망이 있네.
모든 것이 부서지고, 모든 것이 무너져도
아무도 신실과 믿음을 지키지 않아도
하나님은 가장 선하신 분이네.

3. 레치타티보: 베이스

하나님은 큰 시련을 겪는
모든 이에게 호의를 보이시네.
그가 처음에는 사랑을 숨겨도
마음속으로는 남몰래 생각하시니
그 사랑을 결코 버리지 못하시네.
주님이 나를 죽이려 해도
나는 그분을 소망하네.
그의 진노한 얼굴은
어두운 구름에
지나지 않아
다만 햇빛을 가릴 뿐
부드러운 비가 내리면
하늘의 축복은
더욱더 풍성해지리라.
주님이 잔인한 모습으로 변하는 것은
더 큰 위로를 주시기 위함이네.
그는 우리를 악의로 대할 수도, 그럴 마음도 없으시네.
내가 그를 버리지 않음은 그가 나를 축복하기 때문이네.

4. 아리아: 알토

헤아릴 길 없어라,
주님이 그의 백성을 이끄시는 방법은.

Selber unser Kreuz und Pein
muss zu unserm Besten sein
und zu seines Namens Preise.

5. Recitativo: Soprano C-a **C**

Die Macht der Welt verlieret sich.
Wer kann auf Stand und Hoheit bauen?
Gott aber bleibet ewiglich;
wohl allen, die auf ihn vertrauen!

6. Choral a **C**

Auf meinen lieben Gott
trau ich in Angst und Not;
er kann mich allzeit retten
aus Trübsal, Angst und Nöten;
mein Unglück kann er wenden,
steht all's in seinen Händen.

우리의 십자가와 고통마저
우리에게는 최선이 되고
그의 이름에는 영광이 되어야 하리.

5. 레치타티보: 소프라노

세상의 권력이 사라집니다.
누가 지위와 권세에 의지할 수 있을까요?
그러나 하나님은 영원하시니
그를 믿는 이들은 모두 행복합니다!

6. 코랄

사랑하는 하나님을
내가 두려움과 고난 속에서 믿네.
그는 언제나 나를
슬픔과 두려움과 고난에서 구하시네.
그는 내 불행을 돌려놓으시니
모든 것이 그의 손안에 있네.

삼위일체주일 후 제22주일

서신서 빌립보서 1:3-11
복음서 마태복음 18:23-35

BWV 89

Was soll ich aus dir machen, Ephraim?

1. Aria: Bass c **C**

Was soll ich aus dir machen, Ephraim? Soll ich dich schützen, Israel? Soll ich nicht billig ein Adama aus dir machen und dich wie Zeboim zurichten? Aber mein Herz ist anders Sinnes, meine Barmherzigkeit ist zu brünstig.

2. Recitativo: Alto g-d **C**

Ja, freilich sollte Gott
ein Wort zum Urteil sprechen
und seines Namens Spott
an seinen Feinden rächen.
Unzählbar ist die Rechnung deiner Sünden,
und hätte Gott auch gleich Geduld,
verwirft doch dein feindseliges Gemüte
die angebotne Güte
und drückt den Nächsten um die Schuld;
so muss die Rache sich entzünden.

3. Aria: Alto d **C**

Ein unbarmherziges Gerichte
wird über dich gewiss ergehn.

BWV 89

에브라임아, 내가 어찌 너를 버리겠느냐?

- 1723년 라이프치히 작곡, 1723년 10월 24일 라이프치히 초연
- 코넷, 오보에 2, 바이올린 2, 비올라, 콘티누오
- 호세아 11:8 (1); 요한 헤르만 (6); 무명 시인 (2-5)

1. 아리아: 베이스

에브라임아, 내가 어찌 너를 버리겠느냐? 이스라엘아,
내가 어찌 너를 남에게 내어주겠느냐? 내가 어찌 너를
아드마처럼 만들며, 내가 어찌 너를 스보임처럼 만들겠느냐?
나는 마음을 고쳐먹었다. 네가 너무 불쌍해서
간장이 녹는구나.

2. 레치타티보: 알토

하나님은 분명히
심판의 말씀을 내리시고
그의 이름을 조롱한
적들에게 복수하시리라.
네가 지은 죄가 셀 수 없이 많으니
하나님이 인내하신다 해도
너의 적대적인 성정은
그가 내미는 호의를 저버리고
이웃에게 죄를 전가하는구나.
그러니 복수가 불타오르리라.

3. 아리아: 알토

무자비한 심판이
분명히 너에게 내려지리라.

Die Rache fängt bei denen an,
die nicht Barmherzigkeit getan,
und machet sie wie Sodom ganz zunichte.

4. Recitativo: Soprano F-B♭ C

Wohlan! Mein Herze legt Zorn, Zank
und Zwietracht hin;
es ist bereit, dem Nächsten zu vergeben.
Allein, wie schrecket mich mein sündenvolles Leben,
dass ich vor Gott in Schulden bin!
Doch Jesu Blut macht diese Rechnung gut,
wenn ich zu ihm, als des Gesetzes Ende,
mich gläubig wende.

5. Aria: Soprano B♭ 6/8

Gerechter Gott, ach, rechnest du?
So werde ich zum Heil der Seelen
die Tropfen Blut von Jesu zählen.
Ach! rechne mir die Summe zu!
Ja, weil sie niemand kann ergründen,
bedeckt sie meine Schuld und Sünden.

6. Choral g C

Mir mangelt zwar sehr viel,
doch, was ich haben will,
ist alles mir zugute
erlangt mit deinem Blute,
damit ich überwinde
Tod, Teufel, Höll und Sünde.

복수는 자비를 베풀지 않은
이들에게서 시작되고
그들을 소돔처럼 완전히 없애버리리라.

4. 레치타티보: 소프라노

자 이제! 내 마음은 분노와 불화와
다툼을 내려놓으리.
이웃을 용서할 준비가 되어 있네.
다만 놀라운 것은 죄 많은 나의 인생이니
나는 하나님 앞에서 죄인이네!
그러나 율법의 근원이신 예수님께
믿음으로 의지하면
그분의 피가 이 죄를 없애주시네.

5. 아리아: 소프라노

의로운 하나님, 아, 저를 심판하십니까?
그렇다면 내 영혼의 구원을 위해
예수님이 흘린 핏방울을 세어보렵니다.
아! 그 합계를 나의 것으로 하십시오!
아무도 그것을 측량할 수 없으니
그 피가 나의 잘못과 죄를 덮습니다.

6. 코랄

내겐 많은 것이 부족하지만
내가 갖고 싶은 것은
모두 당신의 피로써
내게 주어졌습니다.
그러므로 나는 죽음과
악마와 지옥과 죄를 극복할 수 있습니다.

BWV 115
Mache dich, mein Geist, bereit

1. Coro (Choral) G 6/8

Mache dich, mein Geist, bereit,
wache, fleh und bete,
dass dich nicht die böse Zeit
unverhofft betrete;
denn es ist
Satans List
über viele Frommen
zur Versuchung kommen.

2. Aria: Alto e 3/4

Ach schläfrige Seele, wie? ruhest du noch?
Ermuntre dich doch!
Es möchte die Strafe dich plötzlich erwecken
und, wo du nicht wachest,
im Schlafe des ewigen Todes bedecken.

3. Recitativo: Bass G-b **C**

Gott, so vor deine Seele wacht,
hat Abscheu an der Sünden Nacht;
er sendet dir sein Gnadenlicht
und will vor diese Gaben,

BWV 115
준비하라, 내 영혼아

- 1724년 라이프치히 작곡, 1724년 11월 5일 라이프치히 초연
- 가로 플루트, 오보에 다모레, 바이올린 2, 비올라, 비올론첼로 피콜로, 콘티누오
- 요한 부르카르트 프라이슈타인 (1, 6); 무명 시인 (2-5)

1. 합창 (코랄)

준비하라, 내 영혼아
깨어서 간청하고 기도하라
사악한 시간이 너를
불시에 덮치지 않도록.
사탄의 간계가
믿음 깊은 많은 이들을
유혹에 빠뜨렸기
때문이라.

2. 아리아: 알토

아 게으른 영혼아, 어찌하여 아직도 자고 있느냐?
부디 깨어나라!
　　징벌이 갑자기 너를 깨울 수 있으니
　　네가 깨어 있지 않으면
　　영원한 죽음의 잠으로 너를 덮으리라.

3. 레치타티보: 베이스

너의 영혼을 지키는 하나님은
죄의 밤을 싫어하시네.
그는 너에게 은총의 빛을 보내시고
그렇게 풍요롭게 약속하신

die er so reichlich dir verspricht,
nur offne Geistesaugen haben.
Des Satans List ist ohne Grund,
die Sünder zu bestricken;
brichst du nun selbst den Gnadenbund,
wirst du die Hilfe nie erblicken.
Die ganze Welt und ihre Glieder
sind nichts als falsche Brüder;
doch macht dein Fleisch und Blut hierbei
sich lauter Schmeichelei.

4. Aria: Soprano b **C**

Bete aber auch dabei
mitten in dem Wachen!
    Bitte bei der großen Schuld
    deinen Richter um Geduld,
    soll er dich von Sünden frei
    und gereinigt machen!

5. Recitativo: Tenor b-G **C**

Er sehnet sich nach unserm Schreien,
er neigt sein gnädig Ohr hierauf;
wenn Feinde sich auf unsern Schaden freuen,
so siegen wir in seiner Kraft:
Indem sein Sohn, in dem wir beten,
uns Mut und Kräfte schafft
und will als Helfer zu uns treten.

선물의 대가로
오직 네가 영의 눈을 뜨고 있기만을 원하시네.
죄인을 사로잡으려는
사탄의 간계는 끝이 없네.
네가 스스로 은총의 약속을 깬다면
너는 결코 도움을 받지 못하리라.
온 세상과 그곳에 사는 이들은
거짓 형제들에 지나지 않네.
그런데도 너의 살과 피는
오직 감언이설만을 찾고 있네.

4. 아리아: 소프라노

기도하라
깨어 있는 중에도!
　　큰 죄를 지었을 때는
　　너의 판관에게 관용을 청하라
　　그가 너를 죄에서 해방하고
　　깨끗하게 만들어주기를 바란다면!

5. 레치타티보: 테너

그는 우리의 외침을 갈망하시네.
자비롭게 귀를 기울여 우리의 청을 들으시네.
적들이 우리의 불행을 기뻐해도
우리는 그의 권능 안에서 승리하리라.
그 이름으로 기도하는 그분의 아들이
우리에게 용기와 힘을 주시고
구원자가 되어 우리에게 오시리라.

6. Choral G 𝄴

Drum so lasst uns immerdar
wachen, flehen, beten,
weil die Angst, Not und Gefahr
immer näher treten;
denn die Zeit
ist nicht weit,
da uns Gott wird richten
und die Welt vernichten.

BWV 55

Ich armer Mensch, ich Sündenknecht

---

1. Aria: Tenor g 6/8

Ich armer Mensch, ich Sündenknecht,
ich geh vor Gottes Angesichte
mit Furcht und Zittern zum Gerichte.
Er ist gerecht, ich ungerecht.
Ich armer Mensch, ich Sündenknecht!

2. Recitativo: Tenor c-d 𝄴

Ich habe wider Gott gehandelt
und bin demselben Pfad,

6. 코랄

그러므로 언제까지나
깨어 있고, 간청하고, 기도합시다
두려움과 시련과 위험이
점점 가까워오기 때문입니다.
때가
멀지 않았습니다,
그때 하나님은 우리를 심판하고
세상을 파괴하실 것입니다.

BWV 55

나는 가련한 자, 나는 죄악의 종

- 1726년 라이프치히 작곡, 1726년 11월 17일 라이프치히 초연
- 가로 플루트, 오보에 다모레, 바이올린 2, 콘티누오
- 요한 리스트 (5); 크리스토프 비르크만 (1-4)

---

1. 아리아: 테너

나는 가련한 자, 나는 죄악의 종
내가 하나님의 얼굴을 마주하고
두려움과 떨리는 마음으로 심판대 앞에 나아가네.
그는 의롭고, 나는 불의하네.
나는 가련한 자, 나는 죄악의 종!

2. 레치타티보: 테너

나는 하나님의 뜻과
반대로 행동하고

den er mir vorgeschrieben hat,
nicht nachgewandelt.
Wohin? soll ich der Morgenröte Flügel
zu meiner Flucht erkiesen,
die mich zum letzten Meere wiesen,
so wird mich doch die Hand des Allerhöchsten finden
und mir die Sündenrute binden.
Ach ja!
Wenn gleich die Höll ein Bette
vor mich und meine Sünden hätte,
so wäre doch der Grimm des Höchsten da.
Die Erde schützt mich nicht,
sie droht mich Scheusal zu verschlingen;
und will ich mich zum Himmel schwingen,
da wohnet Gott, der mir das Urteil spricht.

3. Aria: Tenor d C

Erbarme dich!
Lass die Tränen dich erweichen,
lass sie dir zu Herzen reichen;
lass um Jesu Christi willen
deinen Zorn des Eifers stillen!
Erbarme dich!

4. Recitativo: Tenor B♭-B♭ C

Erbarme dich!
Jedoch nun
tröst ich mich,
ich will nicht für Gerichte stehen

그가 알려주신 길을 따라
걷지 않았네.
어디로 가야 하나? 새벽을 날개 삼아
도망치고
멀리 있는 바다로 간다 해도
높으신 하나님의 손이 나를 찾아내
죄악의 회초리로 벌하시리라.
아!
만일 지옥이 나와 내 죄를 위해
침상을 마련한다 해도
하나님의 진노가 있으리라.
이 세상은 나를 보호해주지 않고
괴물 같은 나를 삼키겠다고 위협하네.
내가 하늘로 날아오르려 해도
나를 심판하실 하나님이 거기에 계시네.

3. 아리아: 테너

자비를 베푸소서!
눈물이 당신을 누그러뜨리고
당신 마음에 가닿게 하소서.
예수 그리스도를 위해
당신의 불같은 진노를 잠재우소서!
자비를 베푸소서!

4. 레치타티보: 테너

자비를 베푸소서!
그러나
내가 나 스스로를 위로하오니
나는 심판대 앞에 서지 않고

und lieber vor dem Gnadenthron
zu meinem frommen Vater gehen.
Ich halt ihm seinen Sohn,
sein Leiden, sein Erlösen für,
wie er für meine Schuld
bezahlet und genung getan,
und bitt ihn um Geduld,
hinfüro will ich's nicht mehr tun.
So nimmt mich Gott zu Gnaden wieder an.

5. Choral B♭ **C**

Bin ich gleich von dir gewichen,
stell ich mich doch wieder ein;
hat uns doch dein Sohn verglichen
durch sein Angst und Todespein.
Ich verleugne nicht die Schuld,
aber deine Gnad und Huld
ist viel größer als die Sünde,
die ich stets bei mir befinde.

차라리 경건한 아버지가 계신
자비의 보좌로 가려 하네.
그분에게 그의 아들,
그의 고통, 그의 구원을 보여드리겠네,
그가 나를 대신해
죗값을 치르고 많은 일을 하셨듯이.
그리고 그분께 인내를 청하겠네.
이제는 더 이상 죄를 짓지 않으려 하네.
그러면 하나님이 나를 자비롭게 다시 받아주시리라.

5. 코랄

내가 곧 당신에게서 멀어졌으나
다시 돌아가겠나이다.
당신의 아들이 두려움과 죽음의 고통을 통해
나를 구원하였나이다.
나는 나의 죄를 부인하지 않으나
당신의 자비와 은혜는
내 안에서 발견되는 죄보다
훨씬 큽니다.

삼위일체주일 후 제23주일

서신서 빌립보서 3:17-21
복음서 마태복음 22:15-22

BWV 163

Nur jedem das Seine!

1. Aria: Tenor

b C

Nur jedem das Seine!
Muss Obrigkeit haben
Zoll, Steuern und Gaben
Man weigre sich nicht
der schuldigen Pflicht!
Doch bleibet das Herze dem Höchsten alleine.

2. Recitativo: Bass

G-a C

Du bist, mein Gott, der Geber aller Gaben;
wir haben, was wir haben,
allein von deiner Hand.
Du, du hast uns gegeben
Geist, Seele, Leib und Leben
und Hab und Gut und Ehr und Stand!
Was sollen wir
denn dir
zur Dankbarkeit dafür erlegen,
da unser ganz Vermögen
nur dein und gar nicht unser ist?
Doch ist noch eins, das dir, Gott, wohlgefällt:
Das Herze soll allein,

BWV 163
각자에게 제 몫을!

- 1715년 바이마르 작곡, 1715년 11월 24일 바이마르 초연
- 바이올린 2, 비올라, 첼로 오블리가토 2, 콘티누오
- 잘로몬 프랑크 (1-5); 요한 헤르만 (6)

1. 아리아: 테너

각자에게 제 몫을!
공권력이 통행세와 세금과
공물을 취해야 한다면
우리는 해야 할 의무를
거부하면 안 됩니다!
그러나 우리 마음은 하나님 한 분께만 머물러 있습니다.

2. 레치타티보: 베이스

하나님, 당신은 모든 선물을 주시는 분입니다.
우리는 우리가 가져야 할 것을
오직 당신 손에서 받아 가지고 있습니다.
당신은 우리에게
정신과 영혼과 육신과 생명을 주셨고
부와 재물과 영예와 지위도 주셨습니다!
우리는 무엇을
당신에게
감사의 보답으로 드려야 할까요
우리의 모든 재산은
오직 당신 것이고 우리 것이 아니지 않습니까?
그러나 하나님 당신이 흡족해하실 것이 하나 있습니다.
우리의 마음만은

Herr, deine Zinsemünze sein.
Ach! aber ach! ist das nicht schlechtes Geld?
Der Satan hat dein Bild daran verletzet,
die falsche Münz ist abgesetzet.

3. Aria: Bass e **C**

Lass mein Herz die Münze sein,
die ich dir, mein Jesu, steure!
Ist sie gleich nicht allzu rein,
ach, so komm doch und erneure,
Herr, den schönen Glanz bei ihr!
Komm, arbeite, schmelz und präge,
dass dein Ebenbild bei mir
ganz erneuert glänzen möge!

4. Arioso (Duetto): Soprano, Alto b-D **C**

Ich wollte dir,
o Gott, das Herze gerne geben;
der Will ist zwar bei mir,
doch Fleisch und Blut will immer widerstreben.
Dieweil die Welt
das Herz gefangen hält,
so will sie sich den Raub nicht nehmen lassen;
jedoch ich muss sie hassen,
wenn ich dich lieben soll.
So mache doch mein Herz mit deiner Gnade voll;
leer es ganz aus von Welt und allen Lüsten
und mache mich zu einem rechten Christen.

주여, 당신께 바쳐야 할 공물입니다.
아! 아! 그것이 값어치 없는 돈은 아닐까요?
사탄이 당신의 형상에 상처를 입혀
위조 화폐는 사용되지 못합니다.

3. 아리아: 베이스

내 마음이 예수님 당신께
바쳐야 할 동전이 되게 하소서!
동전이 그다지 깨끗하지 않다면
아, 주여 오셔서 아름다웠던
광채를 새로 되살려 주소서!
오셔서 다듬고 녹이고 주조하시어
당신의 형상이 내게서
완전히 새롭게 빛나게 하소서!

4. 아리오소 (이중창): 소프라노, 알토

내가 당신께
오 하나님, 마음을 기꺼이 드리렵니다.
내게 의지는 있으나
살과 피가 늘 저항합니다.
세상이
내 마음을 사로잡고 있는 동안에는
빼앗기려 하지 않을 것입니다.
그러나 당신을 사랑해야 하는 나는
세상을 미워합니다.
그러므로 내 마음이 당신의 은혜로 가득 차게 하소서.
마음에 들어 있는 세상의 것과 모든 욕심을 깨끗이 비워주시고
나를 참된 그리스도인으로 만드소서.

5. Aria (Duetto): Soprano, Alto con Choral D 3/4

Nimm mich mir und gib mich dir!
Nimm mich mir und meinem Willen,
deinen Willen zu erfüllen;
gib dich mir mit deiner Güte,
dass mein Herz und mein Gemüte
in dir bleibe für und für,
nimm mich mir und gib mich dir!

6. Choral D **C**

Führ auch mein Herz und Sinn
durch deinen Geist dahin,
dass ich mög alles meiden,
was mich und dich kann scheiden,
und ich an deinem Leibe
ein Gliedmaß ewig bleibe.

BWV 139

Wohl dem, der sich auf seinen Gott

---

1. Coro (Choral) E **C**

Wohl dem, der sich auf seinen Gott
recht kindlich kann verlassen!

5. 아리아 (이중창): 소프라노, 알토와 코랄

내게 있는 나를 취하시어 당신에게 주소서!
나와 내 뜻 안에 있는 나를 취하시어
당신의 뜻을 이루소서.
당신과 당신의 선하심을 내게 주시어
내 마음과 내 성정이
당신 안에서 영원히 머무르게 하소서
내게 있는 나를 취하시어 당신에게 주소서!

6. 코랄

나의 마음과 생각까지
당신의 영으로 이끄시어
나와 당신을 갈라놓는
모든 것을 내가 피하게 하시고
내가 당신 육신의
한 부분으로 영원히 남게 하소서.

BWV 139

하나님을 아이처럼 의지하는 이는 행복하여라

- 1724년 라이프치히 작곡, 1724년 11월 12일 라이프치히 초연
- 오보에 다모레 2, 바이올린 2, 비올라, 콘티누오
- 요한 크리스토프 루베 (1, 6); 무명 시인 (2-5)

---

1. 합창 (코랄)

하나님을 아이처럼
의지하는 이는 행복하여라!

Den mag gleich Sünde, Welt und Tod
und alle Teufel hassen,
so bleibt er dennoch wohlvergnügt,
wenn er nur Gott zum Freunde kriegt.

2. Aria: Tenor A 3/4

Gott ist mein Freund; was hilft das Toben,
so wider mich ein Feind erhoben!
Ich bin getrost bei Neid und Hass.
    Ja, redet nur die Wahrheit spärlich,
    seid immer falsch, was tut mir das?
    Ihr Spötter seid mir ungefährlich.

3. Recitativo: Alto f♯-f♯ **C**

Der Heiland sendet ja die Seinen
recht mitten in der Wölfe Wut.
Um ihn hat sich der Bösen Rotte
zum Schaden und zum Spotte
mit List gestellt;
doch da sein Mund so weisen Ausspruch tut,
so schützt er mich auch vor der Welt.

4. Aria: Bass f♯ **C** / 6/8

Das Unglück schlägt auf allen Seiten
um mich ein zentnerschweres Band.
Doch plötzlich erscheinet die helfende Hand.
    Mir scheint des Trostes Licht von weitem;
    da lern ich erst, dass Gott allein
    der Menschen bester Freund muss sein.

죄와 세상과 죽음과
온갖 악마가 그를 미워해도
오직 하나님을 친구로 얻는다면
그는 기쁘게 살리라.

2. 아리아: 테너

하나님은 나의 친구이니, 적이 날뛰며
나에게 맞서 일어나도 소용없어라!
시기와 미움을 받아도 나는 태연하네.
　　진실은 아껴 말하고
　　늘 거짓을 말해도, 그것이 나를 해칠까?
　　너희 조롱하는 이들은 나에게 위험하지 않네.

3. 레치타티보: 알토

구세주가 그의 백성을
성난 늑대들 한가운데로 보내시네.
사악한 무리가
해치고 조롱하려고
간특하게 그를 둘러쌌네.
그러나 입에서 지혜의 말씀이 나오면서
그는 나를 세상으로부터 보호하시네.

4. 아리아: 베이스

불행이 사방에서
나에게 무거운 굴레를 씌우네.
그러다 갑자기 도움의 손길이 나타나네.
　　위로의 빛이 멀리서 나를 비추네.
　　그때 비로소 알았네, 하나님만이
　　인간의 가장 좋은 친구라는 것을.

5. Recitativo: Soprano c♯-E C

Ja, trag ich gleich den größten Feind in mir,
die schwere Last der Sünden,
mein Heiland lässt mich Ruhe finden.
Ich gebe Gott, was Gottes ist,
das Innerste der Seelen.
Will er sie nun erwählen,
so weicht der Sünden Schuld,
so fällt des Satans List.

6. Choral E C

Dahero Trotz der Höllen Heer!
Trotz auch des Todes Rachen!
Trotz aller Welt! mich kann nicht mehr
ihr Pochen traurig machen!
Gott ist mein Schutz, mein Hilf und Rat;
wohl dem, der Gott zum Freunde hat!

BWV 52

Falsche Welt, dir trau ich nicht!

---

1. Sinfonia F C

5. 레치타티보: 소프라노

나는 내 안에 가장 큰 적을 안고 다니네
무거운 죄의 짐을.
구세주가 나에게 평안을 찾게 하시네.
나는 하나님의 것은 하나님께 드리네
영혼의 가장 내밀한 것을.
그분이 그것을 택하시면
죄로 인한 잘못은 사라지고
사탄의 간계도 무너지리라.

6. 코랄

그러므로 지옥의 군대에 맞서라!
죽음의 목구멍에도 맞서라!
온 세상에 맞서라! 세상의 타격은
더 이상 나를 힘들게 하지 못하리라!
하나님은 나의 수호자요 나의 구원이요 조언이시니
그분을 친구로 삼은 사람은 행복하여라!

BWV 52

거짓된 세상아, 나는 너를 믿지 않는다!

- 1726년 라이프치히 작곡, 1726년 11월 24일 라이프치히 초연
- 코넷 2, 오보에 3, 바순, 바이올린 2, 비올라, 콘티누오
- 아담 로이스너 (6); 크리스토프 비르크만 (2-5)

---

1. 신포니아

2. Recitativo: Soprano d-a 𝄴

Falsche Welt, dir trau ich nicht!
Hier muss ich unter Skorpionen
und unter falschen Schlangen wohnen.
Dein Angesicht,
das noch so freundlich ist,
sinnt auf ein heimliches Verderben:
Wenn Joab küsst,
so muss ein frommer Abner sterben.
Die Redlichkeit ist aus der Welt verbannt,
die Falschheit hat sie fortgetrieben,
nun ist die Heuchelei
an ihrer Stelle blieben.
Der beste Freund ist ungetreu,
o jämmerlicher Stand!

3. Aria: Soprano d 𝄴

Immerhin, immerhin,
wenn ich gleich verstoßen bin!
    Ist die falsche Welt mein Feind,
    o so bleibt doch Gott mein Freund,
    der es redlich mit mir meint.

4. Recitativo: Soprano B♭-F 𝄴

Gott ist getreu!
Er wird, er kann mich nicht verlassen;

2. 레치타티보: 소프라노

거짓된 세상아, 나는 너를 믿지 않는다!
여기에서 나는 전갈과
거짓 뱀들 틈에서 살아야 하네.
너의 얼굴은
여전히 다정하지만
은밀히 몰락을 계획하고 있구나.
요압*이 입을 맞추면
의로운 아브넬은 죽어야 하네.
정직이 세상에서 추방되었네
거짓이 정직을 몰아내고
이제 위선이
그 자리에 남아 있네.
최고의 친구는 충실하지 못하니
오 통탄할 지경이로다!

3. 아리아: 소프라노

결국, 결국
내가 당장 쫓겨난다면!
　　거짓 세상이 나의 적이 된다 해도
　　하나님은 여전히 나의 친구로 남아
　　나를 솔직하게 대해주시리.

4. 레치타티보: 소프라노

하나님은 신실하십니다!
그는 나를 버리지 않으시고, 그러실 수도 없습니다.

* Joab: 구약성서 「사무엘하」에 나오는 다윗 왕의 조카이자 군대 사령관. 여러 이민족들을 무찔렀으나 다윗의 허락 없이 두 장군을 죽였다. 그 중 한 명이 아브넬이다. 사무엘하 3:27 참조.

will mich die Welt und ihre Raserei
in ihre Schlingen fassen,
so steht mir seine Hülfe bei.
Auf seine Freundschaft will ich bauen
und meine Seele, Geist und Sinn
und alles, was ich bin,
ihm anvertrauen.

5. Aria: Soprano B♭ 3/4

Ich halt es mit dem lieben Gott,
die Welt mag nur alleine bleiben.
Gott mit mir, und ich mit Gott,
also kann ich selber Spott
mit den falschen Zungen treiben.

6. Choral F **C**

In dich hab ich gehoffet, Herr,
hilf, dass ich nicht zuschanden werd,
noch ewiglich zu Spotte!
Das bitt ich dich,
erhalte mich
in deiner Treu, Herr Gotte!

광란의 세상이 나를
올가미로 잡으려 해도
그가 내 곁에서 도와주십니다.
나는 그의 친절함에 의지하면서
나의 영혼과 정신과 생각과
나의 모든 것을
그분께 맡기렵니다.

5. 아리아: 소프라노

나는 사랑의 하나님께 의지하네
세상이 홀로 남더라도
하나님이 나와 함께, 내가 하나님과 함께 있으면
나는 거짓말도
비웃을 수 있습니다.

6. 코랄

주님, 나는 당신을 소망했습니다.
내가 치욕에 빠지지 않게 하시고
영원히 조롱도 당하지 않게 도우소서!
당신께 기도하오니
주 하나님, 당신의 신실함으로
나를 지켜주소서!

삼위일체주일 후 제24주일

서신서 골로새서 1:9-14
복음서 마태복음 9:18-26

BWV 60

O Ewigkeit, du Donnerwort II

(Dialogus)

Furcht (Alto), Hoffnung (Tenor), Christus (Bass)

1. Choral: Alto ed Aria: Tenor (Duetto) D **C**

(Furcht)

O Ewigkeit, du Donnerwort,
o Schwert, das durch die Seele bohrt,
o Anfang sonder Ende!
O Ewigkeit, Zeit ohne Zeit,
ich weiß vor großer Traurigkeit
nicht, wo ich mich hinwende;
mein ganz erschrocknes Herze bebt,
dass mir die Zung am Gaumen klebt.

(Hoffnung)

Herr, ich warte auf dein Heil.

2. Recitativo (Dialogo): Alto, Tenor b-G **C**

(Furcht)

O schwerer Gang zum letzten Kampf und Streite!

(Hoffnung)

Mein Beistand ist schon da,
mein Heiland steht mir ja

BWV 60

오 영원이여, 우레 같은 말씀이여 II

- 1723년 라이프치히 작곡, 1723년 11월 7일 라이프치히 초연
- 코넷, 오보에 다모레 2, 바이올린 2, 비올라, 콘티누오
- 요한 리스트 창세기 49:18 참조 (1); 요한계시록 14:13 (4); 프란츠 요아힘 부르마이스터 (5); 무명 시인 (2-4)

(대화)

두려움 (알토), 희망 (테너), 그리스도 (베이스)

1. 코랄: 알토 & 아리아: 테너 (이중창)

(두려움)

오 영원이여, 우레 같은 말씀이여
오 영혼을 꿰뚫는 검
오 끝이 없는 시작!
오 영원이여, 시간을 넘어선 시간
나는 너무 슬픈 나머지
어디로 가야 할지 알지 못하네.
두려움에 내 마음은 떨리고
혀는 입천장에 붙었네.

(희망)
주여, 내가 당신의 구원을 기다립니다.

2. 레치타티보 (대화): 알토, 테너

(두려움)

오 마지막 전투와 싸움으로 가는 힘든 길!

(희망)

나를 도울 분이 벌써 와 있네
나의 구세주가 내 곁에 서서

mit Trost zur Seite.

(Furcht)

Die Todesangst, der letzte Schmerz

ereilt und überfällt mein Herz

und martert diese Glieder.

(Hoffnung)

Ich lege diesen Leib vor Gott zum Opfer nieder.

Ist gleich der Trübsal Feuer heiß,

genug, es reinigt mich zu Gottes Preis.

(Furcht)

Doch nun wird sich der Sünden große Schuld

vor mein Gesichte stellen.

(Hoffnung)

Gott wird deswegen doch kein Todesurteil fällen.

Er gibt ein Ende den Versuchungsplagen,

dass man sie kann ertragen.

3. Aria (Duetto): Alto, Tenor b 3/4

(Furcht)

Mein letztes Lager will mich schrecken,

(Hoffnung)

mich wird des Heilands Hand bedecken,

(Furcht)

des Glaubens Schwachheit sinket fast,

(Hoffnung)

mein Jesus trägt mit mir die Last.

(Furcht)

Das offne Grab sieht greulich aus,

위로를 주시네.

(두려움)

죽음의 두려움과 마지막 고통이

내 심장에 들이닥치고

나의 팔다리를 괴롭히네.

(희망)

나의 몸을 하나님께 제물로 바치네.

시련의 불길이 아무리 뜨거워도

나는 만족하네, 하나님 찬양을 위해 나를 정화하는 것이니.

(두려움)

그러나 이제 죄가 빚은 큰 잘못이

내 앞에서 드러나리라.

(희망)

그러나 하나님은 사형 선고를 내리시지 않으리라.

그가 유혹의 고통을 끝내니

우리가 견딜 수 있으리라.

3. 아리아 (이중창): 알토, 테너

(두려움)

나의 마지막 침상이 나를 두렵게 하네.

(희망)

구세주의 손길이 나를 보호하리라.

(두려움)

나약한 믿음이 가라앉으려 하네.

(희망)

예수님이 나와 함께 짐을 지시네.

(두려움)

열린 무덤이 무시무시해 보이네.

(Hoffnung)
es wird mir doch ein Friedenshaus.

4. Recitativo: Alto ed Arioso: Bass e-D **C**

Furcht, Christus
Der Tod bleibt doch der menschlichen Natur verhasst
und reißet fast
die Hoffnung ganz zu Boden.
  Selig sind die Toten.
Ach! Aber ach, wie viel Gefahr
stellt sich der Seele dar,
den Sterbeweg zu gehen!
Vielleicht wird ihr der Höllenrachen
den Tod erschrecklich machen,
wenn er sie zu verschlingen sucht;
vielleicht ist sie bereits verflucht
zum ewigen Verderben.
  Selig sind die Toten, die in dem Herren sterben.
Wenn ich im Herren sterbe,
ist denn die Seligkeit mein Teil und Erbe?
Der Leib wird ja der Würmer Speise!
Ja, werden meine Glieder
zu Staub und Erde wieder,
da ich ein Kind des Todes heiße,
so schein ich ja im Grabe zu verderben.
  Selig sind die Toten, die in dem Herren sterben,
  von nun an.
Wohlan! Soll ich von nun an selig sein:
So stelle dich, o Hoffnung, wieder ein!

(희망)
그곳은 내게 평화의 집이 되리라.

4. 레치타티보: 알토 & 아리오소: 베이스

두려움, 그리스도
죽음은 인간의 본성이 싫어하는 것
희망을 잡아끌어
바닥에 내동댕이치네.
　　죽은 자는 행복하여라.
아! 그러나 얼마나 많은 위험이
죽음의 길을 가는
영혼 앞에 나타날까!
아마 지옥의 목구멍이
영혼을 집어삼키려 할 때
죽음을 끔찍하게 만들리라.
영혼은 어쩌면 벌써 저주받아
영원히 파멸했으리라.
　　주님 안에서 죽은 자는 행복하여라.
내가 주님 안에서 죽으면
행복이 나의 것이 되고 내 몫이 될까?
내 육신은 벌레의 양식이 되리라!
내 팔과 다리는
다시 먼지와 흙으로 돌아가리라
나는 죽음의 자녀라 불리기에
무덤 속에서 썩어 없어질 것 같네.
　　주님 안에서 죽은 자는 행복하여라
　　이제부터.
그렇다면! 나는 이제부터 행복하리라.
오 희망이여, 다시 나타나라!

Mein Leib mag ohne Furcht im Schlafe ruhn,
der Geist kann einen Blick in jene Freude tun.

5. Choral A **C**

Es ist genung;
Herr, wenn es dir gefällt,
so spanne mich doch aus!
Mein Jesus kommt;
nun gute Nacht, o Welt!
Ich fahr ins Himmelshaus,
ich fahre sicher hin mit Frieden,
mein großer Jammer bleibt danieden.
Es ist genung.

BWV 26

Ach wie flüchtig, ach wie nichtig

---

1. Coro (Choral) a **C**

Ach wie flüchtig, ach wie nichtig
ist der Menschen Leben!
Wie ein Nebel bald entstehet
und auch wieder bald vergehet,
so ist unser Leben, sehet!

내 육신은 두려움 없이 잠 속에서 안식을 취하고
내 정신은 그 기쁨을 바라볼 수 있겠네.

5. 코랄
이제 만족합니다.
주님, 당신 마음에 흡족하다면
나를 부디 풀어주소서!
나의 예수님이 오십니다.
오 세상이여, 안녕히!
나는 천국의 집으로 갑니다
평화롭고 안전하게 갑니다.
나의 큰 고난은 이곳 지상에 남습니다.
이제 만족합니다.

BWV 26
아 얼마나 덧없고, 아 얼마나 헛된지

- 1724년 라이프치히 작곡, 1724년 11월 19일 라이프치히 초연
- 가로 플루트, 오보에 3, 바이올린 2, 비올라, 콘티누오
- 미하엘 프랑크 (1, 6); 무명 시인 (2-5)

---

1. 합창(코랄)
아 얼마나 덧없고, 아 얼마나 헛된지
인간의 삶이란!
안개처럼 순식간에 피어나고
안개처럼 순식간에 사라지네.
보라, 우리의 삶이 그러할지니!

2. Aria: Tenor C 6/8

So schnell ein rauschend Wasser schießt,
so eilen unser Lebenstage.
  Die Zeit vergeht, die Stunden eilen,
  wie sich die Tropfen plötzlich teilen,
  wenn alles in den Abgrund schießt.

3. Recitativo: Alto C-e **C**

Die Freude wird zur Traurigkeit,
die Schönheit fällt als eine Blume,
die größte Stärke wird geschwächt,
es ändert sich das Glücke mit der Zeit,
bald ist es aus mit Ehr und Ruhme,
die Wissenschaft und was ein Mensche dichtet,
wird endlich durch das Grab vernichtet.

4. Aria: Bass e ¢

An irdische Schätze das Herze zu hängen,
ist eine Verführung der törichten Welt.
  Wie leichtlich entstehen verzehrende Gluten,
  wie rauschen und reißen die wallenden Fluten,
  bis alles zerschmettert in Trümmern zerfällt.

5. Recitativo: Soprano G-a **C**

Die höchste Herrlichkeit und Pracht
umhüllt zuletzt des Todes Nacht.
Wer gleichsam als ein Gott gesessen,
entgeht dem Staub und Asche nicht,
und wenn die letzte Stunde schläget,

2. 아리아: 테너

졸졸 냇물이 빠르게 흐르듯이
인생의 날들도 황급히 서두르네.
　　세월이 흐르고, 시간은 서두르네
　　모든 것이 심연으로 돌진할 때
　　순식간에 물방울이 부서지듯이.

3. 레치타티보: 알토

기쁨은 슬픔으로 변하고
아름다움은 꽃처럼 시듭니다.
큰 힘은 약해지고
행운은 세월과 더불어 바뀝니다.
명예와 영광은 곧 끝나고
학문과 인간의 발명품은
마침내 무덤으로 인해 파괴됩니다.

4. 아리아: 베이스

지상의 보화에 마음을 두는 것은
어리석은 세상의 유혹이네.
　　파괴의 불길은 쉽게 피어오르고
　　밀려드는 큰물은 소리를 내며 할퀴네
　　모든 것이 산산이 부서져 파편이 될 때까지.

5. 레치타티보: 소프라노

지극히 높은 영광과 광휘가
마침내 죽음의 밤을 둘러싸네.
하나님인 양 앉아 있던 자는
먼지와 재로부터 달아나지 못하네.
마지막 시간이 울려

dass man ihn zu der Erde träget
und seiner Hoheit Grund zerbricht,
wird seiner ganz vergessen.

6. Choral a **C**

Ach wie flüchtig, ach wie nichtig
sind der Menschen Sachen!
Alles, alles, was wir sehen,
das muss fallen und vergehen.
Wer Gott fürcht', bleibt ewig stehen.

그가 땅으로 옮겨지고
그의 위엄의 토대가 산산이 부서지면
그도 완전히 잊히리라.

6. 코랄

아 얼마나 덧없고, 아 얼마나 헛된지
인간의 일이란!
우리가 보는 모든 것은
무너지고 사라지리라.
하나님을 두려워하는 이는 영원토록 머무르리라.

삼위일체주일 후 제25주일

서신서 데살로니가전서 4:13-18
복음서 마태복음 24:15-28

BWV 90

Es reißet euch ein schrecklich Ende

1. Aria: Tenor d 3/8

Es reißet euch ein schrecklich Ende,
ihr sündlichen Verächter, hin.
  Der Sünden Maß ist voll gemessen,
  doch euer ganz verstockter Sinn
  hat seines Richters ganz vergessen.

2. Recitativo: Alto B♭-d C

Des Höchsten Güte wird von Tag zu Tage neu,
der Undank aber sündigt stets auf Gnade.
O, ein verzweifelt böser Schade,
so dich in dein Verderben führt.
Ach! wird dein Herze nicht gerührt?
Dass Gottes Güte dich
zur wahren Buße leitet?
Sein treues Herze lässet sich
zu ungezählter Wohltat schauen:
Bald lässt er Tempel auferbauen,
bald wird die Aue zubereitet,
auf die des Wortes Manna fällt,
so dich erhält.
Jedoch, o! Bosheit dieses Lebens,

BWV 90
무서운 종말이 너희를 잡아채 가리라

- 1723년 라이프치히 작곡, 1723년 11월 14일 라이프치히 초연
- 트럼펫, 바이올린 2, 비올라, 콘티누오
- 마르틴 몰러 (5); 무명 시인 (1-4)

1. 아리아: 테너

무서운 종말이 너희를 잡아채 가리라
너희, 죄를 짓고 경멸하는 자들이여
    죄의 잔이 넘쳤는데도
    완고한 너희 마음은
    심판자를 완전히 잊었도다.

2. 레치타티보: 알토

높으신 주님의 호의는 나날이 새로우나
배은망덕은 은총을 바라고 늘 죄를 짓습니다.
오, 극단의 악행은
당신을 멸망으로 이끕니다.
아! 당신의 마음이 움직이지 않습니까?
하나님의 호의가 당신을
참된 속죄로 인도하는 것이?
그분의 신실한 마음은
수많은 선행에서 드러납니다.
그가 곧 성전을 짓게 하시리니
머잖아 당신에게 먹일
말씀의 만나가 떨어질
풀밭도 준비하실 것입니다.
그러나 오! 이 세상의 사악함이여

die Wohltat ist an dir vergebens.

3. Aria: Bass B♭ C

So löschet im Eifer der rächende Richter
den Leuchter des Wortes zur Strafe doch aus.
Ihr müsset, o Sünder, durch euer Verschulden
den Greuel an heiliger Stätte erdulden,
ihr machet aus Tempeln ein mörderisch Haus.

4. Recitativo: Tenor g-d C

Doch Gottes Auge sieht auf uns als Auserwählte:
Und wenn kein Mensch der Feinde Menge zählte,
so schützt uns doch der Held in Israel,
es hemmt sein Arm der Feinde Lauf
und hilft uns auf;
des Wortes Kraft wird in Gefahr
um so viel mehr erkannt und offenbar.

5. Choral d C

Leit uns mit deiner rechten Hand
und segne unser Stadt und Land;
gib uns allzeit dein heil'ges Wort,
behüt fürs Teufels List und Mord;
verleih ein sel'ges Stündelein,
auf dass wir ewig bei dir sein!

선행이 너로 인해 허사가 되었도다.

3. 아리아: 베이스

복수에 흥분한 심판자는
말씀의 등불을 꺼버리며 벌을 내리시네.
너희 죄인들은 지은 죄로 인해
거룩한 장소에서 참상을 겪어야 하리라.
너희가 성전을 죽음의 소굴로 만드는구나.

4. 레치타티보: 테너

그러나 하나님의 눈이 선택된 우리를 바라보십니다.
적의 수가 셀 수 없이 많아도
영웅이 이스라엘에서 우리를 지켜줍니다.
그의 팔이 적의 경로를 가로막아
우리를 도와줍니다.
말씀의 위력은 위험에 처했을 때
더욱 확실하게 알아볼 수 있습니다.

5. 코랄

당신의 오른손으로 우리를 인도하시고
우리의 도시와 나라를 축복하소서.
우리에게 항상 당신의 거룩한 말씀을 들려주시고
악마의 간계와 살해로부터 지켜주소서.
축복의 시간을 내려주시어
우리가 영원히 당신 곁에 있게 하소서!

BWV 116

Du Friedefürst, Herr Jesu Christ

1. Coro (Choral) A ¢

Du Friedefürst, Herr Jesu Christ,
wahr' Mensch und wahrer Gott,
ein starker Nothelfer du bist
im Leben und im Tod.
Drum wir allein
im Namen dein
zu deinem Vater schreien.

2. Aria: Alto f♯ 3/4

Ach, unaussprechlich ist die Not
und des erzürnten Richters Dräuen!
    Kaum, dass wir noch in dieser Angst,
    wie du, o Jesu, selbst verlangst,
    zu Gott in deinem Namen schreien.

3. Recitativo: Tenor A-E **C**

Gedenke doch,
o Jesu, dass du noch
ein Fürst des Friedens heißest!
Aus Liebe wolltest du dein Wort uns senden.
Will sich dein Herz auf einmal von uns wenden,

BWV 116
평화의 왕, 주 예수 그리스도

- 1724년 라이프치히 작곡, 1724년 11월 26일 라이프치히 초연
- 오보에 다모레 2, 바이올린 2, 비올라, 콘티누오
- 야코프 에버트 (1, 6); 무명 시인 (2-5)

1. 합창 (코랄)

평화의 왕, 주 예수 그리스도
참 사람이시고 참 하나님이시며
삶에서도 죽음에서도
강력한 구원자이시니
우리는 오직
주님의 이름으로만
주님의 아버지께 외치나이다.

2. 아리아: 알토

아, 이루 말로 다할 수 없는 시련과
진노한 심판자의 위협!
　　우리는 이런 두려움 속에서
　　예수님, 당신이 간청했던 것처럼
　　하나님께 당신의 이름으로 외치기 어렵습니다.

3. 레치타티보: 테너

그러나 기억하소서
오 예수님, 당신이 아직
평화의 왕이라 불리심을!
당신은 사랑으로 우리에게 당신 말씀을 보내기 원하셨습니다.
지금까지 큰 도움을 주셨는데

der du so große Hülfe sonst beweisest?

4. Aria (Terzetto): Soprano, Tenor, Bass E 3/4

Ach, wir bekennen unsre Schuld
und bitten nichts als um Geduld
und um dein unermesslich Lieben.
    Es brach ja dein erbarmend Herz,
    als der Gefallnen Schmerz
    dich zu uns in die Welt getrieben.

5. Recitativo: Alto c♯-A **C**

Ach, lass uns durch die scharfen Ruten
nicht allzu heftig bluten!
O Gott, der du ein Gott der Ordnung bist,
du weißt, was bei der Feinde Grimm
vor Grausamkeit und Unrecht ist.
Wohlan, so strecke deine Hand
auf ein erschreckt geplagtes Land,
die kann der Feinde Macht bezwingen
und uns beständig Friede bringen!

6. Choral A **C**

Erleucht auch unser Sinn und Herz
durch den Geist deiner Gnad,
dass wir nicht treiben draus ein' Scherz,
der unsrer Seelen schad.
O Jesu Christ,
allein du bist,
der solch's wohl kann ausrichten.

당신의 마음이 갑자기 우리에게서 멀어질까요?

4. 아리아 (삼중창): 소프라노, 테너, 베이스

아, 우리의 죄를 고백하오니
바라는 것은 오직 당신의 인내와
헤아릴 길 없는 사랑입니다.
　　타락한 이의 고통이
　　당신을 우리가 있는 세상으로 보냈을 때
　　당신의 자비로운 마음은 찢어졌나이다.

5. 레치타티보: 알토

아, 매서운 채찍으로 우리가
너무 많은 피를 흘리지 않게 하소서!
오 하나님, 질서의 하나님,
당신은 아십니다, 적의 분노에
잔인함과 불의가 얼마나 많은지를.
지금 당신의 손을 뻗어주소서
끔찍하게 고통을 당하는 이 땅 위로.
당신은 적의 군대를 물리치고
우리에게 영원히 평화를 주실 수 있습니다!

6. 코랄

우리의 생각과 마음까지
당신의 은혜의 영으로 비춰주시어
우리가 경솔한 행동으로
우리 영혼에 상처를 입히지 않게 하소서.
오 예수 그리스도여
오직 당신만이
그러한 일을 하실 수 있습니다.

삼위일체주일 후 제26주일

서신서 베드로후서 3:3-13
복음서 마태복음 25:31-46

BWV 70

Wachet! betet! betet! wachet!

(For the Twenty-sixth Sunday after Trinity)

I Teil

1. Coro C **C**

Wachet! betet! betet! wachet!
Seid bereit
allezeit,
bis der Herr der Herrlichkeit
dieser Welt ein Ende machet.

2. Recitativo: Bass F-a **C**

Erschrecket, ihr verstockten Sünder!
Ein Tag bricht an,
vor dem sich niemand bergen kann:
Er eilt mit dir zum strengen Rechte,
o! sündliches Geschlechte,
zum ewgen Herzeleide.
Doch euch, erwählte Gotteskinder,
ist er ein Anfang wahrer Freude.
Der Heiland holet euch, wenn alles fällt und bricht,
vor sein erhöhtes Angesicht;
drum zaget nicht!

BWV 70
깨어나라! 기도하라! 기도하라! 깨어나라!

- 1723년 라이프치히 작곡, 1731년 라이프치히 개정, 1723년 11월 21일 라이프치히 초연, 1731년 11월 18일 라이프치히 개정판 연주
- 트럼펫, 오보에, 바이올린 2, 비올라, 콘티누오
- 잘로몬 프랑크 (1, 3, 5, 8, 10); 크리스티안 카이만 (11); 크리스토프 데만티우스 (7); 무명 시인 (2, 4, 6, 9)

제1부

1. 합창

깨어나라! 기도하라! 기도하라! 깨어나라!
준비하고 있어라
언제나
영광의 주님이
이 세상을 끝내실 때까지

2. 레치타티보: 베이스

두려워하라, 완강한 너희 죄인들아!
아무도 몸을 숨길 수 없는
날이 밝아온다.
너를 데리고 서둘러 가혹한 심판대로 가니
오! 죄 많은 세대여
영원히 마음의 고통을 당하는구나.
그러나 선택된 하나님의 자녀들아
그날은 참된 기쁨의 시작이다.
모든 것이 무너지고 꺾어진 뒤 구세주는 너희를
그의 드높은 얼굴 앞으로 데려가리라.
그러니 절망하지 마라!

3. Aria: Alto a 3/4

Wenn kömmt der Tag, an dem wir ziehen
aus dem Ägypten dieser Welt?
Ach, lasst uns bald aus Sodom fliehen,
eh uns das Feuer überfällt!
Wacht, Seelen, auf von Sicherheit
und glaubt, es ist die letzte Zeit!

4. Recitativo: Tenor d-b **C**

Auch bei dem himmlischen Verlangen
hält unser Leib den Geist gefangen;
es legt die Welt durch ihre Tücke
den Frommen Netz und Stricke.
Der Geist ist willig, doch das Fleisch ist schwach;
dies presst uns aus ein jammervolles Ach!

5. Aria: Soprano e **C**

Lasst der Spötter Zungen schmähen,
es wird doch und muss geschehen,
dass wir Jesum werden sehen
auf den Wolken, in den Höhen.
Welt und Himmel mag vergehen,
Christi Wort muss fest bestehen.
Lasst der Spötter Zungen schmähen;
es wird doch und muss geschehen!

6. Recitativo: Tenor D-G **C**

Jedoch bei dem unartigen Geschlechte
denkt Gott an seine Knechte,

3. 아리아: 알토

우리가 이 세상의 이집트를 탈출할
그날은 언제 올까요?
아, 우리가 곧 소돔에서 도망치게 하소서,
불길이 덮치기 전에!
영혼이여, 자만에서 깨어나
믿어라. 지금이 마지막 시간이니!

4. 레치타티보: 테너

아무리 하늘을 소망해도
우리의 육이 영을 붙잡고 있습니다.
세상이 술책을 부려
경건한 사람들에게 그물과 올무를 던집니다.
마음은 간절하나 몸이 말을 듣지 않으니
우리가 슬픔 가득한 탄식을 뱉어냅니다!

5. 아리아: 소프라노

조롱하는 자, 혀로 비방하게 하라
그러나 반드시 이 일이 일어나리라.
저 높은 구름 위에서 우리가
예수님을 뵈올 것이다.
세상과 천국이 사라져도
그리스도의 말씀은 굳건히 남으리라.
조롱하는 자, 혀로 비방하게 하라
그러나 반드시 이 일이 일어나리라!

6. 레치타티보: 테너

그러나 악한 족속을 보면
하나님은 그의 종들을 생각하시고

dass diese böse Art
sie ferner nicht verletzet,
indem er sie in seiner Hand bewahrt
und in ein himmlisch Eden setzet.

7. Choral G 3/4

Freu dich sehr, o meine Seele,
und vergiss all Not und Qual,
weil dich nun Christus, dein Herre,
ruft aus diesem Jammertal!
Seine Freud und Herrlichkeit
sollt du sehn in Ewigkeit,
mit den Engeln jubilieren,
in Ewigkeit triumphieren.

II Teil

8. Aria: Tenor G **C**

Hebt euer Haupt empor
und seid getrost, ihr Frommen,
zu eurer Seelen Flor!
Ihr sollt in Eden grünen,
Gott ewiglich zu dienen.

9. Recitativo: Bass e-C **C**

Ach, soll nicht dieser große Tag,
der Welt Verfall
und der Posaunen Schall,
der unerhörte letzte Schlag,

악행이 그들을
다치지 않게 하려고
그들을 손으로 지키며
하늘의 낙원으로 데려가시네.

7. 코랄
크게 기뻐하라, 내 영혼아
시련과 고통은 모두 잊어라
주 그리스도가 너를
이 슬픔의 골짜기에서 불러내신다!
그의 기쁨과 영광을
너는 영원히 보면서
천사들과 함께 환호하고
영원히 승리하리라.

제2부

8. 아리아: 테너
머리를 들고
용기를 내어라, 너희 믿음 깊은 이들아
너희 영혼이 꽃을 피워라!
　　너희가 에덴에서 번성하며
　　하나님을 영원히 섬기리라.

9. 레치타티보: 베이스
아, 이 위대한 날이
세상의 멸망이 되지 말아야 하리라.
나팔 소리와
전례 없는 최후의 일격

des Richters ausgesprochne Worte,
des Höllenrachens offne Pforte
in meinem Sinn
viel Zweifel, Furcht und Schrecken,
der ich ein Kind der Sünden bin,
erwecken?
Jedoch, es gehet meiner Seelen
ein Freudenschein, ein Licht des Trostes auf.
Der Heiland kann sein Herze nicht verhehlen,
so vor Erbarmen bricht,
sein Gnadenarm verlässt mich nicht.
Wohlan, so ende ich mit Freuden meinen Lauf.

10. Aria: Bass C 3/4

Seligster Erquickungstag,
führe mich zu deinen Zimmern!
Schalle, knalle, letzter Schlag,
Welt und Himmel, geht zu Trümmern!
Jesus führet mich zur Stille,
an den Ort, da Lust die Fülle.

11. Choral C **C**

Nicht nach Welt, nach Himmel nicht
meine Seele wünscht und sehnet,
Jesum wünsch ich und sein Licht,
der mich hat mit Gott versöhnet,
der mich freiet vom Gericht,
meinen Jesum lass ich nicht.

판관이 내리는 심판의 말과
지옥의 목구멍처럼 열린 문이
내 마음에
많은 의혹과 두려움과 공포를
불러일으키는 건
내가 죄의 자녀이기 때문일까요?
그러나 내 영혼에
기쁨의 광선, 위로의 빛이 비치네.
구세주는 자신의 마음을 숨길 수 없어
연민으로 가슴이 찢어지니
그의 자비의 두 팔이 나를 버리지 않으시네.
이제 내가 기쁘게 나의 인생 역정을 마치리라.

10. 아리아: 베이스

가장 복된 새 생명의 날
나를 당신의 방으로 데려가소서!
나팔 소리, 굉음, 마지막 일격
땅과 하늘이 파괴되도다!
예수님이 나를 조용하고
기쁨이 넘치는 곳으로 이끄시네.

11. 코랄

내 영혼이 바라고 갈구하는 것은
세상도 아니요, 천국도 아닙니다.
나는 예수님과 그의 빛을 원하오니
그는 나를 하나님과 화해시키시고
나를 심판에서 해방하시니
내가 예수님을 떠나지 않겠나이다.

삼위일체주일 후 제27주일

서신서 데살로니가전서 5:1-11

복음서 마태복음 25:1-13

BWV 140

Wachet auf, ruft uns die Stimme

(for the Twenty-seventh Sunday after Trinity)

1. Coro (Choral) E♭ 3/4

Wachet auf, ruft uns die Stimme
der Wächter sehr hoch auf der Zinne,
wach auf, du Stadt Jerusalem!
Mitternacht heißt diese Stunde;
sie rufen uns mit hellem Munde:
Wo seid ihr klugen Jungfrauen?
Wohlauf, der Bräutgam kömmt;
steht auf, die Lampen nehmt!
Alleluja!
Macht euch bereit
zu der Hochzeit,
ihr müsset ihm entgegengehn!

2. Recitativo: Tenor c-c **C**

Er kommt, er kommt,
der Bräutgam kommt!
Ihr Töchter Zions, kommt heraus,
sein Ausgang eilet aus der Höhe
in euer Mutter Haus.
Der Bräutgam kommt, der einem Rehe
und jungen Hirsche gleich

BWV 140

깨어나라, 우리를 부르는 소리

- 1731년 라이프치히 작곡, 1731년 11월 25일 라이프치히 초연
- 코넷, 오보에 2, 알토 오보에, 바이올린 2, 바이올린 피콜로, 비올라, 콘티누오
- 필리프 니콜라이 (1, 4, 7); 무명 시인 (2, 3, 5, 6)

1. 합창 (코랄)

깨어나라, 우리를 부르는 소리
파수꾼이 성벽 높은 데서 외치네
깨어나라, 예루살렘 시여!
지금 때는 한밤중.
그들이 낭랑한 소리로 우리를 부르네.
지혜로운 처녀들은 어디에 있느냐?
깨어나라, 신랑이 오리니
일어나라, 등불을 들어라!
알렐루야!
너희는 혼인 잔치를
준비하라
그를 맞이해야 한다!

2. 레치타티보: 테너

그가 온다, 그가 온다
신랑이 온다!
너희 시온의 딸들아, 밖으로 나오라
그가 높은 데서 서둘러 내려와
너희 어머니의 집으로 간다.
신랑이 온다, 노루처럼
또한 어린 사슴처럼

auf denen Hügeln springt

und euch das Mahl der Hochzeit bringt.

Wacht auf, ermuntert euch!

Den Bräutgam zu empfangen!

Dort, sehet, kommt er hergegangen.

3. Aria (Duetto): Soprano, Bass c 6/8

(Seele)

Wenn kömmst du, mein Heil?

(Jesus)

Ich komme, dein Teil.

(Seele)

Ich warte mit brennendem Öle.

(Jesus)

Ich öffne den Saal

(Seele)

Eröffne den Saal

(Beide)

zum himmlischen Mahl!

(Seele)

Komm, Jesu!

(Jesus)

Ich komme; komm, liebliche Seele!

4. Choral: Tenor E♭ **C**

Zion hört die Wächter singen,

das Herz tut ihr vor Freuden springen,

sie wachet und steht eilend auf.

Ihr Freund kommt vom Himmel prächtig,

언덕을 뛰어
너희에게 혼인 잔치 음식을 가져온다.
깨어나라, 기뻐하라!
신랑을 맞아들여라!
보아라, 저기에 그가 왔다.

3. 아리아 (이중창): 소프라노, 베이스

(영혼)
언제 오십니까, 나의 구세주여?
(예수)
지금 가고 있다, 나는 너의 일부이니라.
(영혼)
내가 타오르는 등불을 가지고 기다립니다.
(예수)
내가 연회장을 열리라.
(영혼)
연회장을 열어주소서.
(함께)
하늘의 향연을 위해!
(영혼)
오소서, 예수님!
(예수)
내가 가고 있다. 오너라, 사랑스런 영혼아!

4. 코랄: 테너

시온이 파수꾼의 노래를 들으니
마음이 기쁨으로 요동치네.
시온이 깨어나 서둘러 일어나네.
그 친구가 하늘에서 찬란하게 내려오니

von Gnaden stark, von Wahrheit mächtig,
ihr Licht wird hell, ihr Stern geht auf.
Nun komm, du werte Kron,
Herr Jesu, Gottes Sohn!
Hosianna!
Wir folgen all
zum Freudensaal
und halten mit das Abendmahl.

5. Recitativo: Bass E♭-B♭ **C**

So geh herein zu mir,
du mir erwählte Braut!
Ich habe mich mit dir
in Ewigkeit vertraut.
Dich will ich auf mein Herz,
auf meinem Arm gleich wie ein Siegel setzen
und dein betrübtes Aug ergötzen.
Vergiss, o Seele, nun
die Angst, den Schmerz,
den du erdulden müssen;
auf meiner Linken sollst du ruhn,
und meine Rechte soll dich küssen.

6. Aria (Duetto): Soprano, Bass B♭ **C**

(Seele)
Mein Freund ist mein,
(Jesus)
und ich bin sein.

은혜가 충만하고 진리는 강력하네.
시온의 빛이 밝아오고 별이 뜨네.
이제 오소서, 귀한 왕관을 쓰신 그대
주 예수님, 하나님의 아들!
호산나!
우리가 모두
기쁨의 연회장으로 따라가
함께 만찬을 들리라.

5. 레치타티보: 베이스
나에게로 들어오라
내가 선택한 신부여!
나는 너와
영원히 결혼하였다.
너를 내 마음과
내 팔에 인장처럼 새기고
너의 슬픈 눈을 기쁘게 하리라.
이제는 잊어라, 영혼아,
네가 참아야 했던
두려움과 고통을.
내 왼손에 기대어 네가 쉬리니
내 오른손은 너에게 입을 맞추리라.

6. 아리아 (이중창): 소프라노, 베이스
(영혼)
나의 친구는 내 것입니다
　　(예수)
　　그리고 나는 그의 것이다.

(Beide)

Die Liebe soll nichts scheiden.

(Seele)

Ich will mit dir in Himmels Rosen weiden,

(Jesus)

Du sollst mit mir in Himmels Rosen weiden,

(Beide)

da Freude die Fülle, da Wonne wird sein.

7. Choral E♭ ¢

Gloria sei dir gesungen
mit Menschen- und englischen Zungen,
mit Harfen und mit Zimbeln schon.
Von zwölf Perlen sind die Pforten,
an deiner Stadt sind wir Konsorten
der Engel hoch um deinen Thron.
Kein Aug hat je gespürt,
kein Ohr hat je gehört
solche Freude.
Des sind wir froh,
io, io!
ewig in dulci jubilo.

(함께)

사랑은 아무것도 갈라놓지 못하네.

(영혼)

나는 당신과 하늘의 장미밭에서 즐겁게 지내리라.

(예수)

너는 나와 하늘의 장미밭에서 즐겁게 지내리라.

(함께)

그곳에 기쁨이 충만하고 환희가 넘칠 테니!

7. 코랄

영광의 노래를 당신께 부르겠나이다.
사람의 말과 천사의 말로,
하프와 심벌즈를 울리며.
관문은 열두 개의 진주로 장식되어 있습니다
당신의 도시에서 우리는
당신의 높은 보좌를 둘러싼 천사들의 동료입니다.
아무도 본 적이 없고
아무도 들은 적이 없는
이 기쁨.
우리가 즐겁고 기쁘니
만세, 만세!
한없이 달콤한 기쁨이여.

기타

BWV 150

Nach dir, Herr, verlanget mich

1. Sinfonia b/d C

2. Coro b/d C

Nach dir, Herr, verlanget mich. Mein Gott, ich hoffe auf dich. Lass mich nicht zuschanden werden, dass sich meine Feinde nicht freuen über mich.

3. Aria: Soprano b/d C

Doch bin und bleibe ich vergnügt,
obgleich hier zeitlich toben
Kreuz, Sturm und andre Proben,
Tod, Höll und was sich fügt.
Ob Unfall schlägt den treuen Knecht,
Recht ist und bleibet ewig Recht.

4. Coro b/d C

Leite mich in deiner Wahrheit und lehre mich; denn du bist der Gott, der mir hilft, täglich harre ich dein.

5. Aria (Terzetto): Alto, Tenor, Bass D/F 3/4

Zedern müssen von den Winden
oft viel Ungemach empfinden,

BWV 150

주여, 내가 주를 갈망하나이다

- 1704-7년 아른슈타트 작곡 및 초연
- 바순, 바이올린 2, 콘티누오
- 시편 25:1-2 (2); 시편 25:5 (4); 시편 25:15 (6); 무명 시인 (3, 5, 7)

1. 신포니아

2. 합창

주여, 내가 주를 갈망하나이다. 나의 하나님, 내가 주를
의지하오니, 내가 부끄럽지 않게 하시고
내 적들이 나를 이기고 기뻐하지 않게 하소서.

3. 아리아: 소프라노

나는 지금도 앞으로도 만족하리라.
이곳 세상이 사납게 날뛴다 해도.
고난, 폭풍우, 시련
죽음, 지옥, 무엇이 닥치더라도.
신실한 종이 사고를 당하더라도
의로움은 언제나 영원히 의로움이리라.

4. 합창

주의 진리로 나를 이끄시고 가르치소서.
주는 나를 돕는 하나님이니 내가 날마다 주를 기다립니다.

5. 아리아 (삼중창): 알토, 테너, 베이스

삼나무는 바람이 불면
많은 고통을 느끼고

oftmals werden sie verkehrt.
Rat und Tat auf Gott gestellet,
achtet nicht, was widerbellet,
denn sein Wort ganz anders lehrt.

6. Coro D-b/F-d 6/8

Meine Augen sehen stets zu dem Herrn; denn er wird meinen Fuß aus dem Netze ziehen.

7. Coro b/d 3/2

Meine Tage in den Leiden
endet Gott dennoch zur Freuden;
Christen auf den Dornenwegen
führen Himmels Kraft und Segen.
Bleibet Gott mein treuer Schatz,
achte ich nicht Menschenkreuz;
Christus, der uns steht zur Seiten,
hilft mir täglich sieghaft streiten.

때로는 뿌리까지 뽑힙니다.
말과 행동을 하나님께 맡기십시오
무슨 헛된 소리가 들려도 듣지 마십시오
그 소리는 전혀 다른 것을 가르칠 것이므로.

6. 합창
내 눈은 언제나 주를 바라보나이다.
주는 내 발을 그물에서 꺼내시리이다.

7. 합창
내 인생의 고난은
하나님이 끝내시고 기쁨으로 만드시리라.
가시밭길을 걷는 그리스도인들은
하늘의 능력과 축복이 인도하리라.
하나님이 내 신실한 보배라면
나는 인간의 고통에 개의치 않으리라.
우리 곁에 계시는 그리스도가 날마다
나를 도와 싸움에서 이기게 하시리라.

BWV 131

Aus der Tiefen rufe ich, Herr, zu dir

1. Coro g/a ³/₄, **C**

Aus der Tiefen rufe ich, Herr, zu dir. Herr, höre meine Stimme, lass deine Ohren merken auf die Stimme meines Flehens!

2. Arioso: Bass con Choral: Soprano g/a [**C**]

So du willst, Herr, Sünde zurechnen, Herr, wer wird bestehen?

Erbarm dich mein in solcher Last,
nimm sie aus meinem Herzen,
dieweil du sie gebüßet hast
am Holz mit Todesschmerzen,

Denn bei dir ist die Vergebung,
dass man dich fürchte.

auf dass ich nicht mit großem Weh
in meinen Sünden untergeh,
noch ewiglich verzage.

3. Coro E♭-g/F-a **C**

Ich harre des Herrn, meine Seele harret, und ich hoffe auf sein Wort.

BWV 131
주여, 내가 깊은 데서 주께 부르짖으니

- 1707년 뮐하우젠 작곡, 1707-8년 뮐하우젠 초연
- 오보에, 바순, 바이올린, 비올라 2, 콘티누오
- 시편 130장; 바르톨로메우스 링발트 (2, 4)

1. 합창

주여, 내가 깊은 데서 주께 부르짖으니
내 소리를 들으소서, 애원하는 나의 소리에
귀를 기울이소서!

2. 아리오소: 베이스 & 코랄: 소프라노

주님, 당신이 죄의 책임을 물으신다면
누가 감당할까요?
　무거운 짐을 진 나에게 자비를 베푸소서
　내 마음에서 짐을 벗겨주소서.
　당신은 십자가에서 죽음의 고통으로
　속죄하셨습니다.
당신은 용서하실 수 있으니
사람들이 당신을 경외할 것입니다.
　그리하여 내가 크게 슬퍼하지 않고
　내 죄로 멸망하지 않고
　영원히 절망하지 않게 하소서.

3. 합창

내 영혼이 주님을 기다리고
내가 그분의 말씀을 소망합니다.

4. Aria: Tenor con Choral: Alto c/d 12/8

Meine Seele wartet auf den Herrn von einer Morgenwache bis zu der andern.

Und weil ich denn in meinem Sinn,
wie ich zuvor geklaget,
auch ein betrübter Sünder bin,
den sein Gewissen naget,
und wollte gern im Blute dein
von Sünden abgewaschen sein
wie David und Manasse.

5. Coro g/a **C**

Israel hoffe auf den Herrn; denn bei dem Herrn ist die Gnade und viel Erlösung bei ihm. Und er wird Israel erlösen aus allen seinen Sünden.

BWV 100

Was Gott tut, das ist wohlgetan III

---

1. Coro G ¢

Was Gott tut, das ist wohlgetan,
es bleibt gerecht sein Wille;
wie er fängt meine Sachen an,

4. 아리아: 테너 & 코랄: 알토

새벽을 기다리는 파수꾼처럼
내 영혼이 주님을 기다립니다.
　　전에도 한탄했듯이
　　내가 마음속에서는
　　슬퍼하는 죄인이며
　　양심의 가책으로 괴로워하기 때문입니다.
　　다윗과 므낫세처럼
　　내가 당신의 피로
　　죄를 씻기를 원합니다.

5. 합창

이스라엘이 주님을 기다리네. 주님께
은총이 있고 큰 구원이 있기 때문이라.
그는 이스라엘을 모든 죄악에서 구하시리라.

BWV 100

하나님이 하시는 일은 선하시고 III

- 1732-35년 라이프치히 작곡 및 초연
- 코넷 2, 팀파니, 가로 플루트, 오보에 다모레, 바이올린 2, 첼로, 비올로네, 비올라, 콘티누오
- 자무엘 로디가스트

---

1. 합창

하나님이 하시는 일은 선하시고
그의 뜻은 항상 의롭도다.
그가 나의 일을 어떻게 주관하시든

will ich ihm halten stille.
Er ist mein Gott,
der in der Not
mich wohl weiß zu erhalten;
drum lass ich ihn nur walten.

2. Duetto: Alto, Tenor D **C**

Was Gott tut, das ist wohlgetan,
er wird mich nicht betrügen;
er führet mich auf rechter Bahn,
so lass ich mich begnügen
an seiner Huld
und hab Geduld,
er wird mein Unglück wenden,
es steht in seinen Händen.

3. Aria: Soprano b $6/8$

Was Gott tut, das ist wohlgetan,
er wird mich wohl bedenken;
er, als mein Arzt und Wundermann,
wird mir nicht Gift einschenken
vor Arzenei.
Gott ist getreu,
drum will ich auf ihn bauen
und seiner Gnade trauen.

4. Aria: Bass G $2/4$

Was Gott tut, das ist wohlgetan,
er ist mein Licht, mein Leben,

나는 그를 조용히 따르리라.
그는 나의 하나님
고난 속에서
나를 든든히 지켜주는 분
그러므로 나는 그의 섭리를 따르리라.

2. 이중창: 알토, 테너

하나님이 하시는 일은 선하도다
그는 나를 속이지 않으시고
올바른 길로 이끄시니
내가 그의 은혜에
만족하고
인내하네.
그는 내가 불행을 피하게 하시리니
그는 능히 그렇게 할 수 있는 분이라.

3. 아리아: 소프라노

하나님이 하시는 일은 선하도다
그는 나를 기억하시리라.
나의 치유자이며 기적을 행하시는 분
그는 나에게 약이 아닌
독을 따라주지 않으시리라.
하나님은 신실하시니
내가 그를 토대로
그의 은혜를 믿으리라.

4. 아리아: 베이스

하나님이 하시는 일은 선하도다
그는 나의 빛이요 나의 생명이며

der mir nichts Böses gönnen kann,
ich will mich ihm ergeben
in Freud und Leid!
Es kommt die Zeit,
da öffentlich erscheinet,
wie treulich er es meinet.

5. Aria: Alto c 12/8

Was Gott tut, das ist wohlgetan,
muss ich den Kelch gleich schmecken,
der bitter ist nach meinem Wahn,
lass ich mich doch nicht schrecken,
weil doch zuletzt
ich werd ergötzt
mit süßem Trost im Herzen;
da weichen alle Schmerzen.

6. Choral G C

Was Gott tut, das ist wohlgetan,
derbei will ich verbleiben.
Es mag mich auf die raue Bahn
Not, Tod und Elend treiben,
so wird Gott mich
ganz väterlich
in seinen Armen halten;
drum lass ich ihn nur walten.

내게 악한 일을 할 수 없는 분이니
내가 그에게 헌신하리라
기쁠 때에도 슬플 때에도!
때가 왔도다,
그의 마음이 얼마나 신실한지
모두에게 드러나는 때가.

5. 아리아: 알토

하나님이 하시는 일은 선하도다
비록 내 생각에 쓴맛이 나는 잔을
마셔야 하더라도
나는 놀라지 않으리라.
마지막에는 내가
달콤한 위안을 받고
마음이 즐거워질 것이기에.
그땐 모든 고통이 물러가리라.

6. 코랄

하나님이 하시는 일은 선하시니
내가 굳게 믿으리라.
험한 길에 던져지고
고난과 죽음과 불행이 덮쳐도
하나님은 나를
아버지처럼
팔에 안아주시리.
그러므로 나는 그의 섭리를 따르리라.

BWV 117

Sei Lob und Ehr dem höchsten Gut

1. Coro(Choral) G 6/8

Sei Lob und Ehr dem höchsten Gut,
dem Vater aller Güte,
dem Gott, der alle Wunder tut,
dem Gott, der mein Gemüte
mit seinem reichen Trost erfüllt,
dem Gott, der allen Jammer stillt.
Gebt unserm Gott die Ehre!

2. Recitativo: Bass C-G **C**, 3/8

Es danken dir die Himmelsheer,
o Herrscher aller Thronen,
und die auf Erden, Luft und Meer
in deinem Schatten wohnen,
die preisen deine Schöpfermacht,
die alles also wohl bedacht.
Gebt unserm Gott die Ehre!

3. Aria: Tenor e 6/8

Was unser Gott geschaffen hat,
das will er auch erhalten;
darüber will er früh und spat

BWV 117
최고로 선하심에 찬미와 영광 있으라

- 1731년 라이프치히 작곡, 1731년 바이센펠스 초연
- 가로 플루트 2, 오보에 2, 오보에 다모레 2, 바이올린 2, 비올라, 콘티누오
- 요한 야코프 쉬츠

1. 합창(코랄)

최고로 선하심에 찬미와 영광 있으라
모든 선함의 아버지
모든 기적을 행하시는 하나님
나의 마음을
넘치도록 위로하시는 하나님
모든 슬픔을 달래시는 하나님
우리의 하나님께 영광을 돌리자!

2. 레치타티보: 베이스

하늘의 군대가 당신께 감사드립니다.
오 모든 왕좌의 통치자시여,
땅과 하늘과 바다에서
당신의 그림자 속에 사는 사람들이
모든 것을 돌보는
창조주 당신의 권능을 찬양합니다.
우리의 하나님께 영광을 돌리자!

3. 아리아: 테너

우리 하나님이 만드신 것을
그분은 무엇이든 지켜내려 하시네.
아침이든 밤이든

mit seiner Gnade walten.

In seinem ganzen Königreich

ist alles recht und alles gleich.

Gebt unserm Gott die Ehre!

4. Choral G C

Ich rief dem Herrn in meiner Not:

Ach Gott, vernimm mein Schreien!

Da half mein Helfer mir vom Tod

und ließ mir Trost gedeihen.

Drum dank, ach Gott, drum dank ich dir;

ach, danket, danket Gott mit mir!

Gebt unserm Gott die Ehre!

5. Recitativo: Alto D-D C

Der Herr ist noch und nimmer nicht

von seinem Volk geschieden,

er bleibet ihre Zuversicht,

ihr Segen, Heil und Frieden;

mit Mutterhänden leitet er

die Seinen stetig hin und her.

Gebt unserm Gott die Ehre!

6. Aria: Bass b C

Wenn Trost und Hülf ermangeln muss,

die alle Welt erzeiget,

so kommt, so hilft der Überfluss,

der Schöpfer selbst, und neiget

die Vatersaugen denen zu,

자비로 다스리려 하시네.
그분의 왕국에서는
모든 것이 공정하고 평등하네.
우리의 하나님께 영광을 돌리자!

4. 코랄

시련이 닥쳤을 때 나는 주께 외쳤네.
아 하나님, 내 외침을 들어주소서!
그때 구원자가 나를 죽음에서 꺼내시고
위로로 나를 살리셨네.
하나님, 감사합니다, 당신께 감사드립니다.
아, 나와 함께 하나님께 감사를 드리자!
우리의 하나님께 영광을 돌리자!

5. 레치타티보: 알토

주께서는 그의 백성과
끊어지지 않았습니다.
그는 여전히 그들의 믿음이요
축복이고 구원이요 평화입니다.
그는 항상 어머니의 손길로
백성을 이끄십니다.
우리의 하나님께 영광을 돌리자!

6. 아리아: 베이스

위로와 도움이 없을 때면
온 세상이 증언한 대로
창조주가 직접 오셔서
넘치도록 도와주시고,
평안을 찾지 못하는 이들을

die sonsten nirgend finden Ruh.
Gebt unserm Gott die Ehre!

7. Aria: Alto D 3/4

Ich will dich all mein Leben lang,
o Gott, von nun an ehren;
man soll, o Gott, den Lobgesang
an allen Orten hören.
Mein ganzes Herz ermuntre sich,
mein Geist und Leib erfreue sich.
Gebt unserm Gott die Ehre!

8. Recitativo: Tenor b-G **C**

Ihr, die ihr Christi Namen nennt,
gebt unserm Gott die Ehre!
Ihr, die ihr Gottes Macht bekennt,
gebt unserm Gott die Ehre!
Die falschen Götzen macht zu Spott,
der Herr ist Gott, der Herr ist Gott:
Gebt unserm Gott die Ehre!

9. Choral G 6/8

So kommet vor sein Angesicht
mit jauchzenvollem Springen;
bezahlet die gelobte Pflicht
und lasst uns fröhlich singen:
Gott hat es alles wohl bedacht
und alles, alles wohl gemacht.
Gebt unserm Gott die Ehre!

아버지의 눈길로 굽어보시네.
우리의 하나님께 영광을 돌리자!

7. 아리아: 알토
나는 이제부터 당신을
오 하나님, 한평생 공경하리라.
오 하나님, 찬양의 노래가
사방에서 들리게 하소서.
내 마음이 용기를 얻게 하고
내 정신과 육체가 기쁨을 얻게 하소서.
우리의 하나님께 영광을 돌리자!

8. 레치타티보: 테너
그리스도의 이름을 부르는 너희들,
우리의 하나님께 영광을 돌리자!
하나님의 권능을 인정하는 너희들,
우리의 하나님께 영광을 돌리자!
거짓 우상을 경멸하라
주님이 하나님이시다, 주님이 하나님이시다.
우리의 하나님께 영광을 돌리자!

9. 코랄
그분 얼굴 앞으로 나와
환호성을 지르고 기쁨으로 도약하라.
약속한 의무를 다하고
즐겁게 노래를 부르자.
하나님은 모든 것을 잘 헤아리시고
모든 것을 올바로 행하셨으니
우리의 하나님께 영광을 돌리자!

BWV 106

Gottes Zeit ist die allerbeste Zeit

(Actus Tragicus)

1. Sonatina E♭/F 𝄴

2a. Chor E♭-c/F-d 𝄴, 3/4, 𝄴

Gottes Zeit ist die allerbeste Zeit.
“In ihm leben, weben und sind wir,” solange er will.
In ihm sterben wir zur rechten Zeit, wenn er will.

2b. Arioso: Tenor c/d 𝄴

Ach, Herr, “lehre uns bedenken,
dass wir sterben müssen,
auf dass wir klug werden.”

2c. Arioso: Bass c-f/d-g 3/8

“Bestelle dein Haus;
denn du wirst sterben und nicht lebendig bleiben!”

2d. Chor f/g 𝄴

“Es ist der alte Bund”: Mensch, “du musst sterben!”
“Ja, komm, Herr Jesu, komm!”

BWV 106
하나님이 정하신 때가 가장 좋습니다
(추도 예배)

- 1707년 뮐하우젠 작곡, 1707년 8월 10일 뮐하우젠 초연(추정)
- 리코더 2, 비올라 다 감바 2, 콘티누오
- 사도행전 17:28 (2a); 시편 90:12 (2b); 이사야 38:1 (2c); 요한 레온 (2d); 누가복음 23: 43, 마르틴 루터 (3b); 아담 로이스너 (4)

1. 소나티나

2a. 합창

하나님이 정하신 때가 가장 좋습니다.
그분이 원하실 때까지 "우리는 그분 안에서 살고 움직이며 존재합니다."
그분이 원하시는 알맞은 때에 우리는 그분 안에서 죽습니다.

2b. 아리오소: 테너

아 주님, "우리가 언젠가는
죽을 운명임을 알게 가르치시어,
우리가 지혜로워지게 하소서."

2c. 아리오소: 베이스

"너의 집안일을 정리하여라.
너는 회복하지 못하고 죽을 것이니!"

2d. 합창

"이는 오랜 언약이다." 사람아, "너는 죽으리로다!"
"그리하오면, 오소서, 주 예수님, 오소서!"

3a. Aria: Alto b/c **C**

"In deine Hände befehl ich meinen Geist;
du hast mich erlöset, Herr, du getreuer Gott."

3b. Arioso: Bass; Choral: Alto A♭-c/B♭-d **C**

(Bass)
"Heute wirst du mit mir im Paradies sein."

(Alto)
Mit Fried und Freud ich fahr dahin
In Gottes Willen,
Getrost ist mir mein Herz und Sinn,
Sanft und stille.
Wie Gott mir verheißen hat:
Der Tod ist mein Schlaf worden.

4. Choral E♭/F **C**

Glorie, Lob, Ehr und Herrlichkeit!
Sei dir Gott, Vater und Sohn bereit,
Dem heilgen Geist mit Namen!
Die göttlich Kraft
Macht uns sieghaft
Durch Jesum Christum, Amen.

3a. 아리아: 알토

“나의 영을 당신 손에 맡깁니다.
신실하신 주님, 당신이 나를 구원하셨나이다.”

3b. 아리오소: 베이스; 코랄: 알토

(베이스)
“오늘 네가 나와 함께 낙원에 있으리라.”

(알토)
평화롭고 기쁘게 나는 떠나네
하나님이 뜻하신 대로;
내 마음과 정신은 위로 받았네
부드럽고 잔잔하게;
하나님이 약속하신 대로
죽음은 나의 잠이 되었네.

4. 코랄

영광과 찬양과 존귀와 존엄이
성부와 성자이신 하나님과
또한 성령의 이름에 있기를!
하나님의 능력이
우리를 승리하게 하시리라.
예수 그리스도를 통하여, 아멘.

BWV 157

Ich lasse dich nicht,
du segnest mich denn!

1. Aria: Tenor, Bass b **C**

Ich lasse dich nicht, du segnest mich denn!

2. Aria: Tenor f♯ 3/8

Ich halte meinen Jesum feste,
Ich laß ihn nun und ewig nicht.
Er ist allein mein Aufenthalt,
Drum faßt mein Glaube mit Gewalt
Sein segenreiches Angesicht;
Denn dieser Trost ist doch der beste.

3. Recitativo: Tenor A-D **C**

Mein lieber Jesu du,
Wenn ich Verdruß und Kummer leide,
So bist du meine Freude,
In Unruh meine Ruh
Und in der Angst mein sanftes Bette;
Die falsche Welt ist nicht getreu,
Der Himmel muß veralten,
Die Lust der Welt vergeht wie Spreu;

BWV 157
나를 축복해주시지 않으면 놓아드리지 않으리라!

- 1727년 라이프치히 작곡, 1727년 2월 6일 폼센 초연 (요한 크리스토프 폰 포니카우 추도 음악, 이후 마리아 정결례 축일 칸타타로 바뀜)
- 가로 플루트, 오보에, 오보에 다모레, 독주 바이올린, 바이올린 2, 비올라, 콘티누오
- 창세기 32:26 (1); 크리스티안 케이만 (5), 피칸더 (2-5)

1. 아리아: 테너, 베이스

"나를 축복해 주시지 않으면 놓아드리지 않으리라!"

2. 아리아: 테너

나의 예수님을 꼭 붙잡고 이제 영원히 놓아드리지 않으리라.
오직 그분만이 나의 안식처이니
은총 가득한 그의 얼굴을
나의 믿음이 힘껏 붙들리라.
이 위안이 더없이 좋으니
나는 예수님을 꼭 붙잡으리라.

3. 레치타티보: 테너

당신은 내가 사랑하는 예수님
내가 불만과 근심에 시달릴 때
당신은 나의 기쁨이 되고
불안을 느낄 때는 나의 평온이자
두려움에 떨 때는 나의 부드러운 잠자리라네.
그릇된 세상은 진실하지 못하고
하늘은 쇠퇴해 가며
세상의 즐거움은 쭉정이처럼 흩어지네.

Wenn ich dich nicht, mein Jesu, hätte,

An wen sollt ich mich sonsten halten?

Drum laß ich nimmermehr von dir,

Dein Segen bleibe denn bei mir.

4. Aria, Recitativo e Arioso: Bass D **C**

Ja, ja, ich halte Jesum feste,

So geh ich auch zum Himmel ein,

Wo Gott und seines Lammes Gäste

In Kronen zu der Hochzeit sein.

Da laß ich nicht, mein Heil, von dir,

Da bleibt dein Segen auch bei mir.

Ei, wie vergnügt Ist mir mein Sterbekasten,

Weil Jesus mir in Armen liegt!

So kann mein Geist recht freudig rasten!

Ja, ja, ich halte Jesum feste,

So geb ich auch zum Himmel ein!

O schöner Ort!

Komm, sanfter Tod, und führ mich fort,

Wo Gott und seines Lammes Gäste

In Kronen zu der Hochzeit sein.

Ich bin erfreut,

Das Elend dieser Zeit

Noch von mir heute abzulegen;

나의 예수님, 당신이 없다면
내가 누구에게 의지해야 할까요?
그러니 나에게 축복을 내려주시지 않으면
당신을 영원히 보내지 않으리라.

4. 아리아 & 레치타티보 & 아리오소: 베이스

네, 내가 예수님을 꼭 붙잡고 있으니
나 또한 하늘나라로 들어가리라.
하나님과 그의 어린 양에게 초대받은 손님들이
왕관을 쓰고 결혼식에 모여 있는 곳.
그곳에서, 나의 구세주여, 나는 당신을 떠나지 않으리라
당신의 축복이 나에게도 영원히 쏟아지는 곳.

아, 내가 누울 나의 관이
얼마나 큰 기쁨인지요. 예수가 내 품에 계시니!
나의 영은 기쁘게 안식하리라!

네, 내가 예수님을 꼭 붙잡고 있으니
나 또한 하늘나라로 들어가리라.

오 아름다운 곳!
오라, 부드러운 죽음이여, 와서 나를 데려가라!

하나님과 그의 어린 양에게 초대받은 손님들이
왕관을 쓰고 결혼식에 모여 있는 곳.

내가 얼마나 기쁜지요,
이 시대의 불행을
오늘 벗어던지게 되었으니.

Denn Jesus wartet mein im Himmel mit dem Segen.

Da laß ich nicht, mein Heil, von dir,
Da bleibt dein Segen auch bei mir.

5. Choral D **C**

Meinen Jesum laß ich nicht,
Geh ihm ewig an der Seiten;
Christus läßt mich für und für
Zu dem Lebensbächlein leiten.
Selig, wer mit mir so spricht:
Meinen Jesum laß ich nicht.

예수가 나를 축복하려 하늘나라에서 기다립니다.

그곳에서, 나의 구세주여, 나는 당신을 떠나지 않으리라
당신의 축복이 나에게도 영원히 쏟아지는 곳.

5. 코랄
나는 예수님을 놓지 않으리라,
영원히 그분 곁에서 걸으리라.
그리스도는 나를 언제까지나
생명의 물가로 이끄시리라.
행복하여라, 나와 함께 이렇게 말하는 자:
나는 예수님을 놓지 않으리라.

찾아보기

이기숙 옮김

연세대학교 독어독문과를 졸업하고 독일 뒤셀도르프 대학에서 언어학을 공부한 뒤 박사학위를 받았다. 현재 번역가로 활동하면서 독일 인문사회과학서, 예술서, 소설 그리고 어린이책을 우리말로 옮기고 있다. 제17회 한독문학번역상을 수상했으며, 옮긴 책으로는 『아바도 평전』, 『새해』, 『들판』, 『음과 말』, 『아인슈타인은 왜 양말을 신지 않았을까』, 『등 뒤의 세상』, 『푸르트벵글러』, 『이탈리아 르네상스의 문화』 등이 있다.

나주리 해제

한양대학교 음악대학 피아노과를 졸업하고, 독일 마부르크 대학교에서 음악학(Musicology) 석사학위를, 라이프치히 대학교에서 음악학 박사학위(Ph. D.)를 취득했다. 현재 동덕여자대학교 예술대학 관현악과 교수로 재직 중이다. 주요 논문으로 "바흐의 '바이올린 솔로를 위한 소나타'의 푸가들. 그 작법과 의미의 특이성에 대하여", "요한 세바스티안 바흐의 종교적 성악작품에 나타나는 악기의 상징성: 칸타타와 수난곡의 레치타티보와 아리아를 중심으로", "후기 베토벤의 대위법적 언어, 그리고 바흐: 베토벤의 후기 현악4중주 op. 130을 중심으로" 등이 있고, 저서로는 『메세나와 상상력. 근대 유럽의 문학과 예술 후원』(공저), 『뮤직테오리아』(공저), 역서로는 『베토벤』(공역), 『바흐의 아들들』(공역) 등이 있다.

요한 제바스티안 바흐 교회 칸타타

이기숙 옮김
나주리 해제

초판 1쇄 인쇄 2021년 11월 20일
초판 1쇄 발행 2021년 12월 3일
ISBN 979-11-90853-22-4 (03670)

발행처 도서출판 마티
출판등록 2005년 4월 13일
등록번호 제2005-22호
발행인 정희경
편집 박정현, 서성진, 전은재
디자인 조정은

주소 서울시 마포구 잔다리로 127-1, 8층 (03997)
전화 02. 333. 3110
팩스 02. 333. 3169

이메일 matibook@naver.com
홈페이지 matibooks.com
인스타그램 matibooks
트위터 twitter.com/matibook
페이스북 facebook.com/matibooks